LES DERNIERS HOMMES

Les guerriers du silence :
1. Les guerriers du silence, *J'ai lu* 4754
2. Terra Mater, *J'ai lu* 4963
3. La citadelle Hyponéros, *J'ai lu* 5088

Wang :
1. Les portes d'Occident, *J'ai lu* 5285
2. Les aigles d'Orient, *J'ai lu* 5405

Atlantis – Les fils du Rayon d'or, *J'ai lu* 4829
Abzalon, *J'ai lu* 6334
Les fables de l'Humpur, *J'ai lu Millénaires*, *J'ai lu* 6280
Les derniers hommes, *J'ai lu Millénaires*

Les derniers hommes :
1. Le peuple de l'eau, *Librio* 332
2. Le cinquième ange, *Librio* 333
3. Les légions de l'apocalypse, *Librio* 334
4. Les chemins du secret, *Librio* 335
5. Les douze Tribus, *Librio* 336
6. Le dernier jugement, *Librio* 337

Nuits-lumière, *Librio* 564

PIERRE BORDAGE

LES DERNIERS HOMMES

Édition définitive revue par l'auteur

CHAPITRE 1

Helaïnn l'ancienne retroussa sa robe, s'agenouilla au bord de la cuve, trempa l'index dans l'eau pendant quelques instants puis, avec d'infinies précautions, l'approcha de ses lèvres rainurées. Comme tous les sourciers, elle ne pouvait se fier qu'à son goût pour détecter la présence éventuelle d'ultra-cyanure.

Solman le boiteux, qui se tenait en arrière avec les apprentis, la vit effleurer de la pointe de la langue la pulpe de son doigt. Le poison foudroyant des anguilles[GM] aurait pu la tuer en une poignée de secondes. Enfouie une cinquantaine de mètres sous terre, l'eau répandait une tenace odeur de chlore – plutôt bon signe... – et de rouille. D'imperceptibles secousses telluriques hérissaient sa surface noire balayée par les faisceaux des torches.

Les quinze membres de la troupe s'étaient glissés l'un après l'autre dans un anneau de béton étroit, raide, fissuré, puis, bloqués par un éboulement trente mètres plus bas, ils avaient dégagé le passage à l'aide de pioches, de pelles, et remonté les gravats, la terre et les pierres dans les sacs en toile. Le déblaiement des boyaux d'accès aux nappes phréatiques ou aux cuves artificielles était l'aspect le moins plaisant du travail de sourcier : tant qu'ils ne l'avaient pas goûtée, ils ne pouvaient pas savoir si l'eau détectée par les baguettes était potable, et il leur arrivait souvent de tomber sur une nappe ou une cuve contaminée après avoir passé trois ou quatre jours entiers à nettoyer une galerie.

C'était la première fois que Solman participait à une rhabde, une quête d'eau. Et la dernière, sans doute, car son infirmité avait retardé à plusieurs reprises le groupe d'Helaïnn l'ancienne, et même s'ils ne lui avaient adressé aucun reproche, il avait lu dans leurs yeux que sa place n'était pas parmi eux. Sa place était avec les enfants, avec les vieillards, avec ceux que la maladie ou l'impotence condamnait à demeurer dans le camp sous la garde des chauffeurs. Les autres le vénéraient, raison pour laquelle ils n'avaient pas osé lui refuser cette faveur, mais leur respect était également une façon de le confiner dans son rôle de clairvoyant, de le tenir à l'écart des activités quotidiennes du peuple aquariote. Pourtant, il avait aimé se glisser au petit matin dans le groupe d'Helaïnn, il avait aimé sortir de l'enceinte étouffante des tentes dressées à l'intérieur du cercle des camions-citernes, marcher à travers la plaine jonchée de rochers gris et arrondis, partager leurs repas, leurs rituels, leurs rires, il avait frémi avec eux lorsque le vent avait colporté les aboiements d'une meute de chiens sauvages ou le bourdonnement d'une nuée de hannetonsgm venimeux, il s'était réjoui avec eux lorsque les baguettes avaient vibré dans la même harmonique et que les apprentis avaient coupé les ronces pour découvrir le tampon de la gaine d'accès à la cuve.

Helaïnn se redressa et réprima une grimace avant de rabattre sa robe sur ses jambes. Âgée de soixante-douze ans, la doyenne des sourciers poussait son corps usé dans ses derniers retranchements. Ignorant la douleur aiguë qui montait de ses os et de ses articulations, elle retardait jusqu'à l'inéluctable le moment de passer la main. Jamais personne ne l'avait entendue se plaindre, jamais personne n'avait eu l'occasion de se repaître de sa faiblesse. Les pères et les mères du peuple ne l'avaient pas encore relevée de sa charge bien qu'elle eût depuis longtemps passé la limite d'âge. Seul Solman savait quel calvaire elle endurait chaque minute, chaque seconde de son existence. Il enviait presque cette souffrance, cette rançon d'une vie de labeur et de mouvement que lui interdisaient sa jambe tordue et sa condition de donneur.

Un sourire se creusa comme une ride supplémentaire sur la face de la vieille femme sculptée par les rayons convergents des torches. Elle prononça les paroles d'usage :

« Que deux d'entre vous courent annoncer aux pères et aux mères du peuple que l'eau nous est donnée. »

Les parois et le plafond métalliques réverbérèrent sa voix et, pendant quelques secondes, entretinrent l'illusion qu'un bataillon de femmes se chamaillaient dans le ventre de la terre. Des cris de joie éclatèrent comme des déflagrations dans la pénombre de la cuve. Au bout de cinq semaines de recherches infructueuses, ils avaient enfin trouvé de l'eau potable, le plus précieux des trésors, le fondement de toute vie. Le peuple aquariote pourrait lever le camp avant l'arrivée de l'hiver, traverser les terres désertiques de l'Europe centrale en direction du soleil couchant, gagner les régions plus clémentes de la côte atlantique, se rendre au grand rassemblement où il distribuerait une partie de son eau aux autres peuples nomades en échange de nourriture et de produits de première nécessité.

Appuyé contre la paroi de la cuve, la jambe douloureuse, Solman regrettait à présent d'avoir accompagné les sourciers dans leur rhabde : cette expédition avait eu pour seul résultat d'accentuer son sentiment d'être exclu du monde réel, de passer au large de la vraie vie. Son don le condamnait à la solitude davantage que son infirmité. On ne recherche pas la complicité, et encore moins l'amour, d'un être qui lit dans l'esprit humain comme dans un livre ouvert. Seule Raïma la guérisseuse acceptait de partager son intimité parce que, comme lui, elle était née avec un don et une malédiction physique et que, contrairement aux autres, elle se fichait totalement de ce qu'on pensait d'elle.

Deux apprentis, un garçon et une fille, se faufilèrent en souplesse dans la bouche de la gaine d'accès qui vomissait une colonne inclinée de lumière sale.

« Elle a un fichu goût de rouille mais elle est saine »,
reprit Helaïnn.

Les membres du groupe s'accroupirent à leur tour au
bord de la cuve et goûtèrent l'eau avec circonspection,
non qu'ils doutassent du jugement de l'ancienne, mais
la hantise de l'empoisonnement avait développé en eux
une prudence, une méfiance de tous les instants. Selon
les anciens, qui eux-mêmes tenaient l'histoire de leurs
propres anciens, les anguilles génétiquement modifiées
avaient été introduites par les biologistes de la coalition
IAA (indo-arabo-américaine) au cours de la Troisième
Guerre mondiale. Déversant leur poison dans les fleuves,
dans les rivières, dans les lacs, dans les étangs, dans les
ruisseaux, dans les marais, elles avaient infecté la plupart des nappes phréatiques, des réserves artificielles,
et avaient entraîné l'extinction de milliers d'espèces animales et végétales. La pollution n'avait épargné que les
cuves étanches enterrées par les soldats de la Ligne PMP
(Paris-Moscou-Pékin) et disséminées sur un territoire
qui s'étendait de la côte atlantique jusqu'à la mer de
Chine. Les sourciers dénichaient de temps à autre une
retenue naturelle d'une pureté inégalable, mais c'étaient
ces citernes, initialement prévues pour le ravitaillement
des armées pendant le conflit, qui couvraient l'essentiel
des besoins du peuple aquariote et des autres peuples
nomades.

« Bois. »

La voix d'Helaïnn tira Solman de ses pensées. Elle
s'était approchée en silence, les lèvres étirées en un
sourire qui dévoilait ses dents supérieures, des stalactites jaunes, poreuses et tremblantes dans une cavité aux
bords noirs et crevassés. Sous la broussaille grise de ses
cheveux et de ses sourcils, ses yeux ternes bâillaient
comme des puits asséchés. Il prit le gobelet d'argent
qu'elle lui tendait et but une gorgée d'eau dont la saveur
à la fois acide et amère lui donna un début de nausée.
Cependant, conscient que l'offrande de la première eau
était une forme d'hommage – et une manière détournée
de lui signifier que l'expérience ne se renouvellerait

pas –, il s'astreignit à vider le gobelet jusqu'à la dernière goutte.

Il lut de la peur et du soulagement dans le regard de l'ancienne. En lui confiant la garde de Solman le boiteux, les pères et les mères du peuple l'avaient investie d'une responsabilité écrasante. Les dangers étaient multiples hors des limites du campement, hordes d'animaux sauvages, nuées d'insectes venimeux, mines à fragmentation abandonnées par les armées de la ligne PMP, végétation tueuse, feux spontanés... et plus encore pour un garçon de dix-sept ou dix-huit ans dont l'infirmité aurait représenté un handicap insurmontable en cas d'urgence. Et puis la présence permanente d'un donneur, d'un clairvoyant, engendrait chez la vieille sourcière une autre crainte, plus diffuse mais plus redoutable, la peur d'être percée à jour, d'être traquée dans son intimité, d'être dépouillée des secrets plus ou moins avouables accumulés tout au long de ses soixante-douze années d'existence.

Solman rendit son gobelet à Helaïnn, qui le glissa précipitamment dans la poche ventrale de sa robe, une pièce de tissu rêche et gris drapée autour des épaules et resserrée à la taille. Elle lui prêtait un trop grand pouvoir, comme à tous les donneurs. Solman avait seulement la capacité d'entendre au-delà des mots, de voir au-delà des apparences, de détecter les intentions réelles qui se terraient derrière les déclarations, derrière les façades. Il savait qu'Helaïnn se tuait à la tâche pour étouffer la culpabilité qui la cuisait à petit feu depuis qu'une horde de chiens sauvages avait emporté ses deux enfants en bas âge, mais, si personne ne lui avait raconté les circonstances du drame qui s'était joué quarante-cinq années plus tôt dans les montagnes paisibles de l'Austro-Suisse, il n'aurait ressenti qu'une impression générale, quelque chose comme un accord dissonant et persistant. Là où les autres croyaient qu'il captait la moindre de leurs pensées, il ne faisait que percevoir des contradictions, des discordances, des failles, flairer le mensonge, la supercherie, la fourberie avec la même infaillibilité que les chiens dressés du peuple virgote détectaient les mines à fragmentation.

Il avait pris conscience de son don à l'âge de six ans, un soir d'été, alors qu'il venait tout juste de se coucher et que ses parents buvaient le thé traditionnel sous l'auvent de la tente. Sa famille faisait partie de celles qui s'installaient légèrement à l'écart du campement, gagnant en intimité ce qu'elles perdaient en sécurité. Un visiteur avait surgi de la nuit pour se joindre à ses parents, un inconnu dont il avait décelé les intentions meurtrières dès qu'il avait entendu sa voix. Il avait éprouvé une violente douleur au ventre qui l'avait suffoqué et cloué sur son matelas. Il avait voulu hurler mais aucun son n'était sorti de sa gorge. À la lueur de la pleine lune, au travers de la cloison de toile, il avait vu l'ombre immense de l'homme se faufiler derrière son père tandis que sa mère s'affairait dans la pièce centrale de la tente, il avait entendu un hoquet étranglé, puis un borborygme, le bruit atroce d'un tuyau se vidant de son air, il avait vu son père glisser de sa chaise et l'autre traîner son corps sur quelques mètres, il avait entendu des cris, ceux menaçants du visiteur et ceux, suppliants, de sa mère, puis des bruits sourds, odieux, de corps s'entrechoquant, des grognements de bête, des plaintes étouffées... Horrifié, affolé, il avait rampé hors de son lit, s'était glissé sous la toile et avait erré une grande partie de la nuit au milieu des bruyères. Il s'était effondré en larmes sur une plage de galets où des hommes l'avaient retrouvé le lendemain matin, prostré au pied d'un rocher.

Les pères et les mères du conseil aquariote lui avaient confirmé la mort de ses parents. Solman ne se rappelait plus les paroles qu'il avait lui-même prononcées, il se souvenait seulement de son chagrin, une coulée de glace se déversant de son plexus, figeant sa tête et son corps tout entier, l'isolant du reste du monde. Sans doute les pères et les mères du peuple avaient-ils discerné son don de clairvoyance dans sa détresse puisque, quelques semaines plus tard, ils lui avaient demandé de les accompagner à une rencontre avec les Slangs, le clan des troquants d'armes. Malgré son jeune âge, il avait immédiatement deviné que, sous les propositions alléchantes de ces derniers, se cachait le projet de prendre le contrôle de la distribution de l'eau. Les Slangs prévoyaient d'entraîner le peuple aquariote dans les ruines de Berlin, une ville de l'ancienne Allemagne, afin de l'exterminer, hormis les sourciers qu'ils contraindraient à travailler pour leur compte. L'eau, dans les mains de clans qui ne respectaient pas l'Éthique nomade, pouvait devenir la plus terrible des armes. Au sortir de l'entrevue, les pères et les mères du peuple aquariote avaient écouté Solman avec une gravité qui semblait indiquer qu'ils prenaient ses déclarations au sérieux. Ils s'étaient pourtant rendus à Berlin à la date convenue. Solman, resté sur les bords de l'Atlantique en compagnie des enfants, des vieillards et d'une poignée de gardiens, en avait compris la raison des années plus tard : ils avaient profité de l'occasion pour vérifier la fiabilité de son don et, à l'aide de volontaires venus d'autres peuples nomades, retourner leur piège contre les Slangs.

En revanche, ils n'avaient jamais retrouvé l'assassin de ses parents.

Helaïnn rajusta à plusieurs reprises le haut de sa robe et tortura un long moment une de ses mèches grises avant de poser la question qui lui brûlait les lèvres. Il émanait d'elle une essence fleurie qui ne parvenait pas à masquer son odeur, un mélange de vieux cuir, de tabac et d'humus.

« T'es... t'es content de ta rhabde, Solman ? »

Puisque tu as vu comment ça se passait, puisque la quête d'eau a été couronnée de succès, tu n'as plus aucune raison de venir nous emmerder avec ta patte folle et ta manie de fouiner dans les têtes, traduisit-il.

Accroupis ou debout, les autres avaient suspendu leurs gestes pour écouter la réponse du boiteux. Toute la journée, ils s'étaient abstenus de leurs plaisanteries habituelles, dont le sexe était le sujet principal, presque exclusif, et cette continence verbale avait conféré à la rhabde une solennité inhabituelle, déroutante, et pour tout dire, désagréable. L'eau parcourue de frissons était désormais la seule entité en mouvement dans les ténèbres de la cuve perforées par les traits étincelants des torches.

« Oui, et... je vous remercie encore de m'avoir accepté parmi vous », répondit Solman.

Il espéra qu'ils ne remarqueraient pas la crispation de ses lèvres ni les fêlures de sa voix. À quoi aurait-il servi de leur jeter sa déception à la figure ? Il avait cru qu'en se rendant sur leur terrain, en s'immisçant dans leur quotidien, ils le regarderaient comme l'un des leurs, ou, à défaut, comme un jeune homme de dix-huit ans soumis aux mêmes désirs, aux mêmes tourments que les garçons et les filles de son âge, mais ils avaient été incapables de le considérer comme autre chose qu'une sorte d'animal étrange, inquiétant, qu'il avait fallu, sur l'ordre des pères et des mères du peuple, sortir de sa cage et promener toute une journée dans une plaine désolée d'Ukraine. Eux étaient des êtres robustes, habitués au grand air, aux longues marches, aux corvées de déblayage, aux dangers extérieurs ; eux portaient un attirail d'outils et d'armes dont le poids avoisinait les quarante kilos ; eux avaient le visage tanné par le soleil, des bras et des jambes aux muscles saillants, luisants ; eux débordaient de santé, de vigueur, de sensualité. Les hommes – y compris les plus anciens – sautaient sur le moindre prétexte pour retirer leur tunique ou leur chemise et exhiber leur échine et leur cou de taureau, les femmes – y compris les plus anciennes – dévoilaient sans cesse des bouts de leurs corps en défaisant et refaisant les drapés de leurs robes. Lui était d'une maigreur et d'une pâleur maladives ; ses membres – surtout la jambe gauche, malformée et plus courte que la droite – partaient de son tronc comme des lianes anémiées et folles ; une vague déferlante de cheveux fous et noirs lui balayait la moitié du visage où brillaient deux yeux immenses, d'un bleu clair tirant sur le blanc, des yeux d'un ciel d'hiver matinal ; des yeux que personne, pas même les pères et les mères du peuple, n'acceptait de fixer pendant plus d'une seconde. Lui devait s'arrêter au bout d'une heure de marche pour détendre sa jambe gauche endolorie, comme criblée de coups de poignard. Lui cachait sa peau blême, ses genoux cagneux, ses bras torses, ses côtes et ses clavicules saillantes sous de larges vêtements de peau, tunique, pantalon et bottes. Lui était exclu du langage du corps, de la séduction.

« T'as eu une sacrée veine de trouver de l'eau à la première rhabde », ajouta Helaïnn, qui semblait peu à peu se détendre.

Il faillit lui rétorquer que c'était peut-être lui qui avait porté chance aux sourciers. Et d'ailleurs il n'était pas loin de le penser vraiment. Ce n'était pas de l'orgueil, mais une impression pénétrante, persistante, qui se cristallisait peu à peu en évidence.

« Une sacrée veine », répéta-t-il avec un sourire mécanique.

Il se sentait las, fripé, comme une outre crevée, vidée de ses dernières gouttes.

« Les animaux sauvages, ils n'ont pas accès aux cuves ni aux sources souterraines, reprit-il. Comment se fait-il qu'ils ne s'empoisonnent jamais ? »

Une question qu'il s'était souvent posée et à laquelle personne ne lui avait encore fourni de réponse satisfaisante.

« On dit qu'ils sont immunisés, dit Helaïnn sans conviction.

— Leur viande devrait être infectée...

— Ils ont trouvé le moyen d'éliminer le poison. Une mutation génétique. »

Solman hocha la tête. Helaïnn l'ancienne était aussi ignorante que les autres à ce sujet. Il lui tardait maintenant de sortir de cette cuve, de cette atmosphère saturée d'oxyde de fer.

Les premiers camions arrivèrent au moment où le soleil s'affaissait à l'horizon dans un dernier et fastueux déploiement d'or, de mauve et de pourpre. Solman regarda distraitement les grands véhicules se faufiler entre les rochers qui luisaient comme d'énormes braises au milieu des herbes frissonnantes. Guidé par les sourciers, le premier camion, qui avait subi tant de réparations qu'il ressemblait à un mammifère marin enrobé de plusieurs couches de coquillages, s'immobilisa près de la bouche de la gaine d'accès à la cuve. Le chauffeur sauta au sol – il s'agissait bien de sauter, la cabine étant perchée à plus de deux mètres – et, après avoir chaleureusement congratulé Helaïnn pour sa rhabde, commença à dérouler le tuyau souple placé sous le ventre de la citerne. Le moteur continuait de ronronner, émettant une légère odeur de gaz dispersée par le vent. Deux apprentis s'emparèrent de l'extrémité du tuyau et se glissèrent dans la gaine. Au bout de quelques minutes, l'un d'eux revint pour donner le signal du transvasement. Le chauffeur actionna une manette située à l'arrière de la citerne et le deuxième moteur, celui de la pompe, se déclencha dans un ronflement agressif qui dérapait parfois dans les aigus et devenait insupportable.

« Problème de courroie ! cria le chauffeur, avec un sourire d'excuse, à l'intention d'Helaïnn.

— Du moment que c'est pas un problème de piston ! » fit-elle avec un sourire égrillard.

Même elle, même l'ancienne détruite par les remords, même elle dont le corps n'était plus qu'un creuset de souffrance, elle éprouvait le besoin de montrer qu'elle pouvait encore plaire, ou du moins nouer une complicité grivoise avec un homme de trente ou quarante ans son cadet.

Assis sur le flanc d'un grand rocher, Solman les voyait s'agiter autour des camions, hommes et femmes, jeunes et moins jeunes, sourciers et chauffeurs, comme des abeilles ivres de pollen autour de leur reine. Ils avaient posé les outils, les armes, les fusils d'assaut, les pistolets, les cartouchières, comme si, maintenant qu'ils avaient trouvé de l'eau, plus rien ne pouvait leur arriver. Les femmes dénouaient leurs cheveux, dénudaient leurs épaules et leurs bras épaissis par les corvées de déblaiement des galeries, repoussaient les avances des hommes tout en riant à gorge déployée à chacune de leurs plaisanteries. Les rayons rasants du soleil miroitaient sur les flancs lisses et rebondis des citernes. Le vent, bien qu'encore doux, s'imprégnait d'une fraîcheur annonciatrice des premiers frimas de l'automne.

Une douleur fulgurante au ventre cloua Solman sur le rocher.

La même que celle qui l'avait paralysé onze ans plus tôt dans la tente de ses parents. Il contint une violente envie de vomir, reprit son souffle, repoussa la souffrance pour se redresser et observer les silhouettes nimbées de lumière rouille qui papillonnaient d'un camion à l'autre. Il ne détecta pas d'intentions meurtrières chez les sourciers et les chauffeurs : c'était dans la nuit naissante, dans les étoiles, dans les rochers, dans la brise, dans la terre, dans les bruits que semblaient se nicher les promesses du malheur. Derrière cette sérénité crépusculaire se pressait une armée d'ombres menaçantes, grinçantes.

Il eut la certitude qu'elles ne cernaient pas seulement les sourciers, pas seulement les hommes et les femmes du peuple aquariote, mais l'ensemble des peuples qui parcouraient les vastes territoires de l'Europe. Comme dans la tente de ses parents onze ans plus tôt, il demeura incapable d'esquisser le moindre geste et son hurlement resta coincé entre son ventre et sa gorge. Puis sa dernière conversation avec Raïma la guérisseuse lui revint en mémoire avec une acuité blessante. Elle avait prononcé un mot étrange, tiré selon elle de l'ancienne religion dominante du continent européen et qui, dans sa bouche, avait claqué comme une terrible menace : Apocalypse.

CHAPITRE 2

« L'Apocalypse... »

Le grondement assourdissant des moteurs avait contraint Raïma à hurler.

Le convoi s'était ébranlé à l'aube après le démontage des tentes et la cérémonie rituelle préludant au voyage. Les deux cent vingt camions tractaient chacun, outre leur citerne, une ou plusieurs voitures qui transportaient dix à vingt membres du peuple aquariote ainsi qu'une ou plusieurs remorques bâchées qui contenaient le matériel. D'une longueur d'un kilomètre, la caravane ressemblait à une gigantesque chenille hérissée de hautes cheminées qui crachaient des panaches de fumée plus ou moins sombres selon l'usure des moteurs. Hérissée, également, de plates-formes où veillaient les guetteurs, des hommes et des femmes perchés un mètre au-dessus des cabines, sanglés sur des sièges métalliques et armés de fusils d'assaut.

Raïma n'avait pas invité Solman à prendre place dans sa voiture, comme à l'habitude, mais dans une remorque bâchée. Elle ne voulait pas être dérangée, avait-elle précisé avec un sourire énigmatique.

La lumière s'invitait sous la bâche par quatre vitres circulaires et révélait un fouillis de tapis et de rouleaux de tissu d'où s'exhalaient des odeurs de poussière, de naphtaline et d'encens. Raïma se redressa sur un coude, tendit le bras et referma lentement la main sur les particules dorées qui vibraient dans les colonnes scintillantes et obliques. Plus âgée que Solman – elle prétendait qu'elle avait tout juste dépassé la vingtaine, mais, selon certains, elle était plus proche de la trentaine –, elle s'enveloppait quelle que fût la saison dans plusieurs couches de tissu savamment enchevêtrées les unes dans les autres et destinées à masquer les déformations de son corps. Elle faisait partie de ces enfants nés avec la malédiction de la transgénose, une saloperie génétique qui entraînait d'abord une altération de la peau, puis une recomposition chaotique des muscles, des tendons, des os, des organes, des membres, du corps tout entier, et enfin la mort à l'issue d'une très longue agonie. Raïma avait entamé depuis deux ans la phase dite de « reconstruction », qui se manifestait par l'émergence sur son dos et son ventre d'excroissances semblables à des moignons. La maladie avait pour l'instant épargné son visage, encadré de somptueuses cascades de cheveux teints au hinna, mais ses joues autrefois rondes s'étaient creusées et ses yeux noirs brillaient d'un éclat dur, presque coupant. Par l'un de ces détours ironiques dont est coutumier le destin, elle avait également hérité à sa naissance le don de la guérison : sa compréhension instinctive de la physiologie et de la psychologie humaines s'associait à sa connaissance des plantes pour lui permettre de soulager la plupart des maux des hommes et des femmes qui venaient la consulter. La vie l'avait condamnée à soigner ses contemporains tout en lui infligeant un mal contre lequel il n'existait aucun remède.

Elle joua un petit moment avec les particules en suspension avant de se rallonger et, la tête posée sur ses mains entrecroisées, de s'abandonner aux secousses. Le convoi progressait maintenant sur une portion plane à en juger par le ronronnement assourdi des camions les plus proches.

« Ça t'intéresse vraiment ? » demanda-t-elle en jetant un regard en coin à Solman.

Il acquiesça d'un hochement de tête.

« Le Livre dit qu'après les sept étoiles, les sept chandeliers d'or et les sept sceaux, viendront les sept anges, dit-elle d'une voix rêveuse. Lorsque le premier ange fera sonner sa trompette, il y aura une grêle et un feu mêlés de sang, un tiers de la terre flambera, un tiers de la végétation sera détruite. Lorsque le deuxième fera sonner sa trompette, un tiers de la mer aura la consistance du sang, un tiers des créatures marines disparaîtra, un tiers des navires sera détruit. À la sonnerie du troisième ange, un astre tombera et brûlera comme une torche, l'eau aura l'amertume de l'absinthe, beaucoup d'hommes mourront après en avoir bu...

— L'absinthe ?

— Sans doute une variété d'armoise, une plante qui peut être mortelle si on ne sait pas la doser... Tout ça ne te dit rien ? »

Solman jeta un coup d'œil furtif par la vitre la plus proche. Il ne distingua qu'un petit cercle de ciel d'un bleu éclatant.

« Ça me dit seulement que ça a quelque chose à voir avec ce que je ressens là. »

Il désigna son bas-ventre. La douleur ne l'avait pas quitté durant les sept jours qui s'étaient écoulés après la capture d'eau du groupe d'Helaïnn l'ancienne. Et quand elle avait desserré son étau, qu'il avait enfin pu s'assoupir, il avait été harcelé par les cauchemars, par des visions tellement effrayantes qu'il s'était réveillé haletant, enveloppé de sueur froide, avec un sentiment de désespoir et d'impuissance aussi poignant que celui qu'il avait éprouvé le soir où ses parents avaient été assassinés.

« Ce livre, c'est un truc des religions mortes, non ? reprit-il avec une pointe d'agressivité. De celles qui ont conduit l'Humanité à la Troisième Guerre mondiale ! »

Raïma se redressa à nouveau et remonta le bas de ses robes pour entrecroiser les jambes. À la lueur d'un rai de soleil, Solman entrevit les petites bosses qui s'égrenaient le long de ses tibias. Une poignée de gènes devenus fous avaient décidé de greffer des membres inutiles et grotesques à ses jambes.

Au-dessus de leurs têtes, les cordes s'étant relâchées sous la pression de l'air, la bâche ondulait et claquait par endroits.

« Les pères et les mères du peuple nous ordonnent de rejeter les vieilles religions, mais je crois moi qu'elles nous ont laissé un message, un testament, et que les trois premiers anges ont déjà joué de leur satanée trompette, déclara-t-elle avec cet air buté et provocant qu'elle avait l'habitude de prendre pour assener ses vérités. Les trois premières sonneries, c'est la Grande Guerre. Elle a tué des millions d'hommes, détruit un tiers de la végétation, un tiers de la mer, un tiers des créatures marines et empoisonné toutes les eaux. La grêle et le feu mêlés de sang, ce sont les missiles, les bombes, les mines, les solbots. Le sang de la mer, ce sont les pays engloutis par les tremblements de terre, le Livre dit : On eût dit qu'une grande montagne embrasée était précipitée dans la mer. L'astre qui tombe et brûle comme une torche, ce sont les débris enflammés de la grande station orbitale. L'Absinthe, c'est le poison des anguilles^GM, la pollution de toutes les eaux... »

Elle se tut, comme épuisée par sa tirade, s'absorba pendant quelques secondes dans la contemplation d'une flaque lumineuse sur le coin d'un tapis, puis elle posa l'index sur le ventre de Solman.

« Tu es un donneur, reprit-elle avec une certaine solennité, un être qui voit et entend ce que les autres ne peuvent ni voir ni entendre. Et ce que tu entends là – son index s'enfonça dans la tunique et la peau de Solman –, c'est la trompette du quatrième ange. »

Ses yeux exorbités, luisants comme des braises, et ses lèvres tordues en un rictus lui donnaient l'air d'une démente. Il n'osait pas bouger, de peur que, comme un filet aux mailles blessantes, le regard de la jeune femme ne resserre encore son emprise. Une embardée brutale de la remorque les projeta tous les deux enchevêtrés contre le montant métallique. Le contact, bref mais brutal, électrisa Solman. Le convoi s'engageait probablement sur l'une des pistes chaotiques qui grimpaient à l'assaut des Carpates orientales. Les pères et les mères du peuple avaient opté pour la route du Centre, plus courte que la route du Nord mais plus escarpée, préférant affronter les pistes parfois périlleuses des Carpates et des Alpes plutôt que de risquer d'être surpris par l'hiver sur les étendues venteuses de Pologne, d'Allemagne et des Pays-Bas.

Raïma s'était déjà rassise lorsque Solman se redressa mais, contrairement à son habitude, elle ne chercha pas à resserrer les pans de tissu qui bâillaient par endroits et dévoilaient les excroissances de la longueur d'un pouce sur son ventre et ses épaules. En dépit de leur complicité, elle ne lui avait encore jamais montré, pas même par mégarde, les ravages qu'opérait sur elle la transgénose.

« Le quatrième ange ? » balbutia-t-il, fasciné, incapable de détacher les yeux de ces protubérances plus claires que la peau, presque translucides pour certaines.

Sa voix se perdit dans le hurlement des moteurs qui peinaient déjà dans les premiers lacets de la montagne.

« Le tiers du soleil, le tiers de la lune, le tiers des étoiles seront frappés, répondit-elle avec force. Un aigle volera au zénith et proclamera : Malheur aux habitants de la Terre quand sonneront les trompettes des trois derniers anges.

— Les aigles ne parlent pas ! »

Une réflexion stupide, il en était conscient, mais il avait éprouvé le besoin de dire quelque chose, avant tout pour dissiper la gêne qui lui nouait la gorge.

« L'aigle du Livre n'a pas nécessairement des plumes, dit-elle avec le calme affecté – et agaçant – d'une mère s'adressant à son enfant. Il peut être celui qui voit et entend avant les autres. Celui qui a mal au ventre, par exemple, quand approche l'heure des trois dernières sonneries. »

Il rejeta la tête en arrière, comme piqué par ses paroles.

« Je n'ai pas vu que le tiers du soleil, de la lune et des étoiles aient été frappés ! »

Elle eut un sourire ambigu et, d'un geste aérien, entreprit de dérouler l'une des étoffes qui lui enserraient le torse. La respiration de Solman se suspendit. Elle l'avait jusqu'alors traité comme un petit frère, comme un reflet à la fois fidèle et bienveillant de sa propre solitude, de ses propres tourments, mais aujourd'hui, elle semblait l'entraîner dans un tout autre jeu, comme s'il avait suffisamment grandi pour qu'elle puisse le rejoindre de l'autre côté du miroir. Il comprenait maintenant pourquoi elle l'avait convié à effectuer une partie du voyage dans l'anonymat d'une remorque.

« Le Livre n'est pas toujours facile à interpréter. C'est ce qui lui donne tout son prix... »

Elle continuait de dénouer les tissus sans cesser de le fixer. Il se sentit dans la peau d'un petit rongeur paralysé par les yeux d'un serpent. Une odeur de chair humide, acide, troublait les senteurs de poussière et d'encens. Il vit émerger les seins de Raïma et se mit à trembler de tous ses membres. Une chose était de croiser les femmes aquariotes qui déambulaient parfois nues dans les allées du campement, une autre était de se retrouver dans l'intimité d'une femme qui se dévoilait peu à peu. Il avait peur tout à coup, peur de ne pas trouver les mots et les gestes justes, peur de ses réactions devant ce corps enlaidi par la transgénose, peur de l'inconnu. Il n'avait jamais approché de fille, ni même envisagé d'en approcher une, car il n'aurait été pour elle qu'une source d'embarras, mais cela faisait trois ou quatre ans que son imagination et ses hormones peuplaient ses nuits de joutes torrides – et probablement fantaisistes. Gagné par une panique galopante qui chassait sa douleur au ventre et le laissait aussi tremblant qu'un oisillon tombé du nid, il se contint pour ne pas ramper jusqu'au hayon de la remorque et sauter en marche. Rien de cette scène ne correspondait aux fantasmes qui l'avaient si souvent accompagné jusqu'au premier sommeil : Raïma, d'abord, n'était pas la jeune fille pure, douce et sensuelle de ses désirs ; l'intérieur étouffant de cette remorque, ensuite, n'avait qu'un lointain rapport avec les décors idylliques de ses rêves ; enfin, s'il était lié à la guérisseuse par une complicité de tous les instants, il ne se sentait pas poussé vers elle par l'un de ces courants impétueux qui jetaient les hommes et les femmes les uns contre les autres.

Il s'aperçut que, sous la fluidité apparente de ses gestes, elle faisait des efforts surhumains pour ne pas trahir sa propre inquiétude. Elle était aussi terrorisée, et même davantage, que lui : en lui offrant son corps dénaturé par la transgénose, elle prenait le risque considérable d'être repoussée, mortifiée. Elle était nue à présent, assise en tailleur, posée sur les tissus épars comme une vipère sur son ancienne peau. La maladie ne s'était pas encore attaquée à ses seins, ses hanches, son bas-ventre et ses cuisses. Ses excroissances paraissaient moins volumineuses maintenant qu'elle avait accepté de les exhiber. Le regard de Solman ne s'y attardait pas, comme le regard glisse sur les épines lorsqu'il cueille un buisson de roses.

« Je... je ne te fais pas horreur ? »

Il ne répondit pas, il leva machinalement le bras et posa la main sur l'un de ses seins. La peau en était si douce qu'il eut l'impression de toucher le paradis. Il tremblait de plus en plus et transpirait à grosses gouttes. Dans un sursaut de lucidité, il se demanda si le breuvage amer qu'elle lui avait offert avant le départ avait seulement été destiné à « renforcer ses défenses immunitaires avant l'hiver », puis un désir brutal, despotique, balaya ses interrogations, ses rêves et ses peurs. Elle se pencha vers lui et captura sa bouche avec l'agilité d'une chatte.

Il perdit définitivement pied lorsque les mains brûlantes de la guérisseuse rampèrent sous sa tunique, lorsqu'elle dégrafa son ceinturon et les boutons de son pantalon, lorsqu'elle se faufila sous son caleçon et s'empara de son pénis pour le dégager enfin de sa double prison de coton et de cuir.

« Tu as connu... d'autres hommes ? »

Il avait du mal à reprendre son souffle. Il s'était retrouvé, sans trop savoir comment, nu et allongé sur

Raïma, plongé en elle, saisi par un tourbillon de sensations qui était subitement tombé après la fulgurance de l'éjaculation. Emporté par le torrent de son plaisir, il s'était échoué sur elle, haletant, exténué, comme un naufragé sur une grève tendre et moite. Tout s'était déroulé à une telle vitesse, dans une telle absence de maîtrise, qu'il se demandait encore s'il avait bel et bien franchi la frontière qui séparait l'enfant de l'homme. Il lisait de la gratitude et de la frustration dans les yeux de Raïma, toujours allongée sur les tapis enroulés et ballottée par les cahots de plus en plus violents de la remorque.

« Quelques-uns. Tous avaient déjà une femme. Je suppose qu'ils venaient chercher ce qu'elles ne pouvaient pas, ou ne voulaient pas, leur donner. J'étais prête à tout, à tout, pour les satisfaire, pour les retenir. Ils m'ignorent depuis que je suis entrée en phase de reconstruction. Et quand ils n'ont pas d'autre choix que de venir se faire soigner, ou faire soigner leurs enfants, ils évitent de croiser mon regard... »

La rancœur contenue dans la voix de Raïma résonnait en Solman comme un écho de sa propre détresse, mais il comprenait également l'attitude de ces hommes : lui-même, maintenant que ses yeux étaient nettoyés du désir, et même si le souvenir tout chaud de leur étourdissante étreinte continuait de le faire frémir de la tête aux pieds, ne pouvait s'empêcher de la contempler dans toute sa réalité, dans toute sa... monstruosité.

« Le pire, c'est quand ils m'envoient leur femme pour... »

Les ululements des sirènes dominèrent le grondement des camions et emportèrent la fin de sa phrase. La remorque fut secouée par une succession de cahots avant de s'immobiliser dans un grincement sinistre, puis, un à un, les moteurs se turent et un silence de plomb ensevelit la caravane.

« Une alerte », souffla Raïma.

Elle se releva avec la vivacité d'une loutre, souleva un pan de la bâche du plat de la main et glissa la tête par l'ouverture. Solman voulut l'imiter, mais sa douleur au ventre se réveilla et le maintint cloué sur les tapis et les tissus enroulés.

CHAPITRE 3

« Des solbots », murmura Raïma.

D'un mouvement de tête, elle montra à Solman les formes grises qui se faufilaient entre les sapins et les mélèzes de chaque côté de la piste. Il était parvenu à se hisser près d'elle et à passer la tête par l'entrebâillement de la bâche. Le frôlement continu de leurs épaules et de leurs hanches réveillait en lui un désir mécanique, et, malgré l'inquiétude soulevée par l'apparition des soldats-robots, malgré la douleur au ventre, il fut de nouveau taraudé par une envie brutale de s'enfoncer, de s'étourdir en elle.

L'énorme museau du camion suivant avait failli emboutir la remorque. De chaque côté de la calandre, ses gros phares ronds luisaient comme des yeux de crapaud derrière leurs grilles de protection. Se découpant au-dessus du capot comme une fenêtre sur la nuit, le pare-brise à double épaisseur ne comptait plus les étoiles engendrées par les chocs avec les cailloux, les branches basses, les éclats de grenade et les balles. Derrière les vitres teintées, se devinaient les yeux apeurés du chauffeur et des deux femmes – son épouse et sa fille ? – assises sur le siège passager. Au-dessus de la cabine, les guetteurs s'étaient détachés de leurs sièges, défaits de leurs capes et postés de chaque côté de la plate-forme, le fusil d'assaut braqué sur les versants. Le camion et sa citerne occupaient quasiment toute la largeur de la piste et empêchaient de distinguer le reste de la caravane. Tout là-haut, le bleu lumineux du ciel avait viré au gris sale.

« Couchons-nous et attendons sans bouger », murmura Raïma.

Il n'y avait rien d'autre à faire face aux solbots. Bien que la Troisième Guerre mondiale fût achevée depuis maintenant près d'un siècle, les soldats-robots utilisés par les armées des deux camps poursuivaient leur mission comme si le conflit n'avait jamais cessé. D'abord conçus comme simples auxiliaires des fantassins humains, ils constituaient à présent de véritables patrouilles autonomes qui arpentaient sans trêve les territoires des anciennes Europe et Asie afin de repérer et d'éliminer les éventuels ennemis. Pas très hauts – un demi-mètre au maximum – ni très larges – trente à quarante centimètres de diamètre –, capables de changer de forme et de franchir n'importe quel obstacle, ils étaient équipés de pistolets automatiques d'une précision infaillible, de grenades ERS – effets retard successifs – ou de micro-bombes assez puissantes pour faire sauter tous les camions du peuple aquariote. Les anciens racontaient souvent que leurs propres anciens avaient essayé de les combattre au début de la nouvelle ère, une tactique désastreuse qui avait failli entraîner la disparition de l'ensemble des peuples nomades. Pour survivre aux solbots, qui obéissaient à une logique toute militaire, il fallait simplement ne pas être identifié comme un ennemi, c'est-à-dire ne pas porter d'uniforme du camp adverse et, surtout, ne pas hurler, ne pas faire de mouvement intempestif, ne pas donner le moindre signe d'agitation. Leur comportement était celui de machines à langage binaire, d'entités parfaitement prévisibles, même si, de temps à autre, l'un d'eux lâchait sans crier gare une rafale dans la tête d'un homme ou d'une femme dont le seul tort était de dégager un peu trop de chaleur.

Solman continua de les observer pendant que Raïma se glissait sous la bâche. Ils dévalaient les pentes à vive allure, évitant les rochers, les buissons et les racines grâce aux capteurs déployés tout autour de la colonne cylindrique qui leur servait de tronc. Au-dessus de leurs chenilles articulées et souples, se découpaient les linéaments de deux volets circulaires, les « narines de la mort », comme les surnommaient les peuples du Sud. L'un abritait le canon et le magasin du pistolet automatique, l'autre le lanceur et la réserve de grenades ou de microbombes. Contrairement aux modèles des premières générations, aucun voyant lumineux n'était serti dans leur carapace faite d'un alliage métallique inoxydable et plus résistant que les matériaux employés pour la fabrication des anciennes navettes spatiales.

Sur le toit de la cabine, les guetteurs se tenaient parfaitement immobiles, l'index crispé sur la détente de leur arme. Les solbots n'étaient plus maintenant qu'à une dizaine de mètres des camions, aussi nombreux qu'une horde de chiens sauvages, aussi silencieux qu'un grouillement d'anguilles^{GM}. La rumeur courait que leur population augmentait d'année en année, qu'ils disposaient d'un atelier souterrain où ils pouvaient à la fois se réparer et se reproduire.

Solman serait bien resté à les observer, mais Raïma l'agrippa par la partie la plus saillante de lui-même et le tira à l'intérieur de la remorque. Après qu'il se fut rallongé contre elle, son sexe continua de gonfler dans la main de la jeune femme. Électrisé, il entreprit de l'enjamber, mais, de son bras libre, elle désigna l'extérieur et lui fit signe de ne pas bouger. Puis, tout en l'enveloppant d'un sourire et d'un regard troubles, elle commença à le caresser avec une lenteur suave, exaspérante. Il entendit, comme dans un rêve, les grincements des chenilles des soldats mécaniques sur la terre battue de la piste, sur les marchepieds des cabines, sur les flancs rebondis des citernes. Comme à leur habitude, ils s'apprêtaient à effectuer une inspection minutieuse de tous les véhicules, de toutes les citernes, de toutes les remorques de la caravane, une fouille qui pouvait durer des heures, parfois une journée entière, quelles que fussent les conditions climatiques. Dans les voitures, les parents s'étaient sans doute hâtés de ligoter et de bâillonner les enfants en bas âge, une mesure cruelle mais indispensable. À chaque rassemblement annuel, le conseil des peuples évoquait la nécessité de se débarrasser une fois pour toutes de ces rebuts absurdes et meurtriers de la Troisième Guerre mondiale. Mais les peuples nomades avaient gardé de la technologie, « cette fille maudite des anciennes religions », des notions rudimentaires qui, si elles suffisaient à entretenir et réparer les véhicules, les pompes, les armes à feu, les cuves de gaz liquéfié, à fabriquer les chaussures, les vêtements, les couvertures, les outils et les ustensiles de cuisine, ne leur permettaient pas de neutraliser des adversaires aussi sophistiqués que les solbots.

Les yeux mi-clos, Solman oublia l'irritant concert de cliquetis et de couinements pour s'abandonner au plaisir qui naissait de la main de Raïma. C'est à peine s'il prit conscience du flot brutal de lumière qui inondait la remorque, du courant d'air froid qui lui pinçait les jambes, du grésillement persistant qui dominait le froissement de la bâche, de l'odeur de métal chaud qui masquait les senteurs de poussière, de naphtaline et d'encens. Puis il perçut la nette hésitation des doigts de la jeune femme, il eut une sensation de présence hostile, comme un courant glacé dans une bulle de tiédeur, il rouvrit les yeux et redressa légèrement le torse : après avoir ouvert le hayon arrière, un solbot s'était hissé au niveau du plancher et, maintenu en équilibre par son champ magnétique, avait déployé ses capteurs télescopiques qu'il posait tour à tour sur les tapis, sur les rouleaux de tissus et sur les montants métalliques.

Solman lança un regard éperdu à Raïma, qui lui répondit d'une moue ironique et continua de le caresser sans tenir compte de son expression implorante, jouant avec perversité de l'immobilité et du silence auxquels les condamnait l'irruption du soldat mécanique. Solman craignit que la température anormalement élevée de son corps, un soupir involontaire ou un tremblement inopportun ne déclenchât le tir meurtrier de l'intrus ; il trouvait humiliant, surtout, d'être épié nu, sans défense et frémissant de désir par l'un de ces fouineurs indéchiffrables. Un capteur siffla dans leur direction et se promena à quelques centimètres de leurs têtes. Il espéra que la menace entraînerait Raïma à suspendre ses gestes, mais elle accentua la pression de ses doigts et poursuivit son implacable mouvement de va-et-vient. Un gémissement s'échappa de sa gorge, à mi-chemin entre le cri de rage et le soupir de volupté. De lourdes rigoles s'écoulèrent de ses aisselles et sinuèrent sur son ventre. Il ouvrit la bouche pour essayer de contrôler sa respiration, de plus en plus bruyante, de plus en plus syncopée. Le capteur, une sorte de ventouse circulaire, un orifice hideux tapissé de filaments clairs et souples, lui frôla le front. Tout son corps trempait maintenant dans un bain étrange où le chaud le disputait au froid. Le plaisir se déroulait en lui comme une pelote de laine dont les doigts de Raïma tiraient le fil. Elle ralentit encore son mouvement, peu pressée de le dévider jusqu'au bout. Elle ne prêtait aucune attention aux investigations du solbot. Ses yeux mi-clos, attentifs, brillants léchaient le visage de sa proie, comme si elle jaugeait la progression de sa jouissance à la tension de ses traits. Solman entendit un claquement, vit un œil sombre s'ouvrir dans le cylindre du soldat mécanique, un canon jaillir de l'ouverture, se rendit compte qu'il tremblait comme une feuille, qu'il haletait comme un jeune chiot, se figea, s'efforça de maîtriser sa respiration, d'intérioriser ses sensations, sombra dans un monde de volupté inouï où tout se réduisait au lent, à l'insupportable déploiement du plaisir, à ce pincement ineffable qui partait de son bas-ventre pour lui irradier tout le corps.

Raïma le lâcha tout à coup. Il faillit la saisir par le bras et l'obliger à terminer ce qu'elle avait si bien commencé, puis il se souvint que l'arme du solbot était braquée sur lui et n'eut pas d'autre ressource que de lui adresser un regard suppliant. Sur les lèvres de la jeune femme flottait toujours ce sourire qui oscillait entre cruauté et tendresse. Elle le laissa croupir dans sa frustration pendant un temps qui lui parut démesuré. Le soldat mécanique émettait un bourdonnement continu, inquiétant. Dehors un vent tourbillonnant s'était levé, qui soulevait la bâche par à-coups et projetait des vagues de poussière à l'intérieur de la remorque.

Solman contint à grand-peine un hurlement de joie lorsque les doigts de la jeune femme se refermèrent à nouveau sur son pénis. Cette fois, elle n'eut pas besoin d'esquisser le moindre mouvement, la simple reprise de contact suffit à tirer le fil, qui se dévida en continu, de plus en plus vite, jusqu'à devenir un courant impétueux qui jaillit dans sa main et précipita Solman dans l'éblouissement du gouffre. Il flotta pendant quelques secondes entre ciel et terre, puis tous ses muscles se relâchèrent et il reprit conscience de son souffle, réintégra peu à peu les limites de son corps.

Une série de déclics attirèrent son attention et le poussèrent à regarder en direction du solbot. C'est alors seulement qu'il avisa la figure gravée sur le tronc métallique, au-dessus des deux volets circulaires. Elle représentait un aigle aux ailes déployées, aux plumes ébouriffées et dont le bec recourbé se tournait vers la gauche.

L'emblème de la coalition IAA. Il distingua, sous le dessin, trois groupes de six chiffres, trois sigles, DARPA, NASTI, USA, et un petit rectangle au fond verdâtre où une nuée d'étoiles encadraient un croissant de lune. Le soldat mécanique avait donc appartenu à cette armée indo-arabo-américaine dont certains anciens disaient qu'elle était en grande partie responsable de la Troisième Guerre mondiale – ce à quoi d'autres rétorquaient que les torts étaient partagés, la ligne PMP ayant elle-même porté la guerre sur les autres continents.

Le solbot rappela ses bras télescopiques, ses capteurs, rentra son canon, referma le volet circulaire, descendit sur la terre battue de la piste et s'éloigna après avoir eu la délicatesse de remonter le hayon.

« Il aurait pu nous tuer », grommela Solman.

Raïma avait tenu sa main fermée jusqu'à présent, comme verrouillée sur un trésor obtenu de haute lutte.

Elle l'ouvrit et laissa couler quelques gouttes de semence entre ses doigts.

« Comment c'était ? »

Il ne répondit pas mais il fut à nouveau parcouru de tremblements lorsqu'il repensa à sa jouissance, comme une série de répliques à une secousse sismique. Une odeur de sueur et de sexe froids rôdait dans la fraîcheur piquante, humide, qui s'insinuait par les brèches, de plus en plus nombreuses. Solman avait essayé de retendre la bâche, mais elle ondulait avec une telle impétuosité que les cordes lui avaient écorché les mains.

L'inspection des solbots avait pris fin quelques minutes plus tôt. La caravane s'était ébranlée et engagée sur une piste pentue, sinueuse et défoncée. En dépit d'une vitesse réduite, la remorque décollait parfois des deux roues et envoyait ses passagers rouler cul par-dessus tête entre les tissus et les tapis.

« La mort et le plaisir sont liés comme deux ennemis intimes, reprit Raïma d'une voix entrecoupée par les cahots. Tu sais que j'ai joui très fort moi aussi ? »

Il ne l'avait pas remarqué, accaparé par ses propres sensations.

« Rien qu'à te caresser, te regarder, et parce que le solbot pouvait nous tuer à chaque instant... »

Il se rendit alors compte qu'il n'avait pas eu affaire à une femme ordinaire et il comprit ce que les hommes mariés étaient venus chercher près d'elle. Leurs épouses ne vivaient pas dans le voisinage permanent de la mort, n'avaient pas cette sensibilité d'écorchée, cette rage d'aimer qui transformait la moindre parcelle de peau, le moindre baiser, le moindre attouchement en un creuset de pure volupté.

Elle frissonna, profita d'un répit pour s'enrouler dans deux pans de tissu. Solman grelottait, mais il venait tout juste de découvrir le langage du corps et il repoussait jusqu'à l'inéluctable le moment de se rhabiller. Raïma lui glissa les bras autour de la taille et l'attira contre elle. Il posa la tête sur sa poitrine et se blottit dans sa chaleur.

Les secousses rageuses de la remorque furent impuissantes à défaire leur étreinte.

« Tu n'as plus mal au ventre, petit... ? »

Elle éclata d'un rire de gorge qui vibra comme un carillon dans la poitrine de Solman.

« J'allais dire : petit frère ! Tu n'es plus petit et, tout à l'heure, nous n'avons pas eu un rapport de frère et sœur. »

Il prit conscience que son adolescence s'était enfuie dans la pénombre de cette remorque, que leurs relations ne seraient plus jamais comme avant. Il était passé dans l'âge adulte sans rien connaître de cette insouciance magnifique qui caractérise les enfants ordinaires. Ses pensées devinrent aussi maussades et froides que les bancs de brume qu'il entrevoyait par les vitres rondes et les interstices de la bâche. Sa douleur au ventre, en revanche, s'était aussi mystérieusement évanouie qu'elle était apparue.

« L'aigle... murmura Raïma.

— Quoi l'aigle ? » s'écria-t-il en se détachant d'elle.

Il savait déjà ce qu'elle allait lui répondre.

« Nous avons vu l'aigle. Ton mal de ventre, c'était la trompette du quatrième ange.

— Ne sois pas stupide ! – La colère déferlait en lui, qui poussait sa voix dans les aigus. – Ce n'est qu'un emblème gravé sur le métal d'un solbot, et je ne suis pas le seul dans cette caravane à avoir mal au ventre !

— Non, mais tu es le seul donneur, répliqua-t-elle sans perdre son calme.

— Et toi ? »

Elle se raccrocha à l'extrémité saillante d'un rouleau de tissu pour ne pas perdre l'équilibre.

« Moi je ne fais qu'appliquer les conseils de mon maître Quira. J'ai un certain don pour la manipulation des plantes et des âmes, d'accord, mais mes perceptions n'ont rien d'extraordinaire.

— Pourtant, les autres... »

Elle l'interrompit d'un geste péremptoire.

« Je laisse les autres se persuader que je suis une donneuse, car leur guérison dépend en grande partie du pouvoir qu'ils prêtent à la personne qui les soigne, mais je reste à la porte de l'ordre invisible.

— Tu crois peut-être que j'y entre, moi ? »

Elle le considéra pendant quelques secondes avec une expression mi-navrée, mi-courroucée.

« C'est vrai que toi, tu ne fais que voir au-delà des apparences, tu ne fais que t'introduire dans le mécanisme le plus subtil, le plus volatil qui soit, l'intention, la pensée !

— J'y suis pour rien... »

Elle haussa les épaules et leva les yeux au ciel.

« L'oiseau vole, et il n'y est pour rien ! Le soleil brille, et il n'y est pour rien ! La vie coule, et elle n'y est pour rien ! Tu captes des signes que personne d'autre ne peut capter, Solman, tu n'y es pour rien, mais ça te donne une sacrée avance. Et une énorme responsabilité. »

Il baissa la tête comme un enfant pris en faute. Le plaisir qu'elle lui avait donné semblait n'avoir jamais existé. Ils ne parlaient plus le langage du corps, mais celui de la raison, du devoir. La lassitude tirait ses yeux à l'intérieur de ses orbites, les cahots le jetaient d'un côté sur l'autre comme un sac vidé de ses grains.

« Personne d'autre que toi ne parle de ce foutu Livre, marmonna-t-il. Qu'est-ce qui prouve que tu as raison ?

— Absolument rien, et même, j'espère me tromper. Encore une fois, je ne suis pas clairvoyante. Je crois qu'il n'y a rien de gratuit dans l'Univers, que tout est lié, mais ça reste une simple... intuition. Viens, j'ai froid. »

Allongés sur leur inconfortable lit de tapis et de rouleaux de tissu, ils se laissèrent bercer pendant quelques minutes par le ronronnement des moteurs et les sifflements du vent. Puis Raïma tira sur eux la tunique et le pantalon de Solman et ajouta, à mi-voix :

« Nous saurons bientôt si l'aigle nous a annoncé la venue des trois derniers anges... »

CHAPITRE 4

Les camions roulaient par vagues de trois sur la plaine sinistre du Pays-Bas. Un crachin mordant tombait sans discontinuer depuis l'aube, arasant les maigres reliefs qui osaient briser la vaste platitude.

Un éboulement ayant rendu la piste impraticable entre les Carpates et les Alpes, la caravane avait dû rebrousser chemin et couper par les mauvaises routes de Bohême pour rejoindre la route du Nord. Les chauffeurs avaient engagé une course de vitesse contre les vents glaciaires qui, soufflant du pôle, déposaient un hiver rigoureux et précoce sur des étendues que ne protégeait aucune barrière naturelle, aucun massif, aucune forêt. Ils avaient longé l'Elbe au sortir du plateau bohémien, puis ils avaient légèrement bifurqué vers l'est pour gagner les bords de la Baltique, la mer que se partageaient les côtes des régions lituanienne, polonaise et allemande.

Comme chaque fois qu'il contemplait la Baltique, Solman s'était senti chaviré de colère et de tristesse. Rien n'était plus désolant que la métamorphose d'une mer autrefois vivante, féconde, en une fosse infectée, putride, qui n'avait plus la force de se régénérer, d'expulser de son grand corps acide les toxines nucléaires, chimiques et génétiques déversées pendant des années par des populations inconscientes, criminelles. Les vagues elles-mêmes n'avaient même plus la volonté de battre les carcasses rongées des sous-marins et des bâtiments géants échoués à proximité des côtes.

Cependant, Solman avait noté un changement depuis le dernier passage du peuple aquariote, une effervescence qui creusait de petits tourbillons dans l'écume dense et verdâtre, qui dégageait des émanations semblables à des fumerolles, comme un commencement de réaction chimique, un premier pas vers un nouveau processus de transformation. En outre, les nuées d'oiseaux sombres, agressifs et criards qui pullulaient sur les rochers noirs tendaient à prouver que la vie reprenait ses droits après une retraite de près d'un siècle.

« Comment peuvent-ils survivre dans cet enfer ? »

Ces mots s'étaient échappés de ses lèvres comme une pensée perdue, mais Raïma, adossée à la cloison, avait répondu :

« Ils se mangent les uns les autres. »

Cette réflexion avait choqué Gwenuver, l'une des trois mères du peuple, une femme forte au teint pâle, aux yeux clairs, aux cheveux gris, aux tenues amples et colorées. Elle était montée dans la voiture de Raïma au moment du départ pour, avait-elle prétendu, soigner un début de bronchite.

« Je ne connais pas d'exemple d'oiseaux cannibales ! s'était-elle offusquée en se redressant sur la banquette, les sourcils froncés.

— Vous ne pouvez pas connaître toutes les espèces vivantes sur cette planète, vénérée mère, avait rétorqué Raïma.

— Ça fait plus de soixante ans que je parcours l'Europe, et jamais, jamais, je n'ai vu les oiseaux se manger entre eux. »

Raïma avait pris ce petit air revêche que Solman connaissait bien et qui laissait présager une riposte cinglante. Elle s'était levée et avait saisi l'un des innombrables bocaux garnissant les rayonnages qui couraient le long des cloisons. Elle était l'une des seules, sinon la seule, célibataires du peuple aquariote à disposer de sa propre voiture, un privilège qui s'expliquait par l'impératif de discrétion que nécessitait sa fonction. Outre les rayonnages, son mobilier se composait de deux banquettes, d'un tapis, d'un coin-cuisine, d'un lit et d'une table escamotables. Dorénavant, Solman comprenait encore mieux pourquoi elle l'avait entraîné dans la remorque bâchée quelques jours plus tôt : sollicitée à la moindre pause de la caravane, elle n'avait pas voulu courir le risque d'être dérangée, pas tellement pour elle, mais pour lui, pour ne pas galvauder sa première expérience.

« Les oiseaux migrent, avait-elle soupiré après avoir coincé le bocal entre ses cuisses pour en ouvrir le couvercle. Ceux-là, une variété de choucas il me semble, comme les autres. Ils viennent sûrement d'un autre territoire que l'Europe. »

Une odeur de végétaux putréfiés s'était échappée du récipient. Raïma avait versé quelques gouttes d'un liquide visqueux, noirâtre, nauséabond, dans une coupelle métallique qu'elle avait tendue à Gwenuver. Depuis quelques jours, c'était fou le nombre de personnes qui éprouvaient le besoin de se faire soigner, des femmes principalement. Tous les prétextes étaient bons pour vérifier la rumeur de la liaison entre les deux donneurs, qui s'était répandue dans la caravane plus vite que le venin des anguilles[GM] dans le sang d'un buveur imprudent.

Solman avait observé les nuées avec une attention redoublée et, en dépit de l'éloignement et des bancs de brume, il avait effectivement cru voir plusieurs oiseaux se précipiter sur un de leurs congénères et le dépecer de leurs gros becs jaunes. Il n'était pas intervenu, cependant, ne voulant pas donner à mère Gwenuver l'impression qu'il était déjà sous l'influence de la guérisseuse. Les pères et les mères du peuple lui avaient tenu lieu de famille après l'assassinat de ses parents et il avait noué avec eux des liens affectifs qu'il ne voulait pas – et ne pouvait pas – trancher.

La vieille femme avait grimacé un long moment après avoir ingurgité la mixture de Raïma.

« Si la vie revient sur les bords de la Baltique, avait-elle marmonné, c'est que la terre est en train de se refaire une santé, comme moi avec tes satanées potions ! Bientôt l'eau sera redevenue pure et notre tâche sera accomplie. Je ne serai sans doute pas là pour voir ça, mais les nouvelles générations, les enfants de vos enfants...

— Vous savez très bien, vénérée mère, que je ne peux pas avoir d'enfants, l'avait interrompue Raïma d'une voix sèche. La nature est une merveilleuse organisatrice : elle stérilise les ventres qui pourraient propager la transgénose. Et puis, je ne partage pas votre optimisme. »

Gwenuver avait eu un sourire qui se voulait compatissant mais ne reflétait que l'embarras.

« Je comprends ta mélancolie, Raïma... »

Solman n'avait pas pu se retenir d'examiner Gwenuver du coin de l'œil. Il s'était rendu compte qu'elle n'en pensait pas un mot, qu'elle ne ressentait que du mépris pour cette femme qui venait pourtant de la soigner. Un froid intense l'avait mordu jusqu'aux os, qui traduisait sa désillusion, son désenchantement, à la fois parce qu'il avait osé sonder une mère du peuple, outrepassant une frontière qu'il n'avait jusqu'alors jamais osé franchir, et parce que cette même mère maniait le mensonge et la manipulation comme n'importe quel troquant d'armes, comme n'importe quel dresseur de chien, comme n'importe quel homme ou femme ordinaire.

« Vous ne comprenez rien, vénérée mère ! » avait craché Raïma.

Elle avait replacé le bocal sur l'étagère et s'était campée sur ses deux jambes devant la banquette où Gwenuver, sous l'impact de sa voix, s'était rencognée. Les cahots de la voiture l'avaient contrainte à se rattraper au bord d'une étagère.

« Laissons de côté mes prétendus états d'âme, si vous le voulez bien, avait-elle repris d'un ton légèrement radouci. Vous n'êtes pas venue ici pour vous faire soigner, vénérée mère. Vous êtes d'ailleurs en excellente santé, plus solide qu'un roc, et je ne vous ai donné qu'un simple dépuratif. Le conseil vous a expédiée chez moi pour tâcher d'en apprendre un peu plus sur mes relations avec Solman, n'est-ce pas ? »

Gwenuver s'était tassée sur la banquette.

« Vous craignez qu'en devenant un homme, il n'échappe définitivement à votre contrôle, avait poursuivi Raïma, implacable.

— Qu'est-ce que tu vas imaginer ? » avait protesté la vénérée mère avec une insupportable absence de conviction.

Solman avait gardé les yeux rivés sur la surface spumeuse et figée de la Baltique, puis sur l'interminable file des camions qui longeait la baie bordée de rochers déchiquetés et de ruines rongées par une mousse noirâtre. Pas besoin de faire appel à son don pour s'apercevoir qu'elle mentait encore.

« Eh bien oui, j'ai couché avec Solman, avait insisté Raïma. Non pas pour vous l'arracher, mais parce que le temps est venu pour lui de quitter le nid.

— Quel... quel rapport avec l'optimisme ou le pessimisme ? » avait lancé Gwenuver.

Raïma s'était assise au côté de Solman et lui avait caressé la joue avec ostentation. Ses yeux avaient étincelé comme des diamants noirs dans la pénombre de la voiture où paressaient les odeurs habituelles d'alcool, de camphre et de plantes séchées.

« Dans la plupart des peuples nomades, les donneurs ne servent qu'à consolider la légitimité des mères et des pères du peuple. »

Elle avait prononcé ces mots d'un ton léger, presque enjoué. Le sang s'était retiré du visage et des lèvres de Gwenuver.

« Espèce de petite... Comment peux-tu te permettre de...

— Oh, je n'affirme pas que c'est conscient, je pense simplement que vous vous hâtez d'interpréter les signes comme des justifications de vos décisions, de vos croyances. Ainsi, vous apercevez des oiseaux sur les bords de la Baltique, vous en déduisez que la terre aura bientôt recouvré sa virginité, et vous vous flattez déjà de faire partie des élus qui auront su guider leurs peuples vers un avenir glorieux...

« — Je dis seulement que les animaux vont là où se déploie la vie, coupa Gwenuver. C'est une loi de la nature.

— Quelles sortes d'animaux ? Quelle sorte de nature ? »

Une moue s'était découpée comme une ancienne cicatrice sur la face lunaire de la vieille femme.

« Il n'y a qu'une mère Nature, avait-elle dit dans un souffle. Un seul règne végétal, un seul règne animal...

— Vous parlez en ce moment de l'Éden, une vision idyllique des anciens livres sacrés, ceux-là mêmes que vous condamnez !

— Il suffit ! avait soudain grondé Gwenuver en balayant l'air d'un revers de main. Où veux-tu en venir ? »

Raïma avait fixé un long moment son interlocutrice, empêtrée dans ses questions et dans ses vêtements aux couleurs acidulées.

« Vous êtes les survivants de l'ancien monde. – La froideur de sa voix lui donnait une efficacité redoutable. – Vous transportez en vous des rêves impossibles, des chimères, les mêmes qui ont valu à l'Humanité son conflit le plus meurtrier, le plus dévastateur. Vous êtes inadaptés et vous entraînez vos peuples dans les mêmes ornières, dans les mêmes désastres. Seuls les donneurs ont le pouvoir de prévoir et de changer les choses, mais qui les écoute vraiment ?

— Toi, je suppose ! C'est sans doute ce qu'on appelle recueillir des confidences sur l'oreiller ! »

L'ironie de Gwenuver avait laissé Raïma de marbre. Le tour pris par la dispute entre les deux femmes avait interloqué Solman, qui n'avait jamais imaginé qu'on pût s'opposer avec une telle force à une mère du peuple. Et bien qu'il eût beaucoup de choses à raconter sur les donneurs, ou sur les soi-disant donneurs, il n'avait pas osé intervenir. La caravane s'était éloignée de la côte pour s'engager sur la bande de terre vallonnée qui séparait la Baltique de la mer du Nord.

« Les donneurs sont les sentinelles du présent, dit Raïma. Écoutez-les du fond de l'âme, vénérée mère, et vous verrez qu'il n'y a aucune raison d'être optimiste.

— L'Apocalypse a eu lieu il y a de cela presque un siècle, Raïma. Les vieilles religions sont mortes avec l'ancien monde.

— J'attends encore le Jugement dernier... »

Gwenuver avait décoché un regard vénéneux à la guérisseuse.

« Je crois, ma pauvre fille, que la transgénose commence à te rendre folle. »

À cet instant, Solman l'avait haïe, cette mère qui avait été si compréhensive, si tendre avec lui.

Les Aquariotes avaient toujours nourri une solide aversion à l'encontre des Sheulns, mais l'Éthique nomade les contraignait à leur livrer de l'eau lorsqu'ils étaient dans le besoin, comme à n'importe quel autre peuple du territoire européen.

Les Sheulns n'étaient pas des nomades à proprement parler, puisqu'ils ne sortaient jamais des frontières du Pays-Bas, qu'ils limitaient leurs déplacements au littoral de la mer du Nord, reculant leurs habitations sur pilotis au fur et à mesure que la mer éventrait les digues et recouvrait les anciens polders. Intégristes du retour au naturel, ils n'utilisaient, pour se déplacer, que des attelages de chevaux, de mules et de bœufs. Leurs charrettes ne connaissaient que deux matériaux, le bois et la pierre – quatre, si on rajoutait la toile huilée des bâches et le cuir des harnais –, car ils refusaient le métal et tout autre vestige de l'ancienne civilisation. Ils se considéraient comme l'une des douze tribus élues – personne, pas même eux, ne savait qui étaient les onze autres –, et se prétendaient chargés de guider l'Humanité sur les chemins de la Grâce divine. En disparaissant dans des circonstances mystérieuses – ravi par les archanges, selon une légende –, Andréas Sheuln, leur rassembleur, leur premier père, avait acquis le statut de martyre et prophète, au point que les chefs des douze familles, des hommes exclusivement, portaient le titre de « sheuln ». En dehors de l'élevage et de l'agriculture, leur principale activité consistait à nettoyer le Pays-Bas de ses « seules montagnes, les montagnes d'ordures », à savoir faire disparaître avec une patience de fourmi les ruines des anciennes cités ainsi que les cimetières d'engins et d'obus à tête nucléaire abandonnés par la Troisième Guerre mondiale. Ils ne possédaient pas d'autres armes que leurs pioches en pierre, leurs fourches et leurs râteaux en bois, mais, vivant sur des terres désolées, ils avaient pour seuls ennemis l'humidité, le froid, les nuées d'insectes et les hordes de chiens sauvages. En échange de l'eau potable, introuvable sur leur territoire et qu'ils stockaient dans d'immenses tonneaux en bois, ils fournissaient aux Aquariotes des légumes, des œufs, de la viande séchée, des peaux, de la laine de mouton et une farine d'une variété de blé au goût âpre qui poussait en maigre quantité sur les terres sablonneuses du littoral.

« Les chiens ne suffisaient pas, il nous faut maintenant compter avec les oiseaux, une espèce particulièrement féroce de charognards. Ils s'abattent par centaines sur nos troupeaux, sur nos poulaillers, sur nos récoltes. »

Assis dans un recoin de la tente où s'étaient réunis les douze Sheulns et les six pères et mères du peuple aquariote, Solman percevait l'odeur âcre qui suintait des vêtements de laine et de cuir des visiteurs et dominait les senteurs diffusées par les encensoirs suspendus. Dehors, les lueurs dansantes des braseros ne parvenaient pas à repousser la nuit noire, glaciale, désespérante ; les hurlements d'un vent mauvais emportaient le ronronnement des pompes qui transvasaient l'eau dans les tonneaux posés sur les charrettes. Par-dessus le dossier de son fauteuil, Gwenuver gratifia Solman d'un regard en coin qui signifiait : « Tu vois que j'ai eu raison, les oiseaux ne peuvent pas se manger entre eux, tu comprends maintenant que les affirmations de Raïma ne sont que des divagations d'une pauvre folle rongée par la maladie... »

L'homme qui venait de prononcer ces mots avec un épouvantable accent semblait le plus âgé avec sa longue barbe blanche, les rides profondes qui lui hachaient le visage et les taches brunes qui lui parsemaient les mains. Entre eux les Sheulns parlaient le neerdand, un mélange d'allemand, de danois et de néerlandais, mais les chefs des familles avaient tous appris à s'exprimer en français, la langue des Aquariotes. Assis sur des sièges disposés en demi-cercle face aux six fauteuils des pères et mères du conseil, ils portaient des vestes, des chemises et des pantalons de laine grossièrement filée ainsi que des chapeaux et des bottes d'un cuir épais, brut. En comparaison, les tenues des Aquariotes – des robes et des ensembles pourtant simples – paraissaient sophistiquées, presque luxueuses. De même, la symphonie de couleurs et de formes jouée par les tapis étalés sur le sol semblait désorienter les visiteurs, qui assimilaient probablement la complexité de tons et de couleurs à une hérésie technologique. Cependant, l'eau étant indispensable à la poursuite de leur grand Dessein, ils n'avaient pas d'autre choix que de négocier avec les représentants d'un peuple corrompu.

Solman ne détectait pas de tromperie en eux, pas de tromperie intentionnelle en tout cas, mais un hiatus entre ce qu'ils prétendaient être, les gardiens intransigeants de l'ordre naturel, et ce qu'ils étaient en réalité, des hommes qui se muraient dans une armure de fanatisme pour ne pas se frotter à leurs désirs profonds, des êtres qui vivaient coupés d'eux-mêmes et qui n'avaient pas d'autre choix, pour le supporter, que de se convaincre à tout prix qu'ils détenaient la vérité.

« Devons-nous comprendre que vous souhaitez modifier les conditions du troc ? » demanda Irwan, le père le plus ancien et, à ce titre, le porte-parole du conseil aquariote.

Les Sheulns se consultèrent brièvement du regard avant que l'un d'eux, un homme décharné à la barbe noire, au large chapeau et à la voix haut perchée ne prenne la parole :

« Je parle ici au nom de ma famille, et non du peuple sheuln. L'année n'a pas été bonne. Les chiens errants ont décimé mes brebis et mes porcs, les oiseaux ont détruit mes récoltes. Si nous voulons passer l'hiver, nous devrons puiser dans nos réserves et... diminuer de moitié notre contrepartie. »

Il ne mentait pas, son inquiétude reléguait au second plan ses convictions et son arrogance de Sheuln. La lumière ténue des lampes à gaz faisait briller ses yeux au fond de ses orbites sombres.

« Et si, de votre côté vous diminuez l'eau de moitié, reprit-il, vous condamnerez à mort mes animaux et les plus faibles de ma famille, les enfants, les femmes enceintes et les vieillards.

— Si nous avions suivi la route du Centre, comme nous l'avions prévu, vous n'auriez pas été livrés du tout, dit Irwan.

— Le Sheuln soit loué, qui vous a envoyés à nous.

— L'hiver sera aussi rigoureux pour vous que pour nous...

— Vous savez bien que non ! Vos camions vous permettent de vous réfugier plus au sud, dans des contrées plus clémentes.

— Vous ne pouvez pas nous demander de résoudre les problèmes engendrés par vos choix, par vos croyances. Rien ne vous oblige à passer l'hiver dans le Pays-Bas. L'Éthique nous interdit de favoriser un peuple au détriment des autres. »

La voix d'Irwan était devenue cassante. Solman se rendit compte qu'il sautait sur l'occasion – et en même temps que lui, tous les pères et mères du peuple aquariote – d'assener quelques-unes de ses vérités à ces fanatiques dépenaillés et arrogants.

« L'eau... murmura le plus ancien des visiteurs en remontant son chapeau.

— Eh bien quoi, l'eau ? aboya Irwan.

— Elle vous rend puissants et, comme tous les puissants, injustes.

— C'est précisément pour rendre justice aux autres peuples que nous nous voyons contraints de refuser votre requête », répliqua Irwan.

Solman ressentit comme une blessure le mépris profond du porte-parole du conseil pour ses vis-à-vis. Il ne refusait pas le supplément d'eau par goût de l'équité, comme il le prétendait : grâce à la rhabde du groupe d'Helaïnn, les Aquariotes disposaient de réserves largement supérieures aux besoins habituels des peuples nomades.

« Ma famille et mon bétail ont vraiment besoin d'eau, répéta le sheuln maigre d'une voix nouée par l'angoisse.

— Une moitié de votre quote-part en moins, une moitié d'eau en moins, nous ne reviendrons pas là-dessus. »

Le sheuln se leva et brandit un poing menaçant en direction des six membres du conseil aquariote. Sa pomme d'Adam saillait comme une lame sous la peau tendue de son cou. Les pans relâchés de sa chemise laissaient entrevoir un torse creux, rayé par les côtes.

« Votre... votre... Prenez... » La colère le suffoquait, empêchait les mots de sortir. « Le jour... viendra... le jour viendra où vous... vous serez vous aussi dans le besoin...

— Nous sommes tous les jours dans le besoin. »

Le calme affecté d'Irwan offrait un contraste saisissant avec l'agitation de son interlocuteur.

« La nature... elle... n'oublie jamais un méfait...

— Quelle faute avez-vous donc commise pour qu'elle vous punisse de la sorte ? »

À ces mots, les onze autres Sheuln, les chefs de ces douze familles qui étaient sans doute appelés à former les douze tribus du grand Dessein, se levèrent tous en même temps et se dirigèrent d'un pas furieux vers la sortie de la tente.

« Tu es peut-être allé trop loin, Irwan, dit Gwenuver après un long, un interminable silence.

— Ils reviendront, ils ont trop besoin d'eau.

— Ils peuvent faire fondre les glaces, recueillir l'eau de pluie...

— Ils ne prendront pas le risque de s'empoisonner. »

Des bribes de voix graves s'exprimant en neerdand traversèrent les cloisons de toile. Irwan tira sur le bas de sa tunique, remonta d'un geste nerveux la longue mèche blanche qui lui balayait le front et se tourna vers Solman.

« Ils ne cherchent pas à nous berner, au moins ?

— Ils sont sincères... »

Pas comme vous, vénéré père, eut-il envie de rajouter. La douleur à nouveau se ficha dans ses tripes comme les serres d'un aigle et le crucifia sur son siège, aux prises avec une terrible envie de vomir. Des grondements retentirent dans le lointain, suivis, à quelques secondes d'intervalle, du hurlement déchirant et prolongé d'une sirène.

CHAPITRE 5

Des chiens.

Des centaines de chiens. Poil ras, noir et feu, yeux étincelants, babines retroussées sur des crocs impressionnants.

Ils s'étaient approchés en silence et avaient surgi de la nuit comme des spectres. Pétrifié à l'entrée de la tente du conseil, Solman les voyait affluer par vagues entre les camions, les remorques, les charrettes, se ruer sur les hommes, les femmes et les enfants rassemblés autour des braseros, leur sauter à la gorge, les coucher sur le sol, leur briser le cou, tailler en pièces leurs vêtements, leur ouvrir le ventre, leur arracher les viscères. Avertis au tout dernier moment par la sirène, les guetteurs aquariotes n'avaient pas eu le temps de s'organiser. Des éclairs fugaces trouaient l'obscurité, des rafales de fusil d'assaut claquaient entre les grondements des fauves mais la nuit et la confusion rendaient les tirs imprécis, dangereux. Déjà les chevaux et les bœufs des attelages sheulns gisaient sur la terre humide, empêtrés dans leurs harnais. Quelques charrettes s'étaient renversées, des tonneaux avaient éclaté comme des fruits mûrs et répandu leur eau changée en vin par le sang.

Un brasero s'effondra dans une gerbe d'étincelles qui, giflées par le vent, illuminèrent une partie du campement et crépitèrent sur les tôles des camions et des citernes.

« Les phares ! » cria Irwan, sortant soudain de son hébétude.

46

Légèrement en retrait à l'intérieur de la tente, les deux autres pères et les trois mères du conseil ne bougeaient pas, horrifiés par les scènes de cauchemar qui se déroulaient sous leurs yeux. Les chefs de famille sheulns les plus jeunes, les plus alertes, avaient eu le réflexe de courir, de se réfugier dans une tente ou de grimper sur l'aile d'un camion mais les plus âgés avaient sombré sous les vagues déferlantes de la horde.

« Quoi, les phares ? » gémit Gwenuver.

Elle se mordait les lèvres, se tordait les mains, haletait et reniflait pour essayer de réprimer ses sanglots. Jamais elle n'avait été pénétrée d'un tel sentiment d'impuissance.

« Il faut que les chauffeurs les allument ! Vite ! »

Gwenuver hocha la tête, décrocha les larmes qui perlaient à ses cils.

« Ils auraient déjà... déjà dû prendre l'initiative...

— Ils sont dans leurs tentes à cette heure-ci ! glapit Irwan, excédé. Et ils ne peuvent plus en sortir. »

Les chiens avaient choisi le meilleur moment pour porter leur attaque, comme guidés par une intelligence supérieure. En tirant profit de l'obscurité, en s'approchant sans faire le moindre bruit, ils n'avaient pas eu le comportement habituel des hordes, pour lesquelles les affrontements se résumaient le plus souvent à de pures épreuves de force. Et d'ailleurs, jamais une horde ordinaire n'aurait osé s'en prendre directement à un campement : les chiens maraudaient autour des troupeaux domestiques, prélevaient de temps à autre un mouton, un veau, un porc et, parfois, quand la faim devenait plus forte que la peur, un humain isolé. Ils se tenaient à l'écart des hardes de sangliers, de vaches et de chevaux sauvages dont ils craignaient les hures, les cornes ou les sabots. La plupart des peuples éleveurs disposaient d'animaux dressés, chiens, chats ou lynx, pour prévenir leurs incursions. Il arrivait que le grand conseil des peuples ordonne une battue générale pour réduire la population des hordes quand celle-ci devenait trop importante et représentait une menace pour l'équilibre général.

Le vent ne parvenait pas à disperser l'odeur de chair et de sang qui submergeait le campement. Des formes luisantes et tressautantes s'agitaient autour des corps qui gisaient par dizaines sur les allées délimitées par les voitures, les remorques, les tentes et les camions. Malgré le bourdonnement entêtant d'une pompe qui continuait de vider l'eau d'une citerne, Solman discernait les craquements des os déchiquetés, les bruits lugubres de mastication, de déglutition. De temps à autre, les chiens les plus proches levaient la tête et lançaient un regard indéchiffrable vers la tente où se tenaient les pères et les mères du peuple.

« Est-ce qu'ils vont nous... nous... ? bredouilla Gwenuver.

— Si nous restons là à ne rien faire, il y a toutes les chances », murmura Irwan.

Les réserves des lampes à gaz étant pratiquement épuisées, l'obscurité se resserrait sur eux comme une main noire et glacée. La tente ne fermait pas et, à première vue, les fauves n'avaient pas d'autre proie à se mettre sous la dent que les six membres du conseil et leur jeune clairvoyant. Déjà plusieurs d'entre eux se disputaient les cadavres, une agressivité pour l'instant mesurée mais qui préludait à une nouvelle offensive après la relative accalmie représentée par la première curée.

« J'y vais », dit Solman.

Les visages des pères et mères du peuple se tournèrent dans sa direction. Il eut l'impression d'être encerclé par six masques mortuaires.

« Tu vas où ? glapit Irwan.

— Chercher les chauffeurs, rassembler les guetteurs...

— Pas question ! Ce n'est pas à toi de... »

Solman ne lui laissa pas le temps de terminer sa phrase. Il sortit de la tente et se dirigea le plus vite possible vers le centre du campement. Saisi par la fraîcheur nocturne, la tête rentrée dans les épaules, il pataugea dans une mare visqueuse et longea un premier camion. Sa botte pesait plus lourd qu'une pierre au bout de sa jambe torse. La pompe s'était tue après avoir vidé la citerne de ses trente mètres cubes d'eau. Les sons prenaient une résonance effrayante dans le silence funèbre, le chuintement des semelles sur la terre gorgée de sang, le grésillement du crachin sur les surfaces métalliques, les borborygmes du tuyau coincé sous les douves d'un tonneau, les grognements sourds des molosses affairés à dépecer les cadavres...

À l'arrière de la citerne, il faillit trébucher sur le corps d'une jeune femme que les chiens avaient entièrement dévêtue et vidée de ses viscères. Ils avaient dédaigné le reste, le visage, la poitrine, le bassin, les jambes, si bien que, n'était-ce cette béance odieuse sous son sternum, elle paraissait plongée dans un sommeil paisible. Quel âge avait-elle ? Quinze, seize ans, peut-être... Il ne la reconnaissait pas, mais elle avait très bien pu faire partie de ces adolescentes dont les corps sveltes et lisses avaient nourri ses fantasmes durant ces trois dernières années.

Il lança un regard haineux aux deux chiens qui, plus loin, arc-boutés sur les pattes postérieures, rongeaient les bras d'un Sheuln dont la face n'était plus qu'une bouillie de chair et de sang. La vitesse avec laquelle les fauves avaient conquis le campement, leur efficacité stratégique résultaient sans aucun doute d'une mutation. Si ces comportements nouveaux, adaptés, s'étendaient à l'ensemble des hordes – et les exemples abondaient de ces acquis spontanément partagés à des centaines de kilomètres de distance –, le peuple aquariote n'aurait plus jamais de tranquillité. Il lui faudrait dresser des palissades autour des campements, une obligation qui réduirait sa mobilité et l'entraverait dans ses rhabdes. Or, les réserves d'eau potable étaient disséminées sur un territoire qui s'étendait des côtes atlantiques aux plaines de l'Oural, des pays du Nord jusqu'aux pointes d'Espagne, de Grèce et d'Italie. Lorsqu'ils avaient trouvé de l'eau, les sourciers éprouvaient le besoin vital de changer de région, de « suivre la baguette », selon leur expression, pour respecter la mère terre, pour ne pas la piller ou la salir comme les hommes de l'ancien temps. Le voyage leur permettait de se régénérer, d'entretenir leur fraîcheur mentale, leur réceptivité. Les empêcher de se déplacer, c'était les condamner à perdre leur pouvoir et, à terme, condamner les peuples nomades à mourir de soif ou d'empoisonnement.

Solman s'enfonça dans le cœur du campement. Il s'était élancé sur un coup de tête, avant tout pour lutter contre une sensation d'impuissance suffocante, mais il n'avait pas la moindre idée de la conduite à suivre pour prévenir les guetteurs et les chauffeurs, pour rassembler les énergies éparpillées. Le crachin imprégnait et alourdissait ses vêtements de cuir. Il n'avait pas parcouru trente mètres que déjà, sa jambe tordue commençait à l'élancer. Les chiens se contentèrent de grogner et de montrer les crocs sur son passage. Il aperçut un petit garçon qui, perché sur le capot d'un camion, essayait désespérément de grimper sur la plate-forme d'une cabine, trop haute pour ses petits bras. D'autres enfants et des adultes se tenaient en équilibre sur le faîte des citernes, agrippés aux barres transversales scellées dans le métal et espacées de deux mètres. Leurs visages se découpaient comme des astres pâles et fuyants sur le fond de ténèbres. L'attaque de la horde n'avait pas seulement désorganisé le campement, elle avait brisé en un éclair la cohérence et la solidarité du peuple aquariote, elle avait renvoyé chacun à ses terreurs immémoriales, à ses démons individualistes. Les peuples nomades avaient rejeté les valeurs de l'ancienne civilisation technologique, mais ils continuaient d'être gouvernés par la pire d'entre elles, celle qui avait conduit à tous les abus, à tous les désastres : la peur de la mort.

Un chien surgit des roues d'un camion et se dressa devant Solman. L'espace d'une minute, une éternité dans les circonstances, le fauve et le donneur restèrent face à face, immobiles. La gueule ouverte, les crocs dégagés, la langue pendante, le chien parsemait sa respiration haletante de grondements menaçants. Des gouttes de sang étoilaient son poitrail et son museau sombres. Ses yeux avaient l'éclat blessant de pierres noires. Plus massif, plus musculeux que ses congénères, il dégageait une puissance phénoménale, mais ce n'est pas cette sensation de force brute, pourtant terrifiante, qui frappa Solman. Il avait l'étrange impression de se retrouver devant un être... intelligent, devant un égal. Il lisait, dans son regard, une expressivité qu'il n'avait jamais remarquée chez les autres chiens sauvages ou chez n'importe quel autre animal, il percevait une intention, derrière le paravent de l'instinct, un arrière-plan, comme chez les êtres humains que le conseil aquariote lui demandait de sonder. Et ce qu'il captait dans l'esprit du molosse lui faisait froid dans le dos : la horde ne s'était pas abattue sur le campement pour assouvir sa faim mais parce que quelqu'un lui avait confié la mission d'y semer la terreur et la mort. Quelqu'un avait transformé ces fauves en soldats disciplinés et déclaré une guerre sans merci aux Aquariotes – et sans doute à l'ensemble des peuples nomades.

Solman se secoua pour chasser l'humidité qui se déposait dans ses cheveux et ses vêtements. Le molosse laboura le sol de ses griffes, puis poussa un long hurlement. Un chœur étourdissant de jappements lui répondit. Quelque part sur la gauche retentit le claquement caractéristique d'une portière. Tout à coup, des phares projetèrent dans la nuit deux faisceaux éblouissants qui révélèrent un spectacle de désolation, des corps mutilés, des mares de sang, des organes et des membres éparpillés. Les yeux des chiens flamboyèrent dans les recoins d'obscurité, comme si des centaines d'ampoules s'étaient allumées en même temps. Une première rafale dégringola d'une plate-forme, suivie d'autres, des balles crépitèrent sur la terre, ricochèrent sur les tôles, miaulèrent autour des tentes et des remorques.

Le molosse bâilla, poussa un second hurlement, plus aigu, puis après avoir enveloppé Solman d'un regard énigmatique, se fondit dans la nuit. Se faufilant avec une agilité étonnante sous les camions, sous les voitures, les chiens battirent en retraite avec une telle rapidité, une telle cohérence, que les balles n'en couchèrent qu'une dizaine. Alors retentirent des appels et des ululements de sirènes, les guetteurs descendirent des plates-formes, les chauffeurs sortirent des tentes, grimpèrent dans les cabines, allumèrent les phares. Le campement se réorganisa sous l'impulsion des membres du conseil ayant enfin recouvré leurs esprits. Des parents et des enfants fous d'inquiétude se répandirent dans les allées, les hurlements déchirants des mères, des sœurs ou des filles, les cris de désespoir des pères, des frères ou des fils se mêlèrent aux coups de feu et aux gémissements des chiens agonisants.

Les moteurs tournaient au ralenti pour éviter le déchargement des batteries. L'odeur de gaz masquait en partie les effluves de sang et de charogne. Les pères et les mères du peuple avaient décidé d'incinérer les corps dès le lendemain à l'aube, afin de prévenir les épidémies, toujours à redouter dans ce genre de circonstances. Afin, également, de quitter au plus vite une région désormais frappée de malédiction. Certes, les hordes de chiens sauvages étaient capables de parcourir deux cents kilomètres par jour, soit presque autant que les camions, et donc de suivre à distance le peuple de l'eau, mais pour des motifs autant psychologiques que rationnels, il valait mieux ne pas s'attarder dans les parages. En outre, les relations avec les Sheulns ne risquaient pas de s'améliorer à la lueur des derniers événements : non seulement on leur avait refusé la moitié de l'eau nécessaire à leurs besoins, mais sept de leurs douze chefs avaient trouvé la mort dans le campement et, si les Aquariotes ne pouvaient être tenus pour responsables de l'attaque de la horde, ils n'avaient pas assuré la sécurité de leurs hôtes et, par conséquent, ils risquaient d'être accusés lors du prochain rassemblement d'avoir doublement bafoué l'Éthique nomade.

Ce n'est que lorsqu'il arriva en vue de la petite voiture, située en fin de convoi, que Solman s'interrogea sur le sort de Raïma. L'auvent était désert et plongé dans le noir. De même aucune lumière, même ténue, ne soulignait les vitres habillées de rideaux. Il accéléra l'allure malgré un souffle déjà court, s'engouffra sous l'auvent, avala d'une foulée le marchepied et s'introduisit dans la voiture.

« Raïma ? »

Personne ne lui répondit. L'intérieur baignait dans une pénombre à peine retroussée par les faisceaux des phares. Les odeurs singulières des herbes macérées, des onguents et des décoctions flottaient dans l'air humide. Il huma également le parfum de Raïma, un mélange de musc, de rose sauvage et de citronnelle dont elle était la seule à user et qui rôdait comme une ombre entre les banquettes. Il alla vérifier dans le coin-cuisine – coin-antre aurait été un terme plus approprié pour décrire cet espace minuscule encombré de récipients de toutes tailles où marinaient des préparations à des stades divers d'avancement – tout en sachant qu'il ne l'y trouverait pas. Il prit appui sur la table scellée au plancher pour détendre sa jambe douloureuse et reprendre son souffle. Raïma... Se pouvait-il qu'elle eût été dévorée par les chiens ? Elle recevait d'habitude les gens dans sa voiture, où elle disposait de tous ses remèdes, mais deux heures plus tôt, un garçon était venu la chercher pour l'accouchement de sa sœur aînée.

Taraudé par l'angoisse, il sortit de la voiture et commença à fouiller le campement en compagnie de ces hommes et de ces femmes qui recherchaient un proche sous les roues des camions, dans les débris des charrettes ou des tonneaux, entre les cadavres des chevaux et des bœufs, dans les ornières profondes que le crachin transformait en fossés boueux. Ne disposant pas de lampe de poche, il ne pouvait s'orienter qu'à la lueur rasante des phares qui explosait en myriades de gouttes aveuglantes sur les rideaux de pluie. Chaque fois qu'on ramenait un corps dans une allée, il s'arrêtait de respirer.

Même si toutes les vies revêtaient la même importance aux yeux des Aquariotes, il ne pouvait s'empêcher de ressentir un immense soulagement lorsque les rayons des lampes révélaient un autre visage que celui de Raïma, ou une autre chevelure que celle de Raïma pour celles dont le visage était méconnaissable. Une réaction parfaitement égoïste, il en était conscient, mais la guérisseuse était sa seule amie, sa seule confidente, sa seule complice, la seule femme du peuple de l'eau qui lui eût ouvert son esprit, son cœur et son corps.

Des veillées funèbres se tenaient déjà dans les tentes ouvertes où chacun était convié à se recueillir, à accompagner l'âme des défunts dans leur voyage. Aux notions de paradis ou d'enfer professées par les religions mortes, les peuples nomades avaient substitué l'idée générale de la transmigration des âmes, selon le principe des cycles cher à mère Nature, qui mourait sans cesse à elle-même pour renaître, qui se nourrissait de tous les déchets, de toutes les décompositions pour mieux déployer la vie. Cette croyance – car la transmigration restait une croyance – présentait l'avantage théorique de renvoyer chacun à sa propre responsabilité mais, dans la pratique, les hommes et les femmes des peuples nomades se montraient prompts à rejeter la faute sur autrui, à provoquer et entretenir les querelles. C'était d'ailleurs cette propension à la discorde qui avait motivé l'organisation de jugements lors des grands rassemblements et, par voie de conséquence, la charge de clairvoyant. Les juges ordinaires du début avaient peu à peu été remplacés par des êtres aux perceptions aiguisées, des jeunes gens le plus souvent, voire des enfants, dont les sentences étaient sans appel.

Solman s'aventura avec quelques autres hors des limites du campement, là où le crachin absorbait entièrement la lumière des phares. Il s'efforça de suivre l'allure malgré les élancements de sa jambe bancale. De loin le campement évoquait une ruche dévastée, meurtrie. Les camions ouvraient de gros yeux de reines éblouies, les silhouettes s'agitaient dans le plus grand désordre comme des travailleuses déboussolées. Ils ne trouvèrent qu'un bras rongé jusqu'à l'os à trois cents mètres du camion le plus proche, un souvenir à la fois dérisoire et atroce du passage de la horde.

« On rentre, gronda un homme, les mâchoires serrées. Ces satanés cabots pourraient revenir. »

Solman était persuadé du contraire, mais il garda ses certitudes pour lui et se contenta de revenir avec les autres dans le campement, où il erra comme une âme en peine jusqu'à ce que sa jambe le contraigne à s'arrêter et à se réfugier sous l'auvent d'une tente vide. Il était arrivé dans un endroit où les voitures et les remorques regroupées arrêtaient les faisceaux des phares et invitaient les ténèbres à reprendre leurs droits. Les lamentations montaient comme des mélopées funèbres entre les ronronnements des moteurs. Une gerbe d'exclamations éclatait de temps à autre, signe qu'on venait de découvrir un nouveau corps.

Trempé jusqu'aux os, Solman entreprit de retirer sa tunique dont le cuir gorgé d'eau lui irritait la peau. Il lui sembla discerner un gémissement tout près de lui. Il s'interrompit dans son mouvement, tendit l'oreille : cela venait de l'intérieur de la tente. Le cœur battant, il en franchit l'ouverture, laissa à ses yeux le temps de s'accoutumer à l'obscurité. Il y régnait une odeur de sueur rance, caractéristique des habitations occupées par des hommes seuls. Il ne distingua rien d'autre qu'une couche défaite, une table basse et une malle d'osier d'où débordaient des vêtements épars. Il crut qu'il avait été leurré par ses sens, et la déception souffla, comme la flamme d'une bougie, le fol – et absurde – espoir qui s'était levé en lui.

Puis il entendit à nouveau le gémissement, plus net, plus proche, et comprit qu'il provenait de l'autre côté de la toile. Oubliant la fatigue et la douleur, il sortit presque en courant de la tente, la contourna, buta contre quelque chose de dur, s'étala de tout son long sur la terre gorgée d'eau. Il se releva et se rendit compte qu'il avait percuté le cadavre d'un homme, jeune à en juger par la moitié du visage qui n'avait pas été lacérée. Les chiens ne s'étaient pas satisfaits de le dénuder, de l'égorger et de l'éviscérer comme la plupart de leurs victimes, ils lui avaient arraché les deux bras et les deux jambes. Il devina les raisons de cet acharnement lorsqu'il distingua la forme claire d'un poignard qui gisait dans la boue à moins d'un mètre du corps. L'homme avait tenté de se défendre, blessé un de ses agresseurs peut-être, excité leur fureur en tout cas. Quoi qu'il en fût, cela faisait longtemps qu'il n'était plus en état de proférer la moindre plainte. Solman ramassa le poignard et se rendit à l'arrière de la tente, accrochée directement à une remorque par trois cordes au mépris de toutes les règles de sécurité des campements.

Il s'accroupit pour inspecter du regard le dessous de la remorque. Il entrevit, entre les roues, une forme allongée et grise qui remuait légèrement. Des corolles sombres souillaient ses vêtements déchirés. Des taches de boue. Ou de sang.

« Raïma ? »

CHAPITRE 6

Blessée profondément à l'épaule, Raïma était parvenue à juguler l'hémorragie à l'aide d'un bouchon de tissu qu'elle avait posé et maintenu sur la plaie. Elle avait ensuite attendu les secours sans bouger, une immobilité qui lui avait sans doute valu d'être épargnée par les chiens. Bien qu'ayant perdu beaucoup de sang, ce fut elle qui, de la main et de la voix, indiqua à Solman les gestes à accomplir : découper une bande de tissu avec la pointe du poignard, la nouer autour de l'épaule, la serrer pour empêcher le sang de se remettre à couler, soulever son corps avec précaution et le transporter vers sa voiture où elle pourrait désinfecter la plaie et refaire un pansement propre.

Solman la porta seul sur une cinquantaine de mètres puis, au moment où ses jambes brûlées par l'effort commençaient à flageoler, deux hommes munis de lampes s'avancèrent dans sa direction, se saisirent de la jeune femme, la ramenèrent chez elle et s'éclipsèrent afin de reprendre leur besogne de recherche et d'identification des corps.

Allongée sur l'une des deux banquettes, trop faible pour effectuer le moindre mouvement, elle demanda à Solman de lui prodiguer les soins. Il retira d'abord ses vêtements maculés de sang et de boue, nettoya ensuite la plaie avec du coton imbibé d'un désinfectant à l'alcool de fruits sauvages, étala du bout des doigts une pommade aux plantes favorisant la cicatrisation, recouvrit la blessure d'une compresse de gaze, confectionna un nouveau pansement, lui lava entièrement le corps avec une eau dans laquelle il avait au préalable versé trois gouttes d'huile essentielle, déplia le lit escamotable et, enfin, l'étendit dans des draps propres. Elle lui adressa un pâle sourire et lui effleura la joue avant de sombrer dans le sommeil. Vidé de ses forces, frigorifié, il se débarrassa de ses bottes et de ses vêtements, se frictionna rapidement à l'aide d'une serviette, s'allongea sur une banquette et tira une couverture de laine sur lui. Il posa le poignard sur la tablette supérieure, à portée de main, une précaution inutile mais qui avait la même fonction rassurante qu'un rituel enfantin.

Il eut encore le temps de songer, avant de s'endormir, que la blessure de Raïma était trop nette, trop précise, pour avoir été ouverte par les crocs ou les griffes d'un chien.

« Rilvo... »

Raïma s'était débattue pendant deux jours, en proie à de fortes poussées de fièvre qui avaient couvert son corps d'une sueur brûlante et provoqué des convulsions répétées dont la violence avait fait craindre le pire. Solman l'avait veillée sans relâche, tamponnant son visage cyanosé avec un chiffon trempé dans l'eau fraîche, changeant les draps trois fois par jour, ne se reposant qu'une ou deux heures par nuit. Les pères et les mères du peuple étaient venus à plusieurs reprises s'enquérir de l'état de la jeune femme. La plus préoccupée semblait être Gwenuver. Peut-être avait-elle pris conscience de l'importance du rôle de la guérisseuse au sein du peuple aquariote et regrettait-elle la violente dispute qui les avait opposées quelques jours plus tôt, toujours est-il qu'elle s'engouffrait dans la petite voiture à chaque arrêt de la caravane pour s'informer auprès de Solman de l'évolution de la fièvre. Elle lui avait confié que l'attaque de la horde avait fait plus de trois cents morts, dont une vingtaine de Sheulns. Hormis Raïma, on n'avait recensé aucun survivant. Il ne lui avait pas parlé de son étrange impression devant le grand chien qui s'était dressé sur son passage. Il doutait de la fiabilité de ses perceptions et puis, et c'était probablement la véritable raison de son silence, il n'avait plus confiance en mère Gwenuver. Il n'avait plus confiance en général dans les pères et les mères du peuple.

« Quoi, Rilvo ? » demanda-t-il.

La brûlure insistante d'un regard sur son visage l'avait réveillé une demi-heure plus tôt. Il avait pourtant eu l'impression qu'il venait tout juste de s'assoupir sur l'une des deux banquettes qui encadraient le lit escamotable. Il avait aperçu Raïma entre ses paupières entrouvertes, redressée, les épaules et la nuque appuyées contre les coussins, pâle, d'une maigreur désolante, mais apaisée et lucide enfin. Le coquelicot avait cessé de s'épanouir sur le tissu clair de son bandage.

Elle but une gorgée de breuvage amer que, sur ses consignes, il était allé préparer dans le coin-cuisine. Des cernes violacés soulignaient ses yeux encore agrandis par la fièvre. Le drap avait glissé sur son corps, la dénudant en partie, dévoilant les excroissances de son torse et les zébrures saillantes découpées par ses côtes. D'un mouvement de menton, elle désigna le poignard toujours posé sur la tablette.

« C'est lui, Rilvo, qui m'a blessée avec ça. J'ai réussi à le frapper là – elle pointa l'index sur le bas-ventre de Solman –, je lui ai échappé, j'ai couru hors de la tente... »

Elle haletait et grimaçait en racontant cette scène, comme si sa mémoire de son corps lui était restituée en même temps que les pensées et les mots.

« Il m'a rattrapée. Il s'apprêtait à m'achever, mais les chiens sont arrivés et se sont jetés sur lui. J'ai réussi à ramper sous la remorque. Je les ai vus... » Des larmes dévalèrent ses joues. « C'était horrible, ils l'ont réduit en charpie. Il a hurlé un bon bout de temps avant qu'ils lui broient la gorge.

— Ils t'ont sauvé la vie », dit Solman.

Elle s'essuya le visage avec un coin du drap.

« Je pensais qu'ils se retourneraient contre moi mais, quand ils en ont eu assez de jouer avec le cadavre de

Rilvo, ils n'ont pas cherché à se glisser sous la remorque, ils se sont éloignés, comme si je ne les intéressais pas. J'ai eu assez de forces pour déchirer un bout de tissu et le presser sur ma blessure, puis j'ai attendu, attendu... J'entendais les aboiements des chiens tout autour, les hurlements de ceux qu'ils étaient en train de... Mon Dieu, comme le temps m'a paru long ! Je croyais être déjà morte, tombée dans ce puits de souffrance qu'est l'enfer des chrétiens.

— Tu es bien vivante, heureusement ! »

La voix de Solman s'était étranglée d'émotion. Elle se pencha sur le côté, posa le bol sur le plancher, le saisit par le poignet, l'attira sur le lit et l'embrassa avec une douceur étrange, mélancolique.

« Est-ce que tu seras toujours heureux de me savoir en vie, Solman ? »

Il se recula, interloqué par l'intensité soudaine de son regard.

« Pourquoi tu dis ça ?

— Je connais les hommes...

— Je ne suis pas un homme comme les autres, c'est toi qui l'as dit. »

Elle eut un petit sourire amer qui plissa ses yeux et souligna la lassitude de ses traits.

« Pour certaines choses, je crois que tu leur ressembles un peu trop... »

Mal à l'aise, Solman se releva et posa le front sur l'une des vitres latérales.

La caravane se rapprochait de la région de France à en juger par les teintes plus vives, plus gaies, de la plaine qui se dépouillait peu à peu de sa houppelande de brume. Le soir, les campements se montaient dans le silence du deuil, à peine troublé par les coups de maillet sur les piquets des tentes, les claquements des battoirs des lavandiers et les rires des plus jeunes enfants. Rares étaient les familles qui n'avaient pas été touchées de près ou de loin par l'incursion des chiens. Les guetteurs se relayaient toute la nuit sur les plates-formes, les phares restaient allumés et les moteurs des camions placés sur la circonférence du « cercle de sécurité » tournaient jusqu'à l'aube. Les chauffeurs craignaient à présent une pénurie de gaz et réduisaient encore leur vitesse. Le convoi se traînait à une allure désespérément lente sur ces étendues planes et mornes que tous avaient hâte de quitter. La horde n'avait pas redonné signe de vie. Des vols d'étourneaux ou d'oies sauvages traversaient parfois le ciel livide comme des songes froissés. Ils fuyaient les rigueurs de l'hiver pour se réfugier plus au sud, comme la plupart des peuples nomades. La veille, une harde de sangliers était passée à deux cents mètres du campement, semant un début de panique aussitôt jugulée par les guetteurs.

« Pourquoi Rilvo voulait-il te tuer ? demanda Solman. Il avait l'intention de te...

— Je n'en ai pas la moindre idée. Ce que je sais, c'est que j'ai été attirée dans un piège. Après l'accouchement de Tiphnie, un autre gosse est venu me chercher pour soigner son grand-père. Il m'a conduite sous l'auvent d'une tente, je suis entrée, j'ai vu un corps sur une couche, je me suis penchée et, là, quelqu'un m'a saisie à la gorge, je me suis retrouvée allongée contre lui avec une lame sur le cou.

— Est-ce qu'il t'a... »

Elle secoua la tête. Il lui en coûtait d'évoquer cette scène mais elle s'astreignit à répondre, consciente que, si elle ne les expulsait pas, ces souvenirs continueraient de la hanter, de lui ronger les sangs.

« Il m'a dit qu'il ne baisait pas les pourritures comme moi, qu'il n'était pas du genre à tremper son machin dans une viande transgénosée. » Elle reniflait tous les deux ou trois mots pour contenir ses larmes. « Il a joué un long moment avec moi en poussant des petits rires de cinglé, puis il m'a frappée. J'ai eu un mouvement de recul. Il m'a planté son poignard dans l'épaule au lieu du cœur. J'ai cru que j'allais m'évanouir mais la peur a été plus forte que la douleur. J'ai lancé ma jambe vers l'avant. Je lui ai frappé les parties. Il s'est plié comme un sac. J'en ai profité pour sortir de la tente. La suite, tu la connais...

— Pourquoi est-ce qu'on t'aurait tendu un piège ? »

Elle haussa les épaules. Le tressaillement de ses seins raviva une braise dans les cendres encore chaudes du désir de Solman.

« J'ai des ennemis chez les Aquariotes. Les femmes dont les maris ont été mes amants, les hommes qui craignent que je parle à leurs épouses, des parents dont je n'ai pas réussi à guérir l'enfant, les uns et les autres qui m'accusent de déterrer les religions mortes... Sans compter ceux qui me soupçonnent de vouloir te soustraire à l'influence des pères et des mères du peuple.

— Peut-être, mais de là à commettre un crime... »

À peine eut-il prononcé ces mots que la douleur familière se réveilla et lui cisailla le ventre. Il se retrouva projeté des années en arrière, dans la tente de ses parents, glacé de terreur sur sa couche, il entendit la dernière exhalaison de son père, les gémissements étouffés de sa mère. Les Aquariotes se débattaient avec les mêmes démons que les hommes de l'ancienne civilisation. Il avait suffi d'un désir inassouvi, ce même désir qui l'avait tyrannisé durant toutes ces nuits dans la solitude poisseuse de sa tente, pour conduire un être humain à perpétrer un double crime.

« Qu'est-ce qui nous différencie des animaux sauvages ? murmura Raïma d'une voix fêlée par la détresse. À quoi utilisons-nous notre pensée, notre langage, notre intelligence ? Nous, les peuples nomades, nous prétendons avoir tiré les leçons du passé et nous être engagés dans une nouvelle voie, mais qu'est-ce qui a changé ? Où est l'être pur dont les pères et les mères des conseils nous rebattent les oreilles ? Où est la relation miraculeuse avec la mère Nature ? À quoi servira-t-il de purifier la terre si nous ne nettoyons pas nos âmes ? »

Elle marqua un temps de pause, pendant lequel elle dénoua le bandage, souleva la gaze et examina la blessure. Solman fut étonné de constater qu'une cicatrice renflée et rougeâtre s'était déjà tirée sur la plaie.

« Les pères et les mères ont remplacé les vieilles religions par d'autres rituels, d'autres discours, mais les croyances restent les mêmes, reprit-elle. Ça revient à enfiler des vêtements neufs sur un corps sale.

— Ils sont sincères, hasarda Solman. Ils croient bien faire.

— Ils se comportent comme des prêtres. Ils croient nous guider vers un destin glorieux, ils nous ramènent dans les fosses où grouillent nos monstres. Ces chiens n'étaient finalement que nos reflets, nos ombres. »

Les déflagrations or et pourpre des bosquets secouaient la monotonie de la plaine dont le vert pâle se diluait dans le gris du ciel. À l'horizon, se découpaient les formes déréglées et anonymes de l'une de ces innombrables cités en ruine qui jonchaient le territoire européen. La plupart étaient enfouies sous la végétation, mais dans les plaines du Nord, où l'hiver sévissait la moitié de l'année, elles s'exhibaient dans leur nudité pathétique.

Solman revint s'asseoir sur le lit.

« Les chiens étaient comme Rilvo, dit-il.

— Comment ça ?

— Ils ne se sont pas abattus sur le campement par hasard. Ils ont obéi à des ordres. Quelqu'un les manipule comme des soldats. »

Raïma le dévisagea avec une intensité brûlante pendant quelques secondes, la bouche entrouverte, les yeux plissés.

« Va me chercher la pommade et raconte-moi ça. »

Tout en étalant lui-même la substance grasse à petits mouvements circulaires et délicats, il lui décrivit les sensations qui l'avaient traversé devant le grand chien.

« Je ne connais pas de peuple nomade capable d'exercer une telle influence sur des animaux, murmura-t-elle après qu'il eut fini son récit.

— Et les Virgotes ?

— Leurs chiens sont bien dressés, obéissants, mais d'abord ils ont besoin d'entendre la voix de leurs maîtres et, ensuite, ils ne vivent pas en hordes.

— Alors qui ?

— C'est toi le donneur, Solman, toi qui lis dans les âmes. C'est ton rôle de le découvrir. »

La France se distinguait des régions de l'Est et du Nord par l'extrême variété de ses paysages, mais aussi par la quantité invraisemblable de ruines et autres vestiges de l'ancienne civilisation. Située à l'extrémité occidentale de la ligne Paris-Moscou-Pékin, elle avait essuyé les attaques incessantes de l'armée américaine tandis que la Russie subissait les assauts des républiques islamistes voisines et que la Chine en décousait avec les troupes indiennes déferlant des hauts plateaux du Népal et du Tibet. Les anciens disaient que, de toutes les régions du monde, c'était certainement la France qui avait enduré les bombardements les plus terribles. Les missiles avaient creusé par endroits des cratères noirs et gigantesques où aucune végétation ne poussait, n'était-ce, ces dernières années, une lèpre grisâtre et tenace qui crépitait sèchement sous les roues des camions et les semelles des chaussures. Ailleurs, d'immenses cimetières de chars, réduits à l'état de masses calcinées et informes, témoignaient de la violence des combats. Là encore, alors que ces étendues étaient restées désertiques pendant près d'un siècle, des plantes grimpantes d'une espèce inconnue avaient fait leur apparition depuis quelque temps et s'étaient lancées à l'assaut des carcasses métalliques. « La mère Nature a digéré les radiations, disaient les anciens – ils prononçaient le mot radiation à voix basse, comme s'ils redoutaient de s'attirer une malédiction. – Elle commence son travail de purification. » Lors d'un passage précédent, des enfants avaient commis l'imprudence de toucher les feuilles de ces plantes et ensuite de porter les doigts à leur bouche : ils étaient morts en moins de deux heures dans d'atroces convulsions, les lèvres, la langue, l'œsophage et l'estomac calcinés, troués comme du papier brûlé.

Raïma avait cueilli quelques-unes de ces feuilles pour les examiner. Des différentes préparations qu'elle avait essayées, elle n'avait obtenu, même dilué des dizaines de fois, qu'un poison aussi violent que l'ultra-cyanure des anguilles[GM] et plus corrosif que le plus puissant des acides. Elle en avait gardé une petite fiole qu'elle projetait d'avaler lorsque la transgénose l'aurait transformée en un bloc de souffrance pure. Elle l'avait montrée à Solman et lui avait fait jurer de le lui administrer au cas où elle n'en aurait pas la force ou la lucidité. Il avait promis sans vraiment se sentir lié, à la manière de ces serments d'enfant qui scellent des lendemains sans avenir.

Il existait une différence fondamentale entre Raïma et lui : il ne s'était pas engagé dans leur relation avec la même densité qu'elle, il ne ressentait pas cette exigence tyrannique qui s'amplifiait dans les vertiges d'une vie condamnée, accélérée. Il explorait seulement avec elle, en elle, le territoire des sens, il s'installait dans ses habits tout neufs d'homme avec l'inconscience cruelle des conquérants, des jouisseurs, de ceux qui enferment le monde dans quelques gouttes de leur propre liqueur. Il commençait à prendre peur d'elle, des lueurs farouches qui embrasaient ses yeux sombres, des griffures profondes de ses ongles, de ses imprécations amoureuses. Il attendait, avec une impatience grandissante, le moment où la caravane s'immobilisait, où il pouvait enfin sortir de la voiture et respirer un air un peu moins étouffant. Il montait rapidement l'auvent et, tandis que les premiers patients de Raïma se présentaient, il filait dans la tente du conseil du peuple pour savoir si les pères et les mères ne réclamaient pas ses services. Il bavardait un petit moment avec les uns et les autres, principalement avec mère Gwenuver qui l'abreuvait de questions sur sa nouvelle existence avec la guérisseuse, puis il se promenait dans les allées, se surprenant à observer, aux lueurs des braseros et des feux, les corps lisses des femmes qui se lavaient dans la grande baignoire collective taillée dans une ancienne citerne.

Le campement avait recouvré son ambiance familière. Seuls quelques visages fermés, quelques crises de sanglots ainsi que les mesures exceptionnelles de sécurité, disposition en cercle des camions, phares allumés, établissement de tours de surveillance, rappelaient le passage de la horde. À nouveau montaient les rires et les chants, accompagnés des flûtes, des harmonicas, des accordéons ou des instruments à cordes. Les chansons du peuple aquariote, et plus généralement des peuples nomades, parlaient pour moitié d'amour et pour moitié du mythe d'une terre enfin restituée à sa pureté originelle. La plupart du temps, les femmes fredonnaient les couplets et les hommes scandaient les refrains. Ce contraste entre les arabesques mélodieuses des voix cristallines et les martèlements des voix graves s'associait à la tristesse des paroles pour engendrer une nostalgie languide, déchirante.

Les soirs précédents, la colère avait poussé Solman à rechercher activement le garçon qui avait entraîné Raïma dans le piège de Rilvo. Comme elle ne lui avait fourni qu'une description sommaire de son petit guide, il avait interrogé des enfants au hasard, sans résultat probant. Il avait seulement appris que Rilvo avait une grande sœur, Izbel, mariée au chauffeur qui conduisait le seul camion de couleur rouge du convoi.

Il n'eut aucun mal à localiser la tente d'Izbel, dressée à quelques mètres à peine du camion rouge – rouille aurait été un terme plus approprié –, un véhicule au museau court, cabossé, rafistolé, couvert d'une lèpre brune que des plaques métalliques vissées sur la carrosserie tentaient d'enrayer par endroits. Il trouva la sœur de Rilvo sous l'auvent en train de plier sur une table le linge propre que venait de lui remettre un lavandier. Il ne lui fut pas difficile de la reconnaître : elle était la réplique à peine raffinée de son frère, du moins du souvenir tronqué qu'en gardait Solman. Seuls ses cheveux longs et bouclés, sa robe, une pièce de tissu gris savamment drapée autour de son corps, et une poitrine arrogante lui donnaient une touche de féminité.

Elle le regarda arriver avec ce mélange d'intérêt et d'effroi qui caractérise les témoins ou les accusés confrontés à un donneur. Il la salua et, sans préambule, lui demanda si elle savait quelles étaient les fréquentations de son frère Rilvo avant sa mort. Elle lança un regard de détresse à son mari avachi dans un fauteuil à l'intérieur de la tente qu'éclairaient les flammes vacillantes d'une dizaine de bougies. Outre la table et le fauteuil, leur mobilier se composait d'un matelas encore nu, de draps tire-bouchonnés dans un coin, d'une desserte basse, de deux tabourets de bois, d'un tapis rongé jusqu'à la trame, de quelques vêtements et de chaussures épars, d'une malle en fer et d'un réchaud à bois posé sur un trépied métallique.

« Je n'ai pas la moindre idée de ce qu'il fabriquait, ce fichu vaurien ! finit-elle par lâcher entre ses lèvres pincées. De toute façon, il a été bouffé par ces satanés clebs. En quoi est-ce que ça peut t'intéresser ? »

Solman perçut la musique caractéristique – et horripilante – du mensonge.

« Qu'est-ce qu'il faisait, comme travail ? »

Izbel leva les bras au ciel.

« Je t'ai déjà dit que j'en savais rien...

— Je ne te crois pas ! »

En arrière-plan, Solman vit se déployer la carcasse du mari, au ralenti, comme s'il affrontait un air plus dense que de l'eau. Un type immense, plus de deux mètres, des battoirs énormes, un pantalon élimé retroussé sur des mollets saillants, des pieds nus et noirs de crasse, une chemise écrue entrouverte sur un torse aussi velu qu'une fourrure de sanglier, une barbe de plusieurs jours, un crâne lisse, sillonné par les croûtes des estafilades semées par le rasoir, des yeux dissimulés par des lunettes teintées, comme la grande majorité des chauffeurs.

« Fiche le camp ! »

Des vibrations plus agressives que celles de la femme émanaient de sa voix basse, puissante, qui s'était fichée comme l'extrémité d'un fer rouge dans le ventre de Solman. Un homme comme lui aurait pu tuer pour soumettre une femme à ses désirs, un homme comme lui aurait pu poignarder son père et sa mère. Quel âge pouvait-il avoir ? Trente-cinq ans, peut-être quarante, soit l'âge qu'auraient atteint ses parents s'ils avaient vécu. Les membres du conseil n'avaient jamais retrouvé l'assassin mais cela ne voulait pas dire que ce dernier avait déserté la caravane aquariote.

« T'as entendu, donneur ? On n'est pas au tribunal du grand rassemblement ! T'as aucun droit de nous poser des questions. Alors fiche le camp ! »

Il n'avait pas tort. Tant que le conseil n'assignait pas un individu à comparaître, rien ni personne ne l'obligeait à répondre aux questions, une règle destinée à protéger les barrières d'une intimité déjà profanée par la condition nomade et la vie communautaire. Si Solman voulait les interroger, il lui faudrait obtenir l'accord des deux tiers des membres du conseil. Sculptés par la lumière rasante des phares, les visages de ses vis-à-vis semblaient flotter dans le vide. Le campement résonnait d'une activité joyeuse, bruissante. Les étoiles entrelaçaient leurs guirlandes scintillantes au fond des abysses célestes.

Demain, les camions referaient le plein de gaz à la réserve des portes de l'Oise, contourneraient la mystérieuse forêt de l'Île-de-France et prendraient la route du Sud-Ouest, des longues plages de sable de la côte atlantique. Dans un mois se tiendrait le grand rassemblement, on procéderait à la distribution d'eau, aux jugements, on exécuterait les sentences, puis on descendrait encore plus au sud, de l'autre côté de la barrière pyrénéenne, là où un soleil poussif leur permettrait d'attendre sans trop souffrir le retour de la belle saison.

« Ça ne se passera pas comme ça, marmonna Solman.

— Des menaces ? » gronda le chauffeur.

Solman n'avait pas pensé à ses vis-à-vis lorsqu'il avait prononcé ces paroles. Il haussa les épaules, pivota sur lui-même et s'enfonça en claudiquant dans le cœur du campement.

CHAPITRE 7

« Regarde comme elle se tend ! Doit y avoir un énorme gisement d'eau potable dans ce fouillis. »

L'excitation enflammait les yeux habituellement mornes d'Helaïnn l'ancienne. Curieusement, alors qu'elle ne lui avait pratiquement pas adressé la parole à l'occasion de la rhabde ukrainienne, elle semblait aujourd'hui encline à se confier à Solman. Peut-être parce qu'elle était seule, qu'elle n'était plus tenue de jouer un rôle devant son groupe, de prouver que l'âge ou la faiblesse ne diminuaient en rien les pouvoirs d'une sourcière.

La caravane resterait immobilisée toute la journée aux abords de la réserve de gaz liquéfié des portes de l'Oise, la plus importante de tout le territoire européen. Une réserve, comme les retenues d'eau potable, enfouie cinquante mètres sous terre par les armées de la ligne PMP. Pour prélever le gaz, stocké dans d'immenses cuves souterraines faites d'un alliage indestructible, les Aquariotes utilisaient un système de pompes automatiques et blindées dont, près de cent ans plus tôt, les fondateurs du peuple avaient déniché les codes d'accès. Seuls les six membres du conseil détenaient les combinaisons de dix chiffres et dix lettres qui déclenchaient les vannes d'ouverture et commandaient le flux du précieux liquide. Le tableau électronique maintenu, comme tout le système, par un groupe électrogène lui-même alimenté en gaz et entretenu par des mécabots leur permettait de surveiller l'état des stocks avec une extrême précision. Au train où allaient les choses, la réserve des portes de l'Oise assurait au peuple aquariote encore plus d'un siècle d'énergie, une durée probablement supérieure à l'espérance de vie des camions.

Cette abondance presque insolente dans un monde marqué par les pénuries avait suscité bien des convoitises. Trente ans plus tôt par exemple, le peuple léote avait enlevé deux mères du peuple afin de les contraindre sous la torture à révéler les codes. Comme elles avaient refusé de parler, on les avait découvertes quelques jours plus tard empalées sur des pieux, écorchées de la tête aux pieds. Une autre fois, c'était un clan des Slangs, les troquants d'armes, qui avait menacé d'exécuter une vingtaine d'otages, des femmes et des enfants, si on ne lui donnait pas les fameuses combinaisons. Les femmes avaient été violées et suppliciées, les enfants disséminés morceau par morceau sur les principales routes, mais, malgré la pression des parents et des maris, le conseil aquariote n'avait pas cédé. Le message adressé aux autres peuples ou aux autres groupes était clair : quel que soit le prix à payer, les Aquariotes n'accepteraient jamais de se séparer de leur gaz, pas davantage de leur réserve des portes de l'Oise que de celles, mineures, de Bavière, de Hongrie et de Moldavie. Et ils opposaient un argument choc à ceux qui, lors des rassemblements, contestaient cette mainmise sur les derniers gisements énergétiques de l'ancienne civilisation : comme ils étaient les seuls à pouvoir trouver de l'eau potable, les priver de gaz revenait à condamner à mort tous les survivants du conflit qui avait secoué la Terre pendant près de trente ans.

« Si je ne la retenais pas, elle volerait ! » s'exclama Helaïnn.

Solman examina la baguette de coudrier en forme de Y dont elle empoignait fermement les deux branches et dont la pointe se tendait à l'horizontale en direction de la forêt. Les arbres agitaient leurs feuillages comme des spectres bruissants. Les fleurs pourpres s'épanouissaient comme des taches de sang sur le fond vert et frémissant, renforçaient l'impression d'hostilité qui se dégageait de cette masse sombre, impénétrable.

« Et tu sais si l'eau est potable ? demanda Solman.

— La meilleure de toutes ! affirma Helaïnn. Une eau pure comme aux premiers jours. Ma baguette ne m'a jamais trompée.

— Elle ne réagit pas lorsque l'eau est empoisonnée ?

— Si, mais elle ne chante pas avec la même force.

— C'est vrai que tous ces arbres doivent bien s'abreuver quelque part, ajouta Solman.

— Et les animaux sauvages, peut-être qu'ils y viennent boire eux aussi... »

Ils s'étaient retrouvés là tous les deux par hasard, lui parce qu'il avait sauté sur l'occasion de passer quelques heures loin de Raïma, prise toute la journée par ses consultations, elle parce que sa baguette l'avait irrésistiblement attirée vers la forêt, comme chaque fois que la caravane traversait l'Île-de-France. Elle n'était pas la seule, d'ailleurs, à brûler d'envie de franchir cette muraille vivante, de plonger dans le cœur occulte de cette végétation intrigante. On ne comptait plus les Aquariotes et les membres des autres peuples qui avaient un jour cédé à la tentation. On ne les avait jamais revus, ce qui avait validé l'hypothèse d'une forêt machiavélique et meurtrière. D'autres histoires, plus anciennes, prétendaient qu'elle protégeait une cité fabuleuse, un éden où les rares hommes de bien de l'ancienne civilisation étaient plongés dans un sommeil profond dont ils se relèveraient lorsque la terre aurait reconstitué ses forces et réuni tous ses enfants. La meilleure façon de l'explorer aurait été de la survoler, mais les pilotes du peuple des airs qui avaient lancé leurs machines volantes au-dessus de l'Île-de-France avaient tous disparu.

Il existait d'autres forêts dans différentes régions d'Europe, une au nord de l'Espagne, une au nord de l'Italie, une au centre de l'Allemagne et quelques autres encore, mais aucune d'elles ne se dressait comme celle-ci au beau milieu d'un espace dégagé, aucune d'elles n'exerçait une telle fascination.

Le soleil se levait dans une débauche de lumière qui teintait de rose et de mauve les écharpes de brume enroulées autour des reliefs. Solman avait transféré tout le poids de son corps sur sa jambe normale, l'autre ayant été mise à mal par les trois ou quatre kilomètres de marche depuis le campement. Il mourait d'envie de s'asseoir dans l'herbe encore perlée de rosée, mais son orgueil lui commandait de rester debout, de contenir sa souffrance devant cette femme âgée qui s'interdisait de montrer ses faiblesses.

« Le temps est venu pour moi de... »

Elle s'interrompit et fixa sa baguette toujours tendue vers la forêt. Il avait déjà deviné ce qu'elle tentait de lui dire. Elle n'était plus Helaïnn la sourcière en cet instant, mais une femme qui abaissait ses barrières et dénudait son âme, une femme qui se débarrassait du fardeau de la vie.

« ... suivre ma baguette. Tu es un donneur, Solman, tu sais que je suis déjà morte une fois, quand j'ai perdu mes enfants.

— Je ne l'aurais pas su si on ne me l'avait pas raconté », dit Solman en écartant les bras.

Il lut dans ses yeux qu'elle ne le croyait pas.

« Pendant quarante-cinq ans, j'ai été morte à l'amour, morte aux autres. Mon mari a quitté un matin le campement et n'est jamais revenu. Je suppose qu'il ne supportait plus de vivre avec une femme fossilisée. Une seule chose m'a retenue à la vie durant toutes ces années : la rhabde. Ma baguette est devenue ma seule famille, ma seule confidente, la quête d'eau ma seule joie. »

Le vent froid plaquait sa robe de laine sur sa peau et soulignait les brisures de son corps décharné.

« Je pensais partir seule, sans témoin, mais finalement je suis heureuse que tu sois là. Nous ne t'avons pas réservé un bon accueil lorsque tu t'es joint à notre rhabde, et de ça, je voudrais te demander pardon. »

Solman s'abstint de lui répliquer qu'il n'avait pas eu besoin de faire appel à ses dons de clairvoyant pour déceler l'hostilité de son groupe.

« Nous, les sourciers, nous avons reçu le pouvoir de trouver l'eau, de perpétuer la vie. Et nous sommes jaloux de ce pouvoir.

— C'était le grand principe des religions mortes, intervint Solman. Faire croire à leurs adeptes qu'ils appartenaient à une élite. »

Helaïnn eut une brève expression de surprise, puis elle hocha la tête avec un sourire entendu.

« C'est exactement ça : nous sommes persuadés que nous formons une élite. Nous méprisons les chauffeurs, les mécaniciens, les lavandiers, les tisserands, les autres peuples... et même les membres du conseil. En réalité, nous ne craignons que ceux que nous croyons supérieurs, les donneurs. Toute la journée que tu as passée avec nous, Solman, nous avons vécu dans la peur. Dans une peur atroce...

— Peur de quoi ?

— Que tu brises nos illusions. Que tu nous voies comme nous sommes, de pauvres humains sous nos habits de sourciers.

— J'avais seulement l'intention d'assister à une rhabde.

— Je le sais maintenant, et je sais aussi que tu seras toujours seul, que tu rencontreras toujours la peur et la haine autour de toi. Personne n'aime les donneurs parce que tout le monde a quelque chose à se reprocher. Personne n'aime être placé devant le miroir de la vérité. Tu as deviné quelle mauvaise femme je suis, n'est-ce pas ? »

Solman détecta, tapi dans sa voix, un mal indicible, si profondément enfoui qu'il aurait échappé à l'investigation de tout clairvoyant. Il prit une longue inspiration pour essayer de dissiper son malaise et secoua la tête.

« Mes enfants n'ont pas été enlevés par des chiens errants, poursuivit Helaïnn d'une voix tremblante, entrecoupée de hoquets. Je les ai moi-même... jetés dans un précipice. Ils me prenaient trop de temps, tu comprends, ils m'empêchaient de partir en rhabde. Je ne les ai pas tués sur un coup de colère, c'était une décision mûrement réfléchie. L'eau est une maîtresse exigeante, tyrannique... »

Comme Raïma, pensa Solman.

« ... j'ai renié l'épouse et la mère, je me suis volontairement fermée à l'amour pour mieux lui plaire, pour mieux l'apprivoiser, je me suis asséchée comme ces terres désertiques qui guettent la moindre trace d'humidité. »

Des larmes épaisses roulaient sur ses joues. Elle pleurait à nouveau après un demi-siècle d'aridité. Elle ne s'attendrissait pas sur ses enfants, mais sur elle-même, sur le sacrifice terrible qu'avait exigé d'elle son pouvoir de sourcière, et la baguette s'abaissait dans ses mains, piquait vers le bas, comme perturbée par cette eau soudaine et amère qui jaillissait de son corps.

« Je suppose qu'à tes yeux je suis un monstre...

— Je ne suis pas juge », répondit Solman.

Il ne pouvait la condamner, il ressentait toute sa détresse, toute sa souffrance, il sombrait avec elle dans un gouffre noir et froid, sans aucune prise à laquelle se raccrocher, aucune épaule sur laquelle se poser.

« Tous les choix sont injustes, ajouta-t-elle. La mère Nature elle-même est injuste. »

Le voisinage de la mort lui donnait le courage de blasphémer, de fouler aux pieds les croyances des peuples nomades. Elle essuya ses larmes d'un revers de manche énergique.

« Toi aussi tu seras confronté à des choix, Solman. Quoi que tu fasses, tu sèmeras les graines du malheur dans tes sillons. Aux autres, tu diras de moi ce que tu voudras.

— Qu'est-ce que tu vas chercher là-dedans ?

— La paix, peut-être, si la Mère de toute chose veut bien me prendre en pitié... »

Ayant prononcé ces mots, elle se détourna avec brusquerie et se dirigea d'un pas alerte vers la forêt. Elle s'enfonça dans la muraille vert sombre sans marquer la moindre hésitation, sans se retourner une seule fois. Les troncs et les branches basses parurent s'écarter sur son passage. Solman vit disparaître la tache claire de sa silhouette dans la pénombre du couvert. Il entendit des craquements de branches mortes, puis un silence sépulcral retomba sur les lieux, effleuré par le friselis des feuilles et les bourdonnements d'insectes.

Assis dans l'herbe, il observa pendant de longues heures les mouvements des frondaisons agitées par la brise. Il percevait une forme de cohérence, d'intelligence dans cet enchevêtrement en apparence chaotique, inextricable. Une intelligence qui n'avait rien à voir avec l'ordre naturel : elle évoquait l'habileté manœuvrière des chiens quelques jours plus tôt, comme si la horde et la forêt étaient habitées par une conscience unique. Il éprouvait la même sensation de présence, d'attention vigilante, maléfique, il captait le même arrière-plan, la même intention destructrice. Était-ce la nouvelle mutation de la nature, une alliance criminelle entre les règnes végétal et animal destinée à éliminer les derniers hommes ? La quatrième trompette dont parlait Raïma ?

Il sut en tout cas que les arbres ne laisseraient pas Helaïnn l'ancienne aller au bout de son dernier rêve.

Après avoir contourné l'Île-de-France, la caravane avait pris la direction de l'ouest, une piste qui présentait l'avantage d'être parfaitement plate et dégagée. Elle évitait le Massif central, un ensemble pas très haut mais toujours difficile à franchir, et longeait, à partir de l'estuaire de la Gironde, les plages dorées et parfumées des Landes. Les Aquariotes ne se baignaient pas dans l'Atlantique, à cause du poison des anguilles^{GM} – ils n'auraient de toute façon jamais osé affronter les gueules grondantes et écumantes des vagues –, mais ils appréciaient l'air imprégné d'iode et le couvert reposant des étendues de pins. La disparition d'Helaïnn l'ancienne n'avait pas soulevé un grand émoi dans la caravane. On la savait vieille, on la savait fatiguée, seule, rien d'étonnant à ce qu'elle eût décidé de « franchir l'autre porte ».

Bon nombre d'anciens choisissaient ainsi de partir d'eux-mêmes plutôt que de devenir un poids mort, une bouche inutile. On gardait ceux qui s'accrochaient à la vie malgré tout, mais on ne leur épargnait aucune humiliation, on ne ratait aucune occasion de leur faire regretter leur entêtement.

L'état du pont métallique enjambant la Gironde avait suscité les plus vives inquiétudes avant son franchissement. Cependant, les chauffeurs avaient préféré courir le risque de le traverser plutôt que de prendre la piste de contournement du fleuve et d'effectuer un détour de plusieurs centaines de kilomètres. Un à un, les camions s'étaient élancés sur le tablier percé par endroits et avaient gagné l'autre rive sans encombre – et sans passagers, les chauffeurs ayant décidé d'alléger au maximum le poids de leurs véhicules. Accoudés au parapet, Solman et Raïma étaient restés un long moment à contempler l'estuaire, large en cet endroit de deux ou trois cents mètres, un miroir apaisant, bordé de rives boueuses, brisé de temps à autre par les carcasses à demi immergées de grands bateaux couchés.

Solman n'avait rien révélé des aveux d'Helaïnn à quiconque, pas même à Raïma. Il était revenu de la forêt démoralisé, non pas à cause de la vieille sourcière, mais parce que le sentiment avait grandi en lui d'être le jouet d'une force invisible et omnipotente.

Le soir de la première halte sur les bords de l'Atlantique, il éprouva le besoin d'en toucher quelques mots à mère Gwenuver. Il attendit que les cinq autres membres du conseil eussent déserté la tente pour lui faire part de son pressentiment. Assise sur son fauteuil de la salle du conseil, elle l'écouta en silence, les yeux perdus dans le vague, puis elle se redressa et le dévisagea d'un air sévère :

« Les idées de Raïma sont contagieuses. Elle t'a chamboulé l'esprit avec ses idées sur les religions mortes, sur l'Apocalypse.

— Il ne s'agit pas de ce que pense Raïma, vénérée mère, mais de ce que moi je ressens. »

Un sourire condescendant, crispant, effleura les lèvres épaisses de Gwenuver.

« Allons, mon cher fils, tu n'ignores pas que les pensées ont un grand pouvoir d'influence...

— C'est exactement ce que vous êtes en train d'essayer de faire, maugréa Solman. M'influencer. »

Elle parut offusquée par sa remarque. Avec des gestes secs, brutaux, elle remit un peu d'ordre dans sa tenue chiffonnée, toujours les mêmes tuniques et jupes amples aux teintes acidulées. Les grondements lointains et réguliers de l'Océan rythmaient le ronronnement des moteurs et s'échouaient dans la pénombre de la tente où s'engouffrait une entêtante odeur de résine.

« Je ne pense qu'au bien du peuple aquariote, Solman. »

Gwenuver ne mentait pas, mais il captait dans sa voix une note cynique, dissonante, qui trahissait une disposition à employer tous les moyens pour atteindre ses buts. Une pensée traversa l'esprit de Solman, qu'il rejeta avec violence d'abord, mais qui continua de tracer son chemin. « Tu trouveras toujours la peur et la haine autour de toi », avait déclaré Helaïnn l'ancienne. Gwenuver, la vénérée mère du peuple, avait peur de lui en cet instant : de minuscules gouttes de sueur perlaient aux coins de ses lèvres, ses mains tremblaient légèrement, ses yeux voletaient d'un coin à l'autre de la tente comme des oiseaux pris au piège.

« Raïma n'a pas été blessée par les chiens l'autre nuit », dit-il en détachant chacune de ses syllabes.

L'infime tressaillement de la vieille femme ne lui échappa pas, pas davantage que son effort pour se ressaisir et garder le contrôle d'elle-même.

« Qui alors ? Un cavalier de l'Apocalypse ? »

Elle avait tenté de donner un tour badin à ses paroles mais sa voix avait sonné comme un instrument désaccordé.

« Un Aquariote, déclara Solman, très calme. Il s'appelle Rilvo. Vous le connaissez ? »

Les paupières mi-closes, elle feignit de fouiller dans ses souvenirs pour se donner le temps de la réflexion, puis elle rouvrit les yeux et lui décocha un regard offensif, venimeux.

« J'ai l'impression d'être soumise à l'interrogatoire, mon cher fils. Ai-je commis une faute si grave qu'elle me vaille le feu de tes questions ? »

Elle se retranchait derrière son statut de mère pour inverser le rapport de forces. Elle avait parfaitement repris empire sur elle-même mais sa brève montée de panique confortait Solman dans l'idée qu'elle était mêlée, de près ou de loin, à la tentative d'assassinat sur Raïma. *Personne n'aime les donneurs parce que tout le monde a quelque chose à se reprocher...*

« D'autre part, pourquoi avoir attendu tout ce temps pour me confier une histoire qui regarde la sécurité du peuple aquariote ? »

Il venait de s'en faire une adversaire directe, une ennemie qui n'hésiterait pas à recourir aux méthodes les plus radicales pour ne pas être éclaboussée par un scandale, pour ne pas subir le sort des pères et des mères qui étaient convaincus d'avoir trahi la confiance de leur peuple : la mort par absorption d'ultra-cyanure.

« Je ne vous accuse d'aucune faute, vénérée mère, et je ne voulais pas vous déranger avec ça. Il ne s'agissait sans doute que d'une tentative de viol qui a mal tourné. Et puis les chiens ont déjà puni Rilvo. »

Il perçut la détente immédiate et abrupte de tous les muscles, de toutes les articulations, de tous les nerfs de mère Gwenuver. Elle passa ses doigts écartés dans la masse grise de ses cheveux, se leva, fit quelques pas pesants en direction de l'ouverture de la tente, éteignit au passage la lampe à gaz suspendue à une des barres de l'armature.

« Nous tâcherons de tirer ça au clair. Prends garde à toi, Solman : tu perds le sens des priorités depuis que tu t'es installé dans la voiture de Raïma. Ton statut de clairvoyant ne te donne pas tous les droits. »

Elle sortit dans la nuit sans se retourner. Sa voix chargée de menace vibra un long moment dans le silence de la tente. Désormais, Solman n'aurait plus jamais un moment de tranquillité dans l'enceinte du campement aquariote.

CHAPITRE 8

Retardé par sa quête de l'eau en Ukraine, par l'éboulement dans les Carpates orientales, puis par l'attaque des chiens sur les plaines du Nord, le peuple aquariote arriva avec près de deux semaines de retard sur les lieux du grand rassemblement annuel, dans une région du sud-ouest de la France qui portait le nom de « Pays basque ».

Aux cris et aux démonstrations de joie qui accueillirent la caravane, Solman comprit que les autres peuples avaient eu peur de manquer d'eau, une pénurie qu'ils n'auraient pas réussi à compenser avec les systèmes de récupération et de filtration des eaux de pluie installés sur leurs véhicules.

Rares étaient les nomades qui venaient des régions du Nord ou du Centre. La plupart erraient sur les pourtours du Bassin méditerranéen, où la douceur du climat et l'abondance du gibier rendaient les conditions de vie moins difficiles. Ils étaient des dizaines de milliers sur cette aire plane, arborée, bordée d'un côté par la barrière pyrénéenne, d'un autre par l'océan Atlantique, d'un autre encore par un immense terrain vague qui abritait des ruines mangées par la végétation. Les langues variaient selon les origines. Les uns parlaient le neerdand, d'autres utilisaient un dialecte dérivé de l'anglais et d'autres, dont le peuple aquariote, un français teinté d'italien et d'espagnol. Tous employaient le langage universel des gestes et des mimiques quand les mots ne suffisaient pas. Si les principaux peuples recensaient plusieurs milliers d'individus, certains n'en comptaient que quelques centaines, voire quelques dizaines. Ces derniers étaient appelés à disparaître, ou à être assimilés par des groupes plus importants.

Hormis les camions du peuple aquariote, les moyens de transport, variés, reposaient sur la seule force des énergies naturelles. Bon nombre de véhicules, équipés de roues souples et d'immenses voiles de toile, n'étaient mus que par la force du vent, une particularité qui limitait les déplacements de leurs occupants aux étendues plates et aérées. Construits dans un bois léger, ils ressemblaient à des bateaux échoués sur terre avec leurs rangées de mâts, leurs formes élancées, leurs proues effilées et ornées de figures allégoriques dont la plus courante était un buste de femme avec une queue de dragon pour bassin et des serpents pour cheveux. Les plus petits accueillaient une ou deux familles, les plus grands des clans de cinquante à soixante personnes. Solman, qui avait visité plusieurs de ces engins à l'occasion des rassemblements, avait été surpris par la qualité de l'aménagement intérieur, par cette volonté farouche d'exploiter la moindre parcelle d'espace, de rechercher le meilleur compromis entre confort et aspect pratique. Les senteurs de bois, de résine et de la substance végétale dont on enduisait les coques lui avaient paru infiniment plus attirantes que les odeurs de gaz ou de rouille des camions. De même les cabines richement meublées et décorées lui avaient laissé une impression mille fois plus agréable que les austères tentes aquariotes.

Enfant, il avait assimilé cette découverte à un déni de justice : n'était-ce pas aux Aquariotes, le peuple le plus puissant du territoire européen, de bénéficier des meilleures conditions d'existence ? Pourquoi les porteurs d'eau, les garants de la vie, devaient-ils se contenter de ces maisons de toile si étouffantes en été et si glaciales en hiver ? Un jour, il s'en était ouvert à mère Gwenuver. Elle l'avait pris sur ses genoux et lui avait assuré que la grandeur du peuple aquariote ne résidait pas dans la splendeur de ses habitations, mais dans sa liberté, dans son indépendance. Et votre grandeur d'âme, vénérée mère, où réside-t-elle à présent ? Dans le poignard du tueur que vous avez lancé sur Raïma ?

Solman profita des quelques heures de liberté qui lui restaient avant les sessions du grand conseil et les jugements pour explorer les différents campements. Il ne respira pas cette insouciance joyeuse, cette atmosphère de fête qui régnaient d'habitude dans les allées du rassemblement. On chantait bien sûr, on sortait les flûtes, les guitares, les violons, les accordéons, les harmonicas, on dansait parfois, garçons et filles se chahutaient entre les draps et, les vêtements suspendus sur des fils à linge, on s'ébattait dans l'herbe, on s'ébrouait dans les baignoires collectives à nouveau pleines, on mangeait de bel appétit les morceaux de viande grillés sur des lits de braises, les gourdes de vin de raisin sauvage ou d'alcool de baie volaient de main en main, de lèvres en lèvres, on s'embrassait, on s'enlaçait sous les roues des véhicules ou sur les litières de paille, les couples faisaient l'amour sans prendre la peine de se cacher... mais une ombre planait sur ce grand désordre, qui teintait de gravité les yeux des uns et des autres, qui figeait les rires et les gestes, qui enrobait d'un frémissement glacé la chaleur enivrante de cette fin d'été.

Solman erra au milieu d'une multitude d'appareils métalliques équipés de capteurs solaires. Il fallait d'énormes panneaux noirs pour piéger la lumière du soleil, la transformer en énergie et actionner des véhicules trois ou quatre fois moins volumineux que les camions aquariotes. Des mécaniciens vêtus d'un seul short s'agitaient sous les capots ouverts, sous les ponts, sous les roues cerclées de gomme végétale. Solman entrevit des corps de femmes et d'enfants par les ouvertures des habitations en forme d'igloo dressées par groupes de quatre ou cinq au centre d'un cercle délimité par les braseros et les futailles d'eau. Il croisa un regard surpris, effrayé, dans la pénombre d'une tente. Il se souvint que les Albains tenaient cloîtrées leurs femmes et leurs filles pubères jusqu'à la tombée de la nuit, une coutume héritée de l'ancien temps à laquelle ils n'avaient jamais renoncé malgré les mises en demeure réitérées du conseil général des peuples.

Un remugle d'étable l'avertit qu'il approchait d'un campement de nomades qui, comme les Sheulns, se déplaçaient à bord de chariots bâchés tirés par des attelages, des chevaux, des bœufs mais aussi des lamas et des dromadaires. Ceux-là, les Ariotes, utilisaient davantage d'eau que les autres pour abreuver leurs bêtes et, donc, fournissaient d'importantes quantités de nourriture et de produits de première nécessité au peuple aquariote. Dans une semaine, ils se lanceraient sur les pistes poussiéreuses d'Espagne en direction du Sud puis, à peine arrivés, ils devraient rebrousser chemin pour participer au prochain rassemblement. Le désert avait débordé du cadre de l'Afrique du Nord pour s'étendre à toute la péninsule ibérique, hormis sur la côte atlantique où la fraîcheur marine avait préservé un marais verdoyant d'environ cinquante kilomètres de largeur. Un garçon d'une quinzaine d'années avait un jour expliqué à Solman que cette frange à la fois dérisoire et essentielle abritait les troupeaux sauvages et constituait la seule richesse des Ariotes. Son regard s'était enfiévré lorsqu'il avait évoqué la saison des chasses, les chevaux ou les dromadaires lancés au triple galop derrière les vaches noires, vives, dangereuses quand elles se sentaient traquées, les tourbillons de poussière, l'odeur de sueur et de sang, les cavaliers munis de piques qu'ils devaient plonger entre les vertèbres de leur proie pour atteindre le cœur. Ils possédaient des armes à feu comme tous les nomades, fusils d'assaut, pistolets, revolvers, mais leur tradition leur interdisait de s'en servir pendant les battues. Sans cesse obligés de se déplacer pour laisser aux troupeaux le temps de se régénérer, ils boucanaient les quartiers de viande qu'ils enrobaient ensuite de miel pour allonger leur durée de conservation. Le torse bombé, le garçon avait affirmé que, pour sa première chasse, il avait tué deux vaches et un taureau de cinq cents kilos, mais, malheureusement pour lui, Solman n'avait pas pu faire autrement que de percevoir la musique grossière du mensonge dans le récit de ses exploits.

« Hé ! »

Solman se retourna et avisa un vieillard qui venait dans sa direction. Crâne dégarni, cerclé d'une couronne de cheveux blancs, rides tellement profondes qu'elles semblaient découper des écailles brunes sur ses joues et son front, yeux noirs et perforants sous les buissons rêches des sourcils. Il portait la tenue traditionnelle du peuple lanx, une chemise claire à manches longues, un pantalon bouffant resserré aux chevilles, des chaussures de cuir montantes à bout recourbé et pointu qu'on appelait des babouttes. Sa claudication, légère mais réelle, fit prendre conscience à Solman que sa propre jambe commençait à fatiguer. Tout près, deux dromadaires attachés aux rayons d'une roue plongeaient le mufle dans un monticule d'herbes sèches. Un chien domestique dormait, le museau enfoui entre ses pattes croisées, à l'ombre d'un tonneau. À l'intérieur du chariot, une jeune Ariote à la peau dorée, à genoux sur un coussin, démêlait avec un peigne de corne les torrents noirs de sa chevelure.

Arrivé à hauteur de Solman, le vieil homme s'essuya le front d'un revers de manche et parut chercher ses mots.

« Je te connais, dit-il enfin d'une voix essoufflée. Tu es le donneur du peuple aquariote... »

Les mots se bousculaient dans son français rocailleux. Sur ses gardes, Solman acquiesça d'un hochement de tête.

« J'ai assisté au jugement l'an dernier, reprit le vieillard. – Sa voix ferme, claire, donnait l'impression de ne pas appartenir à ce corps délabré. – Enfin, au jugement que tu as prononcé... »

Solman battit le rappel de ses souvenirs.

L'an dernier... Le conseil du peuple lanx avait sollicité son arbitrage pour une querelle entre deux familles qui se disputaient la propriété d'un véhicule à voile et du mobilier afférent. Une ronde de visages à la fois inquiets et grimaçants avait déversé un flot de paroles ordurières et fielleuses à ses pieds. Les versions étaient contradictoires, bien entendu, mais il s'était rendu compte que ni les uns ni les autres n'avaient vraiment la volonté de tricher, qu'ils présentaient la vérité à leur façon, qu'ils déformaient les faits au gré de leurs intérêts. Ils les avaient renvoyés dos à dos, attribuant le véhicule aux uns et le mobilier aux autres. Sa sentence avait mécontenté les deux parties qui, comme elle émanait d'un donneur, qu'elle était donc irréfutable et exécutoire, n'avaient pas eu d'autre choix que de l'accepter.

Il ne se remémorait pas, en revanche, le visage du vieux Lanx qui se tenait devant lui.

« J'étais dans l'assistance. Une femme de l'une des deux familles était ma fille. Je dois reconnaître, fais excuse, que ton jugement ne m'a pas donné satisfaction...

— Évidemment, coupa Solman d'un ton sec. Vous ne pouviez pas être neutre. »

Les yeux perçants du vieil homme s'abaissèrent vers le sol craquelé où s'activaient des cohortes de grosses fourmis noires. Cris, rires, chants, cliquetis, claquements, aboiements, hennissements, blatèrements, ronronnements et grincements s'entrelaçaient en volutes étourdissantes, insaisissables, au-dessus des véhicules et des habitations éphémères. Le soleil brillait de tous ses feux mais le bleu délavé du ciel préludait à une offensive imminente du froid.

« Ma fille est morte deux mois après le rassemblement, reprit le vieux Lanx. On a retrouvé son corps sur une crique de la côte dalmate. J'ai cru qu'elle avait été assassinée par la famille rivale et, à ce moment-là, donneur, je t'ai haï... »

Solman ressentit toute la virulence de cette haine, une vague blessante qui le traversa et s'évanouit en abandonnant une écume d'amertume dans sa gorge.

« Je t'ai haï de ne pas avoir tranché, de ne pas avoir donné raison aux uns ou aux autres...

— Personne n'avait tort ou raison », murmura Solman.

Il se demandait où voulait en venir son vis-à-vis et commençait à perdre patience. Il lui tardait de regagner la voiture de Raïma, de boire un peu d'eau, de s'allonger sur une banquette, de détendre sa jambe tétanisée.

« Des chiens l'ont égorgée et vidée de ses entrailles... »

Un aiguillon familier griffa le ventre de Solman.

« Les familles lanx possèdent toutes des chiens dressés, poursuivit le vieil homme. Nous les troquons aux Virgotes contre l'huile et le sel. Je me suis dit que l'autre famille, celle à qui tu as attribué les meubles, avait lâché ses chiens sur ma fille. Elle avait un fichu caractère, ça aussi je dois le reconnaître. C'est elle qui a déclenché tout ce ramdam. Elle s'était mise en tête que ce raterre...

— Raterre ?

— C'est comme ça que nous appelons nos glisseurs à voile. Que ce raterre, donc, lui revenait. J'ai voulu me venger, j'ai troqué un pistolet aux Slangs contre toute ma réserve de sel. Et puis, quelques jours plus tard, on a découvert d'autres corps, des hommes, des femmes, des enfants, appartenant aux deux familles et à d'autres, égorgés, éventrés eux aussi. »

Le vieux Lanx marqua un temps de pause pendant lequel il fixa sans les voir les deux dromadaires qui continuaient de brouter leur herbe sèche, relevaient de temps à autre la tête, se lançaient dans un ballet frénétique et désordonné des mâchoires qui donnait à penser qu'elles étaient sur le point de se disloquer.

« Des chiens sauvages ? demanda Solman.

— Une horde, acquiesça le vieil homme en hochant la tête. Mais pas comme les autres, imprévisible, insaisissable. Elle a tué plus de deux cents des nôtres avant de disparaître.

— Vos chiens dressés ne vous ont pas avertis ?

— La horde a trouvé le moyen de déjouer leur flair et d'en saigner quelques-uns. Je ne crois pas aux religions mortes, mais... »

Le vieux Lanx lança un coup d'œil furtif par-dessus son épaule, s'attarda un court instant sur la jeune Ariote qui continuait de se peigner en poussant de petits cris à l'intérieur du chariot.

« Cette horde me fait penser aux légions des démons décrites dans les anciens livres, reprit-il à voix basse. J'ai essayé d'en parler aux autres, mais ils sont convaincus que la mort de ma fille m'a rendu fou. Je suis fou, c'est vrai, mais seulement de chagrin. Ils disent que ces chiens sont juste un peu plus malins que les autres et que, tôt ou tard, ils finiront par tomber dans un piège.

— Et pourquoi m'en parler à moi ?

— Parce que tu es un clairvoyant, que tu vois la vérité en chacun. Nous avons bien un prétendu donneur chez les Lanx, mais personne ne lui fait confiance. La preuve, c'est toi qu'ils sont allés chercher pour régler cette satanée querelle. Et puis... »

Après avoir jeté un deuxième regard derrière lui, il se pencha sur l'oreille de Solman :

« Je n'ai plus confiance dans les pères et les mères des peuples. – Sa voix n'était plus qu'un maigre filet sonore qui pouvait se tarir à tout moment. – Ils prétendent nous conduire vers un monde meilleur, mais qu'est-ce qui a changé depuis la fin de la Grande Guerre ? Où mènent ces pistes que nous parcourons sans but ni trêve ? Où est la terre aimante et généreuse de nos rêves ?

— C'est une question de temps, avança Solman. Ils ont organisé notre survie en attendant que la terre se régénère. »

En même temps qu'il prononçait ces paroles, il se rendit compte que ce genre d'argument ne le convainquait pas, que la vérité se trouvait ailleurs, dans cette faille, précisément, entre intention et action, entre futur et présent, entre avoir et être.

« Le nombre de saloperies qu'on a pu faire au nom du temps ! grommela le vieux Lanx. Pour améliorer ceci, pour entreprendre cela, pour amasser encore cela. Un beau jour, on se réveille vieux et on s'aperçoit qu'on a couru toute sa vie après des leurres. Tu es un des seuls à pouvoir comprendre ça, donneur : quand tu vois la vraie vérité, tu vois le présent. »

La métamorphose semblait s'accélérer chez Raïma. Des tumeurs se formaient à présent sur son visage et son cou, peu volumineuses encore, mais présentant les mêmes caractéristiques que les excroissances de son corps. Solman la surprenait parfois en train de pleurer devant le petit miroir posé sur la tablette supérieure d'une banquette. Le sentiment de compassion qui le saisissait alors se doublait d'une violente réaction de rejet. La monstruosité lui répugnait, sans doute parce qu'il était lui-même un monstre et qu'il n'acceptait pas de contempler son reflet dans Raïma. Ce dégoût lui apparaissait comme une double trahison mais comment résister à ce torrent de boue qui jaillissait du plus profond de lui et emportait toute raison sur son passage ? Il n'avait plus envie d'elle, même si un désir mécanique s'éveillait lorsqu'il se couchait contre elle et qu'il répondait à ses avances avec toute la fougue de sa jeunesse.

Elle avait changé depuis quelques jours, elle avait perdu de sa combativité, comme ces fauves traqués qui se résignent après avoir jeté leurs forces déclinantes dans une dernière charge. Elle devenait moins exigeante, moins tyrannique, comme si elle avait admis qu'elle ne pouvait pas le garder près d'elle plus longtemps, que sa vie à lui ne faisait que commencer tandis que la sienne touchait à sa fin. Elle avait eu raison sur un point : il avait beau être donneur, il avait beau être boiteux, il ressemblait aux hommes ordinaires sur certains plans, il subissait la dictature de l'apparence. En outre, elle recevait des patients de tous les peuples nomades depuis que la caravane aquariote avait rejoint le grand rassemblement, et les consultations se multipliaient dans la petite voiture, dévorantes, épuisantes, au point que le soir, le dîner à peine avalé, il lui arrivait de tomber comme une masse sur le lit déplié.

« Solman ? »

Il se retourna, surpris. Il avait cru qu'elle s'était endormie quelques minutes plus tôt. Sa tête, enfouie sous le drap du dessus, ne bougeait pas. La nuit était tombée sur le rassemblement et, comme il n'avait pas allumé les lampes à gaz, l'intérieur de la voiture baignait dans une pénombre trouée par les flammes alertes des premiers feux. Des odeurs de viande grillée s'immisçaient par les vitres entrouvertes et se substituaient aux bouquets d'alcool et de préparations végétales.

« Quoi ?

— Tu n'oublieras pas ta promesse ?

— Quelle promesse ?

— La fiole de poison...

— Pourquoi tu parles de ça maintenant ? »

Il connaissait la réponse à cette question : regarde-moi, Solman, dis-moi que tu m'aimes parce que je souffre et que j'ai peur.

« Pour rien... Tu le feras ?

— Nous n'en sommes pas encore là ! »

L'agacement avait percé dans sa voix. Il ne voulait pas lui mentir, parce que la musique de ses propres mensonges lui était particulièrement exécrable, mais il ne voulait pas non plus lui faire de la peine. Il opta donc pour la stratégie la plus simple, la fuite. Il ferma les vitres, s'assit sur le bord du lit pendant quelques instants et lui caressa la nuque à travers le drap.

« Tu es juste un peu fatiguée. Je vais faire un tour dehors. Je ferme la porte à clef. »

Une précaution qu'il prenait toutes les nuits depuis qu'il soupçonnait mère Gwenuver d'avoir trempé dans la tentative d'assassinat de Raïma. Au moment où il tournait la clef dans la serrure, il crut percevoir des sanglots. Il faillit rouvrir la porte, remonter dans la voiture, serrer la jeune femme dans ses bras, mais quelque chose l'en empêcha, sans doute les vestiges de cruauté d'une enfance en ruine.

Il marcha au hasard dans les allées plus ou moins éclairées des campements. Le vent frais transperçait le cuir léger de sa tunique. Les jugements commenceraient demain et s'étaleraient sur une durée de quatre jours, soit deux de plus que lors des rassemblements précédents. Quatre demandes de jugement lui avaient été adressées par le truchement des membres du conseil aquariote, deux par le peuple ariote, une par le peuple lanx – ces derniers avaient assuré que l'affaire de cette année n'avait aucun rapport avec celle de l'an passé – et une par... le clan des Slangs.

Des silhouettes s'agitaient dans les ténèbres, des groupes de femmes discutaient à voix basse, des couples secouaient des tapis, des hommes pansaient les bêtes, des adolescents des deux sexes étouffaient leurs rires. Les bruits s'estompaient déjà dans le recueillement de la nuit. Des nuages aux franges argentées s'étiraient dans le ciel et escamotaient les étoiles.

Il arriva dans un quartier où ne brillait aucun feu, aucune lumière. Il distingua les formes blêmes et figées d'appareils à capteurs solaires alignés les uns contre les autres.

Et une silhouette qui s'avançait vers lui, pressée, silencieuse, menaçante.

Mal au ventre, à nouveau.

Il pivota sur lui-même et s'élança dans la direction opposée aussi vite que le lui permettait sa jambe. Deux autres silhouettes se détachèrent de l'obscurité et convergèrent dans sa direction.

CHAPITRE 9

Les trois hommes n'étaient plus maintenant qu'à dix mètres de Solman. Jeunes à en juger par leur allure souple, ils portaient des tuniques et des pantalons de cuir sombres qui contrastaient avec leurs teints pâles, leurs chevelures blond cendré, et trahissaient leur appartenance à un peuple du Nord, Scorpiotes ou Tchevs. Des lames plaquées le long de leurs cuisses accrochaient la lumière fade des derniers îlots d'étoiles.

Solman sonda la nuit à la recherche d'une issue, mais ils s'étaient placés de manière à lui interdire toute fuite. Sa jambe torse ne lui aurait laissé de toute façon aucune chance de les distancer. Il entrevoyait, dans leurs yeux luisants, la même férocité que les chiens de la horde, la même frénésie de meurtre. Il plongea machinalement la main dans la poche de sa tunique et agrippa le manche de corne du poignard de Rilvo, qu'il portait toujours sur lui depuis son entrevue avec Gwenuver. Son cœur cognait avec une telle force dans sa cage thoracique qu'il en percevait les battements jusqu'à l'extrémité de ses doigts. Les donneurs n'étant pas censés se battre, il n'avait jamais appris à se servir d'une arme, qu'elle fût blanche ou à feu. Il refoula le hurlement de détresse qui se ruait dans sa gorge : même en admettant que quelqu'un l'entende et vole à son secours, ses trois agresseurs auraient largement le temps d'accomplir leur forfait et de s'évanouir dans la nuit. Crier les aurait poussés de surcroît à en finir le plus rapidement possible. Il n'avait pas d'autre choix que d'attendre et de se défendre. Il garda la main dans la poche de sa tunique pour ne pas révéler la présence du poignard, pour les conforter dans leur sentiment de supériorité et ménager un éventuel effet de surprise. Ils ne se pressaient pas d'ailleurs, en prédateurs sûrs de leur fait, jouissant de cette sensation de pouvoir inouïe que procure la perspective de prendre une vie.

Parvenus à trois pas de lui, ils levèrent leurs poignards aux lames larges et courbes typiques des régions du Nord. Leurs visages encore ronds et les ombres de barbe qui leur doraient les joues indiquaient que, comme lui, ils sortaient tout juste de l'adolescence. L'un d'eux prononça quelques mots à voix basse que Solman ne comprit pas. Ils parlaient le neerdand, une succession de sons hachés et crachés du fond de la gorge. Il devina, à leurs regards, qu'ils se méfiaient de sa main enfouie dans la poche de sa tunique. Elle pouvait très bien contenir l'un de ces petits pistolets automatiques que fabriquaient les Slangs, les seuls à savoir façonner des pièces minuscules à l'aide des métaux de récupération. On leur avait certainement affirmé qu'ils n'avaient rien à craindre de leur cible, un boiteux aussi maigre qu'un lynx affamé, aussi faible qu'un mouton lié à un piquet.

On ? Qui les avait envoyés ? Gwenuver ? Peu probable, la vénérée mère n'aurait pas commis l'imprudence de se compromettre avec des Neerdands, des Scorpiotes ou des Tchevs. Les Lanx mécontents de son jugement du rassemblement précédent ? On ne lançait pas des tueurs sur un donneur pour exprimer son désaccord avec une sentence qui serait appliquée quoi qu'il arrive.

Il en captait deux dans son champ de vision mais devait jeter d'incessants coups d'œil en arrière pour localiser le troisième. Sa chance résidait dans leur jeunesse, dans leur inexpérience. Sans doute avait-il été plus facile de les convaincre, ou de les corrompre, que des tueurs confirmés. Ils hésitaient, le regard toujours braqué sur la bosse de sa poche. Une inquiétude fiévreuse avait supplanté la cruauté dans leurs yeux presque entièrement blancs. Solman n'était plus qu'une peau tendue et battue par son cœur. S'il avait écouté ses sentiments quelques minutes plus tôt, il aurait rouvert la porte de la voiture et rejoint Raïma dans le lit... Si... si... Quelle importance ? Ils auraient choisi une autre nuit pour le traquer, pour le coincer dans un endroit désert. Depuis combien de temps le suivaient-ils ? Il lui avait semblé entrevoir des ombres entre les camions et les remorques du campement aquariote la nuit précédente, mais il n'y avait pas prêté davantage d'attention qu'aux hommes et aux femmes vaquant à leurs occupations quotidiennes.

La première attaque vint de l'adversaire qui se tenait derrière lui. Il perçut un mouvement dans son dos, un froissement de coton. Sa nuque se contracta, sa respiration se suspendit, et, une fraction de seconde, il eut l'impression que tout le sang se retirait de son corps. Un réflexe l'entraîna à se laisser tomber sur les genoux. Surpris par sa dérobade, le Neerdand manqua largement sa cible et poussa une exclamation de dépit. Il avait frappé de toutes ses forces, de bas en haut, comme s'il avait joué sa vie sur cette seule attaque. Emporté par son élan, il buta contre le dos de Solman et perdit l'équilibre. Une détonation troua le silence, brève, sèche, suivie d'un cri, puis d'un gémissement. Les deux autres reculèrent d'un pas, refroidis par cette entrée en matière. La brise nocturne dispersa une vague odeur de poudre.

Du coin de l'œil, Solman vit le Neerdand grimacer et se tordre de douleur sur le sol. Il distingua également la tache de sang qui s'épanouissait sur sa cuisse. Une bouffée de rage lui enjoignit de dégager son poignard et de lui plonger sa lame entre les omoplates, mais, aussitôt, la certitude le traversa que son don lui serait à jamais retiré s'il versait le sang de cet homme. Même s'il était en état de légitime défense, le don ne transigeait pas avec certaines règles. Et alors ? Sa condition de donneur ne lui valait que des déboires, il ne rencontrait autour de lui que la peur et la haine, comme l'avait dit Helaïnn l'ancienne. Il accéderait à la vraie vie en tuant ce Neerdand, les autres l'admettraient comme un des leurs, les femmes le regarderaient comme un homme. Il resterait boiteux ? la belle affaire ! Il compenserait son handicap par le courage, comme Helaïnn l'ancienne, il travaillerait encore plus dur que les autres, il les défierait sur leur propre terrain...

Il eut le temps de penser à tout cela tandis que les deux complices du Neerdand blessé demeuraient statufiés dans la nuit, incapables d'esquisser le moindre geste, les yeux rivés sur la zone ténébreuse d'où avait jailli le coup de feu, leur couteau pendant comme un appendice superflu au bout de leur bras.

Solman ne sut finalement ce qui l'aida à prendre sa décision, ou l'image de Raïma abrutie de fatigue et recroquevillée sur son désespoir, ou le souvenir de son père glissant de sa chaise, ou les vestiges de l'enfance sur les visages de ses agresseurs, ou encore un balbutiement d'acceptation de son état, toujours est-il qu'il se releva sans sortir le poignard de sa poche, fixa dans les yeux les deux Neerdands pétrifiés et s'éloigna en direction du campement aquariote. Il en appela à toute sa volonté pour ne pas hâter le pas, pour ne pas se retourner. Ils n'essayèrent pas de le rattraper : ils n'avaient pas prévu que l'affaire pourrait mal tourner pour l'un d'entre eux, et la nuit pouvait à tout moment cracher d'autres balles.

De retour à la voiture de Raïma, il eut besoin de temps pour calmer les tremblements de ses membres. En blessant un agresseur et en paralysant les deux autres, le mystérieux tireur lui avait sauvé la vie. Raïma lui glissa les bras autour de la taille et, sans dire un mot, l'attira contre elle. Blotti dans sa chaleur, il commença à reprendre son souffle, à s'apaiser. Alors elle l'embrassa et le caressa avec une tendresse qu'elle n'avait encore jamais déployée, puis ils firent l'amour en silence, sans autre mouvement que la montée lente, lancinante, de leurs plaisirs entrelacés.

Des centaines de nomades avaient envahi le chapiteau des jugements, une immense construction de toile montée sur des poutrelles métalliques fournies par les Slangs et rivées par des chaînes à des piquets enfoncés à plus de deux mètres de profondeur. Sans doute la pluie cinglante qui tombait sans discontinuer depuis l'aube et transformait les allées des campements en fleuves de boue n'était-elle pas étrangère à cette affluence, ou encore était-ce la réputation des donneurs, ces petits juges aux étranges pouvoirs qui traquaient la vérité dans les témoignages parfois cocasses, parfois bouleversants des plaignants, toujours est-il que le chapiteau ne parvenait pas à les contenir tous.

Les donneurs, dont Solman, avaient pris place sur l'estrade, un carré de planches de dix mètres de côté monté sur une multitude de tréteaux. Le juge en séance s'installait sur une banquette recouverte d'un drap blanc, jonchée de coussins colorés et dressée en face du public tandis que les juges en attente s'asseyaient dans des chaises en osier alignées au fond de l'estrade. Les faisceaux de deux projecteurs à gaz, gracieusement fournis par les Aquariotes, balayaient l'avant de la scène et l'espace dégagé où s'avançaient les protagonistes des différentes affaires.

La première à présider était Lorr, une fillette léote de douze ans, vêtue d'une robe pourpre ornée de broches en or et coiffée d'une tiare constellée de pierres précieuses. Les pierres, l'or, deux des valeurs les plus prisées dans l'ancienne civilisation et qui, à présent, n'avaient qu'une importance mineure, comparées à l'eau, la nourriture, le cuir ou le tissu. Pour ne pas leur donner l'impression de vivre de charité, les peuples nomades acceptaient néanmoins de troquer les présents dérisoires des Léotes contre des produits de première nécessité.

Trois ans plus tôt, Solman s'était rendu compte qu'on s'était empressé de classer l'intelligence vive de Lorr comme un don mais que ses perceptions s'arrêtaient à ses sens. Ce n'était pas la première fois qu'un peuple élevait au rang de donneur un enfant ordinaire : on estimait que la présence d'un clairvoyant – ou d'un prétendu clairvoyant – dans un conseil décourageait les ambassades et autres délégations étrangères de travestir leurs véritables intentions. Outre leur valeur dissuasive, les donneurs conféraient un certain prestige à leur peuple, et les Léotes, conscients que leur or et leurs pierres précieuses ne payaient pas l'eau, la nourriture et les vêtements perçus en retour, avaient plus que les autres besoin de ce genre d'artifice. Ils n'avaient pas conscience d'utiliser un artifice d'ailleurs, ils étaient tellement persuadés que Lorr avait le don de lire dans les âmes qu'elle avait fini par le croire aussi. Elle se basait en réalité sur son intuition, bonne au demeurant, ce qui avait limité jusqu'alors ses erreurs de jugement.

Elle avait été sollicitée par deux femmes du peuple virgote qui se querellaient au sujet d'une portée de quatre chiots sauvages qu'elles prétendaient toutes les deux avoir trouvée avant l'autre. Le nombre de chiens élevés par une famille étant un critère important chez les Virgotes, elles revendiquaient la propriété de cette portée afin de grimper dans la hiérarchie et de bénéficier ainsi des meilleures voitures, des meilleurs emplacements, des meilleurs morceaux de viande et des plus beaux vêtements. Ce genre d'affaire était en principe facile à résoudre : l'une disait la vérité, et l'autre mentait. Il avait suffi à Solman, qui ne comprenait qu'à moitié leur dialecte, de cinq secondes pour détecter la tricheuse, une femme émaciée entre deux âges au regard d'aigle et aux longs cheveux noirs tissés de fils gris. Elle portait une robe de laine terne et râpée qui la situait tout en bas de la hiérarchie virgote. Cependant, elle débitait sa version des faits avec un aplomb phénoménal qui entretenait le doute dans l'esprit de Lorr, incapable de discerner la musique de la tromperie dans le flot de ses déclarations. Solman la soupçonnait d'avoir porté l'affaire devant la jeune Léote parce qu'elle savait, ou se doutait, que cette dernière n'était pas une véritable donneuse. Comme son adversaire, plus jeune, blonde, grasse et richement vêtue s'embrouillait dans ses explications, elle était sur le point d'emporter le morceau et, donc, de perpétrer une injustice. Les exclamations de l'assistance couvraient régulièrement les voix des deux plaignantes. Le crépitement de la pluie sur la toile du chapiteau et l'entassement des spectateurs rendaient l'atmosphère électrique, presque hystérique.

Solman consulta du regard les trois autres donneurs assis sur les chaises et effleurés par les faisceaux des projecteurs à gaz, un garçon de huit ans, un autre de onze et une gamine de six ou sept ans. Il ne les connaissait pas. Avec ses dix-sept printemps et son ombre de barbe, il avait l'impression d'être un vieillard à leurs côtés. La valse permanente des juges, leur rajeunissement incessant étaient aussi des phénomènes nouveaux : c'était la troisième année que Lorr exerçait, mais il y avait fort à parier qu'elle n'en commencerait pas de quatrième, qu'elle se déclarerait « exdone », c'est-à-dire délivrée de son don, pour soulager ses frêles épaules d'un rôle écrasant, pour retourner enfin à l'insouciance de l'enfance. À leurs yeux vides, à leur air perplexe, Solman comprit que les trois autres non plus n'étaient pas des clairvoyants. Des enfants précoces, des rêves de parents tout au plus.

Il n'avait pas de sympathie particulière pour la femme blonde, mais son état de donneur lui interdisait de favoriser une iniquité. Il se serait senti sali, vicié, comme une eau de source souillée par le poison des anguilles[GM]. Aussi il fixa Lorr intensément jusqu'à ce que la pression de son regard la contraigne à tourner la tête dans sa direction. Déstabilisée par la Virgote brune, désemparée, la fillette se mordait les lèvres jusqu'au sang pour contenir ses larmes. Il leva la main à hauteur de sa poitrine et déplia deux doigts, l'index et le majeur. Puis il les agita à tour de rôle pour lui faire comprendre qu'ils figuraient les plaignantes, l'index la femme blonde située à leur droite, le majeur la femme brune placée à leur gauche. D'un clignement de paupières, elle lui indiqua qu'elle avait saisi. Les deux Virgotes s'étaient lancées dans une joute verbale violente, truculente, qui accaparait l'attention des spectateurs et des autres juges. Solman abaissa le majeur et garda l'index en l'air. La fillette lui adressa un regard éperdu de reconnaissance avant de se retourner et d'écarter les bras. Par ce geste, elle signifiait qu'elle en avait assez entendu et qu'elle allait prononcer la sentence.

« Les faits ont été exposés, la vérité est maintenant établie. »

Sa voix fluette peina à se frayer un chemin dans le silence épais descendu sur le chapiteau et bordé par le grondement de la pluie. La lumière des projecteurs extrayait de la pénombre des centaines de visages tendus. Chacun avait maintenant l'occasion de savoir si son intime conviction correspondait au jugement de la donneuse.

« Les chiots seront rendus à cette femme. » Elle désigna la femme blonde, dont la face s'éclaira d'un large sourire. « Quant à cette autre, son mensonge lui vaudra de recevoir le châtiment des tricheurs tel que défini par l'Éthique nomade : dix coups de fouet infligés en séance publique et la privation du droit de vote pour une durée de cinq ans. »

Les yeux de la femme brune s'emplirent d'une telle haine que, l'espace d'un moment, Solman crut qu'elle allait grimper sur l'estrade et se jeter sur la jeune Léote. Mais elle fut submergée par les vagues de spectateurs qui se levaient et qui, maintenant, la marquaient au fer de leurs regards. Lorr contempla un instant cette foule bruyante et traversée par des courants contradictoires, puis elle retira sa tiare d'un geste las, secoua la masse brune de ses cheveux collés par la transpiration, déplia les jambes, sauta de la banquette et se dirigea vers la chaise de Solman :

« Tu le savais depuis quand ? murmura-t-elle.

— Depuis toujours, répondit-il.

— Pourquoi tu n'as rien dit ?

— Je ne suis pas du genre à dénoncer les collègues. Et puis tu t'en es bien tirée jusqu'à présent.

— Qu'est-ce que tu me conseilles de faire ?

— Te déclarer exdone dès ce soir. Les tiens t'en voudront pendant quelques semaines, quelques mois peut-être, puis ils oublieront, et tu redeviendras une fille normale à leurs yeux. La normalité n'a pas que des inconvénients, c'est un donneur qui te le dit. »

La fillette hocha la tête. Solman ne se faisait aucun souci pour elle. Grâce à la vivacité de son esprit, elle se relèverait très rapidement de sa déchéance de donneuse.

« Comment te remercier, Solman ?

— En étant toi-même. En acceptant le don de la vie. »

Elle s'autorisa alors à laisser couler ses larmes. Il ressentit son immense soulagement, elle que l'orgueil des siens avait condamnée à traquer la vérité dans des vêtements de tricheuse.

Quand son tour fut venu, Solman expédia en quelques minutes trois de ses quatre affaires, au grand désappointement des spectateurs, qui aimaient se repaître des détails croustillants, sordides, des prises de bec, des insultes, des ragots, des sanglots. Les deux premières concernaient des familles ariotes et portaient sur des vols de matériel dans les chariots. Dans un cas, il y avait vraiment eu vol et il n'eut aucun mal à confondre le coupable, un homme au regard ombrageux sous la barre imposante des sourcils. Dans le deuxième, les plaignants avaient engagé la procédure en se fondant uniquement sur des rumeurs, et il se prononça pour l'innocence de l'accusée, une jeune femme qui dissimulait d'autres secrets pas très avouables sous un port altier proche de l'arrogance.

Le troisième jugement avait été sollicité par un Lanx qui cherchait à confondre un homme soupçonné d'être l'amant de sa femme.

« L'Éthique nomade ne considère pas comme un délit des relations entre deux personnes adultes et consentantes, dit Solman.

— Je n'ai pas consenti, moi ! »

L'éclat de rire général qui secoua le chapiteau sembla se prolonger indéfiniment dans le tumulte de la pluie. Exaltées par l'humidité, les odeurs des centaines de corps pressés les uns contre les autres se condensaient en un remugle âpre, lourd.

« Je n'en doute pas, mais je ne peux recevoir votre plainte.

— Il y a eu tricherie, tromperie, atteinte à l'honneur ! gronda le Lanx. Je demande que tu contraignes ce salopard à venir témoigner ! Par la force s'il le faut !

— N'insistez pas. »

Le ton de Solman était devenu menaçant.

« Alors je demande que mon affaire soit entendue par un autre juge ! » glapit le Lanx.

Les mains posées sur les genoux, Solman se pencha en avant sur la banquette et ficha ses yeux glacés dans ceux de son interlocuteur.

« Souhaitez-vous qu'un autre juge vous voie comme je vous vois ? Un homme violent, jaloux, qui bat sa femme pour un oui ou pour un non et qui s'étonne ensuite qu'elle aille se jeter dans les bras d'un autre ? Voulez-vous que j'engage votre épouse à porter plainte contre vous ? »

Le Lanx demeura interdit pendant quelques secondes, effaré par la perspicacité de Solman. Il n'avait pas prévu qu'en le sollicitant, il serait soumis lui aussi à la clairvoyance du jeune juge. Il essuya machinalement ses paumes sur le tissu de son pantalon bouffant puis entreprit de battre en retraite sous les risées de la foule.

Trois hommes attendirent que le calme soit redescendu sous le chapiteau pour se présenter. Solman les reconnut dès qu'ils s'avancèrent dans la lumière cuivrée des projecteurs. Les spectateurs également, puisqu'un frémissement d'étonnement s'amplifia jusqu'à ce qu'ils aient pris place à la gauche de l'estrade. Des pères du clan des Slangs, trois hommes d'une cinquantaine d'années aux cheveux huilés et rassemblés en pointe au sommet de leur crâne, vêtus de pantalons, de bottes et de vestes de peau sertis de pièces métalliques, ceints de cartouchières d'où dépassaient les crosses nacrées de pistolets.

Les troquants d'armes ne venaient que rarement aux rassemblements. Ils entretenaient leur mystère en espaçant leurs apparitions et en choisissant, pour traiter avec les conseils des peuples, des endroits insolites, comme les ruines des anciennes cités ou certains marais insalubres des côtes méditerranéennes. Le monopole des armes leur offrant la tentation permanente de franchir la ligne de l'Éthique, leurs relations étaient souvent conflictuelles avec les autres nomades. Deux de ces trois-là étaient les mêmes qui, onze ans plus tôt, avaient voulu attirer les Aquariotes dans le piège de Berlin. Bien que déjoués et vaincus grâce à la clairvoyance de Solman, bien que condamnés à un enfermement de cinq ans dans les geôles troglodytiques de Transylvanie, ils s'étaient débrouillés pour revenir occuper les fonctions de père au sein de leur clan, par la force sans doute, car le vote chez les Slangs s'organisait après la conquête du pouvoir et n'avait qu'une valeur de plébiscite.

Solman pressentit que sa quatrième affaire ne serait pas si facile à expédier que les trois premières.

« Tu as fait preuve de grand discernement par le passé, Solman le boiteux », déclara un Slang d'une voix puissante qui restaura immédiatement le silence.

Il parlait un français coloré d'un accent à la fois chantant et traînant. La lumière des projecteurs miroitait sur les pièces métalliques de ses vêtements. Le fait qu'il l'ait appelé par son nom et désigné par son infirmité alarma Solman, qui n'y voyait pas qu'un simple hommage à sa renommée, mais le signe d'un plan minutieusement préparé.

« Nous avons payé chèrement le prix de ce discernement, poursuivit le Slang. De cela nous n'avons pas à nous plaindre car nous étions dans l'erreur. »

Qu'un troquant d'armes s'abaissât ainsi à reconnaître ses torts en public ne présageait non plus rien de bon. Mal à l'aise, Solman changea de position pour détendre sa jambe gauche. La pensée l'effleura que cette affaire avait un lien avec les trois Neerdands et le mystérieux tireur de la veille.

« Nous avons confiance en ton jugement, Solman le boiteux. Nous savons que jamais tu ne trahiras le don...

— Quelle affaire vous amène ? » coupa Solman d'un ton excédé.

Le Slang eut un sourire qui dévoila une dentition composée pour moitié de prothèses métalliques.

« Nous demandons à ce que comparaissent devant toi les pères et les mères du peuple aquariote. »

Ce ne fut pas un murmure qui, cette fois, ponctua sa déclaration mais un vacarme assourdissant qui enfla comme un orage et fit trembler les tréteaux qui soutenaient l'estrade.

Solman écarta les bras pour ramener un semblant de silence.

« Pour quelle raison ?

— Nous les accusons de nous avoir livré de l'eau empoisonnée, répondit le Slang. Nous les accusons d'avoir volontairement provoqué la mort de centaines d'hommes, de femmes et d'enfants de notre clan. »

CHAPITRE 10

L'un après l'autre, les six membres du conseil aquariote vinrent s'aligner sur la droite de l'estrade. Ainsi que l'exigeait l'Éthique, Solman avait dû ordonner leur comparution immédiate. Les assesseurs, des hommes et des femmes de différents peuples chargés de contrôler l'exécution des jugements, s'étaient rendus en délégation dans le campement aquariote et en étaient revenus une heure plus tard avec les six pères et mères, avec, également, une escorte qui n'avait cessé de grossir sur le chemin du chapiteau.

On n'était qu'au milieu du jour, et pourtant, une nuit précoce s'étendait sous la grande toile, déposée par un ciel bas, gris, et par des herses de pluie de plus en plus lourdes. Les spectateurs restés dehors s'abritaient sous des pans de bâches, des parapluies dégoulinants ou des tissus détrempés.

Les faisceaux des projecteurs traquaient les visages des pères et mères aquariotes, celui, émacié, aiguisé, d'Irwan, ceux, mous, informes, des deux autres pères, Orgwan et Lohiq, celui, rond, généreux, de mère Gwenuver, celui, ridé, craquelé, de mère Joïnner, celui, lisse, impénétrable, de mère Katwrinn. Des visages que Solman croyait bien connaître mais qui, à la lumière crue des projecteurs, lui paraissaient tout à coup étrangers. Ils avaient pris le temps, avant d'emboîter le pas aux assesseurs, de revêtir les tuniques et les pantalons amples qui leur servaient de tenues officielles. Les chignons stricts des trois femmes leur conféraient une sobriété, une austérité qui contrastaient avec les couleurs vives de leurs vêtements.

Très calmes, hormis cette éternelle angoissée de mère Joïnner, ils attendaient la suite des événements en silence, tournant tantôt leurs regards vers les Slangs, les levant tantôt sur l'estrade. Les perceptions de Solman restaient floues pour l'instant, parce que les débats n'avaient pas commencé, mais surtout parce qu'il n'était pas revenu de son saisissement, qu'il avait l'impression d'évoluer dans un rêve. Si l'accusation des Slangs était fondée, il devrait prononcer la plus terrible des sentences à l'encontre de ces hommes et de ces femmes qui l'avaient recueilli après l'assassinat de ses parents : la mort par absorption d'ultra-cyanure. La tradition voulait qu'un donneur demeurât en dehors d'une affaire impliquant des membres de son peuple, mais les Slangs avaient justement su faire la différence entre une coutume, une simple habitude, et la règle formelle de l'Éthique nomade : ils avaient saisi le juge de leur choix, ce jeune Aquariote qui leur avait valu leur plus cinglante humiliation onze ans plus tôt ; l'Éthique lui commandait d'entendre la plainte qu'ils déposaient contre le conseil aquariote et d'établir la vérité en son âme et conscience.

La vérité... Helaïnn l'ancienne était parvenue à dissimuler le meurtre de ses enfants pendant plus de quarante ans. Solman avait beau disposer de perceptions plus aiguisées que la moyenne, certaines vérités demeuraient inaccessibles, enfouies dans les profondeurs de l'oubli, ensevelies sous des couches et des couches de remords.

La vérité... Certains la brandissaient comme une arme, tels les fanatiques du peuple kuom qui lapidaient les hommes et les femmes convaincus de mensonge. Tels les bakous, les prêtres errants et nus qui se mutilaient mutuellement à l'issue de confessions publiques.

Il ressentit le besoin d'une présence amicale tout à coup. Il chercha Raïma parmi les visages des premiers rangs, mais il ne la vit pas. Elle était sans doute retenue dans sa voiture par les nombreux patients qui se pressaient sous son auvent. Il regretta son comportement de ces derniers jours, une attitude de salaud guère plus glorieuse que la violence de ce Lanx qui frappait son épouse et venait ensuite se plaindre qu'elle le trompait. Si Raïma s'était trouvée devant lui en cet instant, il lui aurait dit qu'il aimait la beauté de son être, il lui aurait dit qu'il se sentait fort avec elle et que rien d'autre ne comptait.

L'atmosphère à la fois solennelle et surexcitée du chapiteau plongeait dans une perplexité imprégnée de terreur les quatre enfants juges recroquevillés sur leurs chaises. Lorr tremblait de tous ses membres pour Solman : elle qui s'était montrée incapable de prendre parti dans une querelle dérisoire pour quatre chiots, elle ne s'imaginait pas placée dans la terrible obligation de juger les pères et les mères de son peuple.

Sur un signe de Solman, les assesseurs s'efforcèrent, à grand renfort de gestes et de glapissements, de ramener le calme dans l'assistance.

« Maintenant... »

Solman se pencha sur le côté pour s'éclaircir la gorge.

« Maintenant que ceux que vous accusez sont présents devant vous, veuillez exposer les motifs de votre plainte. »

L'un des trois Slangs inclina la tête et s'approcha de l'estrade. Il dominait de deux têtes les membres du conseil aquariote, une impression de gigantisme encore accentuée par sa coiffure en forme de plumet. Chacun de ses mouvements engendrait un craquement horripilant de cuir froissé ainsi qu'une succession de grincements et de cliquetis. Des rides profondes recouvraient d'un filet aux mailles serrées la peau hâlée de son visage. Ses paupières lourdes réduisaient ses yeux à deux traits luisants, pénétrants.

« Mon nom est ErHat et je suis le père d'un clan des Slangs. Nous avons eu autrefois des... différends avec les Aquariotes.

— Différends ? »

La protestation émanait de Irwan, qui s'était avancé de deux pas, la mèche en bataille.

« Vous appelez différends l'enlèvement et la torture de deux mères de notre peuple ? Vous appelez différends une tentative d'extermination ? »

ErHat le toisa pendant quelques secondes avant de répondre. Un silence irrespirable avait maintenant enseveli le chapiteau dont la toile ployait par endroits sous les trombes d'eau.

« Nous pensions à l'époque que le monopole de l'eau et du gaz donnait trop de pouvoir aux Aquariotes et menaçait l'équilibre nomade.

— Disons plutôt que vous projetiez d'ajouter le monopole de l'eau et du gaz au monopole des armes ! répliqua Irwan. Vous n'aviez pas l'intention de rétablir un équilibre, vous cherchiez à créer un déséquilibre en votre faveur.

— Peu importe, cela s'est passé il y a plus de dix ans, et nous avons été condamnés par le conseil des peuples. Nous avons perdu un grand nombre d'hommes et de femmes jeunes en Transylvanie. Les Arges, ceux que vous avez choisis pour gardiens de vos geôles... » La voix du Slang se chargea de mépris et, l'espace de quelques secondes, Solman crut qu'il allait cracher par terre. « ... sont pires que des bêtes. »

Les Arges, l'un des rares groupes survivants de la Troisième Guerre mondiale à refuser le nomadisme. Installés au pied des Alpes de Transylvanie, ils vivaient dans des fermes conçues avant guerre comme des communautés autarciques. Les pollutions chimique, nucléaire et génétique les ayant obligés à recourir aux services des peuples nomades, des Aquariotes en particulier, ils avaient accepté, en échange, d'être les gardiens des prisons troglodytiques où étaient enfermés les fauteurs de troubles. Frustes, ils s'acquittaient de leur tâche avec un zèle excessif, et les hommes chargés de convoyer les prisonniers rapportaient de Transylvanie des récits accablants.

« Nous avons fait notre peine, nous avons payé le prix », reprit ErHat après un moment de silence.

Une chaleur intense naissait sur le front de Solman et s'étendait à son nez, à ses joues : le poids du regard de mère Gwenuver. Il n'osait pas le soutenir pour l'instant, de peur d'y contempler le vrai visage de la monstruosité.

« Nous avons reconstitué nos clans puis repris notre place et nos activités sur le territoire de l'Europe. Nous aspirons à présent à une vie paisible et au troc équitable. Les armes vous sont nécessaires pour chasser, pour vous défendre contre les hordes ou contre vos ennemis. Nous essayons de mettre au point un système qui débarrassera les pistes de la menace des solbots...

— Je n'ai toujours pas entendu de plainte », coupa Solman.

ErHat retroussa sa lèvre supérieure sur une rangée entière de dents métalliques et taillées en pointe.

« La dernière livraison d'eau des Aquariotes remonte au printemps. Elle s'est effectuée en Bulgarie, sur les bords de la mer Noire, dans les ruines sofiotes où nous avions installé notre campement. Nous l'avons troquée contre vingt fusils d'assaut, vingt pistolets automatiques et une réserve de dix mille balles. »

Le Slang se tourna vers Irwan.

« Est-ce exact ? »

Le porte-parole du conseil aquariote acquiesça d'un hochement de tête dont la sécheresse avertit Solman que la nervosité commençait à le gagner.

« Un grand nombre des nôtres ont bu cette eau, se sont lavés avec cette eau, ont cuisiné avec cette eau et... sont morts de cette eau. »

Le tumulte, à nouveau, une vague sonore qui monte, déferle au-dessus des poings brandis, semble emporter l'estrade puis se brise subitement sur les bras écartés du donneur.

« Rien ne prouve que ce soit notre eau qui ait tué les gens de votre clan ! contre-attaqua Irwan. La nourriture peut être responsable, un virus mutant peut être responsable, la pollution nucléaire peut être responsable, des insectes transgéniques peuvent être responsables, que sais-je encore ? »

La colère transformait ses yeux clairs en éclats diamantins et sa mèche rebelle en un panache tressautant.

« Nous n'avons pas pensé à l'eau tout de suite, dit ErHat. Malheureusement, car cela nous aurait permis d'épargner beaucoup de vies. Nous avons brûlé nos réserves de nourriture et nos vêtements, nous avons levé le camp pour nous établir à plus de trois mille mètres d'altitude, là où en principe on ne rencontre ni virus mutant ni insecte transgénique, ni pollution nucléaire, mais les nôtres ont continué de mourir par dizaines ainsi que nos animaux. Alors l'un d'entre nous a fait le rapprochement entre le début de cette épidémie et la livraison de l'eau. Nous avons décidé de tenter l'expérience sur un chevreuil que nous venions tout juste de capturer : il est mort deux jours après avoir bu de l'eau livrée par les Aquariotes.

— Absurde ! gronda Irwan. Vous savez bien que les animaux sauvages ont un système qui les immunise et leur permet d'éliminer le poison...

— Ça, c'est vous qui le dites ! Parce que ça vous arrange ! Moi je pense qu'ils ont un flair infaillible pour trouver l'eau potable.

— En quoi est-ce que ça nous arrange ? »

ErHat défit la boucle de sa cartouchière et entrouvrit sa veste de cuir. La lumière accrocha les épaisses gouttes de sueur qui perlaient sur son torse. Solman aperçut les bourrelets dentelés des cicatrices qui lui barraient la peau, des souvenirs de son séjour en Transylvanie peut-être.

« Si les animaux sauvages sont capables de trouver de l'eau saine, alors n'importe qui en est capable, dit le Slang. Pas besoin de vos sourciers, pas besoin de vos citernes, pas besoin de vos camions.

— Rien ne vous empêche d'utiliser votre... flair, lâcha Irwan entre ses lèvres serrées.

— Rien, si ce n'est la paresse instaurée par l'habitude. Rien, si ce n'est une volonté délibérée d'entretenir la peur... Pour revenir au chevreuil, il présentait tous les symptômes de la mort par ultra-cyanure : les lèvres et la langue bleues, une bave noire, les yeux révulsés...

— Si l'eau avait vraiment été empoisonnée, comment se fait-il que certains d'entre vous en aient réchappé ? » demanda Irwan.

Une question pertinente : aucune famille ne pouvait couper à la nécessité quotidienne de l'eau. ErHat consulta brièvement du regard les deux autres Slangs. La foule retenait son souffle.

L'accusation des troquants d'armes ébranlait le système fondamental des échanges qui reposait depuis cent ans sur les seules notions de confiance et d'équité.

« Ça tient à notre organisation, dit enfin ErHat. Chez nous, des familles sont plus économes en eau que d'autres. Celles-là utilisaient encore leurs réserves de la distribution précédente. Ça leur a sauvé la vie.

— Votre accusation ne repose que sur votre témoignage », s'emporta Irwan.

Le Slang dégagea une petite gourde de peau de la poche de sa veste et la brandit à bout de bras.

« C'est pourquoi nous avons pris la précaution de remplir cette gourde et de l'emmener avec nous.

— Irrecevable ! ricana Irwan. Qu'est-ce qui prouve que l'eau de cette gourde soit la même que celle que nous vous avons livrée ? »

ErHat hocha la tête, dévissa le bouchon de la gourde et, d'un geste théâtral, en renversa le contenu sur le sol. La crosse de l'un de ses pistolets tinta contre une plaque métallique sertie dans sa veste.

« Rien. Mais vous avez ici un donneur, un clairvoyant, un garçon qui a su déjouer nos plans il y a de cela onze ans. Il détecte la dissimulation aussi sûrement que les animaux sauvages flairent l'eau potable. Certains n'aiment pas les donneurs et seraient prêts à tout pour les faire disparaître. D'ailleurs il est le dernier de ce rassemblement. Les enfants qui paradent à ses côtés sur cette estrade ne sont que des ersatz, des imposteurs, des marionnettes. »

La foule se mit tout à coup à onduler et à gronder comme une mer en furie. La carcasse métallique du chapiteau trembla, grinça, les cordes ployèrent, des paquets d'eau dégringolèrent des concavités de la toile. Solman vit des centaines d'yeux blanchis par la colère se détacher comme des flocons d'écume des vagues sombres.

« Qu'est-ce que vous en savez ? hurla Irwan.

— Demandez-le-lui ! cracha ErHat en pointant le bras sur l'estrade. Lui, il le sait, et il ne peut pas mentir. Solman le boiteux est précieux, vénérés pères, vénérées mères. Vous devriez veiller sur lui jour et nuit, prêts à le défendre contre tous, contre vous-mêmes au besoin ! Le jour où il recevra un poignard dans le cœur, vous regretterez votre négligence. »

Solman comprit que c'étaient eux, les Slangs, qui étaient venus à son secours la nuit précédente, eux qui avaient tiré et mis les Neerdands en échec. Mais comment avaient-ils eu vent de cette agression ? Et comment savaient-ils que les enfants assis à ses côtés sur l'estrade n'étaient pas de véritables clairvoyants ?

Ils ne l'avaient certainement pas protégé pour préserver le dernier des donneurs, comme ils le prétendaient, mais pour traîner les pères et les mères du peuple aquariote devant lui. C'est donc qu'ils étaient sûrs de leur fait, sûrs de la culpabilité de ceux qu'ils accusaient. Solman se concentra sur ErHat et ses deux acolytes pour essayer de percer leurs véritables intentions : voulaient-ils seulement obtenir la justice ou avaient-ils adopté une nouvelle stratégie pour briser le monopole des Aquariotes après l'échec de leur coup de force onze ans plus tôt ? Il perçut en eux la musique forte de la douleur et de la colère, puis, en arrière-plan, comme un bourdon grave, le son étouffé de l'orgueil et de l'ambition communs à tous les chefs.

« Les quatre enfants qui ont pris place avec toi sur cette estrade ont-ils le don ? »

Solman eut besoin de quelques secondes pour prendre conscience que la question du Slang s'adressait à lui. Il fixa tour à tour Lorr, qui l'encouragea d'un sourire, et les trois autres enfants terrorisés sur leurs chaises.

« Cette question n'a pas de rapport avec la plainte... »

Son murmure se brisa sur le mur de silence dressé devant lui.

« Ont-ils ou n'ont-ils pas le don ? répéta ErHat.

— Dis-leur que je ne l'ai pas, Solman. »

La voix aiguë de Lorr avait jailli avec une étonnante netteté de la zone de pénombre à la droite de l'estrade.

« Dis-leur la vérité. Dis-leur que tu es le seul donneur des peuples nomades. Dis-leur qu'ils nous ont volé notre enfance. »

Solman écarta d'un geste nerveux les mèches folles qui lui balayaient les joues.

« Elle n'a pas le don, dit-il. Elle a dit la vérité.

— Et les trois autres ? insista ErHat.

— Non plus. »

Une nouvelle série de secousses agitèrent la multitude comme un grand corps pris de convulsions. La pluie cinglante isolait le chapiteau dans une bulle de fébrilité toxique. La lumière des projecteurs commençait à irriter les yeux de Solman.

« Comment le sais-tu ? hurla une femme.

— Seul un donneur peut reconnaître le don, répondit-il d'un ton las.

— Pourquoi ne l'as-tu pas dit plus tôt ? cria une autre.

— Je ne suis pas tenu de répondre aux questions qui ne me sont pas posées. »

Pendant quelques minutes, il crut que la foule allait rompre la digue fragile formée par les assesseurs, s'engouffrer dans l'espace réservé aux plaignants et submerger l'estrade. Mais ErHat leva les bras et, la fixant avec détermination, la dominant de toute sa stature, parvint à l'apaiser.

« Eh bien, je te pose une question, Solman le boiteux, reprit le Slang. Les pères et les mères du peuple aquariote ici présents ont-ils volontairement empoisonné l'eau qu'ils nous ont livrée ? »

Des pointes fulgurantes transperçaient la jambe torse et mal irriguée de Solman qui changea de position sur la banquette. À nouveau il chercha le visage de Raïma dans la multitude, mais ses yeux fatigués glissèrent sans se poser sur une mer de têtes grises et anonymes.

Alors il accepta de regarder les pères et les mères de son peuple. Ils le fixaient tous les six avec une intensité qui ressemblait étrangement à de la ferveur. Ils avaient confiance en lui, dans ce fils spirituel qui les avait accompagnés dans leurs négociations, dans leurs tribulations, qui avait partagé leurs hésitations, leurs discussions, leurs secrets. Si Irwan et les deux autres pères s'efforçaient de ne pas montrer leurs sentiments, les mères en appelaient sans pudeur à ses sentiments filiaux, mère Gwenuver en particulier, dont les yeux clairs l'imploraient en silence. Cette scène avait quelque chose d'absurde, de répugnant.

Il ne ressentit rien au début, comme si une partie de lui-même refusait catégoriquement de perquisitionner dans leurs âmes, de violer leur intimité. Pourtant, ils avaient peut-être conçu le projet de le tuer, ils avaient peut-être ordonné à Rilvo d'exécuter Raïma, ils avaient peut-être la mort de centaines de Slangs sur la conscience.

Une réponse commença à se dessiner, une sensation floue au début, de l'ordre de l'intuition, puis, l'un après l'autre, ils s'ouvrirent comme des fleurs sous le soleil, et il les vit tels qu'ils étaient.

CHAPITRE 11

Solman voyait devant lui des hommes et des femmes criminels, misérables, d'abominables vieillards qui n'avaient pas hésité à livrer de l'eau empoisonnée au peuple des Slangs à la fois pour assouvir une vengeance et affirmer leur pouvoir. Il discernait, avec une acuité douloureuse, le degré de responsabilité de chacun, de père Irwan et de mère Gwenuver, coupables d'avoir pris cette terrible décision ; d'Orgwan, de Lohiq et de Katwrinn, coupables de s'être laissé convaincre sans résistance ; de Joïnner, enfin, coupable de s'être résignée à une passivité servile et minante. Ils se tenaient dans la lumière aveuglante des projecteurs à gaz avec une raideur qui signait leur forfait. Ils continuaient de jouer la comédie de la diffamation, de l'honneur bafoué, convaincus que sa complaisance les laverait de tout soupçon. Il ne chercha pas à savoir s'ils avaient soudoyé les trois Neerdands pour l'éliminer, s'ils avaient ordonné à Rilvo d'assassiner Raïma, il avait assez à faire avec l'immense détresse qui le gagnait et obscurcissait sa clairvoyance.

Sa fichue clairvoyance.

La tension avait enfermé le chapiteau dans une bulle de silence que s'acharnaient en vain à transpercer les cordes de pluie. Les bras croisés, les trois Slangs attendaient la sentence avec l'assurance inébranlable des joueurs qui ont dissimulé tous les atouts dans leurs manches. Les yeux des spectateurs s'ouvraient comme de minuscules lucarnes grises dans la pénombre noyant les piquets et les cordes. Lorr n'avait rien trouvé d'autre, pour soutenir Solman, que de rapprocher sa chaise de la banquette et de l'emprisonner dans un regard où la compassion supplantait la frayeur.

La pression devint tellement vive que Solman, au supplice, fut tenté d'en finir au plus vite et de prononcer son verdict. Puis des scènes de son enfance déferlèrent dans son esprit et lui firent prendre conscience qu'il avait tissé avec les pères et les mères du conseil aquariote des liens plus profonds, plus solides, qu'il ne l'aurait voulu. Ils l'avaient recueilli après la mort de ses parents et, bien que leur sollicitude fût en grande partie guidée par l'intérêt, ils avaient adouci la solitude de ses nuits, ils l'avaient empêché d'errer dans une obscurité perpétuelle et glaciale, ils l'avaient retenu à la vie, ils l'avaient aimé à leur manière, parfois même davantage que leurs propres petits-enfants. Gwenuver, par exemple, avait été une mère de substitution attentive et tendre avant de se métamorphoser en une masse de chair froide, calculatrice et obsédée de pouvoir.

Raïma la guérisseuse avait tenté de le préparer à cette confrontation en se donnant à lui, en l'éloignant de l'enfance, de leur sphère d'influence. Elle avait vu clair dans leur jeu bien avant lui, ou peut-être s'était-elle forgé une opinion dans le Livre des religions mortes, dans les prophéties ténébreuses de cette Apocalypse qu'elle proclamait en marche.

Il changea une nouvelle fois de position sur la banquette mais ne parvint pas à détendre sa jambe tordue ni à calmer les élancements de ses vertèbres lombaires. La sueur ruisselait sous sa tunique et son pantalon de peau. Il avait l'impression d'être plongé dans un bain à la fois bouillant et froid, exécrable en tout cas.

« Nous voulons maintenant entendre la sentence, Solman le boiteux ! »

La voix puissante d'ErHat avait retenti comme un coup de tonnerre sous la toile du chapiteau.

« Ne viens-tu pas d'affirmer que tu es le dernier des donneurs ? » reprit le Slang.

Les visages des pères et des mères du conseil aquariote se tournèrent à l'unisson vers leur accusateur. Solman, qui ne voulait pas accrocher leur regard, en profita pour les passer brièvement en revue : seule Joïnner, liquéfiée dans ses vêtements, semblait fléchir sous le poids des remords.

« Je n'ai jamais rien prétendu de tel, dit-il d'un ton hésitant.

— Je rends grâce à ta modestie, poursuivit le Slang en écartant les bras. Mais cette assemblée t'a entendu dire, il y a de cela quelques minutes, que seuls les donneurs pouvaient reconnaître le don. »

Solman hocha la tête d'un air las. Les troquants d'armes l'avaient manœuvré avec une habileté diabolique en dénonçant l'imposture de ses quatre confrères et en l'obligeant à s'affirmer publiquement comme le dernier des donneurs. Ils lui avaient coupé la possibilité de se dessaisir de l'affaire au profit d'un autre juge – puisqu'il avait lui-même reconnu qu'il n'y avait pas d'autre juge –, ainsi que l'Éthique le lui autorisait. Leur perspicacité l'étonna à nouveau : leurs perceptions n'étaient pas assez fines pour leur permettre de faire la différence entre une fillette à l'esprit vif comme Lorr et un véritable clairvoyant. Quelqu'un les avait donc informés, le même mystérieux indicateur, sans doute, qui les avait prévenus des intentions des trois Neerdands et lui avait sauvé la vie.

Solman s'éclaircit la gorge, se pencha vers l'avant et concentra son attention sur les trois Slangs. La lumière crue des projecteurs miroitait sur les pièces métalliques qui sertissaient leurs vêtements de cuir, sur les culots des balles garnissant leurs cartouchières, sur les crosses des pistolets glissés dans leurs ceintures.

« C'est ce que je croyais également... »

Il se rendit compte qu'il ne maîtrisait pas sa voix. Elle n'avait pas encore achevé sa mue, elle s'échappait dans les tonalités traîtresses de l'enfance malgré ses efforts pour la raffermir.

« Mais je m'aperçois que ce n'est plus tout à fait vrai, puisque vous avez vous-mêmes deviné que ces quatre-là – Solman désigna Lorr et les trois autres enfants d'un ample mouvement du bras – n'avaient pas le don. »

L'infime crispation de ErHat ne lui échappa pas. Oh, le Slang gardait suffisamment de maîtrise pour donner le change aux membres de l'assemblée, mais Solman constata que sa remarque avait ouvert une brèche dans son rempart mental, une faille minuscule dans laquelle il pouvait à présent s'insinuer pour sonder ses intentions profondes.

« Nous n'avons fait qu'énoncer une évidence qui est depuis longtemps de notoriété publique », dit ErHat avec ce sourire généreux qui dévoilait ses dents métalliques taillées en pointe et lui donnait un air de carnassier.

Tout de même, il fallait des certitudes ou une audace proche de l'inconscience pour oser contester les donneurs à l'occasion d'un grand rassemblement, surtout de la part d'individus condamnés onze ans plus tôt à cinq années d'emprisonnement dans les geôles troglodytes de Transylvanie. Solman oublia la douleur à sa jambe, les rigoles de sueur qui tendaient un filet poisseux sur son torse, le roulement lancinant de la pluie, l'hydre à mille têtes tapie dans l'obscurité du chapiteau, la présence encombrante des pères et des mères du conseil aquariote, pour focaliser l'ensemble de ses perceptions sur ErHat. Il cherchait un prétexte, un stratagème, n'importe quelle échappatoire lui évitant d'avoir à prononcer la condamnation à mort des six vieillards qui lui avaient tenu lieu de famille pendant onze ans. Ils avaient commis un crime que rien ne justifiait, mais, même si sa résolution n'était pas dénuée d'une certaine forme de lâcheté, il refusait d'être leur bourreau.

« De notoriété publique ? dit-il sans quitter ErHat des yeux. Je n'avais jamais entendu parler de ce genre d'évidence avant aujourd'hui.

— Les évidences sont comme les chiens sauvages, lâcha le Slang. Elles sautent à la gorge des uns et épargnent les autres. Ça n'a aucune espèce d'importance, nous voulons seulement la justice. »

Des pointes d'énervement perçaient dans sa voix puissante mais encore contenue. Il commençait à perdre son sang-froid, à sortir du bois, à offrir des prises à la vision pénétrante du donneur. Solman n'avait aucun doute sur la sincérité de sa démarche, mais il captait à présent une autre musique sous la rumeur de sa douleur et de son indignation, une musique, ténue, lointaine, qui ne lui correspondait pas, qui semblait provenir d'un corps étranger.

« À moi il me paraît important de comprendre d'où te viennent ces évidences. »

Il avait prononcé ces paroles de façon mécanique, sans relâcher son attention, simplement pour faire parler son interlocuteur, pour l'amener à se découvrir davantage, pour trouver l'issue de secours. Le regard éperdu de Lorr lui incendiait la joue droite. Il entrevoyait, sur la gauche de son champ de vision, les silhouettes claires et figées des pères et des mères du conseil aquariote, puis, au second plan, les rafales soudaines qui agitaient les rangs des spectateurs comme les herbes des plaines de l'Europe du Nord.

ErHat pointa un index rageur sur l'estrade.

« Eh bien, je vais t'en énoncer une autre, boiteux ! Tu cherches à gagner du temps parce que ta condition de donneur t'interdit de mentir et que tu répugnes à juger les pères et les mères de ton peuple ! Pas besoin d'être clairvoyant pour comprendre ça.

— Je cherche seulement à établir la vérité », marmonna Solman d'une voix traînante, absente.

La vérité, elle ne lui serait sûrement pas révélée dans son intégralité à l'occasion de ce procès, elle s'annonçait multiple, polymorphe, et le crime des pères et mères aquariotes n'en était qu'un fragment qu'il ne fallait à aucun prix extraire du contexte. Quelqu'un avait soufflé sur le désespoir des Slangs pour les pousser à cette démarche, quelqu'un dont la pensée sonnait à travers eux comme une trompette grave, quelqu'un dont l'intention était de désagréger le ciment des peuples nomades. Et décapiter le peuple de l'eau, dont dépendait la survie de tous les autres, était le meilleur moyen d'aviver les tensions et d'instaurer un état de guerre. Comme tous les hommes frappés par le malheur et assoiffés de vengeance, les Slangs se prêtaient à merveille à ce genre de manipulation.

Solman se tourna alors vers les six accusés. Il resta partagé pendant quelques secondes entre miséricorde et répulsion. Leurs yeux quémandaient de l'indulgence, même ceux d'Irwan, qui s'appliquait à dissimuler ses sentiments sous un masque impénétrable. Orgwan soutenait discrètement Joïnner dont les jambes flageolaient, menaçaient de se dérober à chaque instant. Il interpréta le sourire figé de Gwenuver comme une tentative tardive et odieuse d'acheter sa complicité.

« La sentence, boiteux ! » hurla ErHat.

La foule se mit à gronder et à tanguer comme un bateau ivre. Les faisceaux obliques des projecteurs miroitaient sur les rideaux de pluie tombant autour du chapiteau et extirpaient de la nuit précoce des visages enlaidis par la fatigue et la fureur.

Lorr bondit de sa chaise, s'avança sur le bord de l'estrade et fixa d'un air farouche l'hydre à mille têtes qui, brusquement sortie de sa léthargie, commençait à déborder de son antre, à se répandre dans l'espace réservé aux plaignants et aux accusés.

« Taisez-vous ! Vous ne comprenez donc pas qu'il a besoin de silence ? »

Sa voix aigrelette parut rebondir telle une balle de caoutchouc sur le mur de vacarme dressé devant elle. Ses yeux étincelaient avec davantage d'éclat que les pierres précieuses de sa tiare et les broches en or piquées dans sa robe pourpre.

« Tu es mal placée pour donner des leçons ! glapit une femme.

— On devrait te fouetter et te couper la langue, comme à toutes les tricheuses ! rugit un homme.

— Ta bouche est aussi sale que ton cul : il n'en sort que de la merde ! »

118

Lorr crut reconnaître la voix de la femme virgote qu'elle avait condamnée quelques instants plus tôt et qui profitait de la confusion pour contester le jugement, pour essayer de se soustraire à l'humiliation de la flagellation publique. Arc-boutée sur ses jambes, la petite Léote ne trembla pas ni ne recula d'un pouce.

« J'accepte de me soumettre à votre verdict, criat-elle. Vous ferez de moi ce que vous voudrez. Mais lui, écoutez-le, respectez-le, c'est notre dernier donneur. Les vénérés pères des Slangs ont placé en lui toute leur confiance. »

Solman l'admira, cette fillette dont la tiare lui donnait l'air d'une princesse des légendes dormantes, cet infime bout de courage drapé de rouge, cette proie sanglante sur le point d'être engloutie par la gueule écumante d'un monstre. Sa détermination réussit là où auraient sans doute échoué la menace et la démonstration de force. La multitude s'apaisa et, comme un fleuve en décrue, se retira à l'intérieur des limites assignées par les assesseurs. Lorsque le roulement de la pluie eut estompé tout autre bruit sous la toile, Lorr retourna s'asseoir sur sa chaise, plus pâle que le drap habillant la banquette. Elle prenait conscience, à cet instant, qu'elle venait de s'offrir en pâture à des hommes et à des femmes aux cœurs durcis par la haine. Solman lui adressa un regard complice, rassurant. Elle avait épargné une exécution sommaire aux accusés, à lui-même peut-être, et, tant qu'il aurait un souffle de vie, il s'opposerait avec la plus grande fermeté à toutes représailles exercées contre elle.

Certain maintenant que plus personne n'oserait l'interrompre dans ses investigations, pas même ErHat, piégé par les paroles de Lorr – le Slang ne pouvait à la fois proclamer sa confiance dans le jugement du dernier des donneurs et contester ses méthodes –, il entreprit de sonder sans hâte les esprits des pères et des mères du conseil aquariote. Il s'efforça d'oublier leur histoire commune, de glisser entre les mailles du filet de l'affection, de les contempler en toute impartialité, de plonger au plus profond d'eux. Il ne s'attacha pas à l'un d'eux en particulier, il les traita comme une entité indivisible, comme un agrégat de pensées, de souvenirs, de secrets. Ils disputaient des batailles obscures sur le champ élargi de leurs six consciences, ils traînaient des blessures anciennes, mal oubliées, des rancœurs inavouées, ils évoluaient dans un univers invisible où chacun s'attribuait un rôle assorti à ses désirs occultes, ils s'appuyaient les uns sur les autres pour compenser les manques, pour combler les vides. Solman lut les données plus ou moins récentes imprimées dans leur mémoire à la façon des traces informatiques abandonnées par les machines de l'ancien monde – et qui, par exemple, continuaient de régir les solbots –, il lut la décision d'éliminer Raïma, le projet de se débarrasser de Rilvo une fois son forfait accompli, il lut les choix dramatiques qui avaient jalonné leur chemin depuis qu'ils avaient conquis le pouvoir, les opérations frauduleuses qui leur avaient permis de garder la majorité lors des deux derniers scrutins aquariotes, leur peur du peuple des Slangs et la volonté d'extermination qui en avait découlé, les querelles haineuses qui les avaient divisés... Il lut enfin, dans des zones souterraines, aussi profondes que les couches où Helaïnn l'ancienne avait enfoui le meurtre de ses deux enfants, l'assassinat de ses parents.

Il eut l'impression d'être emporté par une coulée de glace. L'espace de quelques secondes, il fut coupé du monde, ramené à l'hébétude de l'errance dans la nuit qui avait suivi le crime. Il parvint, sans savoir comment, à contenir le hurlement qui gisait en lui depuis onze ans et qu'il n'avait encore jamais eu l'occasion de libérer. Puis des souvenirs affluèrent en masse dans son esprit gelé, antérieurs à cette nuit fatidique, la violente dispute qui avait opposé son père à un homme qui pouvait être Irwan – même geste mécanique pour remonter sa mèche –, les larmes de sa mère penchée sur son lit, l'irruption de deux visiteurs d'un autre peuple dans la tente familiale, les projets de départ, de fuite... Les éléments de leur mémoire et de sa mémoire s'emboîtaient les uns dans les autres avec une précision implacable : les pères et les mères du peuple aquariote avaient décelé son don de clairvoyance dès sa naissance, mais ses parents avaient refusé de se séparer de leur fils comme l'ordre leur en avait été signifié. Les donneurs étant de plus en plus rares, il était devenu l'enjeu d'une bataille féroce entre sa famille et les membres du conseil. Et les six vieillards qui se tenaient au pied de l'estrade n'avaient pas hésité, pour parvenir à leurs fins, à recourir aux moyens les plus radicaux. L'homme chargé de la besogne avait reçu pour consigne de déguiser ce double meurtre en un crime de maraudeur, de violeur. La négociation des responsables aquariotes avec l'exécuteur des hautes œuvres se nichait dans leur passé comme un serpent engourdi, qu'il lui suffisait à présent de réchauffer de sa vision pour le réveiller et l'amener à se découvrir. Il pouvait presque entendre la voix de mère Katwrinn fixer le prix du sang versé, la voix d'Irwan recommander la prudence, la voix de Gwenuver s'inquiéter de la réaction de l'enfant, la voix de Joïnner s'interroger sur la légitimité de leur décision... Et puis, la voix du tueur, cassante, enrouée, à la fois étrange et familière.

Un bruit fracassant fut le fil qui lui permit de s'orienter dans le labyrinthe de ses souvenirs et de revenir au présent. L'eau accumulée avait fini par crever la toile du chapiteau et s'écouler en cataracte quelques pas derrière l'estrade. Il se rendit compte qu'il pleurait. Mère Joïnner, soutenue par les pères Orgwan et Lohiq, versait également toutes les larmes de son corps. Alors, à cause d'elle, parce qu'elle étouffait depuis onze ans sous les remords, parce qu'il ne pouvait pas les dissocier dans sa sentence, parce que leur exécution ne ferait qu'envenimer les relations entre les peuples nomades, il se redressa, prit une longue inspiration, repoussa sa colère et écarta les bras.

CHAPITRE 12

La pluie cessa, comme si les éléments eux-mêmes suspendaient toute activité pour entendre la sentence. L'eau s'écoulait de la toile gondolée en filets discrets qui dégringolaient sans heurt sur l'herbe tellement humide et piétinée qu'elle avait désormais la consistance de la boue. Les projecteurs traçaient des sillons aux bords tranchants dans la nuit précoce qui avait isolé le chapiteau des campements les plus proches.

« Les faits ont été exposés, la vérité est maintenant établie. »

La voix de Solman parut se dissoudre dans la moiteur chargée d'odeurs que ne parvenait pas à disperser un vent mollissant. Il ferma les yeux et demeura quelques secondes immergé dans ses pensées pour raffermir sa résolution, mollissante elle aussi.

« La justice... »

Ce mot s'était échappé de ses lèvres comme un soupir de regret. Toute la tension de son corps semblait s'être transférée dans sa jambe tordue.

« La justice, il est parfois difficile de la rendre, reprit-il en rouvrant les yeux et en fixant les ombres scintillantes et figées des trois Slangs. Dans certains cas, comme celui qui nous intéresse, les faits dissimulent des vérités cachées, des enjeux qui concernent l'ensemble des peuples nomades et dépassent les querelles entre les personnes. »

Il vit les traits de ErHat se durcir et sa main agripper la crosse de l'un de ses pistolets. Les Slangs n'accepteraient pas d'être déboutés sans réagir. Il craignit que ses paroles ne provoquent une flambée de violence sous le chapiteau. La facilité, la logique auraient voulu qu'il abonde dans le sens des plaignants et condamne à l'exécution capitale les six membres du conseil aquariote, mais il resta accroché à son intime conviction, à cette idée que leur mort engendrerait de nouvelles horreurs pires encore que celles qu'ils avaient commises. L'armée des ombres rôdait dans la nuit noire, celle-là même dont il avait ressenti la présence à la suite de sa rhabde avec le groupe d'Helaïnn l'ancienne, celle-là même qui commandait aux hordes de chiens sauvages et qui, à travers les Slangs, cherchait à dresser les peuples nomades les uns contre les autres. Ce jugement n'inverserait pas le cours d'une guerre occulte et mal engagée – une autre définition de l'Apocalypse annoncée par Raïma ? –, mais il permettrait peut-être aux uns et aux autres de se réorganiser, d'échapper à l'extermination qui leur semblait promise. Il lui fallait donc trahir son serment et perpétrer l'injustice pour gagner un sursis, au risque de perdre son don, au risque de perdre la vie.

« La plainte des pères slangs n'est pas recevable, poursuivit-il en soutenant le regard exorbité et étincelant de ErHat. Non que je mette en cause le malheur qui a frappé leur peuple, mais certains éléments m'ont amené à douter de la validité de leur démarche. »

Le murmure qui ponctua sa déclaration enfla rapidement en un indescriptible charivari. ErHat brandit son pistolet et tira à deux reprises pour rétablir le silence. Des cascatelles chutèrent de la toile percée par les balles et s'abattirent en pluie. Des rangées de spectateurs s'écartèrent en poussant des cris d'orfraie.

« Tu n'es pas ici pour décider de la validité de notre démarche, boiteux, mais pour juger des hommes et des femmes coupables d'avoir voulu empoisonner tout un peuple ! » cria le Slang.

La colère faisait ressortir son accent, qui, de chantant, était subitement devenu rocailleux, guttural. La toile continuait de se déchirer sous le poids de l'eau, de véritables cataractes se déversaient à présent sur l'assistance et engendraient des mouvements de panique qui se brisaient sur les îlots épargnés par les trombes.

« C'est à moi, et à moi seul, qu'il revient de déterminer leur culpabilité, rétorqua Solman d'une voix calme. – La vue du pistolet ne l'effrayait plus, la mort était sans doute ce qui pouvait lui arriver de mieux à présent. – Et les membres du conseil aquariote sortiront de ces lieux aussi libres qu'ils y sont entrés. »

Il n'eut pas besoin de lancer un regard en direction des six accusés pour percevoir leur soulagement, pour deviner leurs sourires, et cela, plus encore que l'indignation des Slangs, plus encore que l'amertume d'avoir trahi son don et la mémoire de ses parents, lui fut odieux.

ErHat pointa son pistolet sur l'estrade.

« Une seule question, boiteux : sont-ils coupables ou non ? »

Solman considéra avec froideur le petit œil rond et noir de l'arme dirigée sur son front.

« Il me semble t'avoir entendu dire, tout à l'heure, que j'étais précieux, qu'il fallait veiller sur moi jour et nuit...

— Coupables ou non ? répéta le Slang.

— Pourquoi m'avoir demandé de présider ce jugement si tu ne me fais pas confiance ?

— Coupables ou non ? Réponds, bon Dieu !

— Tu me tueras si la réponse ne te convient pas ? »

ErHat pressa la détente. Le projectile siffla au-dessus de la tête de Solman et alla percuter un pilier métallique. Les trois enfants-juges s'égaillèrent de part et d'autre de la banquette et s'évanouirent dans les ténèbres qui cernaient l'estrade. Seule Lorr demeura assise sur sa chaise, comme si, quoi qu'il arrivât, elle avait choisi de lier son sort à celui du donneur. Un premier cri de protestation surgit de l'assistance, suivi aussitôt de vociférations qui montèrent de divers endroits du chapiteau. Les deux autres Slangs dégaînèrent à leur tour leurs pistolets. Les spectateurs les plus proches reculèrent et provoquèrent de nouvelles vagues d'affolement qui emportèrent les assesseurs et divisèrent la multitude en courants convulsifs. L'odeur de poudre se fit dominante, menaçante.

Solman se leva et s'avança d'une démarche claudicante vers le bord de l'estrade. Il en appela à toute sa volonté pour ne pas révéler la torture que représentait pour lui le simple fait de marcher après une aussi longue immobilité. Dans la main levée de ErHat, le pistolet luisait comme un serpent venimeux.

« Tu peux me tuer, vénéré père slang, tu peux les tuer – Solman désigna les membres du conseil aquariote –, mais ni ma mort ni la leur ne te rendront les tiens.

— Pourquoi refuses-tu de répondre, boiteux ? grogna le Slang. Est-ce qu'il t'est si difficile de tricher ? »

Encore plus difficile et douloureux que tu ne l'imagines, songea Solman. À chacun des mots qui sortaient de sa bouche, c'était une part de lui qui s'en allait, un fragment de son intégrité qui s'arrachait.

« Je les déclare... non coupables, dit-il dans un souffle.

— Tu mens ! »

Une nouvelle détonation claqua, et Solman sentit très nettement la brûlure rageuse de la balle à quelques centimètres de sa joue. Puis il entendit d'autres coups de feu, quatre ou cinq, vit comme dans un rêve des grappes vociférantes de spectateurs se ruer sur les trois Slangs et s'enchevêtrer dans l'épais nuage de fumée qui absorbait la lumière des projecteurs. D'autres silhouettes traversèrent l'espace réservé aux accusés, grimpèrent sur l'estrade, convergèrent vers la droite de la banquette et se penchèrent sur un petit corps inanimé et enveloppé de rouge. Une tiare gisait sur les planches à côté d'une chaise renversée. Jouant des épaules et des coudes, Solman réussit à se frayer un passage jusqu'à Lorr, étendue sur le dos. La gorge déchiquetée par une balle, la petite Léote luttait de toutes ses forces pour garder les yeux ouverts. Le sang jaillissait par saccades de la plaie béante et imbibait le haut de sa robe. Au bord des larmes, Solman s'agenouilla près de la fillette et lui prit la main. Alors elle fit un dernier effort pour lui adresser un sourire avant de s'en aller en douceur, sans crispation ni spasme, comme déjà consolée de la brièveté d'une existence sans joie.

Ce fut aux pères et aux mères du peuple aquariote qu'il revint de sauver la vie des trois Slangs, à Irwan en particulier, qui, voyant que la foule était sur le point de les exécuter, intervint avec une rare énergie pour ramener les bourreaux improvisés à la raison. Les troquants d'armes n'avaient pas prévu que leurs arguments se retourneraient contre eux : en démontrant que Solman était le dernier des donneurs, ils avaient regroupé les spectateurs autour de lui, et, à travers eux, l'ensemble des peuples nomades. L'assistance n'avait pas supporté qu'ensuite ces mêmes Slangs se permettent de contester le jugement à coups de pistolet – et provoquent la mort accidentelle de Lorr, la fillette léote dont le courage les avait bouleversés. Innocenté par le donneur, le conseil aquariote sortait grandi de l'épreuve, et c'est sans doute ce surcroît de prestige qui lui valut d'enrayer la folie vengeresse de la foule. On ne manqua pas de louer la grandeur d'âme de ces pères et de ces mères qui, malgré leur grand âge, n'hésitèrent pas à se jeter dans la mêlée pour épargner leurs accusateurs. Neutralisés, désarmés, les Slangs furent enfermés dans une voiture en métal en attendant que le conseil général des peuples prenne une décision à leur sujet.

Solman pleura une grande partie de la nuit dans les bras de Raïma. Retenue par les consultations, elle n'avait pas eu la possibilité de se rendre sous le chapiteau des jugements, mais elle avait perçu des rumeurs une heure plus tôt, était sortie de sa voiture, avait vu les assesseurs emmener les pères et les mères aquariotes et s'était doutée que des événements graves agitaient le grand rassemblement. En dépit d'une curiosité dévorante, elle s'abstint d'interroger Solman, secoué par les sanglots, recroquevillé en position de fœtus, battu par le chagrin, aussi fragile et aphasique qu'un nourrisson. Elle se contenta de lui administrer une potion calmante, puis de le bercer en fredonnant la comptine, toujours la même, que lui chantonnait sa mère pour l'endormir.

Elle resta éveillée jusqu'à l'aube, attentive aux bruits qui trouaient le silence nocturne, immergée dans ses souvenirs, restituée à une enfance marquée par la maladie et la mort. Maître Quira, le guérisseur, l'avait choisie pour l'initier aux secrets des plantes et lui succéder, mais, malgré sa bienveillance, malgré sa générosité, malgré sa joie de vivre, il n'avait pas réussi à remplacer ses parents dont la tente, plantée imprudemment au bord de la rivière Oder, avait été emportée par une crue soudaine. Elle avait souvent regretté de ne pas s'être trouvée en leur compagnie lorsque l'eau avait submergé la fragile construction de toile. Du haut de la colline où elle se promenait, elle avait vu le tissu clair et les caisses de bois flotter pendant quelques secondes à la surface bouillonnante. Rien n'avait laissé prévoir une crue d'une telle violence. On était au cœur de l'été, les rares averses n'avaient rien eu de torrentiel, l'Oder, bien qu'anormalement grosse à cette période de l'année, n'avait pas atteint la cote d'alerte, et il avait semblé à Raïma que le cours d'eau ne s'était soulevé que pour emporter ses parents, comme un monstre surgi brusquement de son antre pour dévorer les deux proies passant à portée de gueule. Fille unique, elle en avait éprouvé un sentiment de culpabilité dont elle ne s'était jamais complètement affranchie, même si ses parents, son père en particulier, n'avaient pas toujours eu vis-à-vis d'elle un comportement irréprochable. Ils ne lui avaient pas laissé le temps de prouver qu'elle n'était pas seulement une transgénosée, une réprouvée, une porte ouverte sur le malheur.

À l'aube, elle se détacha de Solman profondément endormi, se leva et fit coulisser le panneau mobile qui masquait un miroir en pied. Elle ne s'y était pas contemplée depuis plusieurs semaines, de peur d'être horrifiée par son reflet, mais elle éprouvait ce matin la nécessité impérieuse de se confronter à elle-même, un besoin urgent, vital, de faire le point, de dresser l'inventaire complet des ravages opérés par la maladie sur son corps. Elle faillit hurler lorsqu'elle contempla, à la lumière du petit jour criblée par les interstices des stores, les excroissances anciennes qui s'étaient agrandies et opacifiées sur ses épaules et ses jambes, les tumeurs nouvelles, encore bénignes, qui lui poussaient sur les cuisses, les hanches, le ventre, la gorge, le front et les joues, les bosselures perfides qui altéraient les courbes pures de ses seins, son dernier bastion de femme. Suffoquée par un début de panique, elle s'obstina néanmoins à traquer les méfaits de la transgénose avec une contention proche du masochisme. Elle se retourna, se tordit le cou pour examiner les protubérances sur son dos, sur ses fesses, en trouva de nouvelles en gestation en palpant les rares zones en apparence épargnées, fit le rapprochement entre cette éruption massive et l'irritation persistante qui, depuis quelques jours, lui agaçait le vagin, écarta les jambes, glissa le majeur de sa main droite entre ses lèvres, perçut la petite boule qui s'était formée dans la muqueuse à l'entrée du conduit. Elle prit alors conscience qu'elle était entrée dans la phase terminale de la maladie. Dans quelques mois, dans une année peut-être avec de la chance, ses organes auraient subi de tels bouleversements qu'ils cesseraient peu à peu leurs fonctions et qu'elle s'empoisonnerait avec son propre sang.

Désemparée, elle se laissa choir sur le bord du lit. Son refus catégorique de la dégénérescence et de la mort l'avait empêchée de préparer son départ. Et maintenant, il ne lui restait plus assez de temps pour former un successeur, elle serait celle par qui se briserait la lignée des guérisseurs aquariotes. La porte ne s'ouvrait pas seulement sur le malheur d'une famille mais sur celui de tout un peuple. Aux prises avec un début de nausée, elle resta un long moment assise devant ce miroir qui lui renvoyait l'image de sa déchéance avec la précision implacable des témoins sans âme. Même nue, elle paraissait entièrement vêtue par ces moignons absurdes dont les plus anciens commençaient à se recourber sous leur poids. Elle s'était efforcée d'oublier sa maladie dans les bras des hommes qu'elle avait attirés sur sa couche, en particulier avec Solman, dont elle était tombée amoureuse, mais elle n'avait pas réussi à distancer le malheur. Elle était désormais acculée à pourrir sur pied, à devenir une charogne informe et puante – elle en savait quelque chose, elle avait lavé des malades en phase terminale. Elle se sentit infiniment laide, infiniment sale, infiniment triste. Elle fut taraudée par la tentation d'absorber la fiole du poison foudroyant des plantes grimpantes et de mettre fin à l'absurdité de sa vie, mais un bref regard par-dessus son épaule l'en dissuada : le sommeil n'avait pas apaisé les traits de Solman. La comparution des pères et des mères aquariotes n'était qu'une péripétie de l'entreprise systématique de destruction menée contre les peuples nomades, contre les vestiges de l'humanité, tout comme la Troisième Guerre mondiale, tout comme l'empoisonnement des eaux, tout comme l'attaque de la horde de chiens, et il aurait encore besoin d'elle dans les jours à venir. Elle s'examina une dernière fois avant de refermer le panneau coulissant et trouva la force d'adresser un sourire provocant à la caricature de femme qui la singeait dans le miroir.

CHAPITRE 13

Les secousses de la voiture tirèrent Solman de son demi-sommeil. Il avait dormi toute la nuit et toute la journée ayant suivi le jugement. Raïma, qui recevait ses patients dans une tente montée à la hâte quelques pas plus loin, était venue à plusieurs reprises s'assurer qu'il ne manquait de rien. Il avait répondu d'un vague grognement sans desserrer les lèvres, le corps trop engourdi pour pouvoir proférer le moindre son. Il avait perçu des rumeurs, des claquements, des grincements, mais sa lassitude était telle qu'il n'y avait accordé aucune attention.

Il se leva et alla se coller à l'une des deux vitres sans prendre le temps de décontracter sa jambe torse, une erreur qu'il regretta aussitôt quand la douleur s'enroula comme une couleuvre le long de ses os pour se loger dans son bassin. La nuit était tombée, noire, dénuée d'étoiles, mais il vit, à la lueur des phares du camion suivant, les spectres blêmes des arbres et des haies défiler sur le côté de la piste. La caravane aquariote s'était remise en route, devançant de près d'une semaine la date du départ. Les peuples nomades se séparaient d'habitude à l'issue d'une fête de trois jours, point d'orgue du grand rassemblement. Il eut la sensation d'être observé, se retourna et aperçut Raïma, appuyée sur le bord de la cloison coulissante qu'elle tirait parfois en paravent entre la pièce principale et le coin-cuisine. Vêtue d'une ample chemise ouverte, une tasse à la main, elle le fixait d'un air où l'inquiétude l'emportait sur la sollicitude. Elle exhibait maintenant ses excroissances avec une absence de pudeur censée traduire l'acceptation de son état, mais qui, Solman le perçut sans même avoir le besoin de faire appel à son don, lui infligeait un supplément de souffrance. De la Raïma qui lui avait enseigné les rudiments de l'amour quelques semaines plus tôt (un siècle plus tôt...), il ne restait plus qu'un visage, un regard et une chevelure. Le reste, hormis les seins peut-être, semblait avoir été retraité par les mâchoires d'une invisible pince qui aurait mordu la peau pour en tirer des crêtes inutiles et grotesques. Le dégoût le gagna, qu'il s'astreignit aussitôt à combattre, mais qui s'installa en lui d'une manière qu'il pressentit durable. Puis il se demanda si son don ne l'avait pas abandonné et entreprit de sonder l'esprit de la jeune femme. Il fut happé par une tristesse si déchirante qu'il eut honte de lui-même, honte de cette répulsion qu'il ne maîtrisait pas et qui consacrait l'hégémonie de la forme, de l'illusion, du mensonge. Il avait beau se dire et se répéter que la beauté se nichait dans l'être et non dans le paraître, il se révélait incapable de franchir l'obstacle du déclin physique de Raïma. Pourtant, elle lui avait donné un plaisir qu'il n'était pas certain de retrouver avec d'autres femmes. Il se souvint avec amertume qu'il avait regretté son absence pendant le jugement, qu'il avait alors oublié la hideur de son apparence pour ne garder d'elle que la splendeur de son âme.

« Depuis combien de temps on est partis ? » demandat-il d'une voix encore alourdie de sommeil.

Il se rassit sur le lit et étendit sa jambe douloureuse. Raïma porta la tasse à ses lèvres avant de répondre :

« À peine une heure.

— Tu sais pourquoi on a quitté le grand rassemblement plus tôt que prévu ?

— Aucune idée. Et les deux chauffeurs qui sont venus accrocher la voiture au camion n'en savaient pas davantage que moi. En revanche, ils m'ont appris ce qui s'est passé sous le chapiteau... »

Et brutalement tout revint à la mémoire de Solman, la colère des Slangs, le triomphe nauséabond des pères et des mères aquariotes, la mort de Lorr, première victime de l'iniquité de son jugement. Il demeura prostré sur le lit, le visage entre les mains. Son fardeau, il en était conscient désormais, lui pèserait sur les épaules jusqu'à sa mort.

« Tu as profané le don, c'est ça ? » lança Raïma.

Il acquiesça d'un hochement de tête.

« Les pères et les mères aquariotes ont réellement eu l'intention d'empoisonner les Slangs ? »

Elle posa la tasse sur une étagère, vint s'asseoir à son côté et lui entoura les épaules de son bras. Il fut environné par son parfum, plus fort que d'habitude, presque suffocant, comme si elle s'en était aspergé tout le corps. Cependant, les essences dominantes de rose sauvage et de citronnelle ne masquaient pas entièrement son odeur doucereuse de chair corrompue. Il se rendit compte qu'il pouvait désormais faire siennes les paroles de Rilvo, l'homme qui avait tenté de la poignarder, il n'avait plus le cœur, lui non plus, à « tremper son machin dans une viande transgénosée ».

« À moi tu peux tout dire, murmura-t-elle. Rien ne sortira de cette voiture. »

Elle l'invitait à une complicité, à une intimité qui le dérangèrent. Il rechignait à river son destin à celui d'une femme qui se décomposait sur pied, comme un naufragé refuse de lier son salut à une planche pourrie. L'envie de s'épancher, de se vider, fut toutefois la plus forte.

« Je voulais... je pensais... les Slangs, ils étaient... quelqu'un parlait à travers eux... »

Elle essaya de le ramener au calme d'une pression soutenue de la main.

« Qui ?

— J'ai entendu la même musique que face au chien dominant de la horde, j'ai perçu la même intelligence, la même volonté de détruire, mais je suis incapable de lui donner une forme, un visage.

132

— Les anges de l'Apocalypse », souffla Raïma.

Il se dégagea de son étreinte, écarta les mèches qui lui balayaient les joues, se releva, chercha ses vêtements des yeux. Au gré des virages et des inégalités de la piste, la lumière des phares projetait des figures insaisissables sur les rayonnages et le plafond de la voiture. Le grondement confus des moteurs sous-tendait comme un bourdon grave les entrechoquements incessants des bocaux et les craquements sporadiques du plancher.

« On peut lui donner le nom qu'on veut, marmonnat-il en saisissant son pantalon de peau chiffonné au pied du lit. Je n'ai pas réussi à la détecter dans l'esprit des pères et des mères aquariotes, mais je reste persuadé que c'est elle qui s'est exprimée à travers eux, elle qui les a poussés à empoisonner le peuple des Slangs... »

Et qui leur a conseillé de tuer mes parents, faillit-il ajouter. C'était la seule issue de secours qu'il avait trouvée, la possibilité que les pères et les mères de son peuple avaient été manipulés eux aussi, une simple intuition, une hypothèse qui n'avait pas été validée par sa clairvoyance. Il avait sauté sur ce doute, sur ce prétexte, pour débouter les Slangs et rompre avec ses obligations de donneur, mais, en l'absence de repères fiables, il lui avait fallu se jeter dans le vide. Il enfila son pantalon puis sa tunique.

« Pourquoi est-ce que tu te rhabilles ? demanda Raïma. La nuit vient tout juste de commencer.

— J'ai froid. Et je n'ai plus sommeil. »

Il se voyait mal lui avouer qu'il n'éprouvait plus pour elle aucun désir, qu'il répugnait à frotter sa peau contre la sienne. Comme lors du jugement, il découvrait que le mensonge, le reniement de soi-même étaient parfois préférables à l'usage blessant de la vérité. Croisant le regard de Raïma, il devina qu'elle n'était pas dupe mais qu'elle feignait, elle aussi, de le croire.

« Ils ont ordonné à Rilvo de me tuer, n'est-ce pas ? » fit-elle avec une moue prolongée qui lui plissa tout le bas du visage.

Et, le mutisme de Solman équivalant à un aveu, elle ajouta :

« Tu n'aurais pas dû les épargner.

— C'était nécessaire. Pour gagner du temps. Pour... »

Un voile se déchira dans l'esprit de Solman, un torrent de pensées, de sensations, roula en lui, lui coupa la respiration, l'emplit d'une fébrilité qui grossit rapidement en panique. Il se mit à claudiquer de long en large dans l'étroit espace entre le lit et les cloisons, pour tenter de soulager la pression brutale qui lui enserrait la poitrine, de se débarrasser de la barre chauffée à blanc qui, à nouveau, lui fouaillait le ventre.

« Il faut retourner au grand rassemblement, haleta-t-il. Tout de suite. Convoquer le conseil des peuples. La seule façon de rester en vie, c'est de nous regrouper, d'unir nos forces. »

Il se maudit d'avoir dormi toute la journée, de ne pas avoir eu l'énergie et la lucidité de s'opposer à ce départ précipité. Les camions roulaient à vive allure sur la piste de terre battue, relativement plate et sûre malgré les bosses et les ornières ; le paysage blanchi par les phares défilait à une vitesse désespérante par les vitres de la voiture.

« Il n'y a pas un moyen d'arrêter la caravane ?

— Pas avant le relais de Galice, répondit Raïma, interloquée par le changement d'expression de Solman. Les deux chauffeurs m'ont dit qu'on y serait demain à l'aube. »

Niché dans les Pyrénées, le relais de Galice n'était ni la plus pratique ni la plus sûre des réserves de gaz liquéfié d'Europe. Il obligeait les camions à un détour de plusieurs dizaines de kilomètres sur des pistes étroites, vertigineuses. Aucun système de protection n'équipait les pompes blindées et les couches extérieures des cuves à demi enterrées, se couvraient de lézardes de plus en plus longues et profondes. Cependant, comme le relais était le seul point de ravitaillement entre la France et l'Espagne, les Aquariotes s'y arrêtaient chaque fois qu'ils s'en allaient prendre leurs quartiers d'hiver dans le Pays basque espagnol, là où la chaleur désertique de la péninsule se diluait dans la douceur atlantique pour générer un climat tempéré et humide. Ils étaient les seuls – ou se croyaient les seuls – à connaître l'emplacement de ce gisement de gaz, abandonné en l'état à l'issue des batailles furieuses qui avaient opposé les armées européennes et américaines au début de la Troisième Guerre mondiale, et dont les vestiges, carcasses pourrissantes d'avions, de camions, de blindés aux étranges chenilles articulées, étaient disséminés dans les ravins. À chaque passage, le peuple de l'eau s'évertuait à camoufler cuves et pompes sous des branchages immanquablement dispersés par les tempêtes hivernales.

« Tous les peuples ont reçu leur ration d'eau ? » demanda Solman.

Les cahots de la voiture accentuaient sa douleur au ventre et sa nervosité.

« Je ne crois pas, dit Raïma. Certains de mes patients se plaignaient de ne pas avoir encore été livrés.

— Nous avons bafoué l'Éthique nomade.

— Il semble que le temps soit aux trahisons... »

Solman reçut comme un coup de fouet la détresse contenue dans la voix de la jeune femme.

« Les trahisons sont parfois inévitables, fit-il sans conviction.

— Je ne parlais pas seulement pour toi, pour les pères et les mères aquariotes, mais aussi pour moi. Les secrets des plantes vont bientôt se perdre parce que je n'ai pas su préparer mon départ.

— Tu n'es pas encore morte. »

Elle se défit de sa chemise qu'elle roula en boule et lança sur une étagère avec rage.

« Je suis morte à beaucoup de choses le jour où je suis née. Morte à l'amour de mes parents, morte à l'amour des hommes, morte au bonheur.

— Le bonheur ne dépend pas de...

— Et c'est toi qui dis ça ! »

La colère la fit se détendre avec la vivacité d'un ressort. Elle s'avança vers Solman, à le frôler, comme pour le contraindre à mettre le nez dans sa beauté outragée.

« Je ne suis pas donneuse, mais je vois dans ton regard la même gêne, la même horreur que dans le regard des autres. »

Sa voix était tranchante, ses yeux avaient la couleur des cendres froides, son parfum s'acidifiait sous l'action de la sueur qui perlait entre ses excroissances et ses seins.

« Tu t'es rhabillé parce que tu ne supportes plus que je te touche, tu ne supportes plus que je te regarde, tu ne supportes même plus l'idée que tu as couché avec moi. Tu es comme tous les autres, Solman le boiteux, tu prends, tu pilles, et quand tu as eu ton content, tu déguerpis comme un voleur. Tu as beau avoir reçu le don, tu n'es finalement qu'un... »

Une secousse la précipita contre lui et ils tombèrent tous les deux enchevêtrés sur le lit. Il entrevit les ruisseaux légèrement assombris par le khôl qui brouillaient les joues de Raïma. Il ne chercha pas à se dégager cette fois-ci, il la tint serrée contre lui jusqu'à ce que ses larmes s'assèchent, puis, lorsqu'elle se fut glissée dans les draps, il se dévêtit rapidement, s'allongea contre elle et la caressa avec un respect infini, sans omettre les excroissances. Il constata, avec surprise, que la grâce du toucher absolvait les offenses de la vue, que la force du désir supplantait peu à peu sa douleur au ventre. Les sourciers n'affirmaient-ils pas qu'ils découvraient les nappes les plus pures au bout des passages les plus ingrats, les plus repoussants ? Puisqu'ils étaient condamnés à rester ensemble jusqu'au relais de Galice, il disposait de quelques heures pour apprendre à son tour à donner. D'abord fermée, comme recroquevillée sur son chagrin, elle finit par s'ouvrir, par se déployer, par l'accueillir avec d'autant plus de ferveur qu'elle serait bientôt définitivement murée par la maladie. La mort et le plaisir étant des ennemis intimement liés, ils firent l'amour avec la rage exacerbée de ceux qui s'explorent pour la dernière fois.

Le silence, insolite, hostile, et la sensation d'immobilité réveillèrent Solman. Il lança un bref regard à Raïma endormie, repoussa le drap, enfila son pantalon et sortit de la voiture. Des rafales d'un vent glacial l'accueillirent sur le marchepied. Les premiers instants de saisissement passés, il apprécia la fraîcheur piquante du petit matin. Posée comme un couvercle d'argent sale sur des crêtes environnantes, la lumière incertaine du jour délayait la noirceur du ciel et égrenait les dernières grappes d'étoiles.

Solman reconnut les deux aiguilles en forme de cornes de vache qui dominaient le relais de Galice. Il s'approcha du bord de la piste, considéra pendant quelques secondes le versant abrupt et nu qui donnait sur un précipice encore tapissé de ténèbres, observa ensuite la caravane étalée sur les lacets supérieurs et inférieurs. Les chauffeurs n'avaient que très peu de marge de manœuvre sur la route aussi étroite et bordée par endroits de blocs de pierre. Les montagnes se dressaient à perte de vue de l'autre côté du précipice, grises et veinées de noir le plus souvent, blanches pour les plus hautes, écrasantes en tout cas. Les collerettes vert sombre des forêts donnaient à quelques pics l'allure de vautours aux cous déplumés veillant sur les gorges sinueuses, mystérieuses. S'il avait disposé de jumelles, Solman aurait certainement aperçu les taches claires et vives des insaisissables isards qui sautaient de rocher en rocher avec une agilité merveilleuse. Il éprouvait d'habitude un sentiment de sécurité dans le cœur paisible des géants de pierre, mais, aujourd'hui, il percevait un danger dans le jour naissant, la musique lancinante d'une menace qui planait entre les lignes de faîte et s'amplifiait douloureusement dans son ventre.

Il contourna le camion, grimpa sur le marchepied et donna trois petits coups sur la vitre embuée de la cabine. La femme assise sur le siège passager réveilla d'une bourrade le chauffeur affalé sur le volant, un homme d'une quarantaine d'années au visage lacéré de rides et barré par une imposante moustache. Il baissa la vitre et ouvrit sur l'importun des yeux encore gonflés de sommeil et injectés de mauvaise humeur. Une bouffée d'odeurs lourdes frappa Solman en pleine face. Derrière les deux sièges au tissu élimé, un rideau s'entrouvrait sur une couchette profonde où draps et couvertures s'enchevêtraient en un désordre inextricable. Ce fut la femme, une matrone opulente dont la poitrine déformait la robe maculée de taches et extirpait un bouton sur deux de leurs œillets, qui lui adressa la parole :

« Qu'est-ce que tu veux, mon garçon ?

— Savoir pourquoi la caravane s'est arrêtée, répondit Solman. On n'est pourtant pas encore arrivés au relais.

— Est-ce que j'en sais quelque chose ? maugréa le chauffeur en haussant les épaules. Le camion de devant s'est arrêté, je me suis arrêté, point à la ligne. »

Son haleine, épouvantable, entraîna Solman à s'agripper au rétroviseur et à se reculer le plus loin possible.

« Tu vas attraper la mort, à te balader tout nu par ce froid », ajouta la femme avec un sourire engageant qui voulait corriger la mauvaise impression laissée par la grossièreté de celui qui était sans doute son mari.

Son amabilité de façade offrait un contraste presque comique avec les coups d'œil assassins qu'elle lançait au chauffeur pour l'amener à prendre conscience qu'ils n'avaient pas devant eux le premier emmerdeur venu, mais le petit juge du peuple aquariote, le dernier des donneurs. Solman décela la sécheresse, la stérilité, sous ses rondeurs généreuses, sous son masque de bienveillance découpé par un foulard épais et ornementé de quelques mèches frondeuses.

« Le camion de tête se trouve loin ? demanda-t-il.

— Y en a environ cinquante devant moi, grogna le chauffeur. Ça doit représenter pas loin de deux mille mètres. »

Il parut se réveiller soudain, accepter de comprendre ce que tentait de lui signifier sa femme – elle l'avait jusqu'alors prodigieusement agacé avec ses mimiques et ses coups de coude –, et il changea d'attitude, se redressa sur son siège, peigna de ses doigts écartés une chevelure qui avait tendance à s'éclaircir sur le sommet du crâne, essaya d'accrocher un sourire sous sa moustache en bataille.

« Pourquoi donc veux-tu aller au camion de tête, mon garçon ? »

Sa voix elle-même paraissait avoir été subitement trempée dans une source de jovialité. Par un effet de mimétisme propre aux couples sédimentés par le temps, il usait de la même expression qu'elle pour exprimer sa déférence. Ils n'avaient pas eu d'enfant sans doute, raison pour laquelle ils donnaient du « mon garçon » à tout homme jeune qui éveillait leur sympathie, ou leur intérêt.

« M'est avis qu'il n'y a pas de quoi se mettre martel en tête, reprit le chauffeur. C'est sans doute qu'un des camions de tête a eu une panne. Tu ferais mieux de retourner dans la voiture pour te réchauffer un peu. Tu veux peut-être un peu de kaoua ? »

Il s'empara d'une bouteille thermos posée sur un support métallique vissé au tableau de bord et la brandit sous le nez de Solman. Le kaoua était le principal produit d'échange du peuple albain, une poudre noire obtenue par la torréfaction et la mouture des céréales sauvages qui poussaient sur la côte méditerranéenne, en particulier dans les marais. Comme il était censé maintenir en éveil, les chauffeurs le consommaient en grandes quantités, surtout lors des trajets de nuit. Les tripes retournées par l'odeur qui s'échappait du thermos, Solman déclina l'offre d'un mouvement de tête.

« Il faut à tout prix que j'empêche la caravane de repartir. »

Il avait parlé pour lui-même, pour évacuer un peu de cette tension que nouaient ses pensées affolées.

« Et pourquoi donc, mon garçon ? »

Il fixa tour à tour le chauffeur et sa femme.

« Parce que, si nous continuons, nous allons tous attraper la mort ! »

Et, plantant là ses deux vis-à-vis médusés, il descendit du marchepied et commença à remonter la file des camions immobilisés sur les lacets.

CHAPITRE 14

Une sirène grave ulula alors que Solman n'avait parcouru que trois ou quatre cents mètres. Des dizaines de sirènes lui répondirent en écho tout le long de la caravane, un déluge cacophonique submergea le massif montagneux.

Les moteurs démarrèrent l'un après l'autre, les rafales de vent soufflèrent les panaches gris qui s'élevaient des cheminées. Solman s'arrêta sur le bord de la piste et vit les camions s'ébranler dans les lacets supérieurs. Exténué par sa marche et l'air raréfié de la montagne, il resta pendant quelques secondes sans réagir, les pieds glacés, les bras croisés sur sa poitrine pour repousser le froid sec qui lui mordillait la peau.

Plusieurs camions passèrent devant lui, traînant voitures et remorques dans un concert de vrombissements et de grincements. Moins nombreux que d'habitude, les guetteurs assis sur les plates-formes et emmitouflés dans des duvets lui adressèrent de petits signes de connivence. Il ne chercha pas à arrêter les chauffeurs, conscient qu'aucun d'eux n'accepterait de rompre l'ordonnancement du convoi. Garder le contact avec le véhicule précédent relevait pour eux de l'obsession, une hantise qui prenait racine dans les temps reculés où des camions isolés avaient été attaqués par des bandes de pillards et les passagers massacrés jusqu'au dernier. Dès que le moteur donnait des signes de faiblesse, qu'une roue crevait ou qu'un obstacle imprévu, un éboulement, un arbre arraché, une crue soudaine, coupait la piste, le chauffeur concerné actionnait sa sirène, les autres s'immobilisaient et ne repartaient qu'après avoir réparé le moteur, changé la roue, dégagé le passage et s'être assurés que plus rien ne risquait de scinder la caravane en plusieurs tronçons.

« Grimpe vite, mon garçon ! »

Solman leva les yeux et reconnut la femme du chauffeur ridé et moustachu du camion qui tractait la voiture de Raïma. Elle avait ouvert la portière et faisait de grands moulinets avec ses bras pour l'inviter à monter. Le véhicule roulait à une allure tellement réduite que le moteur menaçait de s'étouffer à tout moment. Solman se percha sur le marchepied en espérant que son pressentiment et sa douleur de ventre n'étaient que les conséquences de la tension psychologique des jours précédents.

Il referma la portière et se cala sur le siège passager contre la grosse femme dont l'odeur aigre lui fouetta les narines. Elle se pencha en arrière, sortit une couverture de laine de la couchette et la lui tendit avec un sourire forcé qui dévoilait ses dents irrégulières et grises. Il l'accepta malgré la saleté repoussante et les relents poussiéreux qui s'en dégageaient, s'en recouvrit les épaules et en maintint les pans resserrés sur son torse. L'air encore tiède diffusé par les ventilateurs du chauffage lui dégela les pieds. Le chauffeur accéléra pour combler l'intervalle avec le camion qui le devançait. Les lacets se raidissaient au fur et à mesure qu'ils se rapprochaient du sommet. La lumière du jour, de plus en plus franche, ravivait les teintes des étendues d'herbe ou de mousse étalées entre les masses placides des rochers.

« Qu'est-ce que tu voulais dire tout à l'heure ? demanda le chauffeur sans quitter des yeux la piste étroite qui, par instants, paraissait piquer tout droit sur le vide.

— Une bêtise, j'espère », répondit Solman.

La femme se contorsionnait pour agripper le dossier et éviter d'être projetée sur lui par les secousses, mais elle ne pouvait empêcher sa chair débordante et flasque d'occuper les trois quarts du siège. Le chauffeur portait un pantalon de peau et une veste de toile directement passée sur sa peau nue qui laissait entrevoir un torse massif et velu.

« Il me semble avoir entendu dire qu'on allait tous attraper la mort, insista la femme.

— J'ai eu le sentiment qu'un danger nous attendait au relais. Mais j'ai pu me tromper, mes perceptions me jouent parfois des tours.

— Un danger ? Au relais de Galice ? Pas de danger ! s'esclaffa le chauffeur. On est les seuls dingues à fréquenter ces putains de pistes.

— Surveille ton langage, Chak, siffla la femme.

— Fais excuse, mon garçon. Nous, les chauffeurs, on a parfois tendance à jurer pire que ces enc... que les Slangs.

— Aucune importance », dit Solman.

Mis à part son haleine, probablement due à l'excès de kaoua, et une fois sa mauvaise humeur dispersée, Chak s'avéra un compagnon plutôt agréable, plus enjoué en tout cas que sa femme, Selwinn, qui ne cessait de le reprendre et sautait sur tous les prétextes pour se plaindre de sa condition. Solman connaissait mal le monde des chauffeurs, ayant toujours voyagé en compagnie des pères et des mères du peuple, puis, ces dernières semaines, dans la voiture de Raïma. Pourtant l'avenir du peuple aquariote et des autres peuples nomades reposait en grande partie sur ces hommes qui consacraient leur existence à l'entretien et à la conduite de leurs véhicules. Sans la mobilité offerte par les camions, pas de rhabde, pas de distribution d'eau, pas de vie. Avant de se perdre dans la forêt de l'Île-de-France, Helaïnn avait reconnu que les sourciers méprisaient les autres Aquariotes. Ce n'était pas seulement de l'arrogance mal placée, mais une erreur, un manque de discernement, car tous les maillons de la chaîne avaient leur importance, y compris les métiers de l'ombre tels que guetteur, tisserand et lavandier. Si les chauffeurs avaient leur langage bien à eux – et Chak ne se gênait pas pour en distiller quelques bribes de son cru –, ils étaient également liés par une fraternité qui n'existait pas dans les autres catégories, pas même chez les sourciers où l'ambition et l'esprit de clan interdisaient les relations sincères.

« Jamais un chauffeur ne s'aviserait d'abandonner un collègue dans la mouise, affirma Chak. Nous partageons tout, nos joies, nos emmerdements, notre kaoua, notre gaz. Tout, sauf nos femmes... »

Il éclata de rire et ajouta, sans tenir compte du regard meurtrier de Selwinn :

« Encore que certaines d'entre elles n'hésitent pas à se partager plusieurs d'entre nous. Le kaoua ne tient pas seulement l'esprit en éveil, si tu vois ce que je veux dire.

— Oh, pour ça, vous en êtes fier, de votre... »

Selwinn s'aperçut qu'elle était sur le point de proférer une grossièreté et se mordit les lèvres.

« Je pourrais t'en raconter, des histoires, reprit Chak après avoir rétrogradé en première pour franchir un passage particulièrement pentu. Ces prétentieuses de sourcières, par exemple, elles nous traitent comme des moins que rien, mais elles savent à qui s'adresser quand elles en veulent un bon coup dans le...

— Chaaaak ! »

Le bref dialogue échangé entre Helaïnn l'ancienne et le premier chauffeur qui s'était présenté sur les lieux de la rhabde dans la plaine d'Ukraine tendait à valider les propos du chauffeur, qui auraient pu résonner à des oreilles non averties comme une simple fanfaronnade. La chaleur montait progressivement dans la cabine. Solman commençait à se désengourdir mais sa douleur au ventre, en revanche, ne s'estompait pas. Il avait hâte maintenant d'arriver au relais de Galice, hâte de se débarrasser de cette prémonition réelle ou imaginaire qui ne le lâchait pas.

« Je dis ça, mais moi, Selwinn me suffit », ajouta Chak.

Solman perçut la musique de la tromperie dans la voix du chauffeur. Il se garda de le démentir. Après tout, Chak ne faisait qu'user lui aussi du mensonge pour raboter les aspérités d'une existence parfois rude, blessante. Selwinn déplia son bras gauche et, du dos de la main, caressa la joue de son mari, hérissée d'une barbe de deux ou trois jours. Leur amour s'était asséché, comme ces nappes trop vite absorbées par une terre assoiffée, et les petites duperies comme celle-là étaient les gouttes d'eau qui leur permettaient de se rafraîchir, de se supporter.

Le camion franchit le sommet à l'issue d'un interminable lacet et parcourut une courte portion de plat avant de basculer dans la descente. Le relais de Galice se situait sur l'autre versant, à mi-pente, au centre d'un cirque qui ne comptait qu'un seul accès taillé dans le roc et qu'entouraient des murailles rocheuses hautes par endroits de vingt mètres.

« Et, dis-moi, comment c'est... »

Chak cherchait ses mots, et Selwinn, visiblement, redoutait ceux qui allaient sortir de sa bouche.

« Enfin, c'est comment avec elle ? Je veux dire, avec la guérisseuse ? Tu sais, pour...

— Avec une transgénosée ? »

Le donneur avait mis une telle froideur dans sa voix que Chak jugea préférable de ne pas insister.

« C'est une femme comme les autres, avec sans doute un peu plus d'amour à donner que les autres, reprit Solman d'un ton plus aimable. Vous permettez ? »

Il désignait les jumelles dont l'étui de cuir dépassait du compartiment de la portière.

« Te gêne pas, mon garçon. »

Il braqua les jumelles sur la masse sombre du cirque qui se dévoilait par fragments entre les épingles de la piste, les rochers, les buissons et les arbustes habillant le versant. Après une rapide mise au point, il exploita les rares zones dégagées pour observer les abords du relais. Il n'y décela ni mouvement, ni couleur, ni scintillement inhabituels, rien qui aurait pu trahir la présence d'hommes ou d'animaux. Les camions de tête s'engouffraient dans le passage, disparaissaient pendant quelques secondes sous le gigantesque fronton rocheux, puis réapparaissaient à l'intérieur du cirque et se garaient à proximité des pompes protégées par un auvent métallique à demi rongé par la rouille. Les enfants, plus vifs que les adultes,

sortaient des voitures et s'éparpillaient autour des amon-
cellements de carcasses et de pneus qui offraient d'infinies possibilités de jeux.

« Tu vois quelque chose ? demanda Chak.

— Tout est normal, apparemment.

— Tu vois que tu avais tort de t'en faire. Je te dis
qu'on est les seuls dingues dans ces foutues montagnes.

— Fasse le ciel que tu aies raison... »

Solman remisa les jumelles dans leur étui, mais il ne
se sentirait pas entièrement rassuré tant que la caravane
ne serait pas sortie du massif pyrénéen.

« Où étais-tu ? Je me suis fait un sang d'encre. »

Raïma tendit sa tunique et ses bottes à Solman. Elle
avait passé une combinaison d'un tissu épais et gris dont
elle avait remonté le col fourré sur ses joues. Elle s'assit
sur le marchepied et entreprit de lacer des chaussures
de cuir à tige montante auxquelles il manquait un crochet sur trois. Les deux cents camions étaient maintenant rassemblés dans le cirque comme un troupeau de
vaches sauvages regroupées autour d'un point d'eau. Le
vent toujours froid et sec dispersait les odeurs de rouille,
de cuisine et de gaz. Les rires criards des enfants accompagnaient le bourdonnement obstiné des grands véhicules qui effectuaient les manœuvres pour se présenter
devant les pompes. Le camion qui tractait la voiture de
Raïma, plus deux petites remorques bâchées, station-
nait, en attendant de faire le plein, près d'un amas d'épaves parmi lesquelles on pouvait reconnaître les fuselages
et les pales de ces anciens engins volants qu'on appelait
les coptères.

« Tu as faim ? reprit la jeune femme en relevant la
tête. Tu veux que je te prépare quelque chose ? »

Solman ne répondit pas, les yeux rivés sur la ligne
dentelée des murailles. Il discerna un éclat de lumière
entre les rochers, si fugace qu'il douta aussitôt de l'avoir
perçu. La douleur débordait maintenant de son ventre,
montait le long de sa colonne vertébrale, lui infestait le

crâne. Les ombres rasantes des montagnes recouvraient le cirque comme un filet sombre et sournois.

« Au fait, tu ne voulais pas rencontrer d'urgence les pères et les mères aquariotes ? »

Un deuxième éclat de lumière, un peu plus long, l'esquisse d'un mouvement, d'une silhouette, au-dessus d'une crête.

« Eh, quand tu seras décidé à parler... »

Il y eut d'abord un sifflement, à peine perceptible, comme une bourrasque plus virulente que les autres, puis une explosion, à une trentaine de mètres de l'endroit où ils se trouvaient, une boule de feu, un réchauffement brutal, une odeur de métal fondu, de chair grillée, un temps de suspension, de stupeur, vite interrompu par les hurlements.

« Mon Dieu », souffla Raïma, livide, pétrifiée sur le marchepied.

Solman les distinguait maintenant : des dizaines d'hommes disséminés par petits groupes le long de la muraille qui surplombait le cirque, armés de fusils gigantesques dont les canons saillaient des irrégularités rocheuses comme d'autant de meurtrières. Deux explosions retentirent coup sur coup vers le centre du relais. Solman comprit que les assaillants visaient les pompes, particulièrement vulnérables avec leurs tuyaux souples déroulés jusqu'aux bouches des réservoirs des camions. Les déflagrations projetèrent des corps désarticulés à plus de dix mètres de hauteur, et générèrent une fumée épaisse, toxique. Une nouvelle poussée de chaleur rendit l'air irrespirable. Les crépitements secs d'armes automatiques hachèrent les échos sourds et prolongés des explosions, une grêle de balles s'abattit sur la tôle des remorques, des voitures, des camions, des épaves, souleva des gerbes de terre et de poussière de roche.

« Planque-toi ! hurla Solman.

— Où ? » gémit Raïma.

Il prit conscience qu'ils ne seraient en sécurité nulle part, que la seule façon de se sortir du traquenard était d'organiser le repli avant que les débris ne les bloquent définitivement dans la nasse. Une roquette éclata avant de toucher le sol, une corolle éblouissante s'épanouit au-dessus des épaves des coptères. Renversé par la déflagration, Solman roula sur lui-même, buta contre la roue de la voiture, se releva, chancelant, inhala une bouffée d'air qui lui calcina la gorge et les poumons. Il entrevit, entre les écharpes d'une fumée noire et saturée d'une âcre odeur de poudre, le corps de Raïma étendu contre le marchepied, immobile. Fou d'inquiétude, il se précipita vers elle sans se soucier des balles qui sifflaient alentour et lui souleva la nuque. Sa main se poissa du sang sourdant en abondance du cuir chevelu de la jeune femme. Elle avait perdu connaissance, mais elle respirait et ne présentait aucune autre trace de blessure. Il remarqua la touffe de cheveux collés par le sang sur le bas de la voiture, en déduisit qu'elle avait heurté la tôle en tombant, la ranima d'un pincement prolongé sur la joue. Elle rouvrit les yeux, parut se demander ce qu'elle fichait là, puis la douleur persistante à son crâne la tira de sa léthargie et la relia au présent.

« Tu m'entends ? » demanda Solman.

Elle acquiesça d'un clignement de paupières.

« Tu peux marcher ? »

Elle s'appuya sur son bras pour se redresser et se camper sur ses jambes encore vacillantes.

« Attends-moi là. J'en ai pour deux secondes. »

Elle s'adossa à la cloison métallique le temps qu'il s'engouffre dans la voiture et en revienne quelques instants plus tard avec deux pans de tissu qu'il avait déchirés dans l'une de ses robes.

« Mets ça sur ton nez et ta bouche. »

Il lui tendit un bout d'étoffe.

« À quoi ça sert ? murmura-t-elle, les yeux larmoyants. Les cavaliers de l'Apocalypse, le feu, la fumée, le soufre... Tout est fichu. Fichu.

— Mets-le ! » dit-il d'un ton dur.

Elle haussa les épaules et, l'imitant, se recouvrit le bas du visage du pan de tissu qu'elle noua sur sa nuque.

« Suis-moi. »

Ils se dirigèrent vers l'avant du camion tout en restant collés contre la carrosserie de la citerne pour éviter les balles qui pleuvaient autour d'eux. Un peu plus loin, les pneus enflammés d'une remorque crachaient une poix délétère, des flammèches léchaient les cordes de la bâche. Les explosions continuaient de rouler comme des coups de tonnerre, concentrées dans le périmètre des cuves et des pompes. Elles n'avaient pas encore touché les réserves de gaz, sans doute parce que le premier réflexe des chauffeurs, protégés par l'auvent métallique, avait été de remiser les tuyaux dans les coques blindées des pompes et de rabattre les volets de sécurité.

Solman entrevit deux silhouettes devant lui, recroquevillées sous l'aile avant du camion. Il reconnut Chak et Selwinn, blottis l'un contre l'autre comme des chiots apeurés. Une balle percuta le capot allongé, sur lequel elle creusa une cavité de la largeur d'un pouce.

Les yeux de Chak s'emplirent d'abord de méfiance, voire d'agressivité, lorsque Solman et Raïma vinrent solliciter une petite place sous l'aile, puis de bienveillance après qu'il eut identifié le donneur sous son masque de tissu.

« Tu avais foutrement raison, marmonna le chauffeur en se tassant contre la roue. Ces enculés de Slangs nous tiennent par les couilles.

— Rien ne prouve qu'il s'agisse des Slangs, répliqua Solman.

— Qui ça peut être d'autre, hein ? Ton jugement leur a donné tort, et le conseil des peuples en a profité pour ordonner l'exécution des pères slangs.

— Je ne le savais pas... »

Solman se mordit l'intérieur de la joue jusqu'au sang. Il aurait dû se douter que les pères et les mères aquariotes profiteraient de sa torpeur au lendemain du jugement pour se débarrasser de ces témoins gênants qu'étaient devenus les trois Slangs. Il s'expliquait à présent les raisons qui les avaient poussés à précipiter le départ du peuple de l'eau et à rouler en pleine nuit sur les pistes dangereuses des Pyrénées. Ce faisant, ils avaient foncé tête baissée dans le piège sans laisser une chance à leur donneur de prévenir le désastre. Il commençait à penser qu'il avait commis une erreur fatale en trahissant le don, que la vérité était toujours préférable à la compromission, quel que fût le prix à payer. Il repoussa avec l'énergie du désespoir le sentiment de culpabilité qui se répandait en lui avec la virulence d'un acide.

« Si on ne bouge pas, on sera tous morts dans une heure.

— Bouger ? grommela Chak. Ces enfoirés nous tirent comme des lapins...

— C'est ça que tu veux, Chak ? Te laisser tuer sans avoir rien tenté ? »

Le chauffeur lui décocha un regard à la fois intéressé et sceptique. Selwinn, elle, paraissait en état de choc, indifférente, comme si, incapable d'appréhender la réalité, elle s'était fermée au monde et réfugiée dans un univers illusoire, imperméable au fracas des explosions. Son foulard avait glissé en arrière et libéré une somptueuse chevelure d'or foncé qui se déversait comme une corne d'abondance sur ses épaules et sa poitrine.

« Qu'est-ce que tu proposes ? grogna Chak.

— De démarrer ton camion et de rouler vers la sortie du cirque en actionnant ta sirène pour inciter les autres à te suivre. »

Le chauffeur hocha la tête à plusieurs reprises avant d'objecter :

« Rien ne prouve qu'on ait la place de passer. »

Une roquette tomba à proximité et les obligea à garder le visage plaqué au sol le temps que se disperse l'haleine brûlante de la déflagration. Un sourire de démence flottait sur les lèvres de Selwinn lorsque la pression de la main de Chak se relâcha et qu'elle put relever la tête.

« On ne le saura jamais si on reste là, dit Solman.

« — D'accord, mon garçon, lâcha le chauffeur. Ça vaut peut-être le coup d'essayer.

— Raïma et Selwinn s'installeront dans la voiture. Elles seront moins exposées.

— Je m'en occupe », fit Raïma.

Le sang collait des mèches de ses cheveux sur ses tempes et ses joues. Elle semblait avoir recouvré sa combativité, son envie de vivre. Elle déposa un baiser sur les lèvres de Solman, prit Selwinn par la main et l'entraîna vers la voiture. La grosse femme lui emboîta le pas sans résistance. Chak et Solman sortirent à leur tour de l'abri et s'assurèrent qu'elles étaient arrivées à bon port avant d'escalader le marchepied. Une fumée piquante, suffocante, s'engouffrait dans la cabine par la vitre côté conducteur restée ouverte.

« Bordel de Dieu, cette saleté va nous asphyxier ! » gronda Chak en remontant vigoureusement la vitre.

Vue de la cabine, la caravane aquariote ressemblait désormais à un immense corps taillé en pièces et criblé de brûlures. Les panaches noirs couchés par les rafales de vent s'entrecroisaient et formaient un toit insaisissable au-dessus du cirque. Des flammes hautes de dix mètres vomissaient par endroits des gerbes de particules carbonisées. Des ombres affolées couraient à l'aveuglette dans les allées jonchées de cadavres éventrés, déchiquetés. Les camions garés devant celui de Chak ne permettaient pas à Solman d'apercevoir les cuves ni les pompes, mais il supposait qu'elles étaient encore intactes, ou les dégâts auraient été beaucoup plus importants.

« Démarre ! »

Son cri tira Chak de la torpeur qui s'était emparée de lui à la vue de ce spectacle de désolation. Il fallut que le chauffeur, hébété, appuie à trois reprises sur le bouton du démarreur pour lancer le moteur. Il desserra le frein à main, passa la marche arrière avec une telle maladresse qu'une succession de grincements sinistres montèrent de la boîte de vitesses, puis il entama sa manœuvre pour dégager son véhicule coincé devant par le cul d'une remorque et derrière par le museau écrasé d'un camion.

« Par où je vais ? »

Le maniement du large volant requérait un effort violent qui tendait les muscles de son visage et de son cou.

« Par où tu peux », dit Solman.

CHAPITRE 15

« Jamais on ne passera... »

Le camion avait parcouru une centaine de mètres sans encombre. La fumée rendant la visibilité pratiquement nulle, Chak avait dû freiner à plusieurs reprises en catastrophe pour éviter de happer les hommes, les femmes et les enfants pris de panique qui traversaient subitement l'allée et qui, sans ses réflexes, se seraient jetés sous ses roues. Du bout des doigts, il pressait en continu le poussoir de la sirène placé sur le moyeu du volant. Les yeux rivés sur le rétroviseur, Solman vit qu'une poignée de camions s'étaient élancés à leur suite. Les chauffeurs, exercés par leur longue pratique des convois, avaient compris qu'ils ne devaient pas se précipiter en désordre vers la sortie du relais mais se caler sur le véhicule de tête. Même si une roquette ou un obstacle pouvait à tout instant arrêter ce dernier et les condamner à une immobilité définitive, ils savaient d'instinct que leur seule chance d'atteindre l'entrée du passage taillé sous la roche reposait sur la cohésion, sur cette discipline d'ensemble acquise et peaufinée au cours d'années et d'années de conduite sur les pistes d'Europe. Les ululements graves des sirènes dominaient à présent le raffut des explosions et les aboiements rageurs des armes automatiques, invitaient le peuple de l'eau à se ressaisir, informaient chacun de ses membres qu'il n'était plus livré à lui-même, qu'une parade commune s'organisait, que la force du collectif réussirait peut-être à les tirer d'une situation en apparence désespérée. Les guetteurs qui avaient eu le temps de descendre de leur poste avant d'être fauchés par une rafale s'étaient calés contre les citernes, les voitures, les remorques ou les épaves. Leurs ripostes, bien que sporadiques, contraignaient les assaillants à ralentir leur propre cadence de tir et multipliaient les infimes sursis qui, mis bout à bout, devenaient des intervalles de temps dans lesquels la caravane pouvait s'engouffrer.

Le pare-chocs du camion percuta un enfant surgi, nu et ensanglanté, d'un rideau de fumée et, malgré la vitesse réduite, l'envoya rouler cinq ou six mètres plus loin.

« Putain de bordel de merde ! » vociféra Chak, le visage perlé de gouttes de sueur.

Il s'arc-bouta de tout son poids sur la pédale de frein et réussit à s'arrêter avant de passer sur le corps inerte.

« J'y vais ! » hurla Solman.

Il ouvrit la portière, dévala d'un bond le marchepied, se reçut comme il le put sur le sol rocheux. L'air l'enveloppa comme une gangue incandescente. Les odeurs mêlées de poudre, de métal fondu et de caoutchouc brûlé transpercèrent son masque de tissu, lui agressèrent les narines, le palais et la gorge. Il suspendit sa respiration, se rua vers l'enfant, âgé de quatre ou cinq ans, recroquevillé en chien de fusil à moins de cinquante centimètres de la roue aux crans usés, et lui palpa les jugulaires : le cœur battait encore, mais des filets de sang s'écoulaient de ses oreilles et des commissures de ses lèvres. Le reste du corps ne présentait que des lésions superficielles, des égratignures teintées de rouille certainement dues aux frottements avec les saillies des engins militaires à l'abandon. Une explosion secoua le sol et vibra un long moment dans les structures métalliques environnantes. Une torche vivante traversa l'allée en abandonnant une plainte pathétique sur son passage.

Solman souleva l'enfant, parvint à remonter dans la cabine malgré une douleur aiguë à sa jambe et allongea le petit corps sur la couchette. Chak embraya et accéléra avec un peu trop de brutalité puisque le camion hoqueta et trembla de toute sa carcasse avant de repartir.

« Tu crois que le gosse s'en tirera ?

— Je n'en sais rien, répondit Solman en reprenant place sur le siège. Ce que je sais, c'est qu'on ne peut plus s'arrêter, ou nous gaspillerons nos dernières chances de nous en sortir.

— Tu es capable de voir à l'intérieur des gens, à ce qu'on m'a raconté. C'est le moment ou jamais de te servir de ton don, tu penses pas ? Peut-être que tu pourrais me guider, m'indiquer la sortie...

— Rien ne prouve que ça marche dans ce genre de situation.

— Tu ne le sauras jamais si tu n'essaies pas. C'est pas ce que tu m'as dit tout à l'heure ? »

Chak faillit emboutir une citerne percée et garée en travers qui surgit comme un spectre de l'étoupe grise. Un coup de volant désespéré sur la gauche lui permit d'éviter la collision et de s'engouffrer dans une allée perpendiculaire. Agenouillée devant un cadavre calciné, une femme au visage déformé par la douleur et à la robe en lambeaux agitait vainement les bras. La tempête de soufre et de feu faisait rage alentour, les éclairs aveuglants semblaient jaillir de la terre pour tenter de désagréger le lut de fumée qui recouvrait le cirque. S'il handicapait Chak et les autres chauffeurs, le manque de visibilité présentait l'avantage de masquer aux yeux des assaillants leur tentative éperdue de gagner la sortie du relais.

« J'ai une putain d'impression de tourner en rond ! gronda Chak. J'ai aucun repère, rien pour m'orienter. »

Solman jeta un bref coup d'œil à l'enfant allongé sur la couchette et constata que sa poitrine continuait de se soulever régulièrement. Puis, se rendant compte qu'ils ne voyaient pas à dix mètres devant eux, il se résolut à suivre le conseil de Chak, à en appeler à l'autre vision, à la vision pénétrante, à la clairvoyance. Il n'avait jamais exercé son don dans ce genre de circonstances, parce que l'occasion ne s'était pas présentée, parce que, depuis qu'il était donneur, jamais le peuple de l'eau ne s'était trouvé dans une situation aussi critique. Il s'efforça de se concentrer sur l'allée noyée de fumée, prit conscience qu'il haletait comme un jeune chiot, qu'il se projetait tout entier vers l'extérieur, vers les grondements et les éblouissements des explosions, vers les corps éventrés ou calcinés pétrifiés au sol dans d'étranges poses, vers les survivants qui couraient dans tous les sens comme des fourmis affolées. Il lui fallait couper les prises, s'extraire de ce contexte qui sollicitait ses sens, ses émotions, qui le maintenait à un niveau d'excitation tel que l'idée même de plonger en lui-même lui paraissait inconcevable. Il arracha son masque de tissu, ferma les yeux, lutta pendant quelques secondes contre une envie folle de les rouvrir, éprouva les pires difficultés à franchir le barrage de bruit qui le coupait de sa source intime, faillit remonter brutalement à la surface lorsqu'un coup de frein de Chak l'éjecta à moitié de son siège, se cramponna à la fois à l'accoudoir et à sa volonté pour rester immergé dans son silence intérieur.

Il ne perçut rien d'autre, dans les premiers temps, qu'une sensation de paix, une forme d'indifférence au monde, comme si le monde n'était que l'écume d'une autre réalité, plus stable celle-ci, où le mental et les émotions apparaissaient pour ce qu'ils étaient, des vagues, des remous superficiels sans cesse stimulés par les sens. Une part de lui refusait l'acte de confiance total exigé par ce niveau de réalité, s'obstinait à jouer la musique entêtante de l'angoisse, soufflait sur ses peurs et ses doutes, mais, comme un plongeur rivé à sa corde, il poursuivit sa descente vers les profondeurs de l'être, accepta de se défaire de cette conscience du moi qui l'emprisonnait dans des limites, accepta de s'abandonner au vide, effrayant pour qui se croit défini par l'espace et le temps, euphorisant pour qui accepte de n'être qu'une goutte dans l'océan et qui apprend, en retour, que l'océan est contenu dans la goutte. Il s'immergea dans un flot sans commencement ni fin, où n'existaient ni passé ni futur, où l'être se suffisait à lui-même. Il se sentit imprégné d'éternité, non pas à la manière de ces fous d'immortalité qui se dérobent sans cesse face à l'énigme du temps, mais éveillé, vigilant, tout entier contenu dans le présent. Il percevait les bruits extérieurs avec une acuité décuplée, les jurons de Chak, les grincements de la boîte de vitesses, le ronflement du moteur, les gémissements de l'enfant, les lamentations des blessés, le crépitement des balles sur le pare-brise, les coups de tonnerre des explosions. Ils ne perturbaient plus son silence, ils n'affectaient plus ses émotions, ils n'étaient plus que des signes jalonnant une portion de l'espace et du temps, des bornes entre lesquelles il pouvait désormais déployer son don. Sa vision engloba l'ensemble du cirque, le centre occupé par les cuves et les pompes de gaz, le réseau labyrinthique formé par les allées entre les camions, les voitures et les remorques, les cratères forés par les roquettes, les incendies propagés par le vent, les groupes d'assaillants répartis tous les dix pas le long de la muraille circulaire. Les hommes semblaient s'opposer à l'intérieur et sur le pourtour du relais, mais tous, comme les membres d'un grand corps, évoluaient sur une fréquence commune dont ils avaient occulté l'existence, tous étaient façonnés par cette présence silencieuse qui avait le pouvoir d'effacer les souffrances, de guérir les blessures du temps. Un sentiment de compassion monta en Solman avec la force d'une marée, déblaya ses peurs, irrigua ses pensées, son souffle, son cœur, tendit son énergie vers les survivants du peuple aquariote, vers l'enfant qui agonisait sur la couchette.

« On est baisés ! » hurla Chak.

Les débris enflammés d'une remorque barraient l'allée sur toute sa largeur.

« Tourne à droite, dit Solman sans rouvrir les yeux.

— À droite ? T'es dingue ! C'est complètement bouché par là.

— Une voiture détachée. Pousse-la avec ton camion. Il n'y a personne dedans.

— Tu crois que... »

Chak jeta un coup d'œil à Solman et se rendit compte que son visage était paisible, absent, comme transfiguré. Le chauffeur réagit en homme simple. Il ne chercha pas à comprendre les raisons de cette soudaine métamorphose, il y décela l'intervention de la Providence et plaça d'emblée toute sa confiance dans le pouvoir du donneur qu'il avait appelé de tous ses vœux quelques instants plus tôt. Sans cesser d'actionner sa sirène, il tourna à droite, avança à allure réduite pour amortir le choc, entra en contact avec la voiture dont la porte s'arracha de ses gonds, rétrograda, accéléra à fond pour lâcher toute la puissance du moteur. Prise en travers, la voiture glissa sur ses roues, pivota sur le côté, se renversa et éclata comme un fruit mûr en touchant le sol. Chak s'épongea le front d'un revers de manche. Aussi loin que portait sa vue, il ne distinguait pas d'autre obstacle entre les rangées de camions et de citernes dont certaines perdaient leur eau en abondance. Les balles criblaient son pare-brise d'impacts de la taille d'un œil. Il avait déjà perdu deux des trois couches de verre incassable qui équipaient toutes les ouvertures des camions et des voitures, la première à cause d'un éboulement dans les Carpates orientales, la deuxième à cause d'une averse de grêlons plus gros que des œufs de poule. Il espéra que la dernière tiendrait le coup, mais, à en croire les brisures de plus en plus longues qui couraient sur le matériau transparent, il était permis d'en douter.

« Stop », dit Solman.

Chak s'exécuta bien que l'allée lui parût toujours dégagée.

« Qu'est-ce qu'on... »

Une détonation assourdissante lui rentra sa question dans la gorge, une langue de feu lécha le sol à moins de cinq pas du camion, une pluie de terre et de débris dégringola sur le pare-brise et le capot, un objet atterrit sur l'aile avant gauche, un objet que Chak, abasourdi, identifia comme un bras.

« Bon Dieu, si on avait...

— Avance, dit Solman.

158

« — Mais, il doit y avoir un trou de plusieurs mètres de...

— Avance. »

Chak obtempéra tout en gardant le pied gauche au-dessus de la pédale de frein. Il entrevit, sous les entre-lacs de fumée, la forme sombre et caractéristique d'une cavité, sans doute plus d'un mètre de profondeur, largement de quoi se planter pour de bon. Il apercevait dans son rétroviseur le pare-chocs et la calandre du camion qui, tous phares allumés, suivait de près sa deuxième remorque.

« À gauche », dit Solman.

Chak hocha la tête et amorça son virage pour glisser son véhicule dans un étroit espace entre deux amas de ferraille. Les ailes du camion et les flancs de la citerne grincèrent contre les aspérités métalliques qui saillaient comme autant de lances des carcasses empilées.

« Tout droit, et à fond. »

D'un nouveau coup d'œil dans le rétroviseur, Chak s'assura que le chauffeur suivant était passé sans encombre puis écrasa la pédale d'accélérateur. Le moteur libéra toute sa rage, le camion prit de la vitesse et fonça dans le brouillard qui s'opacifiait encore dans cette partie du cirque. Trempé de sueur, les nerfs à vif, Chak avait l'impression de conduire en aveugle. À cette allure, et avec cette absence de visibilité, il n'aurait aucune chance d'éviter un éventuel obstacle. Deux corps étendus surgirent à moins de cinq mètres de son pare-chocs. Le léger cahot qui secoua la cabine lorsque sa roue avant gauche leur passa dessus lui fit l'effet d'un choc effroyable. Sans doute étaient-ils déjà morts – il lui avait pourtant semblé que l'un d'eux avait agité le bras –, mais il ne put s'em-pêcher de penser qu'il les avait tués une deuxième fois. Écraser quelqu'un était l'autre hantise des chauffeurs. Cela lui était arrivé, comme à beaucoup de ses collègues. Vingt ans plus tôt, une adolescente était tombée d'un arbre au moment où il partait en direction d'une cuve d'eau déterrée par les sourciers. Il l'avait pratiquement coupée en deux au niveau de la taille. Après enquête et audition des témoins, le conseil aquariote l'avait publiquement dégagé de sa responsabilité, mais il avait mis des années à oublier l'atroce souvenir du corps mutilé par ses roues.

« La porte du relais, dit Solman. Tout droit.

— Ces fumiers ne nous attendent pas de l'autre côté ?

— Pas encore. Ils sont obnubilés par les cuves et les pompes. Et la fumée est tellement épaisse qu'ils ne nous voient pas.

— Comment tu peux... »

Chak s'interrompit. Plus tard les questions, quand ils seraient sortis de ce merdier. Il s'agissait maintenant de ne pas rater le court tunnel qui donnait sur la piste et dont l'étroitesse interdisait tout écart. La muraille rocheuse se dressait dans le lointain, ombre haute dont l'immobilité contrastait avec l'instabilité des volutes grises modelées par le vent.

« J'ai comme l'impression que t'as réussi à me guider dans cette foutue purée, donneur », murmura le chauffeur.

Il distinguait à présent la bouche arrondie du passage. La lumière du soleil s'y engouffrait et nimbait d'argent les entrelacs de fumée.

« Fonce, dit Solman d'une voix toujours aussi neutre. Ils ont compris notre manœuvre, ils essaient de nous boucher le passage. »

Chak, qui avait inconsciemment ralenti pour viser l'entrée du tunnel, rétrograda et enfonça la pédale d'accélérateur.

« C'est le moment de savoir ce que tu as vraiment dans le bide, mon vieux Chak », marmonna-t-il.

Il discerna des silhouettes enrobées de lumière à l'autre extrémité du passage. Affairées à descendre un bazooka à l'aide de cordes. Bon Dieu, si ces salopards réussissaient à installer leur engin à temps, ils transformeraient son camion en une bouillie métallique et bloqueraient les autres dans la nasse. Une telle tension aiguisa son cerveau, ses nerfs, ses muscles, qu'il oublia toutes ses peurs. L'aiguille du compteur bondit au-dessus de la marque des quatre-vingts kilomètres-heure. Le regard rivé sur la bouche au cintre arrondi, il ne marqua aucune hésitation au moment de s'engager dans le tunnel. Le grondement du moteur prit une résonance effrayante sous la roche. L'aile droite racla la paroi dans une gerbe d'étincelles. Chak s'en dégagea d'un petit coup de volant qui faillit jeter le camion sur le bord opposé.

Les hommes étaient au nombre de six de l'autre côté. Six en plein milieu de la voie d'accès, en train de charger avec des gestes fébriles le lance-roquettes dont le canon se braquait déjà sur cette cible immanquable qu'était la porte du relais.

CHAPITRE 16

La vision de Solman le projeta au milieu des six hommes, des Slangs comme l'avait deviné Chak. Engoncés dans leurs lourds vêtements de peau, ils peinaient à introduire la roquette dans la culasse du bazooka, plus encore maintenant qu'ils avaient vu le camion déboucher du tunnel et foncer sur eux à pleine vitesse. Ils s'étaient installés à une trentaine de mètres de la porte du relais, une distance qu'ils avaient sans doute estimée suffisante, mais ils n'avaient pas envisagé que le premier véhicule aquariote surgirait à une telle allure. Ils restaient maintenant écartelés entre l'ordre qui leur avait été intimé de stopper à tout prix le convoi et la peur, qui rendait leurs gestes maladroits, inefficaces.

Solman perçut la présence d'un septième homme en retrait. Il ne distingua ni son corps ni son visage, mais il subodora que c'était leur chef, leur cerveau. Il sut également qu'il n'était pas Slang. Il ressentit la même intelligence calculatrice, implacable, que celle qui animait le grand chien de la horde et les trois pères slangs du jugement. Il émanait de lui quelque chose de machinal, de systématique, de glacé, comme s'il avait renié sa nature humaine pour se vouer sans réserve à l'extermination des derniers hommes. Solman devina qu'il n'était qu'un fragment d'une entité plus vaste, l'organe d'une pieuvre insatiable qui lançait un à un ses tentacules sur les peuples nomades.

Une suffocation brutale interrompit son exploration et le renvoya parmi les six Slangs. Ils avaient réussi à enclencher la roquette dans la culasse mais le camion était maintenant si proche, le grondement du moteur et le ululement de la sirène si assourdissants que, pris de panique, ils lâchèrent le bazooka avant d'avoir déclenché le tir. Quatre d'entre eux réussirent à se jeter sur le côté, mais le pare-chocs faucha les deux derniers, paralysés comme des lapins dans les faisceaux des phares, avec une telle violence qu'ils furent arrachés du sol et projetés à une distance de plus de dix mètres.

« La bombe, elle va nous péter à la gueule ! hurla Chak, les yeux plissés dans l'attente de la déflagration.

— Ils n'ont pas eu le temps de l'armer, dit Solman. Attention, précipice devant. »

Ébloui par la luminosité du soleil levant, Chak freina, rétrograda, roula sur les deux corps, jeta son camion dans un impressionnant dérapage pour l'empêcher de tirer tout droit vers le précipice, parcourut en travers l'espace entre la voie d'accès de la piste. Il pria le Ciel pour que la voiture et les remorques ne se renversent pas, pour que les attaches tiennent le choc. Il donna un petit coup d'accélérateur afin de contrecarrer la force d'inertie engendrée par sa dérive, un coup de volant mesuré sur sa droite, réussit à s'engager sur la piste qui dévalait en lacets serrés le flanc de la montagne, maintint son allure pour entraîner dans son élan la voiture et les remorques avant qu'elles ne soient poussées dans le vide par leur propre inertie. Sa roue extérieure mordit sur le talus de terre et de pierres qui bordait la voie, assez large à cet endroit, mais il parvint à stabiliser le camion, le lança résolument dans la descente, joua aussitôt du frein-moteur pour l'empêcher d'atteindre une vitesse au-delà de laquelle il perdrait tout contrôle.

Il remonta d'une main tremblante ses cheveux collés par la sueur et franchit les deux premiers lacets sans desserrer les dents.

« Nom de Dieu de nom de Dieu, finit-il par lâcher d'une voix étrangement éteinte. On est passés ! »

Solman garda les yeux clos. Sa vision s'élargissait, embrassait maintenant une grande partie de la montagne, comme s'il la contemplait depuis un sommet voisin. Il voyait la bouche de relais vomir une file de camions. Une quarantaine s'étaient déjà échappés de l'enfer du cirque, et il en surgissait d'autres, comme des bêtes effrayées de leur terrier enfumé.

« Qu'est-ce qu'on fait pour ceux qui sont restés là-bas ? fit Chak.

— Il n'y a plus rien d'autre à faire que de prier », répondit Solman.

Il dirigea son attention sur les formes blanches regroupées sur l'autre versant de la montagne, serrées le long d'un éperon rocheux recouvert de ronces. Une vingtaine d'engins qui ressemblaient à de gros oiseaux posés maladroitement sur la mousse, avec leurs ailes souples repliées, leurs pieds télescopiques, les deux vitres circulaires qui évoquaient des yeux de chaque côté du fuselage en forme de bec. Des sentinelles armées de fusils d'assaut en assuraient la garde. Ils n'étaient pas équipés de pales, comme les anciens coptères, ni de moteurs, du moins en apparence, mais ils avaient manifestement la capacité de voler, de transporter des hommes et du matériel, de parcourir de longues distances à en juger par la présence des Slangs dans un massif situé à plus de deux mille kilomètres de leur zone d'errance habituelle, les anciens territoires d'Allemagne, de Pologne, de Tchéquie, de Slovaquie et d'Ukraine. Désormais, les Aquariotes et les autres peuples nomades ne seraient plus en sécurité nulle part. Le danger ne viendrait plus seulement du sol, il pourrait tomber des airs à tout moment. À la menace permanente que faisaient planer les pluies acides, les averses de grêlons ou les tempêtes de glace, s'ajouterait celle des averses de roquettes et de balles.

« Quand est-ce qu'on s'arrête ? demanda Chak.

— Quand nous aurons trouvé un abri, dit Solman.

— Un abri ? Pour quoi faire ? On a semé ces enc... ces salopards. Et puis, à ma connaissance, il n'y a pas d'abri dans le coin.

— Il faut remonter vers le nord.

— C'est déjà l'hiver là-haut.

— L'hiver nous protégera.

— Pas du froid en tout cas !

— Les nuages, la neige, le mauvais temps leur interdiront la voie des airs. Est-ce qu'on est obligé de faire demi-tour pour reprendre la route du Nord ? »

Chak secoua la tête, intrigué et agacé par les paroles énigmatiques du donneur. Qu'est-ce qu'il voulait dire par la voie des airs ? Pourquoi aller s'enterrer pendant quatre ou cinq mois dans l'immense congélateur qu'était l'Europe de l'autre côté de la barrière des Pyrénées ? Les autres peuples nomades y survivaient parce qu'ils n'avaient pas les moyens d'effectuer de longues migrations, parce que leurs raterres à voile ou leurs glisseurs à capteurs solaires n'étaient pas équipés de radiateur, ni de durite, ni d'aucune de ces pièces mécaniques qui risquaient d'éclater à des températures avoisinant les – 30 °C. L'hiver dans le Nord, cela signifiait une consommation accrue de gaz et d'eau, des difficultés multipliées sur les pistes, des pannes fréquentes, des nuits interminables à trembler sous les tentes.

« Tu ne m'as pas répondu, dit Solman.

— Il y a un croisement à vingt-cinq kilomètres de là, concéda Chak à contrecœur. Une des pistes monte vers le nord par le col de la Tourmalle. Mais là-haut, on risque d'être coincés par la neige, le verglas. De plus, je sais pas si on aura assez de gaz pour...

— Prenons le risque », coupa Solman.

Chak hésita à plusieurs reprises avant d'expulser le flot d'imprécations se pressant dans sa gorge. Il n'avait pas encore évacué sa tension intérieure, qui se manifestait par un clignement incessant de sa paupière droite, de longs frémissements d'adrénaline et les rigoles de sueur qui lui sillonnaient l'échine sous sa veste de toile.

« Bordel de merde, pourquoi est-ce qu'on se fait chier à retourner dans le Nord alors qu'on pourrait passer un hiver peinard dans le Sud ?

— Ce sera notre dernier hiver si nous restons dans le Sud. »

Chak épia le donneur du coin de l'œil. Impressionné par la sérénité qui baignait son visage, il hocha la tête avec résignation et se concentra sur sa conduite jusqu'à ce qu'un gémissement de l'enfant allongé sur la couchette le pousse à revenir à la charge.

« On devrait quand même s'arrêter quelques minutes. Ce gosse risque de claquer d'un moment à l'autre si on ne le remet pas à la guérisseuse. Et je dois faire le point avec les autres chauffeurs.

— Roule jusqu'à la forêt de grands sapins, dit Solman. Nous serons à l'abri sous les branches. »

Soixante-treize camions étaient sortis indemnes du relais de Galice. Cinq autres avaient réussi à se traîner jusqu'à la forêt de sapins, mais, étant donné l'état de leurs pneus, de leur moteur ou de leur carrosserie, ils n'en repartiraient pas. Un afflux de blessés se pressaient devant la voiture de la guérisseuse, aidée d'une dizaine de femmes qui, sous ses consignes, administraient les potions ou étalaient les pommades. Raïma avait allongé sur son lit le garçon renversé par le camion de Chak et l'avait enveloppé de compresses trempées dans des herbes macérées. Selwinn paraissait maintenant murée dans un état de démence dont rien, ni les remèdes ni l'affection de Chak, ne semblait pouvoir la déloger. Le chauffeur, abattu, l'avait confiée aux femmes avant d'aller à la rencontre de ses collègues pour établir un premier bilan. Les passagers avaient été ballottés d'un côté à l'autre des voitures soumises aux freinages brutaux, aux accélérations soudaines, aux dérapages et aux louvoiements des camions. Certains s'en étaient tirés avec de simples contusions mais d'autres se présentaient avec un membre brisé, un nez fracassé ou des coupures profondes.

Les véhicules s'étaient répartis sous le couvert et placés de façon à reprendre la piste le plus rapidement possible en cas d'urgence. Solman remonta le convoi en boitant bas. La douleur à son ventre s'était estompée et transférée dans sa jambe folle. Il entendait, sous les cris et les lamentations, le silence feutré de la forêt, comme un prolongement du calme intérieur qui l'avait soustrait au fracas effarant du cirque. Tamisés par les ramures, les ors du soleil se déposaient en colonnes obliques et discrètes sur la mousse et les fougères. Solman ne captait aucun danger immédiat dans le friselis des grands sapins. Il faudrait du temps aux Slangs et à leur mystérieux chef pour regagner l'autre versant de la montagne et charger leur matériel dans les engins volants.

Il s'avança vers le groupe des chauffeurs rassemblés au milieu de la piste et qu'une vive discussion opposait. Il distingua, parmi eux, les silhouettes d'Irwan, de Gwenuver et de Katwrinn. Avertis par un craquement, tous se tournèrent dans sa direction, se turent et le regardèrent s'approcher avec une crainte révérencieuse dans les yeux.

« Le Ciel soit loué de t'avoir gardé en vie, mon fils », dit Gwenuver avec un pâle sourire.

Son épaule gauche, une partie de son ventre et sa cuisse droite apparaissaient par les déchirures de ses vêtements maculés de taches noires. L'intrusion de « son fils » la glaçait d'un effroi plus fort encore que celui qui l'avait saisie dans la tourmente du relais de Galice.

« Où sont Orgwan, Lohiq et Joïnner ? demanda Solman.

— Un obus, murmura Irwan, les mâchoires serrées. Pas beau à voir... »

Sa tristesse n'était qu'un masque que Solman eut envie d'arracher. Katwrinn, elle, arborait ce regard impénétrable qu'elle promenait sur les êtres et les événements en toutes circonstances. Ni l'un ni l'autre n'avaient été blessés, leurs vêtements eux-mêmes étaient immaculés. Les chauffeurs s'étaient rassemblés en cercle autour du donneur et de ce qui restait du conseil aquariote. Leurs traits hâves, la profondeur de leurs rides et de leurs cernes témoignaient de la violence extrême de l'effort qu'ils venaient de fournir et qui s'ajoutait à la fatigue d'une nuit de veille. Chak adressa un clin d'œil complice et un sourire en coin à Solman.

« Pourquoi une telle hâte à quitter le rassemblement ? » attaqua Solman.

Ce fut Katwrinn qui répondit :

« Nous l'avons jugé nécessaire. L'ambiance était électrique. Nous n'avons pas voulu risquer une flambée de violence. »

Sa voix était aussi sèche que son visage.

« La flambée de violence, c'est vous qui l'avez allumée en ordonnant l'exécution des trois Slangs, répliqua Solman. Et elle a grossi pour nous cueillir là, au relais de Galice. Si vous m'en aviez laissé le temps, j'aurais peut-être pu éviter ce désastre.

— Ce n'est pas nous qui avons ordonné l'exécution des trois Slangs, objecta Irwan, mais le conseil des peuples. »

Solman se contint pour ne pas lui cracher sa colère et son mépris à la face. Qu'il lui semblait lointain, inaccessible, le silence infini et miséricordieux des profondeurs.

« Ce n'est pas parce que je vous ai innocentés lors du jugement que je ne sais plus reconnaître le mensonge. Vous avez pratiquement tout pouvoir sur le conseil des peuples.

— Les Slangs ont violé la neutralité sacrée du grand rassemblement, déclara Gwenuver avec une emphase grotesque. Ils ont tué la petite Léote, ils ont voulu te tuer. Ils méritaient cent fois la mort. »

Solman la fixa avec froideur, cette mère pitoyable dans ses vêtements déchirés et dans ses tentatives de justification. Les yeux des chauffeurs brillaient comme des perles de rosée dans une haie compacte et figée.

« D'autres ont davantage de sang sur les mains et la méritaient mille fois ! cracha Solman. Vous auriez dû me consulter avant de prendre cette décision. »

Irwan remonta sa longue mèche d'un geste mécanique, s'avança d'un pas vers le donneur et lui brandit sous le nez un index furibond.

« Tu perds le sens de la mesure, Solman. Tu n'as pas d'ordres à donner à tes pères et mères. »

Les os de ses pommettes et sa pomme d'Adam paraissaient sur le point de transpercer sa peau.

« Ne confonds pas les pouvoirs. La clairvoyance ne te dispense pas d'observer les lois du peuple aquariote.

— Ouais, sans sa clairvoyance, il n'en resterait plus rien, du peuple aquariote », intervint Chak d'une voix presque inaudible, comme si une de ses pensées s'était échappée par mégarde.

Pour un chauffeur, contester publiquement un membre du conseil exigeait autant de témérité qu'affronter un chien sauvage à mains nues. Et Chak, qui s'était jeté à l'eau presque malgré lui, n'avait plus d'autre choix, désormais, que de soutenir sans ciller les deux épingles de haine qu'étaient les yeux du dernier père du peuple.

Katwrinn posa la main sur l'avant-bras d'Irwan et vint se placer devant lui.

« C'est précisément pour ce genre de travail que nous l'avons recueilli, adopté et éduqué, dit-elle. Il n'a fait que son devoir, comme chacun de nous. »

Mère Katwrinn, bien sûr...

Elle laissait aux autres, à Irwan en particulier, le soin d'annoncer les décisions du conseil, elle n'intervenait que très rarement en public, elle intriguait dans le silence et dans l'ombre, elle avait tissé une toile dans laquelle les autres pères et mères s'étaient englués comme des insectes étourdis. D'ailleurs, elle avait tout d'une araignée avec son visage hâve, ses yeux globuleux et indéchiffrables, ses cheveux gris tirés au-dessus de sa tête comme une antenne, sa peau parcheminée, ses bras interminables, sa taille étranglée.

« Vous avez une conception très particulière de l'adoption », lança Solman.

Il avait maintenant la confirmation de ce qu'il n'avait fait que deviner lors du jugement, il captait la présence sournoise de l'intelligence destructrice, de la pieuvre, dans les pensées et les paroles de Katwrinn. La prudence de celle-ci n'avait jamais été prise en défaut jusqu'alors, mais les circonstances l'obligeaient à prendre des initiatives, à s'exposer aux investigations du donneur.

« Et toi une conception très particulière de la gratitude, lâcha-t-elle avec un soupçon de dédain.

— De quoi devrais-je vous être reconnaissant, vénérée mère ? Du meurtre de mes parents ? »

Irwan tressaillit, un gémissement étouffé s'échappa des lèvres de Gwenuver, un éclair de panique zébra les yeux de Katwrinn, un murmure parcourut le cercle des chauffeurs. Puis un silence assourdissant enfla, absorba les chants des oiseaux, les gémissements des blessés, les cris des enfants.

Katwrinn fut la première à se ressaisir.

« De quoi parles-tu ? »

Sa voix avait perdu de sa fermeté, de son arrogance.

« Tu le sais bien, vénérée mère, puisque c'est toi qui as conseillé aux autres d'assassiner mes parents. Toi qui as recruté l'exécuteur, toi qui lui as suggéré de déguiser son crime en un acte de rôdeur et de violeur.

— Ridicule ! » siffla Katwrinn en se raidissant.

Elle consulta du regard Irwan et Gwenuver, comprit qu'elle n'avait rien à attendre d'eux, qu'elle devait assurer seule sa défense, *leur* défense.

« Toi qui as proposé l'empoisonnement du peuple des Slangs, poursuivit Solman d'une voix dont la neutralité contrastait de façon presque insupportable avec la gravité de ses accusations.

— Ce n'est pas ce que tu as déclaré lors du jugement.

— J'ai triché avec le don, vénérée mère. Parce que je pressentais qu'une force œuvrait à travers l'un de vous, et que j'avais besoin de vous garder en vie pour l'identifier.

— Nous avons craint ce moment depuis le début, Solman. »

Elle semblait avoir recouvré son impassibilité habituelle, mais une tempête de pensées s'était levée dans son esprit, qu'il percevait comme les grincements d'un instrument à cordes désaccordé.

« Nous avons toujours su que la clairvoyance pouvait conduire à la paranoïa. Nous avons essayé de t'en protéger, mais il a fallu que tu tombes dans les filets de Raïma. Notre erreur a été de croire que la tyrannie sexuelle épargnait les donneurs. La guérisseuse t'a tourné la tête avec ces récits du Livre oublié, avec cette prétendue Apocalypse. Elle t'a fait boire des préparations qui ont agi sur ton cerveau comme des drogues. Et maintenant, tu vis dans un monde d'illusions, tu es persuadé que l'Apocalypse est réellement en marche, tu crois sincèrement que nous avons ordonné le meurtre de tes parents, que nous avons voulu l'empoisonnement du peuple des troquants d'armes, tu ne vois que complots et intrigues autour de toi, tu pourchasses un ennemi imaginaire que tu nommes vaguement force, et tu veux nous entraîner vers le nord, là où les températures descendront bientôt à – 30 °C ou – 40 °C et tueront plus des deux tiers d'entre nous. Dans certaines circonstances, comme celles, dramatiques, que nous venons de vivre au relais de Galice, tu retrouves la nature véritable du don et redeviens utile au peuple de l'eau. Tes insinuations brisent mon cœur de mère, mais j'ai, nous avons le devoir, oui, le devoir, de te préserver de toi-même. »

Elle promena un regard imperméable sur les chauffeurs avant de reprendre :

« La grande majorité des chauffeurs pensent, comme nous, que nous n'avons pas le droit d'infliger un surcroît de souffrances à un peuple déjà meurtri parce que son donneur a perdu tout sens des réalités. »

Les paroles de Katwrinn tracèrent un sillon vénéneux dans l'esprit de Solman. La vision reposait sur les perceptions, sur les impressions, sur des bases subjectives, impalpables, sur une relation personnelle, irrationnelle, avec le monde. Il connaissait mieux que quiconque la puissance et la perversité du mental, sa capacité à créer des leurres aussi tangibles, aussi vraisemblables que les sapins de cette forêt. Le pouvoir de l'imagination risquait à tout moment de dégénérer en folie chez les donneurs, mère Katwrinn avait raison sur ce point. Il avait expérimenté ce phénomène à plusieurs reprises, notamment entre dix et onze ans, où il avait vu, littéralement vu, des personnages effrayants surgir des entrailles de la terre et se livrer à d'obscurs sabbats dans les ruines d'une ville qui avait autrefois porté le nom de Prague. Ou encore quand il avait couru dans les flocons d'une neige argentée tombant d'un ciel bleu et chaud d'été. Se pouvait-il qu'il fût à nouveau sous l'emprise des illusions ? Se pouvait-il que Raïma l'eût entraîné dans un monde chimérique, dans sa folie de femme détraquée par la transgénose ?

Il croisa le regard de Chak. Les yeux du chauffeur l'imploraient d'expulser le venin inoculé par la vénérée mère. Il était contaminé par le doute, comme tous les autres, malgré la complicité nouée par leur brève odyssée dans le relais de Galice.

« Nous nous rendrons comme convenu sur la côte du Pays basque espagnol, reprit Katwrinn. Nous y soignerons nos blessés, nous reprendrons nos forces, nous nous préparerons à riposter à la prochaine attaque des Slangs. »

Elle eut une infime crispation des lèvres qui n'échappa pas à l'attention de Solman. Il s'engouffra aussitôt dans la faille.

« Comment sais-tu, vénérée mère, que nous avons été attaqués par les Slangs ? »

CHAPITRE 17

« Je ne fais qu'énoncer une évidence. Pas besoin d'être clairvoyante pour deviner le plan des Slangs : ils ont d'abord voulu nous discréditer en public pour justifier, aux yeux des peuples nomades, leur prise de contrôle de la distribution d'eau. S'ils étaient parvenus à obtenir notre condamnation puis à tous nous exterminer au relais de Galice, ils seraient apparus comme nos successeurs les plus naturels, les moins contestables. Avec l'eau et les armes, ils auraient détenu le pouvoir absolu sur les territoires de l'Europe, ils auraient instauré un régime de terreur identique aux dictatures de l'ancien temps. »

À aucun moment la voix de Katwrinn n'avait flanché, mais Solman avait discerné la nervosité rentrée qui soustendait son timbre, hachait son débit, disséminait de minuscules perles de sueur sur l'ourlet de sa lèvre supérieure.

« Ton raisonnement ne tient pas, vénérée mère. Il n'y a pas de sourcier chez les Slangs. » Solman se demanda tout à coup si quelques sourciers aquariotes avaient pu s'échapper du piège du relais. Sans eux, c'était tout l'équilibre du monde nomade qui s'effondrait, et l'extinction à très brève échéance des derniers hommes. « Les troquants d'armes ne sont pas si stupides que tu as l'air de le penser. Ils n'auraient pas pris le risque de massacrer les sourciers aquariotes : ils en ont besoin.

— Tu as entendu aussi bien que moi les paroles des trois pères slangs sous le chapiteau des jugements, répliqua Katwrinn. Ils prétendaient ne plus avoir besoin de sourciers. Ils ont sans doute dressé des chiens à flairer les cuves enterrées et les sources préservées. Et d'ailleurs, Solman, si tu nous as innocentés, ce n'est pas à cause de cette force néfaste que tu voulais soi-disant identifier, mais parce que nous étions bel et bien innocents. *In-no-cents*. L'inconscient, la clairvoyance, a pris le pas sur le mental, l'illusionniste. Dois-je te rappeler la règle fondamentale des donneurs ? Le don véritable ne peut pas tricher. »

Il ne put s'empêcher d'admirer son art consommé de la rhétorique. Elle le renvoyait à ses propres contradictions pour mieux le décrédibiliser, pour réfuter à l'avance ses accusations, pour renforcer les autres dans le sentiment qu'il s'enferrait dans sa folie, que ses calomnies n'étaient que les divagations d'un être au psychisme fragile et déséquilibré par le contact avec la guérisseuse, avec l'ensorceleuse, avec la transgénosée. Sur lui cependant, elle obtint le résultat inverse de l'effet escompté : il décela, dans son habileté manœuvrière, l'empreinte de l'intelligence destructrice, il s'accrocha de toutes ses forces à cette conviction, la seule qui lui restât dans une conscience démantelée par ses attaques, il puisa de nouvelles certitudes dans le regard de Chak, dans les pleurs silencieux de Gwenuver, dans le mutisme d'Irwan. Il fallait en finir, repartir, franchir les Pyrénées dans l'autre sens avant que les Slangs n'embarquent dans leurs engins volants et ne se mettent en chasse des rescapés.

Il s'éclaircit la gorge et s'efforça de parler d'une voix claire, déterminée :

« Tu as raison, il m'est impossible de tricher plus longtemps avec le don. Je risquerais vraiment de basculer dans cette folie dont tu me soupçonnes. Voici donc ma sentence, celle que j'aurais dû prononcer sous le chapiteau des jugements, celle que souhaitaient entendre les Slangs, celle que tu voulais toi-même entendre, vénérée mère, puisque les Slangs et toi vous êtes les soldats de la même force – il insista lourdement sur ce mot –, de cette entité qui commande aux hordes de chiens sauvages et qui œuvre à l'extermination des peuples nomades. Pour toi, Katwrinn, et pour toi seule, je réclame la peine de mort et j'ordonne l'exécution immédiate de la sentence. »

Elle eut un sourire en coin qui plissa de ridules sa joue et sa pommette gauches. Sa lèvre supérieure resta un moment accrochée sur ses canines avant de se baisser comme un rideau empesé.

« Pauvre toute petite chose ! fit-elle d'un ton presque enjoué. Tu crois m'impressionner avec tes rodomontades ? Où trouveras-tu tes bourreaux ? Tu crois que ceux-là – elle désigna les chauffeurs – auraient le cœur de tuer une vénérée mère ? Tu crois qu'ils obéiraient aux ordres d'un fou ? Car tu es fou, Solman, fou à lier, tu es devenu un danger pour notre peuple. Je maudis le jour de ta naissance, je maudis ce jour où j'ai compris que tu te présentais avec le don. Tu n'avais pas le regard d'un nouveau-né, tes yeux... tes yeux... »

Elle prononça une suite de mots incohérents, incompréhensibles, puis se tut et se recula d'un pas, les traits déformés, enlaidis par la peur. Emportée par sa rage, elle venait de fournir la preuve de sa culpabilité à son accusateur.

« Ce jour maudit où vous avez décidé que je devais vous appartenir, vous servir, dit Solman. Vous avez donc essayé de convaincre mes parents de me confier à vos soins, mais j'étais leur premier fils, et ce sacrifice était au-dessus de leurs forces. Vous êtes revenus à la charge à plusieurs reprises, puis, devant leur refus persistant, vous vous êtes résolus à employer les grands moyens. Vous avez chargé un homme de la besogne, un homme dont il m'a semblé reconnaître la voix dans ma vision, un homme qui vit toujours parmi nous, à moins qu'il n'ait été tué au relais de Galice. Cet homme, sans doute, éprouvait du désir pour ma mère. Il ne demandait pas mieux que de la violer pour déguiser son double crime, pour brouiller les pistes. C'est toi, mère Katwrinn, qui as fixé son salaire, des rations supplémentaires d'eau, de nourriture et d'armes, une voiture spacieuse pour lui et sa famille. Ensuite, vous m'avez recueilli, adopté, vous avez alors reconnu publiquement que j'étais clairvoyant, vous avez fait de moi le donneur du peuple aquariote. La seule chose que je ne sais pas, c'est si tu étais déjà possédée par la force le jour de ma naissance ou si tu étais encore un être humain, une femme.

— Je n'ai jamais été une femme ! siffla Katwrinn. Je n'ai jamais pu m'ouvrir à l'amour, ni d'un homme ni d'une femme. Tu as reçu le don à ta naissance, j'ai hérité la sécheresse, de corps et de cœur. Je n'avais pas de place. Pas ma place. »

Le chagrin, le désespoir éteignaient la colère dans ses yeux exorbités.

« La force t'en a trouvé une, n'est-ce pas ? Elle t'a reconnue, elle a exalté ton importance, elle t'a promis une récompense. Qui est-elle ? Comment te contactait-elle ? »

Katwrinn redressa la tête et fixa Solman d'un air de défi. Son visage était à présent un masque tragique, trempé dans une souffrance si forte qu'il semblait sculpté dans un bois blanc et lisse. Elle mobilisait toutes ses ressources mentales et physiques pour ne pas libérer les larmes qui surgissaient d'un passé désavoué.

« Tout ce que je puis te dire, c'est qu'elle jette les bases d'un monde nouveau, où ni les infirmes de ton espèce ni les autres n'ont de place. D'un monde pur qui bannit les souffrances, les maladies, les désirs obscènes, la dégénérescence et la mort.

— Un monde auquel elle t'a permis d'accéder ? »

Elle répondit d'un haussement d'épaules, comme si désormais plus rien n'avait d'importance à ses yeux.

« Pourquoi avoir tué mes parents, Katwrinn ? reprit Solman d'une voix douce.

— Nous pensions... je pensais que tu pourrais m'être utile. Ces idiots – nouveau geste de la main en direction des chauffeurs – ont besoin de guides, d'idoles, de croyances, de rituels. Tes parents représentaient un obstacle avec leur amour grotesque. Combien d'erreurs l'humanité a-t-elle commises au nom de l'héritage biologique, au nom du sang ? Tes parents étaient des êtres ordinaires, faibles, incapables de découvrir et de partager le trésor qui leur était échu par le plus absurde des hasards...

— Je suis un trésor ou un infirme ?

— Les deux. L'hérédité, trop souvent, est hérétique. Ton corps était contrefait, mais ton esprit était une perle rare à l'état brut, Solman, je l'ai su dès que je t'ai vu. J'étais la seule... »

Elle désigna Irwan et Gwenuver d'un coup de menton.

« Ces deux-là, cette oie de Joïnner, ces deux mollassons d'Orgwan et de Lohiq en étaient bien incapables. Tes parents étaient des pourceaux, et, tu pourras le vérifier dans le Livre de Raïma, on ne donne pas de perles aux pourceaux.

— Ça t'avance à quoi de salir leur mémoire ? » gronda Solman.

Un rictus sardonique tordit et blanchit les lèvres rainurées de Katwrinn.

« Tu veux un exemple ? L'assassin de ta mère était aussi son amant. Elle n'a jamais su si son fils était de lui ou de son mari. Un autre ? Ton père passait son temps à s'enivrer d'alcool de fruits sauvages et à...

— Assez ! » hurla Solman.

Il tremblait de tous ses membres, chaque battement de son cœur envoyait une décharge insoutenable dans sa jambe torse. Pris de vertige, il déploya toute son énergie pour rester debout et reprendre empire sur lui-même.

« La seule façon d'échapper à la mort, Katwrinn, c'est de me révéler qui est cette force et de nous aider à la combattre.

— Pauvre toute petite chose, fredonna Katwrinn. Le don t'a peut-être permis de sortir indemne du relais de Galice, mais tu n'es pas de taille à empêcher l'avènement des temps nouveaux. Ma tâche est finie, je suppose. Fais de moi ce que bon te semble.

— Tu as peut-être encore ta place parmi nous, vénérée mère...

— Oh non ! Pas avec vous ! Pas avec des créatures immondes qui salissent tout ce qu'elles touchent ! Pas avec des erreurs, pas avec des abominations !

— Alors tu vas mourir. »

Elle éclata d'un petit rire grinçant qui le fit frémir de la tête aux pieds.

« Qui me donnera le coup de grâce ? Oseras-tu être le bourreau, boiteux ? Oseras-tu transgresser le don ? »

Un mouvement attira l'attention de Solman. Chak avait plongé la main dans la poche intérieure de sa veste, s'était détaché du groupe et avait tendu le bras dans sa direction, avec, posé en travers de la paume, un pistolet à la crosse en bois et au canon rouillé. Les regards des chauffeurs l'invitaient à exécuter lui-même cette mère monstrueuse, à exercer son droit de vengeance – un devoir davantage qu'un droit. Il fixa l'arme jusqu'à ce que ses yeux se brouillent. À aucun moment il n'avait envisagé cette confrontation directe avec la mort. Il avait toujours été tenu à l'écart des batailles, des exécutions, le statut de donneur lui épargnant ce genre d'obligation, de salissure. C'était probablement l'une des raisons pour lesquelles les autres Aquariotes ne l'avaient jamais admis comme l'un des leurs. Il y avait un prix à payer pour regrouper les survivants autour de lui, pour rendre sa cohésion à un peuple désagrégé par les roquettes des Slangs et les errements de ses pères et mères.

Un prix exorbitant qui était le sang de mère Katwrinn.

Il posa une main hésitante sur le pistolet. Surpris par la chaleur du métal, il eut l'impression de toucher un animal palpitant.

« Le chien est armé, murmura Chak d'un air grave. Il te suffira d'appuyer sur la détente. Un coup sec. Serre bien, ou il risque de te sauter des mains. Vise le front ou le cœur. »

Solman hocha la tête puis, au bord des larmes, empoigna la crosse en bois. Gwenuver et Irwan s'écartèrent de la condamnée comme des rats abandonnant un navire en perdition. Il se retrouva seul face à Katwrinn. Elle le dévisageait d'un œil ironique. Elle semblait accueillir la mort avec détachement, avec un certain soulagement même, comme pressée de mettre un terme à l'erreur de son existence. La brise jouait dans les rares cheveux qui folâtraient sur ses tempes et accentuaient par contraste le hiératisme de ses traits.

Il fallut du temps à Solman pour maîtriser les tremblements de son bras. À cette distance – deux ou trois pas –, il ne pouvait pas manquer sa cible, mais, comme devant le Neerdand blessé, une intuition lui soufflait que son don lui serait à jamais retiré s'il pressait la détente. Les oiseaux avaient cessé de chanter dans les sapins. C'est là, dans ce silence étrange qui baignait la forêt, dans ce temps suspendu, qu'il se dépouilla de ses émotions, qu'il se réconcilia avec son geste. Il ne tuait pas Katwrinn, la mère du peuple aquariote, la femme, il coupait un tentacule de la pieuvre ; il ne l'exécutait pas dans un esprit de vengeance, mais parce que cela devait être accompli, parce que les temps étaient venus d'entrer en guerre.

Il resta parfaitement lucide et maître de lui-même lorsque le coup partit et que la balle alla se loger sous le sein gauche de Katwrinn. Elle eut la force de lui adresser un sourire chaleureux avant de hoqueter, de basculer en arrière et de tomber sur la mousse comme une feuille morte.

« Nous n'aurons pas assez de gaz pour atteindre le relais de l'Île-de-France, objecta Chak.

— Je connais un autre relais près de la Méditerranée, déclara Irwan. En Catalogne française.

— Pourquoi nous l'avoir caché ? grogna un chauffeur.

— Parce qu'il est difficile d'accès et que nous n'en avons pas eu besoin jusqu'à présent. »

La brutalité avec laquelle ils étaient revenus aux questions pratiques après avoir enterré le corps de Katwrinn sidérait Solman. Ils lui avaient proposé d'aller se reposer, mais il avait décliné l'offre. Il ne se sentait pas fatigué, seulement envahi d'un sentiment indéfinissable qui oscillait entre plénitude et nostalgie. Assis sur une souche pour détendre sa jambe au supplice, il n'éprouvait aucun remords, pas pour l'instant. Il lui semblait encore percevoir le hoquet du pistolet et la chaleur intense des pièces métalliques à l'instant du tir. La détonation, qu'il avait à peine entendue sur le moment, résonnait désormais en lui comme une rumeur persistante, obsédante. Il savait qu'il ne pourrait pas recontacter le don tant qu'elle ne se serait pas tue. Lorsqu'il avait voulu remettre l'arme à Chak, celui-ci lui avait refusé de la reprendre : « Tu l'as mérité, ce putain de flingue, il pourra encore te servir. Moi j'en ai un autre, bien meilleur, tu penses ! » Il avait donc enclenché le cran de sûreté, glissé le pistolet dans la ceinture de son pantalon, et s'était peu à peu habitué à la présence de cet hôte qui s'incrustait dans sa peau comme pour le marquer de son empreinte.

La métamorphose d'Irwan avait quelque chose de fascinant et de révoltant. Envolée, l'arrogance du porte-parole du conseil aquariote, envolées, l'autorité et la prestance du dernier père du peuple. Sans Katwrinn, il n'était plus qu'une marionnette aux fils coupés, un vieillard vidé de sa substance, un homme qui ne songeait plus qu'à sauver sa peau. Sans doute s'estimait-il heureux de ne pas avoir été entraîné dans la chute de celle qui lui avait dicté chacune de ses pensées tout au long de ces années communes de pouvoir. Il avait pourtant endossé sa part de responsabilité dans la conduite des affaires du peuple aquariote. Katwrinn n'avait eu qu'à souffler sur son orgueil, sur son ambition, sur son intransigeance, pour asseoir sa domination sur lui, pour en faire la pièce essentielle de son jeu. Gwenuver, elle, s'était laissé corrompre par faiblesse, comme tous les êtres frustrés par la vie et assoiffés de reconnaissance. Elle était devenue, comme Joïnner, comme Orgwan et Lohiq, une complice muette, passive, une comparse. Oh, elle avait bien essayé de prendre son importance, mais elle n'avait pas les moyens intellectuels de ses prétentions, et elle avait dû se contenter de se dilater physiquement, un peu comme ces crapauds qui gonflent leur gorge jusqu'au double ou au triple de leur volume pour intimider leurs prédateurs. Contrairement à Irwan, elle n'avait pas surmonté l'horreur qu'avaient suscitée en elle les déclarations de Katwrinn, et elle restait prostrée sur la mousse, la tête posée sur les genoux, les bras refermés sur les jambes, dans l'attitude d'un enfant traumatisé.

« T'es vraiment sûr, Solman, qu'on doit monter dans le Nord ? »

Bien que convaincu, Chak avait posé la question au nom des quelques chauffeurs qui doutaient encore de la nécessité de se jeter dans la gueule de l'hiver.

« Les Slangs sont arrivés au relais de Galice avec des engins volants, répondit Solman d'une voix neutre. Si nous restons dans le Sud, ils n'auront aucune difficulté à nous repérer.

— Sauf si on s'abrite dans des grottes, avança un jeune chauffeur aux cheveux roux et au cou de taureau.

— Nous devrions partir tout de suite au lieu de discuter, dit Solman. Le mauvais temps sera notre meilleur, notre seul, allié. »

Il y eut encore quelques réticences, mais les récalcitrants finirent par se ranger à l'avis du donneur. Ils décidèrent de traverser les Pyrénées par le col de la Tourmalle, puis de rejoindre la Méditerranée par la piste de l'est, côté français, qui longeait la chaîne montagneuse jusqu'à la région de Catalogne, là où Irwan situait la réserve de gaz qui leur permettrait de gagner les étendues désolées du Nord. À la dernière objection qu'on lui opposa – « Et si les engins volants des Slangs nous tombent dessus avant qu'on ait eu le temps de passer le col... » –, Solman rétorqua : « Raison de plus pour cesser de perdre du temps. Je sais que vous êtes fatigués, mais nous roulerons toute la nuit pour être en Catalogne demain à la première heure. »

Quelques flocons de neige et quelques plaques de verglas accueillirent les camions au col de la Tourmalle, culminant à plus de deux mille mètres d'altitude, mais ils passèrent sans encombre dans le brouillard épais et froid qui pesait sur les reliefs comme un joug. Ils avaient abandonné les cinq camions endommagés dans la forêt, avaient ensuite réparti les passagers et les chauffeurs selon les places disponibles et selon les nécessités. Le camion de Chak, qui s'était adjoint un jeune chauffeur en panne de volant, roulait en tête du convoi, tractant la voiture de Raïma et une seule remorque, la deuxième ayant été accrochée à un véhicule allégé de l'eau de sa citerne. La plupart des guetteurs ayant trouvé la mort au relais de Galice, des volontaires s'étaient proposés pour les remplacer, des hommes et des femmes, jeunes pour la plupart. Ils exerçaient habituellement la fonction d'intendant, de lavandier ou de tisserand. Ils avaient grimpé sur les plates-formes munis chacun d'un fusil d'assaut, d'une couverture et d'un thermos de kaoua. Seuls les sourciers, au nombre de sept, n'avaient pas été autorisés à quitter l'abri des voitures. Environ mille cinq cents membres du peuple aquariote, sur une population de quatre mille cinq cents, avaient survécu à l'assaut des Slangs, soit un tiers. Ils étaient tombés en dessous du seuil de renouvellement, et il leur faudrait remonter rapidement leur taux de fécondité s'ils ne voulaient pas se détacher, comme une branche morte, du tronc de l'humanité.

Au crépuscule, alors qu'ils descendaient à faible allure les lacets resserrés de l'autre versant, un concert de sirènes domina le ronronnement confus des moteurs. Le convoi s'immobilisa aussitôt et les chauffeurs allèrent aux nouvelles. Un éclat métallique de la gros-seur d'un poing s'était fiché dans le carter d'un camion, qui projetait une pulvérisation d'huile brûlante et glissante sur la piste rocheuse. On se résolut à l'abandonner, à répartir les six passagers qu'il remorquait dans trois autres voitures, on transféra les rouleaux de tissus, les vivres et les divers matériels qu'il tractait dans une remorque à moitié vide, puis on repartit dans une nuit que les nuages bas rendaient plus épaisse et plus noire que le marc de kaoua.

« Katwrinn, j'aurais dû m'en douter... » marmonna Raïma.

Elle s'affairait à retirer les compresses de l'enfant toujours étendu sur son lit et agité par intermittence de soubresauts. Allongé sur l'une des deux banquettes latérales, Solman contemplait d'un air distrait les fragments de montagne découpés dans le rectangle de la vitre par les phares du camion suivant.

« C'est donc elle qui a organisé le meurtre de tes parents...

— Qui t'a raconté ça ? gronda Solman avec une agressivité qui le poussa à se redresser et à la fixer d'un regard sombre.

— Le bruit s'est répandu dans tout le convoi. »

Il hocha la tête et se laissa retomber sur la banquette. Le canon du pistolet lui mordit le bas-ventre. Le bruit de la détonation s'estompait peu à peu, mais le silence qui le supplantait était porteur d'un chagrin immense. Les premières larmes s'écoulèrent de ses yeux et déposèrent sur ses lèvres un goût de sel. Il endigua encore quelque temps le flot amer qui montait de sa source intime, puis les sanglots le happèrent, l'emportèrent, le disloquèrent.

Il pleura enfin ces parents qu'il n'avait pas eu le temps de connaître, il pleura la mort des Aquariotes dans le relais de Galice, il pleura la mort de Katwrinn, cette mère égarée par le malheur, il pleura sur lui-même, obligé de la tuer de sa main, il pleura la perte de son innocence.

Lorsqu'elle eut fini de changer les compresses de l'enfant, Raïma vint s'asseoir sur la banquette et le bercer jusqu'à ce qu'il s'endorme.

CHAPITRE 18

La Méditerranée reflétait la tristesse du ciel. Elle se perdait dans le prolongement des falaises abruptes qui surplombaient les criques rocheuses, elle accrochait les nuages à l'horizon, si bien qu'il n'existait plus de ligne, plus de frontière entre le haut et le bas, entre l'étendue d'eau et la plaine céleste. On la disait morte, comme la Baltique, comme toutes les mers fermées ou les grands lacs qui parsemaient le territoire de l'Europe. Empoisonnée par les anguilles[GM] et par les substances toxiques déversées durant la Troisième Guerre mondiale, elle n'abritait plus une algue, plus un poisson, plus un coquillage, seulement des nappes de matières en décomposition qui voguaient telles des îles maudites et atteignaient parfois un diamètre de deux cents kilomètres.

Trop petite pour être régénérée par les marées, la *Métrée*, comme l'appelaient les Albains et les autres peuples vivant près de ses côtes, n'était qu'une immense mare putride qui semblait déborder de toute la misère humaine. Seules certaines de ses plages de sable fin rappelaient sa splendeur passée, comme des bijoux oubliés sur le cou d'une morte. La végétation elle-même avait reculé sur une frange de plusieurs dizaines de kilomètres, laissant place à des marais lugubres où ne poussaient que des buissons de ronces noirâtres aux feuilles, aux épines et aux baies mortelles. Ou bien, et c'était le cas sur les falaises de la Catalogne française, elle s'était massée sur les hauteurs dans une exubérance qui cadrait mal avec la sévérité rocailleuse du paysage. Un vent fort et glacial répandait une odeur tenace de putréfaction.

« L'endroit a changé, dit Irwan. Il y a plus de vingt ans que je n'y suis pas venu. Mais je crois me rappeler que la réserve se trouve par là. »

Il désignait une haie touffue d'arbres enchevêtrés les uns dans les autres, oliviers, saules, pins maritimes et cyprès enlacés par des lianes noires. Les yeux plissés, Gwenuver essayait de se souvenir elle aussi, mais, malgré ses efforts pour occuper une bonne place dans la nouvelle organisation aquariote, elle restait incapable de s'orienter dans ce fouillis végétal, incapable de démontrer son utilité à son peuple.

Les camions avaient roulé toute la nuit sur la piste relativement dégagée et plane qui longeait les contreforts des Pyrénées jusqu'à la côte méditerranéenne. On n'avait déploré qu'un seul incident au cours du trajet : un camion était tombé en panne de gaz. Aux lueurs des phares et des lampes, les chauffeurs avaient repéré une fissure sur la première couche de métal de l'énorme réservoir placé sous la cabine. En l'examinant de plus près, ils s'étaient rendu compte que les deuxième et troisième couches étaient également fendillées et que le gaz liquéfié s'était échappé, une fuite qui avait enrobé le métal d'une fine couche de glace et qui, si une étincelle s'était allumée dans son sillage, aurait pu se révéler désastreuse. On n'avait pas eu d'autre choix que de pousser le véhicule sur le bord de la piste, de récupérer ce qui pouvait l'être, l'eau de sa citerne, qu'on avait transvasée dans plusieurs citernes à moitié vides, les vivres, les armes et les toiles de tente, de répartir dans d'autres voitures les douze passagers, dont trois enfants en bas âge emmaillotés dans leurs langes. Autant d'opérations qui avaient coûté deux heures.

« Va falloir nettoyer tout ça, si je comprends bien », marmonna Chak.

Les traits tirés et les yeux rougis par deux nuits de veille successives, il avait un besoin urgent de repos, comme la plupart des chauffeurs. Irwan était venu s'installer dans sa cabine à la faveur de la dernière pause avant l'aube et lui avait enjoint de quitter la piste trois ou quatre kilomètres plus tôt. Ils s'étaient engagés dans un chemin cahoteux aux contours vagues et à peine plus large qu'un sentier. Ils avaient observé de nombreuses haltes pour couper les branches basses qui obstruaient le passage ou combler, à l'aide de pierres, les nids-de-poule par endroits plus larges qu'un ruisseau, puis ils avaient enfin aperçu, dans le lointain, le miroir maussade de la mer et ils avaient débouché sur la crête des falaises où ils avaient tant bien que mal disséminé les soixante et onze camions restants entre les excroissances rocheuses et les bosquets torturés.

D'un regard, Chak implora Solman de les exonérer, les autres chauffeurs et lui, de la corvée de débroussaillage. Ils ne prenaient plus leurs ordres de père Irwan ou de mère Gwenuver désormais, ils s'en remettaient entièrement à leur donneur pour tout ce qui concernait l'organisation et l'avenir de leur peuple. Et, comme ils s'étaient empressés de colporter ce qu'ils avaient vu et entendu la veille dans la forêt de sapins, les autres Aquariotes leur avaient emboîté le pas et reconnu Solman comme leur chef unique, comme leur dernier recours.

« Les chauffeurs et les guetteurs se reposeront pendant que tous les autres, y compris les sourciers, dégageront l'accès à la réserve, déclara Solman. Nous repartirons dès que nous aurons fait le plein. »

Il avait dormi presque toute la nuit dans les bras de Raïma, puis, quand celle-ci s'était effondrée d'épuisement aux côtés de l'enfant blessé, il avait tiré une couverture de laine et sombré dans un demi-sommeil peuplé de rêves, entrecoupé de réveils en sursaut. Une violente secousse l'avait réveillé au moment où le camion de tête quittait la piste. La rumeur de la détonation avait cessé de résonner en lui. Il baignait dans un silence profond, figé, qui évoquait le calme d'avant les tempêtes. Une partie de son être était en attente, un événement allait bientôt se produire, qui changerait le cours du temps, qui donnerait un sens à cette absurde partie de cache-cache contre un ennemi insaisissable.

Il avait observé Raïma qui s'affairait dans le coin-cuisine, à demi nue, secouée par les cahots, posant de temps à autre une main sur la cloison ou sur le plan de travail. Il avait pris conscience qu'il s'était servi d'elle pour découvrir certains aspects de la vie – elle le lui avait d'ailleurs reproché peu avant l'attaque du relais de Galice –, et que, si la tendresse n'avait jamais été absente de leurs rapports, il ne l'avait pas aimée, pas au sens où résonnait ce mot, et la transgénose ou le sentiment de pitié n'avaient rien à voir là-dedans. Il se sentait vide, prêt à ouvrir une nouvelle voie, à capter un autre chant. Raïma méritait autre chose que des faux-semblants, que des relations tronquées : il lui devait l'honnêteté.

Chak eut un sourire reconnaissant à l'adresse de Solman puis, d'une démarche traînante, se dirigea vers son camion. Il n'avait même pas le courage d'aller prendre des nouvelles de Selwinn, enfermée quelque part dans l'une des voitures du convoi. Les autres chauffeurs et les guetteurs s'égaillèrent à leur tour.

Après un déjeuner frugal de viande séchée et de galettes de seigle sauvage préparé et distribué par les responsables des vivres, on sortit les haches, les machettes, les scies, tous les ustensiles tranchants qu'on put dénicher dans les remorques, puis on s'attela à débroussailler la végétation, qui formait par endroits un véritable rempart de plus de trois ou quatre mètres de profondeur. Muni d'une serpe, Solman participa lui-même à l'essartage sans se soucier de la douleur qui lui irradiait la jambe. Une vingtaine d'arbres furent abattus, dont les plus grands s'effondrèrent dans un long gémissement de brindilles et de feuilles froissées. Sur l'ordre des parents, les plus jeunes élaguèrent et scièrent les branches, puis les transportèrent dans des remorques vides afin de constituer une réserve de bois en prévision d'un hiver long et difficile. Les hommes ne tardèrent pas à tomber la veste, la chemise, le maillot de corps, et à braver torse nu les morsures de la bise. Des femmes les imitèrent, défirent les drapés gênants de leurs robes, les rabattirent sur leurs hanches et se débarrassèrent pour certaines de la bande de tissu qui leur comprimait les seins. Solman fut environné de peaux luisantes, griffées, de chevelures dansantes, de poitrines menues, généreuses, fermes, tombantes, qui tressautaient à chacun des coups portés sur les troncs, sur les branches. Il hésita, surmonta le complexe que lui valait sa maigreur et retira à son tour sa tunique. D'abord saisi par le froid, il goûta rapidement le plaisir qu'il y avait à se mouvoir dans l'air frais du matin, dans le ventre de cette végétation âpre, sauvage, blessante. C'était une cérémonie profane, rythmée par les respirations, les ahanements et les mouvements, un ballet païen dont la sensualité les soulevait du sol, estompait les fatigues, les peurs, les douleurs. Ils oubliaient la précarité de leur situation, ils oubliaient les parents, les enfants, les amis restés dans le relais de Galice, ils cessaient de penser, ils revenaient à la vie par la fraternité silencieuse de leurs gestes. Ils encourageaient Solman du regard, les femmes surtout, jeunes et moins jeunes. Elles tournaient autour de lui, s'arrangeaient pour se frotter contre lui, l'ensorceler de leur douceur, l'oindre de leur sueur de la même manière que les chauffeurs l'avaient marqué du sang de Katwrinn. Il ne ressentait pas d'attirance sexuelle pour elles, du moins pour l'une précisément d'entre elles, mais il se tendait d'un désir sans objet aiguillonné par chacun de leurs frôlements, par chacun de leurs sourires, par chacune de leurs odeurs. Des gouttes de sang perlaient des égratignures semées par les ronces, plaquaient des parures rubis sur les peaux claires, ajoutaient des touches vermillon à la nacre des dents, au bleu, au vert, au brun ou au charbon des yeux, au roux, au blond, au gris et au noir des cheveux.

Ils taillèrent un passage d'une vingtaine de mètres avant d'arriver devant un portail de bois rongé qui se dressait entre deux pans d'un mur de pierres sèches. Ils l'enfoncèrent à coups de masse puis, de l'autre côté, déblayèrent les ronces et les pierres qui assiégeaient des formes métalliques ressemblant effectivement à des pompes. Les nuages s'étaient en partie effilochés et un soleil pâle avait fait son apparition lorsqu'ils eurent fini de dégager la réserve. Rouillées, cabossées, les pompes étaient au nombre de dix, alignées tous les six pas sur une aire dont le béton avait éclaté sous la poussée des racines. Des poutrelles métalliques, vestiges de la toiture avec les plaques de tôle ondulée disséminées dans la végétation, saillaient du faîte des murs comme des moignons, les échines des cuves enterrées affleuraient sous la pierraille et les orties.

Fourbu, Solman s'assit sur un talus. Sa jambe saine, sur laquelle il avait transféré tout son poids, tremblait de fatigue.

« Tu devrais remettre ta tunique maintenant, ou tu risques d'attraper la mort. »

Il leva les yeux sur la femme qui venait de l'apostropher. Âgée d'une vingtaine d'années, elle-même ne paraissait guère pressée de refaire le drapé de sa robe, déchirée en plusieurs endroits. Il vit un liquide blanchâtre s'écouler de ses mamelons et barbouiller ses seins lourds. Une tristesse infinie émanait d'elle. Elle l'avait occultée pendant quelques heures au prix d'un travail acharné qui avait couvert sa poitrine, ses épaules et ses bras de bleus et d'écorchures. La transpiration collait ses cheveux sombres sur ses joues, aux coins de sa bouche et sur son cou. Plus loin, les hommes aplanissaient l'accès au relais à l'aide de pioches et de pelles, les femmes qui en avaient encore la force achevaient de couper les ronces enroulées autour des pompes, les enfants continuaient de scier les branches avec un entrain faiblissant.

Les yeux noirs de la jeune femme papillonnèrent pendant quelques secondes sur les environs avant de revenir se poser sur Solman.

« Est-ce que c'est vrai que tu parles avec les morts ? »

Il n'avait pas besoin de la sonder pour comprendre ce qu'elle espérait de lui. La brise n'était pas la seule responsable des frissons qui lui parcouraient tout le corps et mouraient en tremblements sur ses lèvres.

« Comment t'appelles-tu ? demanda-t-il.

— Adlinn.

— Qui t'a raconté que je parlais avec les morts ?

— On dit que tu vois des choses que les gens ordinaires ne sont pas capables de voir, on dit que tu as guidé les camions hors du relais de Galice sans jamais ouvrir les yeux. »

L'espoir contenu dans la voix de son interlocutrice déclencha chez Solman un sentiment de malaise.

« Comment as-tu perdu ton bébé ? demanda-t-il d'une voix aussi douce que possible.

— Je l'ai laissé dans la voiture avec son père pour aller voir une amie. Je suis revenue en courant quand l'attaque a commencé. La voiture était en feu. J'ai essayé d'entrer, mais quelqu'un m'a tirée en arrière, j'ai perdu connaissance et je me suis retrouvée dans une remorque de matériel, en compagnie d'un vieil homme. »

Les larmes s'étaient mises à couler tandis qu'elle débitait les mots comme des sons monocordes, vides de sens.

« Il avait trois semaines. Regarde... »

Elle baissa sa robe jusqu'en haut du pubis, exhiba un ventre encore gonflé, déformé, puis se passa les mains sur les seins et déploya sous les yeux de Solman ses paumes et ses doigts enduits de lait.

« J'ai pensé que tu pourrais... aller dans l'au-delà pour lui parler... lui dire que je pense à lui, que je ne l'ai pas abandonné... »

Ses yeux exprimaient un tel bouleversement que Solman en eut le souffle coupé.

« Je comprends ta souffrance, Adlinn, murmura-t-il, mais je ne peux pas entrer en contact avec les morts. »

Elle tomba à genoux et lui saisit les mains.

« Je crois en toi, Solman le boiteux, tu as le don, tu as le pouvoir... »

Alertées par ses cris, les autres femmes se retournè-rent et convergèrent dans leur direction. Solman se demanda si l'intrusion d'Adlinn n'était pas l'événement qu'il attendait depuis le réveil. Elle était jeune, jolie mal-gré des traits un peu forts, elle appelait la consolation de tous les pores de sa peau, de tous ses yeux agrandis par le malheur.

« Tu dois croire en toi, Adlinn, dit-il en l'enveloppant de la vision pénétrante. Ta vie n'a pas pris fin au relais de Galice, elle recommencera dès que tu auras accepté la mort de ton fils et de ton mari. »

Il ne perçut que de la désolation, de la désillusion, au plus profond d'elle. La perte de son bébé l'avait telle-ment choquée qu'elle s'était murée dans son chagrin et qu'elle mettrait sans doute des années à retrouver le chemin de la vie. Elle se redressa, repoussa les mains du donneur, s'essuya les joues d'un revers de bras et braqua sur lui des yeux rougis par le chagrin et la colère.

« Tu n'as pas de cœur, boiteux ! Tu es un monstre, comme tous ceux de ton espèce ! Mon mari avait raison de dire qu'il ne faut jamais se fier aux infirmes ! Qu'ils sont les portes de la malédiction ! Maudit ! Maudit ! »

Hystérique, elle le frappa et le griffa au visage, au torse, au bas-ventre avec une frénésie de chatte sau-vage. Les autres femmes se précipitèrent sur elle et durent s'y mettre à quatre pour lui bloquer les bras et les jambes. Lorsqu'elle se fut calmée, qu'elle ne fut plus qu'une loque tremblante et gémissante sur le sol, elles la relevèrent, rajustèrent le haut de sa robe et l'entraî-nèrent vers les camions.

Solman palpa distraitement les égratignures superfi-cielles abandonnées par les ongles d'Adlinn. La réaction de la jeune femme n'était pas si déroutante qu'elle le paraissait au premier abord. Elle était même révélatrice de l'état d'esprit qui animait les Aquariotes après l'atta-que du relais de Galice. En se plaçant sous la protection du donneur, comme des enfants désemparés, ils avaient éprouvé le besoin de lui attribuer des vertus ou des pouvoirs qu'il ne possédait pas. Adlinn s'était obstinée à croire qu'il avait le pouvoir de ressusciter par la vision son enfant mort, d'autres lui demanderaient des choses impossibles. Et s'il venait à les décevoir – il les décevrait, immanquablement –, ils se retourneraient contre lui avec une rage proportionnelle à leurs attentes. Sa première tâche était de les convaincre que ses perceptions n'en faisaient pas un magicien de l'âme, qu'ils devaient prendre en charge leurs souffrances et leurs peurs avec la même volonté, la même constance qu'ils s'adonnaient aux tâches quotidiennes du convoi.

Une odeur de gaz flottait sur les environs. Les pompes, rustiques, ne nécessitaient pas de codes. En dépit de leur état déplorable, elles continuaient de remplir leur fonction, même si les tuyaux souples de certaines d'entre elles avaient perdu une partie de leur étanchéité. Par mesure de précaution, les chauffeurs décidèrent de n'approvisionner qu'un seul camion à la fois et d'établir un périmètre de sécurité de cinquante mètres autour du relais.

Raïma frottait le corps de Solman, allongé sur le lit, avec une éponge végétale imbibée d'une huile au parfum capiteux. Accaparée par les nombreux blessés qui réclamaient ses soins, elle n'avait pas eu le temps de prendre un peu de repos, et les excroissances ressortaient de ses traits creusés par la fatigue. L'enfant semblait dormir d'un sommeil paisible aux côtés de Solman. Tout au long de la journée, des hommes et des femmes s'étaient présentés à tour de rôle dans la voiture, mais aucun ne l'avait identifié comme étant leur fils disparu, jusqu'à ce qu'une jeune fille accompagnant un couple le reconnaisse et affirme qu'elle avait aperçu les cadavres de ses parents tombés sous les balles et les roquettes des Slangs.

Les caresses ensorcelantes de Raïma amollissaient la résolution de Solman. Il s'était pourtant juré de lui avouer qu'un vide s'était creusé en lui qu'elle ne pouvait plus combler, mais il se surprenait à penser qu'il valait mieux surseoir à leur rupture, attendre un moment plus favorable.

« Adlinn était tellement hystérique qu'il a fallu presque l'assommer pour lui administrer un sédatif, murmura Raïma. Qu'est-ce que tu lui as dit ?

— Simplement que je n'avais pas la possibilité de communiquer avec l'âme de son bébé mort. »

Elle suspendit ses gestes et le dévisagea avec une attention soutenue.

« Et avec l'âme des vivants ? Est-ce que tu communiques ?

— Pourquoi tu me demandes ça ?

— J'ai l'impression que tu t'éloignes, Solman. »

Elle lui tendait la perche mais un reste de lâcheté le dissuada de la saisir.

« M'éloigner ? De qui ? De quoi ?

— De moi, de toi... »

Elle pointa l'index vers le pistolet reposant sur le pantalon chiffonné de Solman.

« Peut-être que tu devrais éviter de porter ça... »

Elle lui versa quelques gouttes d'huile sur le ventre et reprit ses mouvements de massage. Il n'eut plus qu'une envie, une envie égoïste, une envie minable dans les circonstances, que les mains de Raïma s'égarent sur son sexe et lui donnent un plaisir identique à celui qu'il avait connu devant le solbot.

Les phares miroitaient sur les mares endormies et parfois, au sortir d'un virage, sur la surface hérissée de la mer. Seules les formes indistinctes de chars et de véhicules blindés à l'abandon brisaient la platitude désolée du paysage. La piste traversait un marais lugubre en direction de l'est et longeait la Méditerranée sur deux ou trois cents kilomètres avant de remonter vers le nord. La caravane s'était remise en route au crépuscule, alors les nuages poussés par un vent de plus en plus violent libéraient leurs premières gouttes. Les averses franches, rageuses, succédaient aux rideaux silencieux et mornes d'un crachin plus gluant qu'une toile d'araignée.

« J'espère qu'il ne flottera pas trop fort, marmonna Chak. Ou la piste risque d'être coupée par les inondations. Et je me vois mal embourbé dans ce merdier. »

Après avoir obtenu ce qu'il désirait – Raïma, ne voulant pas être en reste, avait arraché ses propres vêtements, l'avait chevauché et s'était abîmée dans un plaisir bref et rageur –, Solman avait filé de la voiture comme un voleur pour s'installer dans la cabine de Chak, au prétexte qu'un pressentiment le tracassait et lui commandait de rester en compagnie du chauffeur de tête. Il ne s'agissait pas d'un véritable mensonge, d'ailleurs : la journée s'était achevée et la sensation d'attente restait toujours aussi présente, toujours aussi vivace. L'irruption du donneur avait paru ravir Chak, dont l'équipier dormait d'un sommeil de plomb sur la couchette. L'intriguer également, comme en témoignaient les regards fréquents qu'il lui jetait à la dérobée.

Ils roulaient à une allure désespérément lente, entre dix et vingt kilomètres-heure, sur une piste ravinée, défoncée, hérissée par endroits de flaques profondes qu'il fallait franchir quasiment au pas.

« Des années que j'avais pas mis les pieds dans ce trou du cul du diable ! grommela Chak.

— Depuis combien de temps tu es chauffeur ? demanda Solman.

— Vingt-cinq, trente ans, est-ce que je sais au juste ? J'ai commencé quelque temps avant mon mariage avec Selwinn. La pauvre, je suis allé la voir avant de partir. Elle ne m'a pas reconnu. Elle bave, elle pisse, elle chie sur elle comme une gosse. Qu'est-ce qu'on va faire d'elle, bon Dieu ?

— Tu as sûrement connu mes parents... »

Chak marqua un long temps de silence, les yeux rivés sur la route, les mains crispées sur le volant, les arcades sourcilières, le nez, les mâchoires, la moustache et le menton sculptés par les lumières du tableau de bord.

« Je suppose qu'il ne sert à rien de tricher avec un donneur, finit-il par répondre d'une voix étouffée qui se perdit dans le grondement du moteur. Bien sûr que je

194

les ai connus. Comme tous les gens de mon âge. Les Aquariotes ne sont pas si nombreux que ça !

— Est-ce que... est-ce que ma mère avait un amant comme le prétendait Katwrinn ? »

Chak haussa les épaules.

« Je n'en sais rien. Eh, je me fous bien de savoir ce qui se passe dans les draps des autres ! »

Solman capta la musique du mensonge dans la voix bourrue du chauffeur, mais il n'insista pas, peut-être parce qu'il n'était pas prêt pour l'instant à recevoir certaines vérités.

« Et mon père ? Il buvait ? »

Chak acquiesça d'un mouvement de tête, donnant d'un côté ce qu'il avait refusé de l'autre, estimant sans doute que cet aveu suffirait à compenser ou à crédibiliser sa première réponse.

« Il a été chauffeur lui aussi, mais les pères et les mères du peuple lui ont retiré son volant. Il avait renversé son camion dans un fossé, tué cinq personnes et blessé sept autres... »

Il s'interrompit pour négocier un tronçon de la piste particulièrement délicat.

« Il devenait trop dangereux, reprit-il. Ton père, c'était... comment dire ça ? un type bizarre, difficile à cerner...

— Un fou ?

— Je n'irais pas jusque-là. Plutôt un inadapté, un doux rêveur, quelqu'un qui n'avait pas de place sur terre.

— Est-ce que je lui ressemble ? »

Chak décocha un regard en coin à Solman.

« Pas vraiment. D'après mes souvenirs, tu tiendrais plutôt de ta mère.

— Pourquoi tu as fait semblant de ne pas me reconnaître le jour où j'ai frappé à la vitre de ton camion ?

— Je... j'étais encore à moitié endormi. »

Ils roulèrent jusqu'à l'aube en alternant les périodes de silence et les bribes de conversation. Chak but un litre de kaoua et se garda de réveiller son coéquipier, dont les ronflements couvraient par instants le volume sonore du moteur. Il n'avait pas envie, pas davantage que Solman, de briser le lien à la fois intime et pudique qui se nouait entre eux dans l'obscurité de la cabine, l'un apprivoisant le fils – le futur – qui ne lui avait pas été donné, l'autre le père – le passé – qu'il n'avait pas connu.

Le soleil se levait dans un déploiement de lumière qui nimbait de rose et de mauve les nuages effilochés. La nuit se roulait dans les mares, dans les étendues d'herbes et les buissons du marais. La mer apparaissait par intermittence au gré des méandres de la piste.

« Bon Dieu, qu'est-ce que c'est encore que ça ? »

Le cri de Chak tira Solman de la somnolence dans laquelle l'avait plongé la vibration lancinante du siège. Le chauffeur désigna d'un mouvement de menton l'ombre grise qui battait comme une aile géante au-dessus du marais et barrait tout l'horizon.

CHAPITRE 19

Le nuage étiré et mouvant ne semblait pas descendre du ciel mais s'élever du sol, comme si le marais avait décidé de cracher une partie de sa noirceur, de son insalubrité. Il planait au-dessus de la terre gorgée d'eau comme un gigantesque vautour en quête d'une charogne. Les rayons rasants du soleil étiraient son ombre et donnaient l'impression qu'une marée sombre et furieuse galopait en direction du convoi. Chak avait inconsciemment ralenti l'allure. Les soubresauts du moteur réveillèrent son coéquipier, un colosse d'une trentaine d'années qui glissa, sous le rideau de la couchette, son crâne rasé et ses traits encore gonflés de sommeil. Il enroba Solman d'un regard indéchiffrable puis leva les yeux sur le pare-brise.

« Qu'est-ce qui se passe, Chak ? Pourquoi tu ne m'as pas réveillé ?

— J'étais pas fatigué, Moram, répondit Chak sans se retourner. Je crois bien qu'on a un putain de problème droit devant. »

Moram extirpa de la couchette son corps massif et, vêtu de son seul caleçon de laine, enjamba le siège passager pour s'installer à côté de Solman. Il ne se rasait pas seulement le crâne, mais, à en juger par les estafilades éparpillées par son coupe-chou, le torse, les jambes et probablement le pubis. Il ressemblait de ce fait à un petit garçon qui aurait grandi trop vite et qu'encombraient des membres plus épais que les pots d'échappement des camions. Solman ne chercha pas à savoir d'où lui venait cette étrange obsession, mais il lui suffit de croiser son regard incolore et fuyant pour s'apercevoir qu'il portait encore sur son visage les marques d'une enfance détruite, d'une innocence pervertie. Moram se versa du kaoua dans un gobelet en fer et avala d'une traite le breuvage que le thermos avait pourtant conservé bouillant.

« Nom de Dieu, marmonna-t-il en s'essuyant les lèvres d'un geste machinal. Qu'est-ce que c'est que cette saloperie ?

— Je n'en sais foutre rien, gronda Chak. Et le donneur pas davantage que moi. Mais je me doute aussi que c'est une vraie saloperie.

— On devrait peut-être arrêter le convoi en attendant que...

— Là, à droite ! » hurla Solman.

Deux silhouettes, surgies de nulle part, minuscules, avaient fait leur apparition au bord de la piste. On les distinguait à peine tellement elles étaient distantes, probablement entre un et deux kilomètres du camion, et, pourtant, les trois hommes furent effleurés par la même certitude : elles étaient les proies chassées par le nuage géant traversé de tourbillons sombres qui grossissait rapidement dans leur champ de vision.

Solman ouvrit la vitre et pencha la tête vers l'extérieur. L'air froid et humide lui gifla le visage et s'insinua sous sa tunique. Une puissante odeur de putréfaction se substitua aux odeurs d'huile, de transpiration, de crasse et de kaoua qui imprégnaient la cabine. Il ferma à demi les paupières pour lutter contre le vent et concentra son regard sur les deux silhouettes égarées en plein milieu du marais. Au bout de quelques secondes, il se rendit compte qu'elles couraient, qu'elles essayaient de fuir l'ombre gigantesque qui fondait sur eux avec la rapidité d'un oiseau de proie.

« Remonte immédiatement cette putain de vitre ! » aboya Chak.

Interloqué par son ton impérieux, Solman se rassit sur son siège et commença à tourner l'antique poignée de la vitre. Moram lança un regard interrogateur à son équipier.

« Qu'est-ce qui te prend ? Tu ne...

— Une nuée de sauterelles^{GM} ! »

Chak appuya en continu sur le poussoir de la sirène et freina jusqu'à ce que le camion s'immobilise dans un épouvantable grincement.

« Moram, cours prévenir les autres de couper les moteurs et de boucher toutes les ouvertures ! Dis aux guetteurs de descendre de leur perchoir et de se mettre à l'abri.

— Hein ? Mais qu'est-ce que...

— Fais ce que je te dis, bordel de merde ! La nuée sera là dans moins de dix minutes.

— Laisse-moi au moins le temps de me rhabiller... »

Chak lui enfonça les doigts dans le gras de l'épaule.

« Si tu ne fous pas le camp tout de suite, je te vire à coups de pied au cul ! »

Moram grimaça, repoussa la main de Chak d'un mouvement autoritaire, souffla bruyamment, banda ses énormes muscles pour lui montrer qu'il n'était pas du genre à se laisser intimider par les menaces, puis il hocha la tête, enjamba Solman, poussa la portière déjà ouverte et se glissa sur la marche supérieure du marchepied.

« Et toi, qu'est-ce que tu vas faire pendant ce temps-là, Chak ?

— Vaut mieux que je reste avec le donneur, au cas où il y aurait une décision urgente à prendre. Demande aux autres de t'aider à prévenir tout le monde, tu gagneras du temps. »

La portière se referma dans un claquement sourd. Solman vit, dans le rétroviseur, Moram sauter sur la piste, frapper à la porte de la voiture de Raïma, discuter avec elle pendant une poignée de secondes, courir vers le véhicule suivant et faire signe aux deux guetteurs de descendre immédiatement de la plate-forme. Les sirènes se répondaient maintenant d'un bout à l'autre du convoi immobilisé. Chak coupa le moteur et croisa les bras.

« Comment sais-tu que ce sont des sauterelles ? » demanda Solman.

Sa main avait machinalement agrippé la crosse du pistolet passé dans sa ceinture.

« Eh, on dirait que les donneurs ne devinent pas tout ! gloussa le chauffeur. Je n'ai aucun mérite, remarque bien : j'ai déjà vécu le passage d'une nuée à l'âge de douze ou treize ans. On campait sur les bords du Danube. Le conseil n'a pas réussi à avertir tout le peuple à temps, et les sauterelles^{GM} ont laissé plus de mille des nôtres dans l'herbe. On les croyait disparues, moi le premier, mais faut croire qu'on ne se débarrasse pas de ces saletés aussi facilement que ça. »

Il souligna la fin de sa phrase d'un claquement de doigts.

Solman avait entendu parler des sauterelles^{GM}, comme tout enfant aquariote, mais jusqu'alors elles n'avaient recouvré aucune réalité à ses yeux, elles lui avaient semblé appartenir à ce bestiaire fantasmagorique dont les Aquariotes peuplaient leurs récits et leurs chants. Il avait aperçu des hannetons^{GM} et d'autres insectes génétiquement modifiés par les savants de l'ancien temps, mais jamais leurs essaims n'avaient atteint les dimensions effarantes du nuage qui bouchait l'horizon. Les anciens affirmaient que les armées des deux camps, après avoir pris la précaution de se prémunir des piqûres mortelles avec des vaccins appropriés, avaient utilisé les insectes comme légions exterminatrices lors de la Troisième Guerre mondiale. Solman avait jusqu'alors présumé que les anciens avaient tendance à exagérer leurs souvenirs – et davantage encore les souvenirs transmis par leurs parents –, mais, devant le volume démesuré de la nuée, il en arrivait à penser qu'ils étaient restés bien en deçà de la réalité, que les fléaux lancés par les biogénéticiens militaires avaient eu des conséquences vraiment terribles sur les populations civiles entassées dans les cités délabrées. Si le venin des sauterelles^{GM} tuait un grand animal, une vache, un cheval ou un sanglier, en cinq secondes, il n'avait besoin que de deux ou trois secondes pour terrasser un humain adulte et d'une seconde pour foudroyer un enfant.

« Ces pauvres vieux n'ont pas l'ombre d'une chance... »

La réflexion de Chak attira l'attention de Solman sur les deux silhouettes. Elles progressaient avec une lenteur dérisoire en comparaison de la nuée. Un bon kilomètre les séparait encore du camion, une distance qu'elles n'auraient pas le temps de combler.

Solman perçut soudain un appel au fond de lui, un chant nostalgique dont la vibration harmonique, qui ne ressemblait à aucune autre, le bouleversa, lui ravit l'âme, lui tira des larmes. Il plaqua le haut de son corps contre la portière afin de dissimuler son trouble aux yeux de Chak. Il comprit que son attente avait pris fin, qu'une présence se déversait en lui qui comblerait bientôt son vide. Il fut tenté de fermer les yeux et de prolonger l'enchantement de l'instant, mais une sensation de danger imminent, de panique, l'entraîna à se retourner et à poser à nouveau le regard sur les deux silhouettes. Précédée de son ombre comme d'un étendard funeste, la nuée occupait maintenant la moitié inférieure du ciel, obscurcissait le soleil, évoquait un filet aux mailles serrées qui s'abattait sur ses proies.

« Démarre ! » cria Solman.

Les rides de Chak se creusèrent d'étonnement.

« T'es dingue ! Le bruit et la chaleur du moteur vont les rendre agressives, intenables. Il vaut mieux les laisser...

— Démarre ! Avec le camion, on a encore une chance de les sauver.

— Eh, je ne vais certainement pas mettre le convoi en danger pour sortir deux fous de la merde dans laquelle ils se sont eux-mêmes fourrés !

— Les autres ne sont pas obligés de nous suivre. »

Solman transpirait, haletait. Il ressentait la peur des deux silhouettes avec autant d'acuité que si c'était la sienne. Le chant venait d'elles, de l'une d'elles, il le sentait, il le savait.

« Si je démarre, les autres suivront, c'est la règle de la caravane, objecta Chak. Je ne peux pas...

— Détache la voiture de Raïma. Elle bloquera le reste du convoi. »

Chak le dévisagea d'un air soupçonneux.

« Pourquoi est-ce que tu t'intéresses d'un seul coup à ces deux paumés ?

— Ma vision, Chak. Elle m'y pousse.

— Ta vision, hein ? »

L'argument ne portait pas assez pour entraîner le chauffeur à foncer sur la nuée, à se porter au-devant de ses propres terreurs d'enfant.

« J'ai besoin de ta confiance, de ton aide, comme au relais de Galice, dit Solman d'une voix hachée par l'affolement.

— Putain de bordel de bois ! » grogna Chak.

Il ouvrit la portière, dévala le marchepied, courut à l'arrière de la citerne, dégagea la béquille de la voiture de Raïma, déverrouilla l'attache, retira la chaîne de sécurité, regagna la cabine en quelques foulées, se cala sur son siège et tourna le bouton de contact. Cette succession de gestes ne lui avait pas pris plus d'une minute et, déjà, la nuée semblait avoir grossi de plus d'un tiers. Du ciel on ne discernait plus que des nuages de traîne d'un rose flamboyant qu'un vent mollasson essayait de chasser vers l'ouest.

« C'est bien parce que je ne peux rien te refuser, maugréa Chak en enclenchant la première. J'espère que tu sais ce que tu fais.

— Roule ! » hurla Solman.

Chak mit quelques secondes à s'habituer au maniement du camion allégé du poids de la voiture et de la remorque. De plus, il avait fait partie de ceux qui avaient vidé une partie de leur citerne au grand rassemblement. Il avait l'impression que les roues volaient sur la terre battue de la piste et que le moindre coup de volant le propulserait dans la boue noirâtre de l'un des cloaques bordant la piste. Un coup d'œil au compteur lui apprit que cette sensation de vitesse était principalement due à la tension qui aiguisait ses perceptions. Et peut-être aussi au déploiement vertigineux de la nuée qui s'avançait à leur rencontre. Il dut se faire violence pour ne pas enfoncer la pédale de frein, pour ne pas stopper le camion, pour ne pas se réfugier dans la couchette en attendant que le ciel recouvre sa tranquillité habituelle. Il avait affronté les pires tempêtes sur les pistes d'Europe, les trombes de grêle qui martelaient la tôle au point parfois de la transpercer, les cyclones qui couchaient les arbres, les tremblements de terre qui lézardaient la terre et provoquaient des éboulements, les pluies de glace qui transformaient le sol en patinoire, mais jamais, jamais il n'avait éprouvé une telle frayeur, jamais il n'avait eu cette impression de se jeter vivant dans la gueule de la mort. La stridulation de la nuée submergeait peu à peu le ronflement du moteur, un crissement exaspérant, un venin sonore qui étouffait tous les autres bruits. Les silhouettes semblaient se reculer au fur et à mesure qu'ils s'en rapprochaient.

Chak transpirait plus encore que sous les bombes et les balles des Slangs. La voiture de Raïma et la caravane s'éloignaient inexorablement dans le petit rectangle du rétroviseur intérieur.

Il devait bander tous les muscles de sa jambe pour garder son pied tremblant enfoncé sur la pédale d'accélérateur. Les amortisseurs fatigués gémissaient chaque fois que le camion bondissait au-dessus des nids-de-poule, le bas de caisse raclait régulièrement la terre dans un grincement horripilant.

« Plus vite ! glapit Solman.

— Je fais ce que je peux, merde ! rétorqua Chak. Je vais finir par bousiller mon camion ! »

Il distingua la forme caractéristique d'un fossé en travers de la piste, un trait qui paraissait étroit mais qui, étant donné la distance, représentait sans doute une largeur d'un ou deux mètres. Il ne voyait que deux manières de l'aborder : ou il s'arrêtait et le comblait avec tout ce qui lui tombait sous la main – c'est-à-dire pas grand-chose dans une telle désolation –, ou il prenait le risque d'accélérer à fond et d'exploiter l'élan pour le franchir d'un saut. Inutile de demander son avis à Solman : le regard du donneur, fixe, exorbité, effaçait toutes les difficultés pour ne s'intéresser qu'aux deux paumés qui essayaient désespérément d'échapper aux sauterelles. Chak hésita, soupira, puis finit par se résigner, par lâcher toutes ses prises, toutes ses peurs. Il rétrograda pour donner un surcroît de rage au moteur et lança le camion à tombeau ouvert sur le ruban défoncé de terre grise.

La nuée ne donnait plus l'impression d'un bloc compact ; on distinguait à présent les points noirs des sauterelles, le ballet extravagant de certains essaims qui jaillissaient subitement d'un côté de la multitude pour la transpercer de part en part comme une lance épaisse et vibrionnante, les déchirures qui s'ouvraient sur le fond mouvant, piqueté et teinté de l'or pâle du soleil, les tourbillons qui naissaient dans les cœurs sombres et s'élevaient en spirales de plus en plus amples, de plus en plus ajourées. La nuée se présentait comme une armée en campagne constituée de plusieurs bataillons qui, tous, jouaient un rôle précis. À la manière des vols d'oies sauvages, des vagues incessantes partaient de l'arrière pour venir s'échouer à l'avant et relayer les insectes de tête. Sans doute les sauterelles s'étaient-elles regroupées pour fuir l'hiver du Nord et entamer leur longue migration vers les déserts africains. Chak pensait qu'elles étaient sur le point de fondre sur leurs deux proies, mais il se rendit compte que le gigantisme de la nuée avait tendance à raccourcir les intervalles, à tromper les sens, qu'il restait encore un peu de temps avant qu'elles opèrent la jonction.

Le camion vibrait de toute sa carcasse fatiguée. Comme la plupart des chauffeurs – ceux qui méritaient le titre de chauffeur –, Chak évitait de le pousser dans ses derniers retranchements. Il entretenait avec son tas de ferraille une relation quasi fusionnelle, guettant les moindres traces d'usure, attentif aux bruits, aux « plaintes mécaniques » révélatrices de son érosion. Il assimilait cette course démentielle à travers le marais à un abus, à un viol. Il écrasa les rigoles de sueur qui lui dégoulinaient dans les yeux et lança un coup d'œil exaspéré au donneur.

Vrai qu'il ressemblait à sa mère. La même finesse de traits, les mêmes yeux clairs, la même chevelure folle, la même allure à la fois gauche et gracile.

Mirgwann...

Il l'avait plus que connue, il était tombé amoureux d'elle, comme la moitié des hommes du peuple aquariote. Mais, à la différence des autres, elle lui avait ouvert les bras. Ils avaient continué de se voir après le mariage de Mirgwann et de Piriq, le père officiel de Solman. Chak n'avait jamais compris – admis – ce mariage. À l'issue du procès expéditif de mère Katwrinn, il avait fait et refait ses calculs, et en était arrivé à la conclusion que Solman ne pouvait pas être son fils. Mirgwann avait mis fin à leur relation au moins douze mois avant que son ventre ne commence à pousser et l'avait renvoyé auprès de Selwinn. Quelques jours plus tard, Piriq, complètement ivre, lui avait avoué qu'il était devenu impuissant et stérile, probablement atteint d'une forme lente de transgénose. Chak s'était consolé dans les bras de sa femme, d'autres maîtresses, et avait fini par oublier Mirgwann. Mais, depuis qu'il avait ramassé Solman sur le bord de la piste pyrénéenne, depuis qu'ils avaient affronté ensemble le traquenard de Galice, son passé lui explosait à la figure avec un souffle plus puissant que les roquettes des Slangs. Et il tournait et retournait cette question dans sa tête, au point d'en perdre l'appétit et le sommeil : qui l'avait remplacé sur la couche de Mirgwann ? Qui était l'amant tueur dont avait parlé Katwrinn ? Il avait beau passer en revue les hommes d'une quarantaine d'années du peuple aquariote, il n'en voyait aucun qui aurait eu suffisamment de charme pour séduire la mère de Solman et assez de cruauté pour l'assassiner. Et puis, celui-là avait peut-être trouvé la mort au relais de Galice, ou même avant, dans l'un de ces nombreux guets-apens que destinait l'Europe à ses derniers enfants.

Le fossé approchait, avec sa gueule large et profonde de prédateur.

Un vrai fossoyeur.

Le ciel était noir de sauterelles, leur stridulation transperçait la tôle et les vitres. Couleur et musique de deuil. Le piège refermait ses deux mâchoires, l'un tombant des airs et l'autre se tendant sur le sol.

CHAPITRE 20

Chak garda les yeux rivés sur les deux silhouettes. Il n'aurait pas trouvé le courage de tenter le saut s'il avait regardé le fossé. L'un des deux fuyards était une femme et l'autre un vieillard, qui peinait visiblement à suivre l'allure imprimée par sa compagne. Leurs vêtements clairs, déchirés, informes, ressemblaient aux tenues traditionnelles des Albains.

Chak se demanda ce que des Albains pouvaient bien foutre dans ce marais putride à plus d'un millier de kilomètres des pays balkaniques, leur territoire habituel. Et surtout, ce que pouvait bien foutre une femme albaine dans la lumière du jour, elle qui, en théorie, n'était censée se montrer qu'après la tombée du soleil, dûment protégée des regards par des mètres et des mètres de tissu. Sa longue chevelure dansait comme un feu noir autour de ses épaules et au-dessus de sa tête, ses pieds nus et ses jambes claires sortaient en cadence de sa robe fendue sur le devant jusqu'en haut des cuisses. Le vieux, lui, portait une veste foncée ouverte sur une chemise sans col, un pantalon bouffant de couleur crème et des bottes aux tiges évasées et courtes. Son crâne luisait de sueur au centre d'une couronne de cheveux blancs.

Chak maugréa mais n'osa pas déverser sa colère sur Solman, figé comme un chien à l'arrêt sur le siège passager et dont la vision, la putain de vision, risquait tout simplement de bousiller un camion qu'il avait bichonné pendant une vingtaine d'années. Sans compter les sau-

terelles. Excitées par la chaleur, par le bruit, elles s'in-
filtreraient dans les interstices de la calandre, sous les
roues, dans le bas de caisse, elles s'engouffreraient dans
le moteur, elles investiraient les conduits d'aération,
elles assiégeraient la cabine avec la pugnacité et la férocité de machines à tuer. Tout ça pour voler au secours
de deux membres d'un peuple qui cachait ses femmes
comme des trésors inestimables et qui ne se gênait pas
pour cracher son dédain à la face des autres peuples
nomades, même de leurs fournisseurs en eau et en
vivres. Et eux, qu'est-ce qu'ils avaient à offrir en échange ?
Du kaoua, cette saloperie dont l'amertume lui flanquait
d'épouvantables nausées, le mettait dans un état d'énervement sexuel qu'il ne pouvait jamais apaiser et lui préparait une vieillesse difficile, comme à tous les chauffeurs...

L'ombre de la nuée les ensevelissait dans une obscurité inquiétante, son ronflement les empêchait de discerner le bruit du moteur. L'aiguille du compte-tours
avait bondi depuis un bon moment dans la zone rouge,
le voyant d'huile clignotait avec frénésie. Encore quelques centaines de mètres à ce régime, et le moteur
serrerait, les pistons jailliraient de leurs cylindres comme
des balles, crèveraient le carter d'huile, se répandraient
sur la piste comme des viscères brûlants, palpitants, inutiles.

« J'espère vraiment que tu sais ce que tu fais, donneur », marmotta Chak.

Le camion avala à toute allure les trente derniers
mètres qui le séparaient du fossé.

« Cramponne-toi, fils ! »

Les roues avant s'envolèrent de trente ou quarante
centimètres, et la cabine franchit sans encombre la tranchée, finalement large de plus de trois mètres. Chak
s'agrippa de toutes ses forces au volant de peur d'être
éjecté de son siège. Le camion plana dans les airs pendant un temps qui s'étira indéfiniment, puis le poids de
la citerne le déséquilibra, l'entraîna dans un mouvement
de bascule, le train arrière reprit contact avec la terre

dans un hurlement d'amortisseurs à l'agonie, précédant d'une fraction de seconde un deuxième choc, celui du train avant, qui s'écrasa à son tour au sol dans un fracas de tôle malmenée. Chak décolla de son siège, heurta du haut du crâne le toit de la cabine, retomba devant le volant à demi étourdi, eut le réflexe de corriger une amorce de dérapage d'un petit coup de volant, se maintint sur la piste, lança un coup d'œil à Solman, collé au fond de son siège.

« Nom de Dieu de nom de Dieu, on est passés ! »

Son cœur tambourina de joie, puis d'inquiétude, à nouveau : de nouvelles fêlures étaient apparues sur le pare-brise, partant des extérieurs pour courir vers le centre, comme des araignées mises en branle par les frémissements de leur toile. Chak relâcha un peu la pédale de l'accélérateur pour réduire l'amplitude des vibrations. Si les vitres cédaient maintenant, ils seraient autant démunis que les deux Albains face aux insectes tueurs.

Tout en courant, la fille leur adressait de grands signes tandis que le vieux, visiblement au bord de la rupture, restait ramassé sur ses foulées courtes et rasantes. Les cent mètres à couvrir pour parvenir à leur hauteur parurent plus longs à Chak qu'une nuit entière de veille. Solman se départit soudain de son immobilité, ouvrit la portière, se posta sur le marchepied et se pencha sur le côté, cramponné à la tige du rétroviseur. La stridulation, assourdissante, s'engouffra en même temps qu'une répugnante odeur de chitine dans la cabine. Chak ralentit sans cesser de fixer l'avant-garde de la nuée. Les sauterelles dépassaient sans doute les quinze centimètres de longueur. Elles n'étaient pas de couleur verte, comme les petites sauterelles qui sautaient de brin en brin d'herbe dans la chaleur de l'été, mais d'un brun rouge tirant sur le noir. Elles volaient en rangs serrés, par endroits agglutinées les unes aux autres à la façon d'abeilles dans leur ruche.

Chak rétrograda et appuya sur la pédale de frein par petits coups successifs, une précaution qui n'empêcha pas le camion d'être secoué par une nouvelle série de tremblements. Il posa la main sur le pare-brise afin d'enrayer les vibrations. Les pneus gémirent, abandonnèrent de la gomme, de la fumée et des traces profondes et noires dans leur sillage. Il crut percevoir une forme volante percuter le verre, et son cœur s'arrêta de battre. Le camion s'immobilisa enfin à hauteur des deux Albains. Chak eut juste le temps de se rendre compte que la fille était jolie, très jolie, et le vieux fatigué, très fatigué. Ensuite il coupa le moteur et surveilla avec une angoisse nauséeuse la progression de la nuée. Il trouva incroyablement long le temps nécessaire aux deux miraculés pour s'introduire dans la cabine. Il discernait maintenant les têtes triangulaires des sauterelles, leurs yeux fendus et luisants, leurs antennes souples, leurs ailes translucides, leur carapace granulée, le dard déployé et recourbé à l'extrémité de leur abdomen étranglé. Des millions et des millions de soldats porteurs d'un venin foudroyant. Des légions rassemblées et manipulées un siècle plus tôt pour répandre une mort massive, aveugle, dégueulasse.

« Ferme cette putain de portière ! » glapit Chak, au bord de la crise de nerfs.

Il fut surpris de constater que la fille s'était déjà hissée sur le siège. Frappé de plein fouet par sa beauté. Un rêve fugitif en plein milieu du cauchemar. Solman achevait de tirer le vieillard à l'intérieur de la cabine. Une sauterelle se posa sur le pare-brise et envoya ses antennes en reconnaissance du matériau invisible qui lui coupait le chemin. Chak contint à grand-peine un hurlement. Il décelait une intelligence démoniaque dans les yeux noirs de l'insecte qui le fixait en balançant d'un côté sur l'autre sa tête et son dard. Une deuxième atterrit sur le verre, puis une troisième, une quatrième.

« La porte, Solman, gémit le chauffeur.

— C'est fait. »

Chak osa un regard vers la droite et constata que la portière était effectivement refermée. Tellement obnubilé par les insectes qu'il n'avait pas entendu le claquement. Le vieux, assis à côté de la fille, crachait ce qui restait de ses poumons tout en le dévisageant avec une curiosité empreinte d'ironie. Solman, debout, la tête rentrée dans les épaules, lui adressait un sourire complice.

« Moins une, hein, Chak ?

— On n'est pas encore sortis de la merde, grommela le chauffeur. Le pare-brise est fendillé, et le poids de ces foutues bestioles risque de le faire éclater. Quant au camion, je préfère ne pas te parler de son état ! »

Les yeux de la fille, des yeux d'un noir si profond qu'il paraissait impossible d'en toucher le fond, restaient fixés sur le pare-brise, désormais recouvert d'une multitude grouillante. De même il ne restait plus un pouce de transparence sur les vitres latérales. Ils étaient cernés de toutes parts par une armée de mandibules, d'ailes, de thorax, d'abdomens, de dards. Les sauterelles bruissaient de fureur, frustrées de leur frénésie meurtrière par ces obstacles imprévus de verre et d'acier. Leurs pattes et leurs antennes crissaient sur les pièces métalliques du pare-chocs, de la calandre, du bas de caisse et du moteur, des milliers de bourdonnements et de grincements se répondaient sous le capot, entre les roues, sur la paroi arrière de la cabine.

« Le camion doit ressembler à une m... à une charogne couverte de mouches », lâcha Chak.

L'odeur de chitine lui soulevait le cœur, transformait sa frayeur en une succession de nœuds douloureux qui partaient de son bas-ventre pour s'échelonner jusqu'à sa gorge.

« Votre camion est très important pour vous, n'est-ce pas ? » fit le vieil Albain entre deux expirations sifflantes.

Son accent italien, ou balkanique, accentuait la suavité de son français. Ses yeux se réduisaient à deux traits étincelants sous les rides profondes de son front et les barres sombres de ses sourcils.

« Si les Aquariotes n'avaient pas de camion, vous ne boiriez pas d'eau potable, répliqua Chak avec une agressivité mal maîtrisée. Si je n'avais pas pris soin de mon camion, vous ne seriez plus qu'un cadavre au moment où je vous parle. Et d'abord, qu'est-ce que vous branliez dans ce marais ? »

Le vieil homme lissa du plat de la main les cheveux imaginaires du sommet de son crâne.

« Les nôtres nous ont bannis du campement, répondit-il d'une voix sourde.

— Les vôtres, ce sont les Albains ?

— Tout juste. Il existe chez eux... chez nous certaines lois avec lesquelles on ne peut transiger. »

Le regard de Chak passa alternativement du vieux à la fille, toujours absorbée dans la contemplation des sauterelles. Il s'agrippa à sa volonté pour ne pas s'égarer entre les plis de la robe d'où émergeaient des jambes qu'il devinait fascinantes.

« Les lois qui concernent les femmes, je suppose...

— Encore touché. Ma petite-fille a pris quelques libertés avec les coutumes de notre peuple. Comme je suis son unique parent, ils nous ont bannis tous les deux. Cela fait plus de deux mois que nous errons sur le littoral méditerranéen.

— Qu'est-ce que vous buvez ? Qu'est-ce que vous mangez ? »

Parler détendait quelques-uns des nœuds qui obstruaient les conduits du corps de Chak. Solman, assis sur l'accoudoir du siège passager, ne prêtait aucune attention à la conversation. Les yeux mi-clos, il paraissait absent, retiré en lui-même, voguant vers des rives que les hommes ordinaires ne découvriraient jamais.

« Dans sa grande bonté, le conseil albain nous a donné une réserve d'eau et de vivres. Nous avons tenu jusqu'à hier en nous rationnant. »

Chak désigna la fille d'un coup de menton.

« Qu'est-ce qu'elle a fait ?

— Chez nous, sortir en plein jour pour une femme est considéré comme une provocation.

— C'est tout ce qu'elle a fait ? Sortir en plein jour ?

— Dans une tenue... dans une absence de tenue, devrais-je dire, qui a heurté la vertu de certains de nos hommes. »

212

Le regard de Chak frôla les sauterelles agglutinées sur le pare-brise. Il préféra ne pas penser à ce qui se passerait si la vitre cédait. La sueur plaquait sa veste sur ses épaules et son dos, collait son pantalon et son caleçon à ses cuisses, à son entrejambe. Les bourdonnements et les grincements lui pénétraient dans la poitrine et le ventre comme des milliers de griffes assassines.

« À poil, vous voulez dire ? »

Le vieil homme acquiesça d'un hochement de tête.

« Elle est juste un peu... sauvage. Elle ne pensait pas à mal.

— Ouais, je gage que ce n'était pas le cas de tout le monde. Vous étiez au dernier rassemblement ?

— Chez nous, seules certaines familles sont invitées au grand rassemblement. Et nous n'en faisions pas partie. »

L'Albain et sa petite-fille laissaient une impression bizarre à Chak. Leur histoire se tenait, et encore, en admettant qu'un vieil homme et une fille d'une beauté à damner tous les chauffeurs aquariotes soient parvenus à survivre pendant deux mois en dehors de la protection de leur peuple, mais quelque chose ne collait pas, sonnait faux, un peu comme lors de ces représentations théâtrales données par les troupes errantes à l'occasion de rencontres et où il se produisait toujours un événement, un bafouillage, une hésitation, un contretemps, pour perturber la crédulité des spectateurs.

Le rideau de sauterelles était tellement dense que la cabine baignait dans une obscurité oppressante. Chak vérifia pour la centième fois l'état du pare-brise, puis s'autorisa à reluquer les jambes de la fille. Malgré une visibilité réduite, il constata qu'elles étaient aussi admirables qu'il l'avait pressenti. De même, on devinait une poitrine ferme, arrogante, sous le haut de la robe de coton qui la couvrait jusqu'à la naissance du cou. Comme chaque fois qu'il découvrait une nouvelle, une « chair neuve » comme disaient les chauffeurs entre eux, une onde de chaleur monta du bas de sa colonne vertébrale et se propulsa dans son cerveau où elle calcina ses pensées. L'espace de quelques instants, il oublia les sauterelles agglomérées sur le verre et la rumeur exaspérante de la nuée, il ne fut plus qu'une masse de chair torturée par un désir brutal, obsessionnel, douloureux. Le phénomène se produisait chaque matin après une nuit de conduite et l'absorption d'un litre de kaoua – il lui fallait se jeter sur une femme, la sienne ou une autre, afin de soulager une tension qui le rendait à moitié fou –, mais il était particulièrement accentué par la présence et la beauté de cette fille, par la perspective de conquérir une terre inconnue et pleine de promesses.

Un craquement le ramena à la fois à la réalité des sauterelles et au souvenir navrant de Selwinn. Le pare-brise ployait sous le poids du grouillement, et les fêlures s'étaient remises à courir vers le ventre de la vitre. Chak se pencha par-dessus le volant, tendit le bras et plaqua la main sur le verre.

« Vous devriez faire la même chose que moi si vous ne voulez pas que ces foutues bestioles nous dégringolent dessus. »

Personne ne tenant compte de sa suggestion, il demeura seul dans son inconfortable position, aux prises avec la sensation épouvantable de gratter le ventre des insectes et un désir encombrant qui se désagrégeait en cendres froides.

Les sauterelles renoncèrent au bout de plusieurs heures d'un siège acharné. Solman avait aidé Chak à consolider le pare-brise à l'aide de couvertures pliées et des montants métalliques de la couchette arrachés de leurs supports. Des antennes s'étaient glissées entre les grilles tendues sur les bouches d'aération. Des insectes, plus agressifs, plus tenaces que les autres s'étaient faufilés par les interstices de la calandre et frayé un passage dans l'enchevêtrement du moteur. Sans doute s'étaient-ils introduits par les fissures des durites et avaient-ils remonté les conduits jusqu'aux bouches qui donnaient sur la cabine, toujours est-il qu'ils n'avaient été arrêtés que par les grilles solidement rivées au tableau de bord. Chak avait distingué les antennes pourtant difficiles à repérer dans l'obscurité et, même s'il avait sorti son pistolet et déverrouillé le cran de sûreté, il les avait regardés s'agiter avec une terreur incommensurable.

Une stridulation enfla, domina les grincements, les bourdonnements, retentit comme un appel. Pendant quelques instants, des frissons agitèrent la tôle du camion, puis des jours transpercèrent les essaims sur les vitres latérales et projetèrent des faisceaux étincelants à l'intérieur de la cabine qui, progressivement, allèrent s'agrandissant. La lumière apparut au travers des couvertures étalées sur le pare-brise.

« Elles se tirent, on dirait », murmura Chak.

Il regretta aussitôt d'avoir laissé échapper ces mots. La superstition voulait, chez les chauffeurs, qu'il suffisait d'affirmer une chose pour que son contraire se produise immédiatement. Mais les sauterelles continuèrent de déserter le camion tout en amplifiant cette stridulation suraiguë qui paraissait les fondre dans une même entité, dans un même dessein.

Ils patientèrent encore une bonne heure après que les bruits se furent estompés, qu'un silence imprégné de l'odeur de chitine et habité par une menace traînante fut descendu sur la cabine.

« Je propose que nous allions respirer dehors, proposa le vieil Albain.

— L'air pur du marais ? » ricana Chak.

Solman ouvrit la portière, observa le ciel lavé de ses derniers nuages puis la terre grise de la piste, jonchée des insectes qui avaient probablement été carbonisés par les pièces encore brûlantes du camion, pot d'échappement, bloc-moteur, radiateur. Quand il se fut assuré qu'il n'y avait plus de danger, il dévala le marchepied et fit quelques mouvements pour détendre sa jambe, au supplice depuis que le vieil homme et sa petite-fille s'étaient réfugiés dans la cabine. Elle n'était pas sa petite-fille d'ailleurs, mais cela n'avait aucune espèce d'importance. Elle était celle qu'il attendait, celle qui comblait son vide, celle qui l'accompagnerait dans les derniers combats de sa vie. En elle coulait une source plus pure que n'en rêveraient jamais les sourciers aquariotes. Elle venait le chercher pour l'emmener vers son destin, pour le conduire aux portes fascinantes d'un autre monde, d'un monde de paix et d'harmonie qui ressemblait comme un frère jumeau à l'idée qu'il se faisait de la mort.

Le soleil, radieux, ne parvenait pas à dissiper la morosité du marais. Un vent sec dispersait l'odeur de chitine et ravivait la puanteur montant des mares croupies et des plantes putréfiées. Le vieil homme descendit à son tour – de la vieillesse, il n'avait que l'apparence, comme s'il avait passé un costume usé sur un esprit sans âge –, défroissa sa veste et examina d'un œil distrait les sauterelles disséminées sur le sol.

« Certaines de nos amies ont manqué de prudence...

— On pourrait dire la même chose pour vous, dit Solman. Traverser à pied un marais de cette dimension n'est pas précisément un acte de prudence.

— Bah, nous sommes dans les mains de la mère Providence, rétorqua le vieil homme en haussant les épaules. La preuve, elle a envoyé votre camion à notre secours.

— Je ne suis pas certain que la Providence ait quelque chose à voir là-dedans. »

Un sourire fugitif flotta sur les lèvres brunes du vieil homme.

« Vous me semblez bien raisonneur pour un garçon de votre âge. À qui ai-je l'honneur ?

— Solman le boiteux, donneur du peuple aquariote. »

Le sourire se fit cette fois plus appuyé, plus chaleureux, dans le foisonnement de rides du vieil homme.

« Même moi, qui n'ai jamais été invité à un grand rassemblement, j'ai entendu parler des jugements de Solman le boiteux, dit-il.

— Quel est votre nom ? »

L'hésitation de son interlocuteur, infime pourtant, n'échappa pas à l'attention de Solman.

216

« Ismahil... Mais là-bas, au campement, on m'appelait le Sage ou le Fou, selon les opinions.

— Et elle ? »

Solman désignait la jeune femme qui venait de faire son apparition sur le giron supérieur du marchepied.

« Kadija. »

CHAPITRE 21

La nuit tombait, et le convoi n'était toujours pas sorti du marais, retardé par les opérations de nettoyage qui avaient nécessité une bonne partie de l'après-midi. Les sauterelles avaient assiégé tous les camions avec la même férocité que celui de Chak, mais, grâce à Moram et aux guetteurs qui avaient réussi à prévenir à temps l'ensemble des Aquariotes, elles n'avaient trouvé que vitres, portes et fissures fermées, bouchées, consolidées, si bien qu'on ne recensait aucune victime. Elles avaient seulement provoqué des dégâts mécaniques en se ruant sous les capots et dans les pots d'échappement, où leur taille, imposante pour des insectes, les avait coincées puis condamnées à mort lorsque les chauffeurs avaient démarré leurs moteurs. Il avait ensuite fallu les extirper de tous les recoins où elles s'étaient nichées, et pour cela, parfois démonter entièrement certaines pièces et les déboucher avec un goupillon.

Après avoir lui-même nettoyé sommairement son moteur, Chak avait réussi à faire demi-tour sur la piste au prix d'une bonne trentaine de manœuvres et d'un bon millier de jurons, un exercice qu'il avait dû répéter une fois arrivé devant la voiture de Raïma. Son camion avait tenu le choc en apparence, même si les niveaux d'huile et d'eau avaient baissé de façon dramatique, même si les amortisseurs du train arrière persistaient à émettre un couinement alarmant. Le plus inquiétant restait encore le pare-brise, à qui il suffisait désormais d'une averse de grêle ou d'une projection de cailloux pour voler en éclats.

Raïma était accourue aux nouvelles aussitôt que Solman était descendu de la cabine. Son regard, d'abord soulagé et joyeux, s'était rembruni lorsqu'elle avait aperçu Kadija et Ismahil.

« C'est pour ces deux-là que vous avez violé la règle de la caravane ? avait-elle demandé d'un ton sec.

— Si on l'avait pas violée, tu n'aurais pas eu la chance de les connaître ! avait répliqué Chak avec un rictus.

— Une chance, ça reste à démontrer... »

La réaction de Raïma avait conforté Solman dans sa résolution de lui annoncer qu'ils n'auraient plus désormais qu'une relation de frère et sœur, comme autrefois, comme avant qu'elle s'offre à lui dans la remorque des rouleaux de tissu.

« Ismahil et Kadija sont nos hôtes jusqu'à ce que nous prenions une décision à leur sujet, avait-il déclaré avec un soupçon de solen-nité qu'il avait aussitôt jugé ridicule. C'est la règle des peuples nomades. »

Une ombre hideuse avait assombri le visage et le regard de Raïma.

« Que nous prenions une décision ? avait-elle grincé. Tu es le seul désormais à prendre des décisions, Solman. Et avoue qu'elle est déjà prise.

— Nous procéderons selon l'Éthique nomade. L'adoption de nouveaux membres...

— Un jugement public ? avait coupé Raïma. À quoi servirait-il puisque tu es à la fois juge et partie ?

— Je sais ce que je fais, avait lâché Solman d'une voix aussi froide que possible.

— Et moi je crois que tu es en train de commettre la plus grande erreur de ta courte vie, donneur. »

Elle avait mis tout le poids de son mépris dans le mot donneur.

« Et cette erreur n'engage pas que toi, Solman, mais ton peuple, tous les peuples nomades, les derniers hommes. »

Elle avait tourné les talons et s'était engouffrée dans sa voiture dont elle avait claqué la porte avec une telle force qu'un fragment du plancher rongé par la rouille était tombé sur le sol.

« Qui est cette jeune et délicieuse personne ? s'était enquis Ismahil.

— Raïma, avait marmonné Chak. Une bonne guérisseuse, mais un foutu caractère. Juste une scène de ménage, pas de quoi s'affoler. »

Le chauffeur avait épié la réaction de Kadija en lâchant cette dernière phrase. Puis il s'était demandé pourquoi il avait tenu à l'informer que Solman n'était pas disponible, qu'il couchait avec une transgénosée, avec une femme déformée, monstrueuse. La réponse s'était dessinée, abjecte, plus monstrueuse que la transgénose : la jalousie.

On avait procédé à un léger réaménagement des voitures afin d'accueillir les deux Albains. Comme ils avaient exprimé le souhait de rester ensemble, on les avait installés en compagnie d'une ancienne dont le fils et la bru avaient accepté de déménager dans une voiture spacieuse occupée par deux couples de leurs amis.

« Votre petite-fille, elle ne parle jamais ? »

Chak avait essayé de poser la question d'un air détaché, mais il avait eu la nette impression que le vieil Albain avait percé les pensées malsaines qui remuaient comme des anguilles^{GM} dans la boue de son crâne.

« La dernière fois qu'elle a proféré un mot, ça remonte à, voyons... quatre ou cinq ans. »

« On s'arrête là ? proposa Solman.

— Ça paraît pas mal, dit Moram. Tout le monde est vanné. Un peu de repos nous fera du bien, à nous et aux camions. »

La lumière des phares montrait une étendue d'herbe verte, grasse, hérissée par endroits de buissons et d'arbres malingres. Terrassé par la fatigue, les yeux ternis par une étrange mélancolie, Chak s'était allongé sur la couchette et avait tiré le rideau. Moram tourna à droite et engagea le camion sur l'herbe, au pas, pour vérifier la fiabilité du sol. Il parcourut ainsi une centaine de mètres tandis que le chauffeur du véhicule suivant, ayant compris le sens de sa manœuvre, attendait tranquillement sur la piste. Moram explora une partie du champ, un espace qui lui parut suffisamment vaste pour accueillir l'ensemble de la caravane, puis il actionna la sirène à trois reprises, le signal convenu pour avertir les autres camions qu'ils pouvaient le suivre sans danger. Le campement fut monté en moins d'une heure, les vivres distribués, les seaux remplis aux vannes des citernes, les feux allumés près des tentes. Le peuple de l'eau s'apprêta à vivre sa première vraie nuit de repos depuis son départ du grand rassemblement. Sa première nuit de deuil.

Solman refoula son envie d'aller prendre des nouvelles de Kadija et se dirigea vers la voiture de Raïma. La fraîcheur nocturne transperçait ses vêtements de peau, dont l'odeur, soudain, lui fut insupportable. Nul blessé ou malade ne se pressait devant la porte de la guérisseuse, comme si les Aquariotes avaient décidé d'oublier pour l'instant leurs blessures et leurs maux. Il la trouva en train de chan-ger les compresses du garçon, toujours dans le coma, à la lueur des lampes. Elle finit sa tâche sans lui adresser la parole ni un regard, puis elle rangea les bocaux sur une étagère et les ustensiles dans un tiroir du coin-cuisine. D'autres préparations frémissaient dans des casseroles posées sur les brûleurs à gaz et répandaient d'âpres senteurs de plantes macérées.

« Il faut qu'on parle, dit Solman.

— Je sais déjà ce que tu vas me dire », soupira Raïma.

Elle se retourna brusquement en brandissant une cuillère.

« Tu en as terminé avec la viande transgénosée, n'est-ce pas ?

— C'est toi qui remets la transgénose sur le tapis, pas moi... »

Elle fondit sur lui avec une telle soudaineté qu'il n'eut pas le réflexe de se reculer et qu'elle plaqua son visage tout contre le sien. Il sentit sur ses lèvres, sur son nez, les pointes dures de ses excroissances.

« Tu as flairé une autre proie, hein ? dit-elle d'une voix basse, vibrante. Tu es comme tous les autres, Solman le donneur, un animal doué de lâcheté, attiré par l'odeur du sang – la preuve, tu as toi-même exécuté Katwrinn –, et dominé par la queue ridicule qui lui pousse entre les cuisses chaque fois qu'il croise une femelle. »

Elle lui agrippa l'entrejambe et serra jusqu'à ce que la douleur l'entraîne à la repousser des deux mains.

« Il ne s'agit pas de ça, se défendit-il en sachant pertinemment qu'il n'aurait aucune chance d'être entendu. C'est la vision. La vision, est-ce que tu es capable de comprendre ça ? »

Elle se renversa en arrière et éclata d'un rire hystérique.

« Ne prends pas tes grands airs avec moi ! J'ai vu ton visage quand tu jouissais. Il ressemblait comme un frère aux visages de ceux qui t'ont précédé sur ma couche. La jouissance vous rend faibles et laids, vous, les hommes. Ta vision est enlaidie par tes désirs. Tu ne vois donc pas que cette fille est la boîte du malheur ? Tu ne vois donc pas qu'elle est le cinquième ange ?

— Le cinquième ange, je l'ai tué, marmonna Solman.

— Katwrinn ? Elle n'était qu'une comparse, une pauvre femme chargée de préparer le chemin à l'Apocalypse.

— Et toi ? Qu'est-ce que tu es ? Une pauvre femme que la maladie rend folle, mauvaise, impuissante à voir la beauté, la pureté ? »

Il avait craché ces mots avec un tel dégoût qu'elle resta pendant quelques secondes collée à la cloison mobile du coin-cuisine, les bras ballants, les yeux baissés sur le plancher. Il le regretta, mais il ne pouvait plus revenir en arrière.

« Tu m'as pourtant juré que j'étais belle à l'intérieur, Solman, murmura-t-elle enfin. Et je t'ai cru, comme une idiote. Sors de chez moi, maintenant. Mais sache une chose avant de partir : je ferai tout ce qui est en mon pouvoir pour te séparer de cette fille, pour te protéger contre toi-même. Absolument tout. Je n'en ai plus pour longtemps à vivre, mais j'y consacrerai s'il le faut chaque seconde de mon temps.

— Et si tu étais dans l'erreur ?

— Alors je mourrai dans l'erreur. Fiche le camp, s'il te plaît.

— Je venais te proposer... »

Il secoua la tête, refoula la tentation de la prendre dans ses bras, de lui murmurer qu'il l'aimait avec la tendresse d'un frère.

Elle lui avait déclaré la guerre, elle était une ennemie désormais, d'autant plus dangereuse qu'elle savait mieux que personne manier les potions, les philtres, les poisons. Et, comme ces rats qui se noient et cherchent à entraîner leurs congénères dans leur perte, elle se battrait jusqu'à son dernier souffle pour l'impliquer dans sa ruine. Il refusa également la solution de recourir au vieux pistolet de Chak, de lui loger une balle dans le cœur. C'est ce qu'elle souhaitait pourtant, qu'il trouve le courage de la tuer, de mettre fin à une agonie entamée depuis sa naissance. Il lui accorda un dernier regard avant de sortir. Son expression tragique le bouleversa.

L'air froid de la nuit lui cingla les joues et le cou, le revigora. Les étoiles brillaient avec un éclat inhabituel dans le noir profond du ciel. Les sifflements du vent emportaient les éclats de voix, les crépitements des feux, les notes lointaines et poignantes d'une berceuse.

Et si Raïma était dans le vrai ?

Si Kadija était réellement le cinquième ange ?

CHAPITRE 22

Les Aquariotes progressaient avec une lenteur désespérante sur les chemins tortueux et verglacés. Ils avaient quitté les bords de la Méditerranée et emprunté la piste en piteux état qui traversait les Cévennes et le Massif central pour déboucher sur les plaines du centre et de l'Île-de-France, leur prochaine étape.

L'attaque meurtrière du relais de Galice, le passage de la nuée de sauterelles[GM] et la mort de quatre de leurs pères et mères, le tout en moins de deux jours, avaient marqué les esprits et les corps. Le crachin qui tombait sans discontinuer, un tiers neige, un tiers glace et un tiers pluie, s'associait à la désolation des reliefs pelés et gris pour les emmurer dans un deuil auquel, jusqu'alors, ils n'avaient eu le temps de se consacrer. Les balles et les roquettes des Slangs avaient fauché plus de trois mille Aquariotes, décimé des familles entières, laissé des orphelins, des parents sans enfants, des femmes sans mari, des hommes sans épouse, des grands-parents sans descendance, et le soir, le long des braseros disséminés sur la piste tortueuse, montaient des prières et des cris de colère qui s'amplifiaient dans les gouffres. Les survivants juraient à voix basse de venger leurs morts, de noyer leur chagrin dans le sang des Slangs. La méfiance traditionnelle du peuple de l'eau à l'encontre des troquants d'armes s'était transformée en haine. Les fusils d'assaut, les fusils de chasse, les pistolets, les revolvers avaient été montés, nettoyés, vérifiés, graissés. Hommes et femmes ne sortaient pas des voitures ou des camions sans s'être au préalable munis d'une arme.

On avait également dressé l'inventaire des ressources : si les réserves d'eau s'avéraient suffisantes pour assurer sa propre survie, le peuple aquariote n'avait plus la possibilité, pour l'instant, d'en fournir aux autres peuples nomades. Sur les sept sourciers survivants, quatre avaient été tellement choqués par les récents événements qu'ils s'étaient déclarés exdones, inaptes à exercer leur don. La quête de l'eau potable, la rhabde, reposait désormais sur les épaules de deux jeunes femmes et d'un apprenti de quatorze ans, et ces trois-là, inexpérimentés, entièrement livrés à eux-mêmes, devraient attendre le printemps et un temps plus clément pour savoir s'ils avaient réellement les capacités de reprendre le flambeau de leurs aînés.

Les vivres, également, risquaient de manquer. Il avait fallu se résigner à jeter les sacs de farine, de viande séchée, de sel, de kaoua, de fruits et de légumes secs dans lesquels on avait retrouvé des sauterelles[GM] mortes. Elles avaient probablement vidé leur poche de venin avant de s'étouffer, et les intendants n'avaient pas voulu courir le risque de conserver une nourriture infectée. Une fois le tri opéré, ils avaient calculé que le peuple de l'eau disposait de quatre à cinq mois de ressources, six au plus en se rationnant. Des hommes avaient proposé d'organiser des battues au gros gibier, mais il en allait des bêtes sauvages comme des sauterelles, on craignait que leur viande ne fût empoisonnée par l'eau des mares et des ruisseaux. Les pères slangs avaient émis l'idée, lors du jugement du grand rassemblement, que le flair des animaux les conduisait aux sources pures avec autant de sûreté, et même davantage, que les sourciers aquariotes, mais une autre hypothèse voulait qu'ils avaient muté, que leurs organes s'étaient adaptés, qu'ils étaient parvenus à se prémunir contre le poison des anguilles[GM] en deux ou trois générations. Quoi qu'il en fût, il n'était pas question pour les intendants de parachever, par ignorance ou négligence, l'œuvre d'extermination entreprise par les chiens sauvages dans les plaines du Nord et poursuivie par les Slangs au relais de Galice. Le peuple de l'eau n'avait pas d'autre choix que de tenir jusqu'aux premières rhabdes de printemps et, sitôt les citernes remplies, de reprendre le troc avec les autres peuples nomades, lesquels arrosaient leurs serres et abreuvaient leur bétail avec l'eau potable livrée par les Aquariotes et leur échangeaient en retour une nourriture saine.

Restait le problème du gaz. Les moteurs consommaient davantage en montagne, et les chauffeurs doutaient que, même en roulant au ralenti, même en évitant de pousser les régimes, le plein effectué au relais de Catalogne réussisse à les emmener jusqu'aux pompes et aux cuves des portes de l'Oise, au nord de la forêt de l'Île-de-France. Ils avaient allégé le convoi de tout chargement qu'ils avaient estimé superflu, meubles et affaires de famille le plus souvent, une décision qui leur avait valu de retentissantes prises de bec avec quelques anciens farouchement opposés à ce qu'ils assimilaient à une dispersion des souvenirs, à une négation du passé. Cependant, comme ils avaient reçu l'approbation de Solman, les chauffeurs s'étaient introduits dans les voitures, dans les remorques, parfois par la force, avaient saisi les malles chargées d'objets inutiles, les tapis élimés, les vieux rouleaux de tissu, les bouts de ferraille, et les avaient jetés dans les ravins sans tenir compte des imprécations ou des supplications de leurs propriétaires. Ils avaient également défoncé les meubles à coups de masse et de hache pour en faire du petit bois de chauffage. On s'était rendu compte, à l'occasion, que près d'un siècle de nomadisme n'avait pas éradiqué les réflexes de sédentarité des Aquariotes. Dans l'attente de la Terre promise, ils éprouvaient le besoin d'alourdir leur errance, de se rassurer avec des trésors grotesques, dérisoires, d'esquisser les premières ébauches d'une civilisation fondée sur la jachère de l'ancien monde. Et, dans les Cévennes lugubres de ce début d'hiver, avec toutes ces incertitudes qui planaient au-dessus de la caravane comme des spectres, ils n'avaient plus rien d'autre pour se raccrocher que ce bric-à-brac fabriqué par les ancêtres ou accumulé au hasard des pistes et des ruines.

Le garçon jetait des regards incessants par-dessus son épaule, comme s'il craignait d'être surpris en compagnie du donneur. Solman, qui l'avait reconnu du premier coup d'œil, captait en lui un sentiment qui oscillait entre inquiétude et gratitude. Le garçon n'avait pas atteint ses six ans, mais son regard noisette se teintait déjà d'une gravité propre aux êtres durement éprouvés par la vie. Des bourrasques de neige surgissaient de la nuit comme des fantômes hurlants et déposaient leurs suaires blêmes sur les camions, les citernes, les voitures et les remorques. La caravane avait fait halte au pied d'une montagne battue par les vents que les anciens appelaient le Montigoual. Solman avait éprouvé le besoin de marcher pour réactiver la circulation sanguine de sa jambe gauche, martyrisée par les longs séjours dans la cabine du camion de Chak dont l'exiguïté lui interdisait de se détendre. Vêtu d'une canadienne fourrée prêtée par le chauffeur, les pieds enveloppés dans d'épaisses chaussettes de laine sous ses bottes, il avait parcouru une bonne demi-lieue entre les châtaigniers pétrifiés. Le souffle court, il s'était arrêté à mi-pente pour observer les braseros qui, répartis tous les vingt pas, découpaient des silhouettes et des visages mordorés sur le fond de ténèbres. Depuis leur fuite du relais de Galice, il n'avait détecté aucun danger immédiat dans le ciel embrumé. La couverture nuageuse était bien la meilleure parade – la seule – à une attaque aérienne des Slangs.

« Maman Raïma me rouspéterait si elle savait que je suis venu te parler », dit le garçon.

Sa respiration haletante montrait qu'il avait pressé l'allure pour rejoindre Solman, et sans doute aussi pour lutter contre ses frayeurs d'enfant.

« Pourquoi me parler en ce cas ? » demanda Solman.

Les flocons délayaient les gouttes de sang qui perlaient sur les lèvres gercées du garçon. Un bonnet de laine le couvrait des sourcils jusqu'au bas des joues, ne laissant paraître de son visage que de grands yeux inquisiteurs, un bout de nez rougi par le froid et un menton volontaire agité de tremblements. Il gardait ses mains, pourtant gantées, enfoncées dans les poches d'un manteau de laine beaucoup trop grand pour lui.

« Elle me dit que tu es un homme méchant, mais je ne la crois pas, parce que tu es un donneur, répondit-il d'une voix hachée par les frissons.

— Et un donneur ne peut pas être méchant ? »

Le garçon considéra d'un œil craintif la masse sombre du Montigoual auquel ses flancs éclaircis par la neige donnaient l'allure d'un monstre décrépit.

« Ben, maman Raïma ne me l'a pas dit, mais un monsieur m'a dit que tu m'avais sauvé la vie au relais de Galice. Est-ce que c'est vrai ?

— Je n'ai fait que te ramasser avant qu'un camion te roule dessus, dit Solman avec un sourire. Comment t'appelles-tu ?

— Mon vrai nom, c'est Glenn, mais maman Raïma, elle veut que je m'appelle Jean.

— Jean ?

— Elle dit que je suis comme celui qui a écrit le vieux Livre, le gardien de la parole, du secret, et puis, après, je n'ai pas compris ce qu'elle m'a dit. »

Solman se souvint de la conversation avec Raïma où elle avait exprimé son regret de ne pas avoir formé de successeur. Elle en avait trouvé un visiblement, ainsi qu'un fils à en croire les paroles de Glenn-Jean. Elle l'avait choisi très jeune – les circonstances lui avaient envoyé un disciple très jeune – mais peut-être était-ce pour elle la seule façon de se prolonger en vie après sa rupture avec Solman. Elle avait engagé un pari sur l'avenir qui comblait à la fois ses aspirations maternelles et son désir de transmettre ses connaissances. Elle reviendrait peut-être à des sentiments plus compréhensifs pour son ancien « petit frère » et amant lorsqu'elle aurait tissé avec ce garçon une véritable relation de mère à fils, de maître à disciple. Solman le souhaitait de tout cœur, autant pour elle, à l'aube d'une longue et atroce agonie, que pour lui, harcelé par les doutes et les remords.

« Elle dit que la nouvelle, Ka... Kadija, est Abaddon, l'ange de l'abîme, reprit Glenn-Jean. Qu'elle commande aux sauterelles et aux myrdia... aux myriades de chevaux et de cavaliers aux cuirasses de feu, de fumée et de soufre. Et que le vieil homme, Ismahil, est le grand dragon rouge feu à sept têtes et dix cornes qui crache des grenouilles. Et que toi, Solman le boiteux, tu es l'Hadès qui précipite les derniers hommes dans l'étang de feu. »

Disant cela, le garçon lançait des regards apeurés alentour, comme s'il craignait de voir surgir de la nuit zébrée par les rafales l'ange de l'abîme, les chevaux et leurs cavaliers, le dragon cracheur de grenouilles... La neige comblait les plis de ses manches et blanchissait ses sourcils. Solman prit conscience de tout le courage qu'il lui avait fallu pour transgresser les consignes de sa mère adoptive et affronter les ténèbres peuplées de monstres fantasmagoriques. Il était sorti du coma depuis quatre ou cinq jours, avait apparemment recouvré l'ensemble de ses facultés, immenses, à en juger par la vivacité de son esprit et la cohérence de son discours, et il n'avait pas eu le temps de renaître à la vie qu'il s'était aussitôt retrouvé acculé à un choix dramatique entre ses élans spontanés et les règles de son nouveau foyer, entre la tentation d'écrire sa propre histoire et l'obligation de prendre sur ses épaules l'histoire de quelqu'un d'autre.

« Qui étaient tes parents ? » demanda Solman.

Le garçon grimaça. Visiblement, il lui en coûtait d'évoquer les disparus.

« Papa était guetteur et maman sourcière, répondit-il enfin. Papa a été tué par les chiens dans le Nord, et maman, je ne sais pas, j'ai entendu un bruit, je me suis réveillé dans la voiture de maman Raïma...

— J'ai entendu dire que tes deux parents avaient été tués au relais de Galice... »

Nouvelle hésitation de Glenn-Jean, nouveau regard inquiet en direction de la caravane.

« Papa et maman ne vivaient plus ensemble depuis longtemps. » Il parlait à voix basse, comme s'il craignait de réveiller les morts. « Un autre monsieur dormait dans la tente de maman. Un chauffeur. Je ne l'aimais pas, parce que, des fois, il battait maman. Lui, je suis bien content qu'il soit mort.

— Tu es content d'avoir trouvé une nouvelle maman ? »

La question parut prendre le garçon au dépourvu. Il frappa de la pointe de sa botte un tas de neige accumulé au pied d'un châtaignier. Lui non plus n'avait pas eu le temps de faire son deuil, d'assimiler le départ de ces géants qui s'étaient penchés sur les premières années de sa vie.

« Elle est gentille avec moi, finit-il par concéder du bout des lèvres. Elle a commencé à m'apprendre les secrets des plantes. J'aime bien ça. Elle me fait peur des fois. Elle est si... »

... si laide, si effrayante, songea Solman.

« Mais ce n'est pas sa faute, murmura-t-il – le son de sa propre voix le surprit, le fit tressaillir. Elle était belle avant d'être déformée par la transgénose. Et elle reste belle à l'intérieur.

— Alors, pourquoi elle dit toutes ces méchancetés sur toi ?

— Elle a ses raisons. Des raisons que tu ne peux pas comprendre, et que tu ne dois pas juger. Nous devrions rentrer maintenant. Tu risques de prendre froid, et maman Raïma sera encore plus fâchée contre moi.

— Où est-ce que tu dors ?

— Où je peux. Je me suis aménagé une remorque.

— Est-ce que je pourrai revenir te voir ? »

Solman pinça avec délicatesse le bout du nez de Glenn-Jean. Nul n'était mieux placé que lui pour comprendre le désarroi de ce garçon : orphelins au même âge, ils avaient été tous les deux recueillis, l'un par le conseil aquariote et l'autre par la guérisseuse du peuple de l'eau, par des adultes en tout cas qui se rejoignaient dans la volonté de les utiliser, de les impliquer dans leurs histoires, de leur transmettre une partie du fardeau. On avait confisqué leur enfance à l'un et à l'autre, on ne leur avait pas laissé le temps de grandir, on les avait condamnés à pousser sur une terre viciée, infectée par un passé qui ne leur appartenait pas. Solman savait ce qu'il en résultait, une instabilité émotionnelle qui perturbait son don, qui déréglait sa clairvoyance à la manière d'une boue troublant une eau limpide. Quand il s'agissait de sonder les autres, de percevoir leur nature profonde, sincère, il parvenait à franchir les murailles superficielles qu'ils dressaient autour de leur être sans se rendre compte, d'ailleurs, que le fait même de se couper de leur source engendrait une souffrance permanente, inextinguible. Mais, lorsqu'il lui fallait prendre une décision pour lui-même, sa clairvoyance l'abandonnait, il s'empêtrait dans ses émotions et dans son mental comme dans un filet aux mailles coupantes. Il s'était montré brutal et injuste envers Raïma, et il flottait entre son envie de réconciliation, ses regrets et son amertume sans réussir à envisager la juste initiative qui aurait mis fin à ce malentendu et scellé leur réconciliation.

Et puis, il y avait entre eux la présence encombrante de Kadija.

Kadija dont il ne savait pas grand-chose, sinon que sa musique intime lui ravissait l'âme, sinon qu'elle entrait dans son destin de manière inéluctable, qu'elle n'était pas albaine, pas plus que Ismahil, qu'elle avait été envoyée à la rencontre du peuple de l'eau par une entité dont l'insaisissable écho entrait en résonance avec l'intelligence œuvrant à travers les Slangs et les hordes de chiens sauvages.

Kadija qui n'avait pas prononcé un mot depuis que la caravane l'avait recueillie dans les marais du littoral méditerranéen. Kadija dont l'énigmatique beauté happait le regard de tous les hommes lorsqu'elle sortait de la voiture pour se promener en compagnie de celui qui se présentait comme son grand-père. Kadija, enfin, qui fuyait Solman comme la peste alors qu'elle s'était livrée sans résistance à ses investigations silencieuses dans la cabine du camion de Chak, qu'ils avaient partagé une intimité magnifique, sublime, pendant que les sauterelles^{GM} grouillaient sur les vitres. Elle avait reculé les frontières de sa propre conscience, elle s'était dilatée afin de l'accueillir en elle, afin qu'il s'immerge en elle comme dans un ventre maternel. Il avait eu l'impression qu'elle n'était pas une femme, mais la femme, une vasque d'abondance débordant de toute la féminité du monde, une source inépuisable de douceur, d'épanchement, de consolation. Puis elle était rentrée dans sa coquille, comme ces mollusques au fond des océans, une coquille profonde, hermétique, sur laquelle la clairvoyance d'un donneur n'avait aucune prise. Elle s'était retirée avec son mystère de façon aussi soudaine et inexplicable qu'elle s'était ouverte à lui.

« Alors, je pourrai ? » insista Glenn-Jean.

Solman s'astreignit à sourire.

« Évidemment. »

Il s'accroupit pour descendre son visage à hauteur de celui du garçon.

« Tu veux bien être mon petit frère ? »

Glenn-Jean reprit cet air sérieux qui lui donnait l'air d'un vieillard piégé dans le corps d'un enfant avant d'acquiescer d'un vigoureux hochement de tête. Son bonnet bascula en arrière et dévoila un front légèrement bombé. Entre les hurlements du vent, on discernait le crissement à peine perceptible des flocons qui grossissaient le tapis de neige. En contrebas, les Aquariotes sautillaient autour des braseros dont les braises peinaient à vaincre l'obscurité.

« Moi je veillerai sur toi comme un grand frère, ajouta Solman. Mais ce sera notre secret, d'accord ?

— D'accord, dit Glenn-Jean, qui rencontrait des difficultés grandissantes à maîtriser le tremblement de sa mâchoire inférieure.

— Comme pour tout secret, il nous faut un code, un signe de reconnaissance. Bientôt, Raïma te donnera symboliquement le sein devant le peuple pour officialiser ton adoption et elle annoncera ton nouveau nom : Jean. Tout le monde aura rapidement oublié ton premier prénom. Tout le monde, sauf moi. Je continuerai à t'appeler Glenn. Ce sera ton nom de code, ton nom de frère.

— Et moi, comment je t'appellerai ?

— Hadès. »

Glenn-Jean eut une moue qui lui retroussa les lèvres, lui plissa le nez et lui restitua pendant quelques secondes sa bouille enfantine.

« Hadès, c'est un méchant du Livre, c'est celui qui jette les hommes dans l'étang de feu.

— Tu crois vraiment que je veux vous entraîner dans l'étang de feu ?

— Oh non ! »

Le cri du garçon, un cri du cœur, un cri de frère, bouleversa Solman. Il eut envie de le serrer dans ses bras, mais quelque chose l'en dissuada, la peur peut-être que Raïma ne reconnaisse son odeur sur les vêtements de son nouveau fils.

« Alors Hadès sera un clin d'œil, une blague entre nous. D'accord, Glenn ?

— D'accord, Hadès.

— Je te proposerais bien d'échanger nos sangs, mais je n'ai pas de couteau, juste un vieux pistolet, et je ne vais tout de même pas te tirer une balle dans la main rien que pour ça. »

Solman se releva. La position accroupie, lorsqu'elle se prolongeait, se transformait rapidement en torture pour sa jambe torse. Les dents serrées, il s'appuya contre le tronc du châtaignier pour laisser passer l'onde de douleur ; elle mit un temps infini à se déployer dans son corps.

« Pars devant. Il ne faut pas qu'on nous voie ensemble. Et surtout, continue d'apprendre avec Raïma, même si elle te fait peur parfois : le peuple aquariote aura bientôt besoin d'un nouveau guérisseur.

— On se reverra quand ?

— Si tu as su me trouver ce soir, il n'y a pas de raison que tu ne saches pas me trouver demain. »

Glenn-Jean saisit la main de Solman et la posa contre sa joue. Sa peau était glacée mais toutes les étoiles absentes du ciel semblaient s'être donné rendez-vous dans ses yeux.

CHAPITRE 23

Ils se dressaient au milieu de la piste, aussi raides que des stalagmites.

Une vingtaine de prêtres bakous, hommes et femmes, des imprécateurs errants et nus dont la peau blême se confondait avec la neige et la glace environnantes. Comme ils assimilaient le système pileux à la bestialité, ils se rasaient tous les jours les cheveux et les poils. Ils refusaient le port des vêtements et des chaussures, qui les empêchaient selon eux de goûter les bienfaits dispensés par les frères et sœurs éléments. Ils ne s'encombraient que d'un bâton, symbole de leur combat intérieur contre la tentation de mollesse, de paresse, de luxure, et d'une besace dans laquelle ils transportaient une gourde de peau, le couteau qui leur servait entre autres de rasoir et la manne que leur envoyait quotidiennement mère Nature, fruits, champignons, choux et céréales sauvages, racines... Ils mendiaient seulement de l'eau potable aux peuples dont ils croisaient la route, psalmodiant en échange des bénédictions qui ressemblaient étrangement à des anathèmes. Difficile de leur donner un âge, car l'extrême sévérité de leurs règles les transformait tous en squelettes enveloppés de peau. Difficile également de savoir comment ils se renouvelaient, l'une de ces règles interdisant formellement l'accouplement et amenant la plupart des hommes à se débarrasser de leurs organes sexuels – une seule méthode : le couteau. Toujours est-il qu'ils ne semblaient pas en voie d'extinction, comme s'il existait un nid bakou quelque part dans cette Europe qu'ils arpentaient de long en large dans l'unique but de reculer jusqu'à l'impossible les limites de leur résistance.

Solman soupçonnait les femmes de cloîtrer leurs filles pubères jusqu'à ce qu'elles aient mis au monde deux ou trois enfants et les hommes de se châtrer uniquement après avoir accompli leur devoir de reproduction.

« Qu'est-ce que ces tarés peuvent bien foutre en montagne à cette saison ? maugréa Moram.

— Ils pourraient se poser la même question à notre sujet, fit Solman.

— Nous, on a une raison, mais eux... »

Moram avait donné trois coups de sirène avant de freiner. En dépit d'une vitesse réduite, le camion avait légèrement dérapé sur le verglas qui habillait la piste. Chak n'avait pas voulu monter dans la cabine au moment du départ, prétextant un début de grippe qui le « déchargeait comme une batterie » et le rendait « aussi faible qu'un moteur tournant sur deux pistons ». Solman ne l'avait cru qu'à moitié, mais il avait respecté son désir de tranquillité. Chak ressassait, depuis quelques jours, des pensées confuses, noires, épineuses, qu'il s'efforçait de refouler au plus profond de lui pour les placer hors de portée de la clairvoyance du donneur. Sans doute qu'un peu de solitude – ou les bras d'une femme – lui permettrait de remettre de l'ordre dans sa tête.

« De vrais dingues ! grogna Moram en tirant le frein à main. Ils se rasent de haut en bas chaque jour et, de temps en temps, ils coupent un bout qui dépasse.

— Tu te rases aussi chaque matin de haut en bas, et tu n'es pas dingue pour autant. »

Une belle teinte brique enflamma les joues et le crâne de Moram. Personne ne connaissait ce secret, en dehors des deux femmes qu'il irriguait à tour de rôle de sa vigueur débordante, des femmes dûment mariées, il s'estimait trop jeune pour se passer la corde au cou. Voyager en compagnie du donneur avait ses avantages – rouler avec le camion de tête, un rêve que Moram caressait depuis qu'il avait tenu son premier volant – et ses inconvénients – les pensées, y compris les moins avouables, n'étaient pas à l'abri de ses investigations mentales.

« Moi, c'est différent, bredouilla-t-il. D'abord je ne me mutile pas, et, si je me rase, c'est, euh... pour mieux... enfin... pour le côté sensuel...

— Ne te crois pas obligé de te justifier. Allons plutôt voir ce que nous veulent ces bakous.

— De l'eau, sûrement. »

Le froid vif surprit Solman lorsqu'il descendit de la cabine où les bouches de ventilation dispensaient une chaleur confortable bien qu'imprégnée d'une lourde odeur d'huile. Il faillit retourner chercher la canadienne qu'il avait laissée sur la couchette, puis il y renonça au spectacle de ces hommes et de ces femmes nus qui bravaient ce début d'hiver avec leur seule peau glabre pour toute protection. De près, il distingua les innombrables cicatrices qui leur parsemaient le corps, des plus bénignes, dues à des frottements avec les arêtes des rochers ou avec les branches basses, aux plus imposantes, résultant des mutilations volontaires. De longs bourrelets violacés leur couraient de la gorge jusqu'au pubis, comme s'ils avaient tenté de s'ouvrir en deux à la façon de ces porcs ou de ces moutons dépecés sur les échelles de bois des Sheulns. Des femmes s'étaient tranché les seins, d'autres n'en comptaient plus qu'un seul, certaines s'étaient tailladé le pénil avec une telle sauvagerie qu'une masse boursouflée, noirâtre, suintante, leur avait poussé en bas du ventre. La plupart des hommes ne présentaient, en lieu et place de leurs organes génitaux, qu'un trou cerclé de chair rosâtre dont ils maintenaient l'ouverture à l'aide d'une tige de bois enfoncée dans l'urètre. Ceux qui n'avaient pas encore résolu de sacrifier les vestiges de leur sexualité s'y préparaient en s'infligeant de profondes coupures au pénis et au scrotum.

Solman se dirigea vers l'homme qui se tenait deux pas devant les autres. Son immobilité et la blancheur de sa peau le faisaient ressembler à une statue de glace endommagée. Il lui manquait, outre les organes sexuels, la plupart des doigts des pieds et des mains ainsi qu'une oreille et la moitié du nez. Ses hanches saillaient comme des pointes de lances sous les barreaux cerclés de sa cage thoracique. La cicatrice épaisse qui séparait son torse entre le cou et le bas-ventre avait pris une vilaine teinte verdâtre. De lui on aurait pu dire qu'il était la souffrance incarnée s'il n'avait arboré cet air de supériorité et de mépris qui prohibait la compassion. Sous ses arcades proéminentes, rasées elles aussi, ses yeux aux iris délavés, effacés, glissèrent sur le donneur aquariote à la manière de gouttes de pluie.

« Ce n'est pas à toi que je veux parler, déclara-t-il d'une voix fêlée, saccadée. Mais à ceux que ton peuple a choisis pour pères et mères. »

Une pointe d'accent du Nord donnait à son français une résonance neerdand, gutturale.

« Hé, fais attention à qui tu t'adresses, trou-du... trou-de-la-bite ! » glapit Moram.

Il avait tiré son revolver de sa veste de cuir, un vieux modèle à barillet qu'il entretenait avec une méticulosité proche de la maniaquerie, et l'avait braqué sur le groupe de bakous. D'autres chauffeurs et des guetteurs arrivaient, intrigués par l'arrêt du camion de tête, armés de fusils d'assaut ou d'armes de poing.

« Je m'adresse en ce moment à un homme qui se croit puissant avec son joujou de métal, mais qui n'a pas davantage de cervelle et de volonté qu'une mouche ! » répliqua le bakou.

Du canon de son revolver, Moram désigna le bassin de son interlocuteur.

« J'ai peut-être une cervelle de mouche, mais moi je reste un homme ! »

Le prêtre frappa le sol gelé de l'extrémité de son bâton. Les autres bakous restaient de marbre, fixant d'un œil morne les chauffeurs et les guetteurs qui se massaient de part et d'autre du camion de tête. Ils n'esquissaient aucun geste pour se voiler ou se soustraire aux regards dévorants de curiosité, ils affichaient leur nudité, leur maigreur, leurs cicatrices, leurs mutilations comme des certitudes, comme des dogmes. Énigmes vivantes pour les autres peuples nomades, ils n'avaient que la force de leur foi pour se maintenir en vie à des températures oscillant entre moins dix et moins quinze degrés centigrades.

« Un homme ? ricana le prêtre. Le bout de chair qui te pend entre les jambes suffirait à faire de toi un homme ?

— Dans certaines circonstances, ça aide ! s'exclama Moram avec une mimique qui arracha des rires aux chauffeurs et aux guetteurs.

— Et moi je prétends que les circonstances dont tu parles font de toi moins qu'une bête. »

Solman décela l'immense détresse du bakou dans le son de sa voix. Aucune des mortifications infligées à son corps n'avait réussi à chasser la bête hors de lui, aucun coup de couteau n'avait tranché ses racines profondes, et maintenant, il ne lui restait plus qu'à vivre en compagnie des regrets, ces démons grinçants, blessants, qui le harcelaient chaque jour avec davantage de témérité, ouvraient des brèches béantes dans le rempart de son intransigeance, proclamaient l'absurdité de sa guerre.

« Mère Nature nous a créés hommes et femmes, dit Moram en cherchant l'approbation dans le regard de Solman. Pour perpétuer l'espèce, je ne connais rien de mieux que d'utiliser le bout de chair qu'elle nous a elle-même placé entre les jambes. Pareil pour les animaux.

— L'énergie de reproduction te domine comme elle a dominé les hommes de l'ancien temps. C'est une maîtresse tyrannique, jamais satisfaite. Elle a transformé la terre en une gigantesque Sodome, provoqué la mort de milliards d'êtres humains et la ruine de leur civilisation. Elle sous-tend chacune de tes pensées, chacun de tes actes, elle ne te laisse aucune liberté. »

Solman sut que le bakou évoquait ses propres tourments. Elle avait exercé une telle emprise sur lui, cette maîtresse tyrannique, qu'il n'avait pas eu la force de la répudier, qu'elle l'avait contraint à se métamorphoser en ruine humaine, en ange de douleur, en glaive de cruauté. Il n'aurait jamais d'endroit où se réfugier, où s'apaiser, car il transportait en lui-même le plus impitoyable des persécuteurs. Seule la mort pourrait désormais lui apporter le repos.

« J'ai encore la liberté de coucher avec une femme si j'en ai envie, rétorqua Moram. Et si elle le veut aussi, bien sûr. Toi, tu n'as même plus le choix. »

Le prêtre bascula le bassin vers l'avant pour mieux exhiber le petit cratère aux bords renflés et brunâtres qui saillait au bas de son pubis. Les nuages bas et lourds qui s'amoncelaient au-dessus des crêtes blafardes étaient porteurs de nouvelles neiges, de nouvelles tourmentes. Le vent rageur tirait des nappes fuyantes de poudreuse sur les versants. L'eau avait commencé à geler dans les citernes, et, déjà, quelques voix s'étaient élevées pour réclamer un retour au Sud. Tant qu'ils n'auraient pas franchi les Cévennes, les Aquariotes, qui avaient déjà occulté de leur mémoire l'attaque du relais de Galice, seraient tentés de battre en retraite devant les agressions de l'hiver.

« Un orifice pour pisser, un autre pour chier, telle est notre devise, telle est notre fierté, pérora le bakou.

— Et les femmes ? lança Moram. Elles sont ainsi conçues qu'elles peuvent pisser et prendre du plaisir par le même...

— Nous ne sommes ni homme ni femme chez les bakous, coupa le prêtre en frappant le sol de son bâton. Seulement des âmes habillées d'une misérable enveloppe de chair. Assez discuté. Mène-nous aux pères et mères du conseil. »

Moram fit pivoter son revolver autour de son index avant d'en pointer le canon sur Solman.

« Puisque tu le demandes si gentiment, voici notre donneur, le chef de notre peuple. »

Solman ne décela aucun signe de surprise dans les yeux ni sur les traits du bakou, et, pourtant, il capta son trouble derrière le paravent de son impassibilité. L'exercice quotidien de sa volonté lui avait au moins appris à maîtriser ses réactions superficielles.

« Les temps ont donc tellement changé chez les peuples nomades qu'ils confient leur destinée à un garçon à peine sorti de l'enfance ? »

Il avait prononcé ces mots à voix basse, comme s'il s'était adressé à lui-même.

« Ce garçon, comme tu dis, n'est pas n'importe qui ! lâcha Moram avec une bonne dose d'agressivité. C'est un donneur, un juge, un clairvoyant.

— Qui donc ose se proclamer donneur ? Mère Nature est la seule juge, la seule clairvoyante...

— Si ça te pose un problème, fous le camp ! gronda Moram. On n'a pas de temps à perdre avec toi et les morts-vivants de ton espèce ! »

Il braqua son revolver sur la tête du prêtre, pressa la détente, maintint le percuteur relevé, mais, d'un geste de la main, Solman lui intima l'ordre de baisser son arme.

« Nous sommes en guerre, dit le donneur. L'Éthique nomade a volé en éclats, les règles ont changé. »

Une lueur d'intérêt s'alluma dans les yeux décolorés du bakou. Les chauffeurs et les guetteurs sautillaient sur place et remuaient les bras afin de chasser le froid qui s'infiltrait dans leurs bottes et sous leurs vêtements. Ils ne pouvaient s'empêcher de fixer d'un œil incrédule ces hommes et ces femmes nus, glabres, maigres, saccagés, que pas un tremblement n'agitait.

« La guerre ? murmura le bakou. Elle est arrivée jusqu'ici ?

— Qu'est-ce que tu veux dire ? demanda Solman.

— Nous avons besoin d'un peu d'eau. Nos gourdes sont vides, et nous ne pouvons pas sucer cette neige, elle est emplie de toute la haine des anciens hommes.

— Nous remplissons vos gourdes, et tu me révèles ce que tu sais. Est-ce que le marché te convient ? »

Le bakou se gratta longuement l'entrejambe, dont la partie manquante venait de temps à autre se rappeler à son bon souvenir. Solman discernait le réseau bleuté de ses veines sous sa peau translucide, comme des ruisseaux d'encre courant sous une fine couche de givre.

« Nous ne voulons rien devoir à ceux qui usurpent le nom d'humains, répondit enfin le prêtre.

— Vous vous considérez donc comme les derniers hommes ?

— Bientôt, il n'y aura plus un seul homme sur cette terre. Sodome aura exterminé ses derniers enfants. Nous disparaîtrons peut-être, comme vous, comme tous les autres, mais, à la différence des autres, nous toucherons notre récompense dans les mondes purs de l'Esprit.

— Parle-moi plutôt de la guerre.

— Dès que tu m'auras donné de l'eau. »

Solman se tourna vers Moram.

« Veille à ce qu'on remplisse leurs gourdes.

— Je me méfie de ces... de ces fanatiques à deux trous, objecta le chauffeur à mi-voix. Ils nous fileront entre les doigts dès qu'ils auront obtenu ce qu'ils veulent.

— Je ne crois pas que la tromperie fasse partie de leurs règles. »

Il fallut, pour remplir la vingtaine de gourdes de peau, décongestionner la pompe d'une citerne à l'aide d'un poste à souder, puis dégeler l'eau elle-même avec une résistance branchée sur plusieurs batteries. Cette perte de temps suscita la mauvaise humeur de certains chauffeurs et d'autres Aquariotes qui étaient sortis de leurs voitures réfrigérées par l'immobilité de la caravane et l'arrêt des moteurs. Quand, en plus, ils se rendirent compte qu'ils devaient leur inconfort provisoire à une poignée de bakous, ils tempêtèrent contre le donneur et demandèrent à nouveau, avec un peu plus d'insistance, à reprendre la direction du Sud : ils pouvaient encore s'approvisionner en gaz au relais de Catalogne, puis, de là, gagner le Pays basque espagnol et la douceur humide de son climat. Les plus vindicatifs se plaignaient à qui de droit, à ceux qui n'avaient jamais cessé de représenter l'autorité à leurs yeux, leurs anciens père et mère. Solman les voyait s'agglutiner par petits groupes autour d'Irwan et de Gwenuver, qui, retrouvant les réflexes forgés par des années de pouvoir, distribuaient les sourires engageants et hochaient la tête d'un air entendu. Deux nuits plus tôt, alors qu'il se glissait hors de la remorque où il avait élu domicile, il avait surpris la silhouette de Raïma, reconnaissable à sa chevelure exubérante, en compagnie de celle, plus ronde, plus lourde, de Gwenuver. La guérisseuse avait ravalé ses rancœurs pour proposer une alliance de circonstance à ses anciens détracteurs. Ils se liguaient pour souffler sur les braises de la colère aquariote, ils orchestraient le mécontentement chacun de leur côté, chacun à leur manière, chacun avec son but, Irwan pour renouer avec l'ivresse du pouvoir, Gwenuver pour regagner l'estime des siens, Raïma pour chasser Kadija du convoi et de l'esprit de Solman.

« Tu as obtenu ce que tu voulais, parle maintenant. »

Le bakou but une gorgée d'eau avant de ranger sa gourde dans sa besace. Derrière lui, un prêtre urina sans se détourner ni même écarter les jambes, si bien que sa miction fumante, jaillissant de son orifice comme d'une pomme d'arrosoir, lui doucha en continu les mollets et les pieds.

« Nous avons franchi les frontières orientales de l'Europe, dit le bakou. Nous nous sommes aventurés sur le continent asiatique à la recherche de ceux qui furent autrefois nos frères, les sadhus, les vêtus de ciel. Nous n'avons pas trouvé âme qui vive. Là-bas ne règnent que la désolation et les bêtes sauvages. Le désert et la jungle se partagent le territoire, un désert où pas un arbuste ni un buisson ne pousse, une jungle si dense que le soleil lui-même ne peut la percer. Nous sommes donc revenus sur nos pas en traversant ces régions qu'on appelait autrefois le Kazakhstan, l'Arménie, la Turquie. Nous avons alors rencontré, en Cappadoce, des tribus qui, comme vous, ont usurpé le nom d'hommes. »

Le bakou secoua la tête à plusieurs reprises. Il s'acquittait de sa part de marché sans qu'une émotion altère sa voix ou trouble ses yeux.

« J'exagère quand je dis rencontrer, reprit-il. Ces gens étaient morts, et même plus que morts, déchiquetés, éventrés, hachés. Nous avons pensé qu'une guerre particulièrement féroce avait opposé plusieurs peuples, plusieurs clans, comme cela s'est si souvent produit dans le passé. Puis nous avons continué notre chemin jusqu'au détroit du Bosphore, que nous avons traversé sur un radeau.

— D'où tenez-vous tous ces putains de noms ? » l'interrompit Moram.

Le bakou fouilla dans sa besace et en sortit une sorte de livre fabriqué dans un matériau à la fois souple et transparent que Solman n'avait jamais vu auparavant. On y devinait des dessins colorés et criblés de mots, de traits et de points.

« Un atlas. Un cadeau du premier d'entre nous à ses disciples. Il illustre le découpage de l'ancien monde, mais aussi les cartes du ciel aux différentes périodes de l'année.

— Et comment il s'appelait, le premier d'entre vous ? grogna Moram.

— Il a renié son nom et, comme lui, nous n'en portons pas.

— À quoi vous sert ce truc puisqu'il n'y a plus de frontières, plus de pays. Je parie que les pistes ne sont même pas mentionnées là-dessus. »

Le bakou fourra l'atlas dans sa besace et laissa errer pendant quelques secondes son regard sur les pentes immaculées caressées par les nuages.

« En Grèce, nous avons découvert un deuxième peuple massacré avec la même férocité qu'en Turquie, poursuivit-il sans tenir compte de la remarque de Moram. Puis nous en avons trouvé d'autres en Bulgarie, en Roumanie, en Hongrie, en Autriche, en Allemagne, comme si nous étions précédés par une légion exterminatrice. »

Les légions de l'Apocalypse, songea Solman.

« La France et l'Espagne sont les dernières frontières occidentales de l'Europe, ajouta le bakou. J'exclus les îles Britanniques, car toute forme de vie y semble pour l'instant impossible. Certains de nos frères, après y être allés, sont morts des suites de la pollution nucléaire. La guerre a été déclarée à ceux qui ont usurpé le nom d'hommes, et elle se resserre sur eux comme les pinces d'un crabe.

— Sur vous aussi, alors ! » tonna Moram.

Le bakou eut une moue prolongée qui, l'espace d'une fraction de seconde, plaqua un semblant de sourire sur sa face décharnée.

« Nous sommes prêts à mourir, pas vous. La voilà, l'illusion suprême dans laquelle vous maintient le bout de chair qui vous pend entre les jambes !

— Est-ce que tu as vu ceux qui nous ont déclaré la guerre ? demanda Solman.

— Jamais. Je peux seulement te dire, au vu du sort qu'ils ont réservé à leurs victimes, que vous ne devez attendre d'eux aucune pitié. Nous avons payé notre dette, nous pouvons partir à présent.

— Pour aller où ? »

Le bakou se tourna vers ses compagnons et, avec son bâton, leur fit signe d'avancer.

« En Afrique, si tel est le souhait de mère Nature. Peut-être ce continent se montrera-t-il accueillant pour nos misérables enveloppes de chair.

— Restez avec nous si vous voulez, proposa Solman.

— Tu ne manques pas de générosité, jeune homme, mais la sagesse te fait encore défaut. Je ne vous souhaite pas bonne chance, je ne demande pas sur vous la bénédiction de mère Nature : quelqu'un s'est enfin chargé de l'œuvre de purification dont les nôtres auraient dû s'occuper un siècle plus tôt. »

L'un après l'autre, les prêtres s'égrenèrent le long de la caravane, rythmant leur marche de la pointe de leur bâton. Leur procession morbide souleva des paroles et des regards de colère sur son passage, mais ils ne répondirent à aucun geste de provocation ni même ne parurent entendre les moqueries et les insultes déversées sur eux comme des charretées d'immondices.

« Bordel, si cet enfoiré de deux-trous ne nous a pas raconté de bobards, je me demande bien où on va pouvoir se terrer, murmura Moram.

— Hors de question de retourner au sud en tout cas, dit Solman. Je suppose que nos adversaires ont également...

— Rien à branler, de tes suppositions, boiteux ! » siffla le chauffeur.

Il désigna les montagnes et la piste d'un ample geste du bras.

« Tu nous as foutus dans cette merde, à toi de nous en sortir ! »

Solman contint une brutale envie de tirer son pistolet et de vider le chargeur dans le ventre de Moram. Il dissipa une partie de sa rage dans l'observation soutenue des bakous qui longeaient la caravane comme des moribonds s'avançant vers leurs tombes, puis, quand leurs silhouettes filiformes et claires furent absorbées par la neige, il accepta de croiser le regard inquiet, hostile, des chauffeurs et des guetteurs regroupés de chaque côté du camion de tête. Il regretta l'absence de Chak.

« On continue vers le nord », dit-il en se dirigeant d'un pas mal assuré vers la porte de la cabine.

CHAPITRE 24

Le vent arrachait la neige des rochers qui surplombaient la piste et la projetait avec une violence inouïe sur la toile de la remorque. L'impact résonnait chaque fois comme un coup de tonnerre qui ébranlait la structure métallique et empêchait Solman de dormir. De toute façon, même si la nuit avait été paisible, il n'aurait pas trouvé le sommeil.

Il s'était aménagé une couchette relativement confortable avec le vieux matelas, la paire de draps et les deux couvertures de laine que lui avait dénichés Chak. Tous les soirs, après le dîner partagé avec les chauffeurs du camion de tête, avec le seul Moram depuis quelques jours, il lui fallait ranger les rouleaux de tissu et les divers ustensiles chamboulés par les heures de trajet sur la piste cahoteuse, puis retendre les cordes de la bâche et combler les interstices à l'aide de bouchons d'étoffe. Comme la consigne avait été transmise d'économiser le gaz, il évitait d'utiliser la lampe à pied prêtée par Moram et se contentait de la flamme d'une bougie de cire régulièrement soufflée par les courants d'air.

Il lui arrivait de regretter la chaleur de la voiture et du corps de Raïma. La séparation occultait les aspects plus déplaisants de la guérisseuse, sa transformation physique d'abord, la présence encombrante de ces excroissances qui lui poussaient sur le corps comme des branches folles, son intransigeance de femme condamnée ensuite, qui exigeait un engagement total, étouffant, un extrémisme passionnel, destructeur, proche finalement de celui des prêtres bakous. Il ne regrettait pas la tyrannie de Raïma, mais sa virtuosité d'amante, le ballet ensorcelant de sa bouche, de son souffle et de ses mains sur son visage, sur son torse, sur son sexe. Il mourait d'envie d'être regardé, embrassé, touché, léché, bercé, comme un enfant couvé par la tendresse de sa mère. Ce n'était pas seulement une faim charnelle, un cri du corps, mais un besoin vital de rouler dans des vagues de touffeur humaine, d'imbiber son esprit et son cœur d'un liquide nourricier.

La nostalgie du ventre originel, sans doute.

Il s'était examiné dans un rétroviseur au milieu du jour, à l'occasion d'une halte de la caravane sur les contreforts du Massif central. Son image l'avait surpris : le duvet noirâtre qui lui ombrait la lèvre supérieure et les joues s'était mué en un embryon de barbe qui bouffait dans les creux de son visage comme les buissons dans les failles. Il avait tiré sur une mèche tire-bouchonnée de ses cheveux et s'était rendu compte qu'elle lui arrivait à mi-poitrine. De ses doigts écartés, il avait essayé de discipliner le sombre écheveau qui doublait le volume de sa tête, mais la difficulté de la tâche l'avait rapidement conduit à renoncer. Il lui avait également semblé – peut-être n'était-ce qu'un effet de contraste avec sa peau hâlée ? – que ses yeux s'étaient encore éclaircis, que la démarcation se faisait de moins en moins nette entre le bleu pâle des iris et le blanc. Il était entré dans l'âge d'homme sans s'en apercevoir, comme il tenait sans le vouloir l'avenir du peuple aquariote dans ses mains, en clandestin de l'existence, en donneur écartelé entre son patrimoine humain et l'appel d'une autre réalité, d'un autre monde.

Une nouvelle projection de neige sur la bâche le fit sursauter. Il transpirait sous sa tunique malgré les haleines glacées qui s'insinuaient dans les failles agrandies par les coups de boutoir du vent. Des bruits résonnaient dans le lointain, des claquements de portes, des éclats de voix, des pas précipités, sans doute des hommes et des femmes pris d'une envie subite au cours de la nuit.

Non seulement ils n'avaient pas d'autre choix que d'affronter les morsures du froid pour la satisfaire, mais ils n'avaient pas la possibilité de se laver ensuite, l'eau gelant dans les seaux hygiéniques dont étaient équipées les voitures.

Solman se demanda pour la millième fois si sa clairvoyance, sa fichue clairvoyance, gouvernait encore son obstination à entraîner le peuple aquariote plus au nord, là où les moindres tâches quotidiennes se transformeraient en épreuves redoutables, potentiellement mortelles. Après l'attaque du relais de Galice, il lui avait semblé évident que l'hiver constituerait le plus sûr des abris, mais il ne percevait rien d'autre que ses angoisses et ses doutes depuis qu'ils avaient quitté le marais du littoral, et il s'agrippait à sa décision comme à une corde tendue sur le vide. Il avait secrètement espéré que l'arrivée de Kadija donnerait un sens à cette errance aveugle, absurde, mais, si leur première rencontre dans le camion de Chak l'avait renforcé dans cette conviction, les jours suivants ne lui avaient apporté que désillusion, déception, désarroi. Et les Aquariotes qui l'avaient béni de les avoir tirés du relais de Galice l'accuseraient – l'accusaient déjà – de les avoir attirés dans un nouveau piège.

Il maudit son entêtement à vouloir sauver les derniers hommes, ces êtres dans lesquels il ne se reconnaissait pas davantage que les prêtres bakous. Il effleura la crosse du pistolet passé dans sa ceinture et imagina la bouche du canon posée sur son cœur. Il lui suffirait d'un geste minuscule, la pression de son index sur la détente, pour s'offrir le baiser de paix. Les êtres humains avaient tant de fois transgressé la frontière entre la vie et la mort qu'elle avait perdu son caractère sacré, qu'elle ne signifiait plus rien. Ils n'avaient pas appris à respecter la vie sous toutes ses formes, et lui, Solman le boiteux, n'était que le dernier de la lignée de tous les donneurs qui s'étaient succédé au fil des siècles, de tous ces clairvoyants massacrés par ceux-là mêmes qu'ils avaient essayé de guider vers des horizons nouveaux, le maillon arraché, isolé, d'une longue chaîne d'échecs qui s'était soldée par la Troisième Guerre mondiale, la plus meurtrière, la plus radicale, la plus destructrice de toute l'histoire humaine. Il y avait une fatalité humaine, une faute originelle qui condamnait les hommes à se haïr, à se combattre, à diviser les uns en bourreaux et les autres en victimes, comme si la cruauté ou la souffrance avaient le pouvoir de les consoler du pourrissement inéluctable de leur prison de chair.

Il tira le pistolet, le brandit au-dessus de sa tête, déverrouilla le cran de sûreté et piqua le canon à la verticale au-dessus de son cœur. Le choc du métal sur ses côtes lui arracha un gémissement. Sa sueur l'enveloppait tout entier comme une compresse moite, comme un liquide amniotique. La mort n'était rien d'autre qu'un retour dans un ventre, dans un bain primordial où la gravité n'existait pas, où le corps flottait avec la légèreté d'un pur esprit. Presser la détente, maintenant, et il cesserait instantanément d'être un orphelin, un boiteux, un donneur, il ne souffrirait plus des tares disséminées dans ses cellules, il se dissoudrait dans le silence infini et miséricordieux des abysses. Il resta un long moment dans cette position, le doigt recroquevillé sur la détente, parfaitement immobile, indifférent aux hurlements du vent et aux gémissements de la remorque. Il n'était pas de taille à enseigner les mystères du temps à ses semblables pour la bonne et simple raison que lui-même était défini par un passé douloureux et un corps contrefait. Que la race humaine s'éteigne, quelle importance ? Elle avait sauté sur toutes les occasions de faire de sa terre un enfer, au nom des dieux, au nom des croyances, au nom des principes, au nom des territoires, au nom de toutes les supériorités guerrières, intellectuelles, religieuses ou esthétiques qu'elle s'était arrogées comme des devoirs ou des droits.

Il avait apporté sa contribution à la ruine en exécutant Katwrinn. Il revit le visage de la mère reposant sur la mousse, pâle, soulagé, apaisé, comme rendu à la grâce éternelle par son coup de feu. Il enfonça légèrement la détente, perçut le grincement caractéristique des pièces métalliques rongées par la rouille, puis quelque chose le dérangea, le sortit de sa torpeur, l'empêcha d'aller au bout de son geste, le ramena à l'instant présent, à l'obscurité glaciale de la remorque. Il eut quelques secondes d'affolement avant de prendre conscience que les couvertures et les draps gisaient à ses pieds. Aux battements précipités de son cœur se superposait un autre bruit, répété, insistant, entrecoupé d'éclats de voix.

Quelqu'un frappait au hayon de la remorque.

« Solman... Solman... »

La voix lui était vaguement familière, mais il ne parvenait pas à lui associer un visage. Il prit une longue inspiration pour essayer de calmer les tremblements de ses membres, enclencha le cran de sûreté et remisa son pistolet dans la ceinture de son pantalon. Ce retour brutal à la vie l'étourdissait, comme un afflux soudain d'oxygène après une longue strangulation. Ses gestes et ses pensées étaient aussi mal assurés que s'il avait bu d'un trait un litre d'alcool de baie.

« Qui est-ce ?

— Ismahil... L'Albain.

— Qu'est-ce que vous me voulez ?

— Kadija a été empoisonnée. »

À tâtons, Solman déverrouilla le hayon et l'accompagna dans son mouvement de bascule. Le froid se rua comme un fauve à l'intérieur de la remorque et le saisit de la tête aux pieds. Il entrevit le visage d'Ismahil engoncé dans le col fourré et relevé d'un ample manteau. Des flocons de neige se déposaient en silence sur son crâne chauve et ses épaules. Solman enfila rapidement ses bottes et sa canadienne.

« Comment c'est arrivé ?

— Quelqu'un est venu déposer deux gâteaux à la voiture, répondit Ismahil.

— Qui ? Un enfant ? »

Le vieil homme haussa les épaules. Il paraissait plus ennuyé que peiné, comme si l'empoisonnement d'une jeune fille – de sa petite-fille, en principe – relevait de la simple anecdote dans sa hiérarchie personnelle des événements.

« Je ne sais pas, je n'ai pas vu le livreur. Notre compagne de voiture, Mahielle, m'a seulement averti que quelqu'un nous avait apporté un cadeau.

— Et elle ? Elle l'a peut-être aperçu ?

— Je ne lui ai pas posé la question.

— Pourquoi Kadija et pas vous ? »

Ismahil secoua la tête avec un soupçon d'agacement qui creusa ses deux rides verticales au coin des arcades sourcilières.

« Je ne mange que très peu. Jamais de pâtisserie en tout cas. »

Solman ne prit pas la peine de refermer le hayon avant d'emboîter le pas à Ismahil. En dehors de lui quand il y dormait, la remorque n'abritait rien qui pût intéresser les prédateurs animaux ou humains. Ils dépassèrent une trentaine de camions d'une allure soutenue, cassant à chacun de leurs pas la croûte rigide et superficielle qui recouvrait la neige profonde et encore molle. La froidure de la nuit chassait la sueur et l'ivresse de Solman, lui rendait la cohérence de ses gestes et de ses pensées. Son flirt avec la mort – sa tentative de suicide, il fallait bien l'appeler par son nom – lui apparaissait à présent comme un mauvais rêve, un dédoublement, une parenthèse schizophrénique. En même temps qu'il l'emplissait d'une immense inquiétude, tempérée toutefois par l'étrange sérénité d'Ismahil, l'empoisonnement de Kadija lui redonnait le goût de se battre. Cette tentative d'assassinat – il fallait bien, là aussi, l'appeler par son nom – portait la signature de Raïma, la seule experte en poisons du peuple aquariote. Rongée par la jalousie, elle avait transgressé la frontière qui séparait la vie de la mort, comme tant d'autres avant elle. Il espéra que Glenn n'était pas mêlé de loin ou de près à cette histoire. Le garçon était venu lui rendre visite à deux reprises après leur première entrevue. La fraternité qui se nouait entre eux se révélait d'autant plus profonde, féconde, qu'elle n'était pas imposée par le sang. Pour Glenn au moins, il devait se fermer au chant des sirènes de l'au-delà, porter sa vie jusqu'à ce que les dieux, les anges ou les démons aient décidé de l'accomplissement de son temps.

La neige habillait d'une carapace claire les camions assoupis. Malgré une sensation persistante d'être épié et suivi, Solman ne discerna aucune silhouette, aucun mouvement, aucune lueur sur la piste qui filait comme une voleuse livide entre les masses sombres des montagnes.

« Nous y sommes », souffla Ismahil.

Plus petite que dans les souvenirs de Solman, la voiture n'avait pas fière allure avec sa tôle cabossée, écaillée, les meurtrissures qui abritaient les nids de rouille. Le chauffeur n'avait pas détaché la remorque attachée à son crochet, au mépris de toute règle de sécurité. Bien que ténue, vacillante, la lueur qui brillait par la vitre semblait découper un rectangle aveuglant sur la nuit.

Ismahil se hissa sur le marchepied, ouvrit la porte et s'engouffra dans la voiture. Solman le suivit, pénétra dans un vestibule bordé de cloisons, puis s'avança dans le couloir central qui séparait les deux réduits minuscules abusivement appelés chambres. La flamme d'une bougie éclairait le visage d'une vieille femme aux longs cheveux blancs et à la peau fanée assise à la table scellée au plancher. Emmitouflée dans une robe de chambre élimée, Mahielle leva sur les deux hommes un regard où se lisait un ennui courroucé. L'intrusion des deux Albains l'avait contrainte à se séparer de son fils et de sa bru, et, si le jeune couple avait saisi l'occasion avec un empressement qui en disait long sur son besoin d'indépendance, elle n'avait toujours pas digéré cette dispersion ni n'avait accepté de partager son intimité avec des étrangers. Cependant, puisque le donneur entrait chez elle, puisque le donneur représentait l'autorité jusqu'à ce que le peuple rappelle les anciens père et mère, elle s'efforça de faire bonne figure, poussant le zèle jusqu'à éclairer sa face éteinte d'une ébauche de sourire.

Les rideaux grands ouverts dévoilaient l'intérieur des deux chambres qui se regardaient par-dessus la table. L'une, celle de gauche, la plus spacieuse, se meublait d'un grand lit recouvert de quatre ou cinq couvertures, l'autre, de deux couchettes étroites et superposées reliées l'une à l'autre par une échelle rivée aux montants. Solman supposa que Mahielle s'était réservé le grand lit pendant que son fils et sa bru occupaient les couchettes, rendant un peu plus compliqué, un peu plus acrobatique, le rapprochement entre les jeunes époux et consolidant ainsi sa position de reine de la voiture. Un poêle à gaz ronflait au bout du couloir et diffusait une chaleur probablement deux ou trois fois supérieure à celle autorisée par les consignes.

Kadija reposait sur la couchette du bas, allongée sur le drap, les yeux clos, vêtue de la robe de laine que, sur l'ordre de Solman, lui avait confectionnée un tisserand. La pâleur de son visage contrastait de manière presque insoutenable avec la noirceur de sa chevelure, répandue autour de sa tête et sur l'oreiller comme un soleil nocturne. Le relâchement de ses traits épurait sa beauté, lui donnait l'allure d'une fée des légendes dormantes.

« Est-ce qu'elle est... »

Solman ne put aller au bout de sa question. Il se rendait compte, devant son corps inerte, que la disparition de la jeune femme représenterait une perte incommensurable, irréparable. La porte se fermerait définitivement sur un monde à peine entrevu et si riche de promesses.

« Elle survit, dit Ismahil. Elle est entrée dans une sorte de... catalepsie pour lutter contre le poison.

— Catalepsie ?

— Elle a ralenti son métabolisme, ses fonctions vitales, pour se consacrer au nettoyage de sa physiologie.

— Elle a... le don de faire ça ? »

Ismahil se laissa choir sur un tabouret et s'absorba pendant quelques secondes dans la contemplation de la flamme dansante de la bougie. La voiture se trémoussait sous les assauts du vent. À l'autre extrémité du couloir, dans le coin-cuisine, les ustensiles pendus aux crochets s'entrechoquaient dans une aubade de tintements feutrés.

« Un don chez les uns peut s'appeler connaissance chez les autres, dit le vieil homme d'une voix hésitante.

— Et cette connaissance, elle la tient d'où ? Du peuple albain ? »

Ismahil lança un regard de biais à Mahielle, qui ne perdait pas une miette de leur conversation en dépit de son air boudeur. Visiblement, il ne tenait pas à s'exprimer devant elle.

« Nous en reparlerons plus tard, ajouta rapidement Solman. Est-ce qu'il reste du gâteau qui vous a été offert ? »

Ismahil se leva, se rendit dans le coin-cuisine et en revint avec une assiette métallique qu'il posa sur la table. Le gâteau était en réalité une de ces gaufres que les Aquariotes confectionnaient avec de la farine de blé, des œufs, du lait, du miel, et qu'ils faisaient frire dans des récipients métalliques appropriés. Celle-ci se présentait sous la forme grossière d'un cœur alvéolé, saupoudré d'une fine couche de sucre de fruits troqué par des peuples de l'Europe de l'Est. Solman souleva l'assiette à hauteur de son nez, huma une première odeur de graisse froide, une deuxième de sucre, une troisième de fleur de rose, un parfum que certains rajoutaient pour relever le goût, puis une quatrième, plus âpre mais indécelable au premier abord. Il n'eut besoin que d'une poignée de secondes pour l'identifier : la même, en plus diluée, que celle qui s'échappait de la fiole personnelle de Raïma. Le suc des feuilles grimpantes qui rongeaient les carcasses des engins militaires à l'abandon. Un poison plus violent que l'ultra-cyanure des anguilles[GM] ou le venin des sauterelles[GM], plus corrosif que le plus puissant des acides. Une saloperie qui foudroyait instantanément et transformait les cadavres en éponges sèches. Il jeta un coup d'œil stupéfait à Kadija : elle s'obstinait à vivre après avoir ingéré la gaufre entière alors que la première bouchée aurait suffi à tuer un bœuf.

« Kadija est une enfant, murmura Ismahil. Impossible de la raisonner : elle se jette avec frénésie sur tout ce qui est nouveau. Si elle m'avait écouté, elle n'aurait pas touché cette saleté.

— Comment elle aurait pu savoir que la gaufre était empoisonnée ? » intervint Mahielle.

Ismahil la fixa sans aménité, les yeux plissés, les sourcils froncés, comme s'il l'évaluait. Elle échappa à la pression intense de son regard en se réfugiant dans la contemplation forcenée du plancher. La lumière tremblotante de la bougie dorait ses cheveux blancs et révélait par endroits les plaques sombres qui striaient la peau de son crâne.

« Toute nourriture est un poison potentiel, comme toute créature ici-bas n'est qu'un mort en sursis.

— On a tous besoin de manger, objecta Solman.

— Disons que de tout temps l'homme a lié sa survie à l'énergie fournie par la nourriture. Tu creuseras la terre, tu fabriqueras ton pain, tu feras tout à la sueur de ton front... enfin quelque chose d'approchant, c'est écrit dans la Bible. L'un des livres des anciennes religions, le Livre selon certains.

— Vous proposez une autre solution ? »

Ismahil délaissa enfin la vieille femme courbée par le poids de son regard pour dévisager Solman.

« Moi, non. Vois mon corps, il subit le même déclin que les autres. Je ne m'en plains pas, j'ai accepté de vieillir. (Il désigna Kadija d'un mouvement de menton sans quitter Solman des yeux :) Elle peut-être. Je ne la connais pas assez pour...

— Vous ne connaissez pas votre... petite-fille ? »

Un sourire désabusé flotta sur les lèvres brunes d'Ismahil.

« Le temps m'a manqué pour apprendre à la connaître. Le ciel envoie parfois des présents énigmatiques. »

Solman s'aperçut que Mahielle les écoutait avec une attention sournoise mais soutenue et estima une nouvelle fois que le moment était mal venu d'approfondir cette conversation.

« Avez-vous vu la personne qui a déposé les gaufres ? demanda-t-il à la vieille femme.

— Non. Quelqu'un a frappé et crié : "Un présent pour les Albains !" Je suis sortie, l'assiette était posée sur le marchepied, mais je n'ai vu personne autour de la voiture.

— La voix, c'était celle d'un homme, d'une femme ?

— Un homme, je crois, je n'en suis pas sûre... »

Il ne décela pas la musique du mensonge dans sa voix, ni dans ses pensées. D'elle il n'y avait rien d'autre à tirer qu'une rancœur tenace contre les deux étrangers qui l'avaient séparée de son fils. Il reporta son attention sur Kadija. Un silence total émanait de son esprit et de son corps, le silence morne des batailles perdues. Il se mordit la lèvre inférieure jusqu'au sang.

« Qu'est-ce qu'on peut faire pour elle ? »

Sa voix rebondit sur les cloisons comme un torrent furieux et agrandit d'effroi les yeux de Mahielle. Ismahil haussa les épaules.

« Attendre. »

CHAPITRE 25

« Cette saloperie fait vraiment chier ! » grommela Chak.

Ils étaient arrivés au sommet d'un col où subsistaient quelques ruines de ce qui avait été autrefois un village. La neige et une végétation pétrifiée submergeaient les murs effondrés des maisons de pierre. Çà et là se devinaient des carcasses d'engins, camions, automobiles, chars, assaillies par les mêmes plantes grimpantes qu'on rencontrait partout en Europe et qui, elles, semblaient parfaitement s'accommoder de l'hiver. Le bleu transparent du ciel, ourlé d'un or blême, annonçait une température particulièrement basse.

La saloperie dont parlait Chak était l'épaisse couche de verglas sur laquelle les véhicules, malgré les chaînes posées sur les roues, patinaient depuis l'aube. Au moment du départ, le chauffeur était revenu s'installer au volant sans daigner fournir d'explication à son absence prolongée, au grand dam de Moram qui avait pris goût à la conduite du camion de tête et qui, de dépit, s'était réfugié dans la couchette dont il avait tiré le rideau.

Deux jours plus tôt, une guetteuse, une jeune femme, avait été retrouvée gelée sur la plate-forme. Ni les premières frictions ni les remèdes de Raïma n'avaient pu la ramener à la vie. Solman avait donc supprimé les tours de guet et rassemblé les chauffeurs pour leur recommander la plus grande vigilance.

« Qu'est-ce que tu veux qu'on surveille, boiteux ? avait protesté l'un d'eux. Il n'y a pas d'autres tordus que nous dans ces putains de montagnes !

— Tu oublies les bakous, avait rétorqué Solman.

— Ces tarés ? Ils n'ont même plus les moyens de faire mal à une mouche !

— Peut-être, mais si eux ont la capacité de survivre en montagne pendant l'hiver, d'autres peuvent y arriver. D'autres qui ont les moyens de faire mal. Des chiens, par exemple. Ou des solbots.

— On aimerait mieux repartir vers le Sud ! avait crié quelqu'un d'autre. En roulant à l'économie, on a encore une bonne chance d'arriver au relais de Catalogne. »

Plusieurs chauffeurs avaient grogné leur approbation. Le feu attisé par Raïma et les deux anciens membres du conseil gagnait l'ensemble de la caravane, et Solman ne disposait que de sa détermination pour l'éteindre.

« Ils nous attendent sur les pistes du Sud comme ils nous ont attendus au relais de Galice. Vous avez entendu les bakous : la guerre se rapproche par l'est, et je pense qu'elle vient aussi par le sud.

— On préfère se battre plutôt que de crever de froid dans ces montagnes du diable ! »

Nouveau chœur de grognements, de vociférations. Certains avaient brandi leur pistolet ou leur fusil au-dessus de leur tête.

« Vous battre ? Quelle chance vous ont laissée les Slangs au relais de Galice ? Quelle chance vous ont laissée les chiens dans le nord de la France ?

— Quel rapport entre les Slangs et les chiens ?

— Ils sont les soldats de la même armée, ils obéissent à la même intelligence, comme votre ancienne mère Katwrinn. Souvenez-vous de ses paroles avant sa mort : Tu n'es pas de taille à empêcher l'avènement des temps nouveaux... Une... créature a décidé d'exterminer les derniers hommes, et nous n'avons pas d'autre choix, pour le moment, que de mettre la plus grande distance entre elle et nous.

— Tu es aussi fou que l'était mère Katwrinn, boiteux ! avait glapi un vieux chauffeur. Et nous avons été fous de t'écouter : cette guerre, cette créature n'existent que dans ta tête. »

Solman l'avait rapidement sondé et avait discerné la sourdine irritante de Gwenuver dans ses vitupérations.

« À qui faites-vous confiance ? À ceux qui vous ont conduits dans le piège de Galice, ou à celui qui vous en a sortis ? »

Son ton cassant avait rétabli le silence. Les chauffeurs avaient baissé la tête et remisé leurs armes. Ils étaient les mieux placés pour savoir ce que le peuple de l'eau devait à son donneur. Sans lui ils n'auraient jamais trouvé la sortie de l'enfer de feu et de fumée qui s'était abattu sur le relais de Galice, sans lui pas un Aquariote n'aurait survécu. Ils l'avaient suivi comme un troupeau affolé, aveugle, il n'avait pas trahi leur confiance, et eux, en retour, ils prêtaient une oreille complaisante à ceux qui répandaient le bruit de sa folie, à ceux-là mêmes qui avaient la responsabilité de la mort de trois mille des leurs, la mort d'enfants, de parents, de proches, d'amis. Ils avaient pris conscience, à cet instant, de leur duplicité, de leur inconséquence, et, l'un après l'autre, sans dire un mot, ils avaient regagné d'un pas lourd leurs camions.

« Qu'est-ce que c'est encore que ce merdier ? »

Chak désigna les coulées de neige qui dévalaient le sommet voisin et se transformaient un peu plus bas en avalanches. Elles explosaient comme des vagues déferlantes sur les reliefs rocheux, sur les arbres, se pulvérisaient en gerbes titanesques, se reformaient en dizaines de ruisseaux fourmillants qui gonflaient en torrents et continuaient leur course folle vers les profondeurs des vallées. Le camion de tête venait tout juste de laisser les ruines derrière lui et de déboucher, toujours en patinant, sur le faux plat précédant la descente. Le massif se dévoilait maintenant dans toute sa splendeur, un océan de blancheur brisé par les jaillissements des crêtes, par les replis sombres des parois verticales et dénudées. De la piste on ne distinguait qu'un vague mouvement sinueux qui se perdait au loin dans un désert miroitant.

Une première série de tremblements agita le camion, comme s'il roulait sur une piste jonchée de pierres et de nids-de-poule. Chak jeta un coup d'œil sur le rétroviseur extérieur pour s'assurer que les secousses n'avaient pas détaché la voiture et la remorque accrochées à la citerne.

La veille, Raïma avait demandé à être déplacée au milieu du convoi, afin, avait-elle affirmé, d'être plus facilement accessible à tous ceux qui réclamaient ses soins et qui seraient de plus en plus nombreux dans les jours à venir. Prévenu par les chauffeurs, Solman avait sauté sur l'occasion de proposer un échange avec la voiture de Mahielle et des deux Albains – à la grande fureur de Mahielle, qui assimilait cette proximité avec le donneur à une pénitence. Il avait désormais le loisir d'aller prendre des nouvelles de Kadija à chaque arrêt de la caravane. L'état de la jeune femme restait stationnaire : elle respirait faiblement, son pouls battait en sourdine, mais son corps ne donnait aucun signal qui présageât un retour à la conscience, et Solman captait toujours d'elle ce silence morne, caractéristique d'un état végétatif. Il n'avait pas encore essayé de tirer cette affaire au clair, autrement dit de confondre Raïma, parce qu'il n'avait pas de temps ni d'énergie à y consacrer tant que le peuple de l'eau ne serait pas à l'abri, mais il avait proposé une arme à Ismahil, un pistolet récupéré et rafistolé par le dernier armurier du peuple aquariote. Le vieil homme l'avait refusé avec une moue perplexe :

« D'abord, je crains que cet engin ne m'explose entre les mains, et ensuite, je n'ai ni l'envie ni la volonté de m'en servir.

— En ce cas, vous devrez verrouiller votre porte à chaque halte de la caravane, avait conseillé Solman. Si... si Kadija en réchappe – une éventualité qui lui paraissait de plus en plus improbable –, on cherchera encore à la tuer.

— Notre pauvre Mahielle risque de ne pas apprécier : elle ne maîtrise plus très bien certaines fonctions phy-

261

siologiques, et une porte verrouillée peut avoir pour elle des conséquences désastreuses.

— Qu'elle utilise un seau !

— Les humains exigent en principe un minimum d'intimité pour ce genre de choses.

— Vous en parlez comme si tout ça ne vous concernait pas. » Ismahil lui avait adressé un sourire sibyllin et s'était tourné vers la couchette où reposait Kadija, lui signifiant que l'entretien était clos.

« On dirait que... la terre tremble ! » s'exclama Chak. Les vibrations du volant lui meurtrissaient les poignets. Les avalanches se succédaient à une cadence effarante sur le sommet voisin. La montagne donnait l'impression de se secouer de fond en comble pour se débarrasser de sa carapace neigeuse, et ses tressaillements se propageaient aux pics environnants dont les flancs se couvraient des premières coulées, ténues pour l'instant, comme des voiles de farine dispersés par un courant d'air sur une nappe.

Moram écarta le rideau de la couchette, vint s'asseoir au côté de Solman et se versa une tasse de kaoua. Même s'il avait gardé ses vêtements, il venait tout juste de se réveiller comme l'indiquaient ses yeux hagards et ses gestes fébriles.

« Des ennuis, on dirait, marmonna-t-il après avoir vidé la tasse d'une traite.

— Les ennuis, si tu veux mon avis, ça fait un bon moment qu'on patauge dedans ! » grogna Chak.

Il roula encore sur un demi-kilomètre, puis les secousses le contraignirent à actionner la sirène à trois reprises, à s'arrêter et à couper le moteur. Ils descendirent pour inspecter le camion, la citerne et les attaches. Seules quelques plaques de rouille s'étaient décrochées de la voiture de Mahielle et des deux Albains. Succédant à la chaleur de la cabine, le froid intense transforma les mains et les pieds de Solman en blocs de glace. Il ne sentait plus le bout de ses doigts, et sa jambe torse, mal irriguée, n'était plus qu'une ombre lointaine et douloureuse vaguement rattachée à sa hanche. Au sol, sans les amortisseurs et le tampon des roues, sans le bruit du moteur, l'amplitude et les grondements sourds des tremblements prenaient une dimension écrasante, effrayante. Des pentes douces qui bordaient la piste jaillissait une écume neigeuse qui restait suspendue autour des camions comme une brume persistante et mordante. Une congère se détacha d'un rocher, s'écrasa sur la remorque qui servait de chambre à Solman en défonçant la bâche.

Ismahil sortit de la voiture, suivi quelques secondes plus tard de Mahielle. La vieille femme eut à peine posé le pied sur le sol instable et glissant qu'une nouvelle secousse la déséquilibra, la renversa, l'envoya percuter l'accotement. Chak et Moram l'aidèrent à se relever, à remettre ses chaussons, à épousseter sa robe de chambre largement ouverte sur une épaisse chemise de nuit – elle ne quittait jamais ses vêtements d'intérieur, de reine de la voiture.

« Vous devriez rester chez vous jusqu'à ce que le tremblement de terre se tasse », dit Moram.

Elle se libéra des deux hommes d'une torsion rageuse du buste et s'avança vers Solman, les cheveux ébouriffés, l'œil noir, la bouche tordue, les poings fermés.

« Ça ne se tassera jamais ! Il le sait bien, lui, il sait que nous sommes condamnés ! C'est le diable qui parle à travers sa bouche ! »

Sa voix, habituellement geignarde, était une litanie de hurlements qui s'échappaient de sa gorge comme des flèches aux pointes ébréchées.

« Il a introduit des démons parmi nous. Cette fille, elle a mangé du poison des plantes grimpantes, et elle n'est pas morte ! Pas morte ! Et lui... – Elle pointa sur Ismahil un index accusateur. – Il dit des choses étranges, horribles, il ne dort pas, il ne dort jamais ! Ne comprenez-vous donc pas que ce sont des monstres ! Ne voyez-vous pas qu'ils nous conduisent tout droit en enfer ! »

Ses imprécations s'étranglèrent en sanglots. Elle tomba à genoux sur la glace et y demeura prostrée jusqu'à ce que Moram la relève et l'entraîne doucement vers la porte de la voiture. Quelques chauffeurs approchaient à pas prudents du camion de tête. Les secousses, presque continues désormais, multipliaient les chutes de congères au long de la piste et obligeaient les hommes à s'agripper aux saillies métalliques des citernes ou des remorques. Le grondement montait des profondeurs de la terre, enflait en un tumulte assourdissant, ravageur, s'amplifiait dans les colonnes vertébrales, dans les cages thoraciques, dans les têtes. La clarté du ciel, si lumineuse quelques instants plus tôt, se troublait d'une nue vaporeuse et noire criblée de particules grises.

« Votre tremblement de terre est en réalité une éruption volcanique, dit Ismahil.

— Ça nous fait une belle jambe de savoir ça ! maugréa Chak.

— Non, mais ça vous intéresse sûrement de savoir que la terre cessera bientôt de trembler, reprit le vieil homme. Dès que le magma aura crevé le tampon du conduit central. Et il touche au but, si j'en crois cette fumée. Ensuite deux possibilités : lave ou tephra, liquide à mille cinq cents degrés ou éclats de roche. L'un ou l'autre seront projetés à une hauteur variable selon la force de l'éruption. Placés comme nous le sommes, ni les coulées de lave ni les fragments de tephra ne devraient nous atteindre. Mais il y a l'air, la chaleur, les gaz, dioxyde de carbone, dioxyde de soufre, azote, et d'autres encore... Les vents nous apportent déjà les scories. Si nous restons ici, nous risquons, disons, des complications respiratoires. Et le convoi sera enseveli sous une couche de cendres qui pourrait endommager les moteurs de manière irréversible.

— Quelle solution proposez-vous ? demanda Solman.

— Filer immédiatement. Essayer de prendre l'éruption de vitesse.

— Vers le nord ou vers le sud ?

— Les volcans ne s'embarrassent pas de ce genre de détail. Je croyais ceux du Massif central éteints depuis des siècles et des siècles. Il faut croire que les plaques tectoniques ont bougé, qu'ils ont reconstitué d'une manière ou d'une autre leur chaudière, leur chambre de combustion.

— Vous parlez comme un savant de l'ancien monde », gronda Chak.

L'expression avait claqué comme une insulte dans la bouche du chauffeur. Ismahil lâcha le pare-chocs de la citerne auquel il s'agrippait et se dirigea à grands pas vers la porte de la voiture.

« Je ne peux pas laisser Kadija seule avec cette vieille folle ! » cria-t-il en grimpant sur le marchepied. (Il posa la main sur la poignée, se retourna et ajouta, d'une voix forte pour dominer le grondement :) « Certains savants de l'ancien monde croyaient, justement, tout savoir. Comme les prêtres avant eux. Et leur impudence est l'une des causes majeures de la ruine humaine. Je suggère que nous poursuivions vers le nord : les vents sont au sud. »

Après une première descente, la piste était repartie à l'assaut des lignes de crêtes qu'elle longeait depuis maintenant quatre kilomètres. Elle piquait tout droit sur le sommet en forme de vase qui crachait un énorme panache de fumée noire, épaisse, chargée de scories. Le monde semblait se résumer à un affrontement entre le blanc et le noir, entre le chaud et le froid. Chak conduisait aussi vite que possible sur le verglas, lançant parfois le camion dans un travers qu'il rattrapait avec d'infinies précautions. Les yeux de Solman volaient sans cesse du volcan réveillé au rétroviseur extérieur pour surveiller à la fois le comportement de la voiture accrochée à la citerne et la progression des autres camions. La caravane restait groupée pour l'instant, aucune sirène de détresse n'avait retenti. Le ciel s'était tendu tout entier d'un voile sombre, d'une nuit précoce et menaçante qui occultait les reliefs et répandait une forte odeur de soufre.

« On peut lutter contre des hommes, pas contre la nature », marmonna Chak.

Pas la peine de nous avoir tirés du piège de Galice si c'était pour nous fourrer dans ce pétrin, traduisit Solman. Il ne répondit pas, mais la réflexion du chauffeur agit sur lui comme un signal et l'entraîna à fermer les yeux, à déployer sa vision pénétrante, la vision qui traversait les niveaux sensoriel, mental et émotionnel. La vitesse à laquelle il lâcha les prises et plongea en lui-même le suffoqua, le paniqua, le ramena brutalement à la surface, au ronflement du moteur, à l'odeur de soufre, à la fumée noire, à la neige souillée par les scories volcaniques, à la respiration saccadée de Moram assis à son côté. La piste descendait en une succession de lacets vertigineux qui tantôt se rapprochaient du volcan, tantôt s'en éloignaient. La bouche du vase crachait des fragments rocheux plus ou moins volumineux qui retombaient sur ses flancs après avoir décrit une courbe grise et majestueuse dans les entrelacs de fumée.

Solman attendit que s'apaisent les battements de son cœur pour à nouveau se retirer en lui-même. Il contrôla cette fois son souffle et atteignit les profondeurs de l'être de manière progressive – ou qui lui sembla progressive. Il retrouva avec un mélange de plaisir et d'effroi cette sensation de dispersion dans le vide, d'abandon de ce qui constituait son moi, son spectre de perceptions, sa définition par l'espace et le temps. Sa vision ne l'emmena pas sur le convoi, sur la piste, sur le volcan, elle le propulsa vers... Kadija. Il ne la voyait pas, il ne flottait pas dans la voiture où, depuis plusieurs jours, elle restait figée dans un coma désespérant, il était... en elle, il baignait dans son souffle, dans sa chaleur, dans son essence. C'était impalpable et pourtant mille fois plus réel, mille fois plus intense, que s'il l'avait vue, entendue, sentie, touchée. Elle utilisait une fonction réparatrice de son organisme, du moins c'est ainsi qu'il le ressentit, pour isoler les molécules de poison diffusées dans son sang et les neutraliser avant qu'elles ne gangrènent les cellules. Elle avait suspendu ou fortement ralenti toutes les autres fonctions vitales. Elle livrait contre un ennemi attentif, opiniâtre, un combat obscur qui requérait une vigilance et une patience de tous les instants. D'elle il découvrait des bribes, des éclats de souvenirs indispensables à sa guerre. Des couloirs, des salles immenses, lumineuses, silencieuses, ouvertes sur un ciel merveilleusement étoilé... Un corps qui ne grandit pas, qui ne bouge pas, qui existe à peine... Une impression de légèreté inouïe dans un monde confiné... Elle puise ses armes dans une somme de connaissances gigantesque, non pas dans des livres ou des machines, mais en elle, dans une mémoire infaillible. Ses pensées finissent toujours par buter sur le mur de vide qui brise ses élans profonds. Un manque à peine perceptible et pourtant obsédant, à la manière d'un membre amputé.

Solman ressentit la souffrance de ce manque, une douleur inexprimable, effroyable, qui, parce qu'elle était inscrite dans la nature même de l'être, ne pouvait pas être apaisée. En elle cohabitaient deux femmes, l'une, consciente, qui l'avait ravi par la pureté de son chant lors de leur première rencontre, l'autre, inconsciente, piégée par un mal indécelable, innommable.

« ... commence... feu... haut... idée ? »

Solman émergea, hébété, frigorifié, dans la cabine bruyante du camion de Chak. Une haleine sulfureuse et glaciale lui mordillait le visage. Des éclats de verre s'étaient détachés du pare-brise fendillé. Moram essayait de reboucher les fissures à l'aide des bouts d'un drap qu'il découpait frénétiquement avec son grand couteau.

« Ça commence à cracher le feu, là-haut ! répéta Chak. T'as pas une idée ? »

Le volcan tirait des salves répétées de lave qui s'élevaient au milieu de la fumée comme les pétales d'une formidable corolle incandescente, s'affaissaient en filaments rougeoyants sur la neige et s'écoulaient en torrents dorés sur les versants. La première réaction de Solman fut d'admirer ce spectacle, le plus grandiose auquel il lui eût été donné d'assister depuis sa naissance. La terre, cette terre que les hommes avaient piétinée, éventrée, saccagée comme des enfants irrespectueux, jouait de temps à autre avec le feu, l'air et l'eau pour montrer qu'elle vivait, qu'elle, la nourricière géné-reuse, était capable de colères renversantes, de fureurs somptueuses.

« Ce crétin d'Albain s'est foutu de notre gueule ! rugit Chak. La lave arrive droit sur nous ! »

Les torrents bouillonnants d'une lave presque aussi fluide que de l'eau se déplaçaient à une vitesse éton-nante, se jetaient l'un après l'autre dans un fleuve d'or en fusion qui, effectivement, avançait en direction du camion de tête.

CHAPITRE 26

Le fleuve de lave en fusion filait deux ou trois fois plus vite que le convoi. Sur ses rives, la neige avait reculé d'une dizaine de mètres, comme effrayée par sa chaleur, par sa puissance. Sa luminosité ardente teintait d'or les flancs grenus des rochers soudain dénudés. De son lit s'élevait une crête de fumée blanche qui semblait soulever le fond fuligineux des premières émanations. Les filaments étincelants crachés par le volcan arrachaient des rochers au sortir du cratère et les précipitaient sur la pente où ils rebondissaient de relief en relief en creusant des sillons rectilignes et noirs. Le fracas de l'éruption évoquait un grondement d'orage continu, amplifié par une gigantesque caisse de résonance. Une pluie de particules hachait l'air et couvrait la piste d'un tapis de matière chaude et molle.

Le pare-brise continuait de se craqueler malgré les efforts de Moram pour en boucher les fissures. Le froid s'engouffrait avidement dans la cabine, colportant, outre l'odeur de soufre, de vagues relents de minéraux fondus. Chak pesta contre le manque de temps qui ne lui avait pas permis de récupérer un pare-brise sur l'un des véhicules abandonnés par les Aquariotes. Sans le verre protecteur, les averses de neige et les giboulées de glace transformeraient la conduite en exercice dangereux, non seulement pour le chauffeur, mais aussi et surtout pour le reste du convoi. Son camion était condamné, un peu comme ces grands cerfs pour qui une blessure ou la perte d'un bois signifient la mise à l'écart de la harde et la mort à brève échéance.

Chak eut le sentiment amer d'être la porte ouverte par laquelle se répandait la malédiction : son camion le lâchait après des années de bons et loyaux services, Selwinn, sa femme, s'était métamorphosée en une masse de chair flasque et baveuse qu'il fallait nourrir, changer et laver comme un nourrisson. Et puis, et puis...

Certaines de ses obsessions se montraient tellement névrotiques, despotiques, que les repousser était au-dessus de ses forces. Il lança un regard de biais à Solman : le donneur n'avait pas encore capté ses pensées profondes, ou du moins n'avait donné aucun signe qui le laissât supposer, mais, tôt ou tard, il s'insinuerait dans son esprit tel un furet, saisirait ses vérités cachées et les ramènerait à la surface comme une portée de lapereaux, hideux dans leur nudité. Il leva les yeux sur le ruban de lave qui coulait sur la pente avec la vivacité d'une couleuvre, estima la distance à moins de trois kilomètres, se sentit étrangement calme tout à coup. Elle était là, la solution, dans ce fleuve d'oubli qui happerait et ensevelirait le peuple aquariote, qui emporterait dans son lit les souvenirs nauséabonds des derniers hommes.

« Pourquoi tu ralentis, Chak ? » grogna Moram.

Il avait renoncé à essayer de calfeutrer les lézardes du pare-brise et jeté rageusement le drap sur la couchette. Il ne lui restait plus, ainsi qu'aux deux autres, qu'à esquiver les éclats de verre arrachés par le vent.

« Si tu crois que c'est facile avec ce putain de verglas et cette saloperie de vitre qui fout le camp, répliqua Chak.

— Je t'ai connu moins trouillard. Donne-moi le volant si tu te sens pas capable de...

— Ta gueule ! »

Les veines du cou et du crâne de Moram se gonflèrent de colère, mais il se retint d'écraser son énorme poing sur le nez de son aîné. Pas le moment de se montrer susceptible. Après, quand ils seraient sortis de ce merdier, il pourrait en toucher deux mots à Chak, au besoin lui mettre une bonne trempe, histoire de lui apprendre à respecter ses équipiers. En attendant, il surveilla la progression des torrents de lave qui sautaient sur les barrières rocheuses et barraient le flanc du volcan d'impressionnantes cascades de feu. La cheminée crachait toujours avec la même virulence, comme si la terre perdait son sang bouillant par une vieille blessure rouverte. Dans le ciel de plus en plus dégagé, le panache de magma brillait avec l'éclat d'un astre gigantesque et insolent de clarté.

« J'y vois plus rien ! » hurla Chak.

La pluie de scories finissait d'effacer les limites de la piste à demi estompées par la neige. Les particules brûlantes crissaient sur le pare-brise, s'infiltraient dans la cabine, piquaient la tête, le cou et les bras des trois hommes comme des insectes agressifs. L'air saturé de gaz leur irritait la gorge, les poumons et les yeux. Le camion se dérobait, brinquebalait d'un côté sur l'autre, raclait les accotements légèrement surélevés.

« Sors de la piste et coupe à gauche, dit Solman.

— À gauche ? T'as perdu la boule ! protesta Chak. On va s'enliser dans la neige, ou percuter un rocher !

— Si tu ne tournes pas tout de suite, nous finirons dans la lave.

— Ah oui ? Comment tu peux...

— Fais ce qu'il te dit, bordel ! » glapit Moram, les poings serrés, cette fois bien décidé à éjecter son équipier du siège conducteur.

Chak capitula devant la détermination de son cadet. Pourtant, contrairement à ce qui s'était passé au relais de Galice, Solman gardait les yeux grands ouverts, il ne dégageait pas cette sérénité, cette innocence qui semblaient le protéger de tous les maléfices. Chak n'eut pas le temps de demander au donneur d'où lui venaient ses certitudes. Il exploita une brèche dans l'accotement pour tourner à gauche et avancer sur le versant, peu accentué à cet endroit. Les roues s'enfoncèrent dans la neige, mais pas autant qu'il l'avait prévu, et, bien que le pare-chocs projetât d'incessantes gerbes sur le capot et les ailes, le camion continua de tracer un chemin parallèle au fleuve de lave.

Chak s'épongea le front de la manche de sa veste et, d'un coup d'œil dans le rétroviseur, s'assura que les autres le suivaient. Plus facile pour eux, dans la mesure où ils n'avaient qu'à se caler dans son sillage. Il se maintint à une allure ni trop lente, pour ne pas étouffer le moteur, ni trop rapide, pour ne pas déraper et verser sur le côté. Il ne voyait plus le feu galopant de la lave, et son instinct de survie reprenait le dessus. La pluie de scories, poussée par le vent, grisait en silence la blancheur qu'elle criblait de cratères minuscules et fumants.

« Et maintenant, je fais quoi ? »

Il désignait la paroi haute de trois à quatre mètres qui, dans le lointain, barrait le versant sur toute sa largeur.

« Contourne-la par le bas », répondit Solman.

Chak ouvrit la bouche pour protester, mais un regard appuyé de Moram l'en dissuada. Il lâcha un juron, tourna le volant, plaça le camion dans la pente, rétrograda en première pour empêcher le moteur de s'emballer et entama la descente, assez douce au début, de plus en plus abrupte par la suite. Même ralenti par la neige, le camion sembla foncer tout droit vers un gouffre sans fond d'où s'élevait une dentelle de vapeur claire.

Le fleuve de lave surgit avec la force d'une avalanche quelques centaines de mètres derrière eux, bondit au-dessus de la crête qui les surplombait, s'affaissa en une cascade rutilante, s'écrasa sur le sol en contrebas, puis reprit sa course pour se diriger vers le précipice. Il suffit d'un coup d'œil à Chak pour prendre conscience que, si le convoi n'avait pas quitté la piste, ils auraient été ensevelis sous des tonnes et des tonnes de matière en fusion. La température grimpa instantanément d'une trentaine de degrés, au point qu'ils commencèrent à transpirer sous leurs vêtements. Le camion creusait sa route le long de la paroi rocheuse comme un rongeur obstiné.

« Si on continue comme ça, on a droit au grand plongeon ! marmonna Chak.

— Tu trouveras un passage plus loin, dit Solman.

— Mais, bordel de Dieu, comment est-ce que tu peux être si sûr de toi ? »

Solman ne répondit pas. Quelqu'un lui soufflait toutes ces informations au fur et à mesure qu'ils progressaient, quelqu'un qui connaissait la topographie des lieux dans les moindres détails, la disposition des cimes et des vallées, la déclivité de la pente, l'emplacement des obstacles, rochers, arbres, buissons, dénivellations, lits des torrents... Il n'entendait pas de voix à proprement parler, il captait des sensations si claires, si fortes qu'elles s'imposaient en lui avec la netteté d'un langage articulé. Sa perception lui renvoyait l'écho d'une présence à la fois familière et lointaine : elle n'ignorait rien de lui comme elle n'ignorait rien du Massif central, mais elle provenait d'un inaccessible au-delà. Elle anticipait les mouvements du fleuve de lave qu'elle observait depuis un autre espace, depuis un autre temps. Les yeux et la voix du ciel étaient sans doute la meilleure – la seule – définition qui lui convenait. Il décelait en elle cette vibration étouffée, sèche, qui évoquait l'autre intelligence, la pieuvre destructrice, l'Apocalypse, comme si deux forces antagonistes et jumelles s'affrontaient à travers lui.

« Le donneur avait raison ! » s'exclama Moram.

Un passage s'ouvrait dans la barrière rocheuse à moins de cinquante mètres du bord du précipice. Les petits coups de freins de Chak et l'épais tapis de neige se conjuguèrent pour ralentir le camion, et ce fut quasiment au pas qu'il s'engagea dans l'ouverture. De l'autre côté, le versant, jonché de scories et de rochers en chapeaux blancs, mourait en douceur sur une longue portion de plat.

Ils longeaient le précipice depuis plusieurs kilomètres. Ils s'étaient arrêtés, quelques instants plus tôt, pour attendre les vingt derniers camions retardés par l'enlisement de l'un d'eux. Ils étaient descendus des cabines et des voitures, s'étaient approchés du gouffre – en fait de gouffre, il ne s'agissait que d'une gorge d'une cinquantaine de mètres de profondeur – et avaient contemplé le fleuve de lave qui déroulait ses reflets rouge et or entre les parois verticales. Il en montait une fumée blanche et brûlante qui s'épaississait en même temps que la lave se refroidissait, se transformait en un matelas d'une matière noirâtre et visqueuse. Le volcan crachait toujours à l'horizon, avec moins d'impétuosité toutefois, et son fracas avait perdu de son intensité. Les stalactites de glace fondaient sous l'effet de la chaleur, se détachaient de leur support et s'abîmaient dans le fond de la gorge où elles se dissolvaient en une fraction de seconde, preuve que la lave, même en cours de durcissement, conservait une température élevée.

« Sept ou huit cents degrés à mon avis, avait précisé Ismahil.

— Vous qui avez l'air de tout savoir, vous avez bien failli nous envoyer tout droit dans cette saleté ! avait grogné Moram.

— Je me trompe parfois, mais nous sommes en vie, avait répliqué le vieil homme. C'est l'essentiel.

— Pas grâce à vous en tout cas : sans la vision de Solman, on aurait fini en grillades ! »

La colère de Moram s'était achevée en une quinte de toux.

« Vous devriez éviter de vous énerver, avait dit Ismahil avec un sourire ironique. L'air est encore toxique. »

Solman était allé voir Kadija sous le regard permanent et hostile de Mahielle allongée dans son lit. Pas davantage que les visites précédentes, il n'avait discerné de signes annonciateurs d'un retour à la vie. En sortant de la voiture, il avait longé le convoi en compagnie de Moram et de Chak afin de faire le point avec les autres chauffeurs. Ni les camions ni leurs attelages n'avaient souffert de leur escapade dans la neige, mais, chaque fois, il avait entendu le même refrain : ils tomberaient en panne de gaz avant d'atteindre le relais de l'Île-de-France. Il avait croisé le regard mi-complice mi-désolé de Glenn qui se tenait légèrement à l'écart d'un petit groupe rassemblé autour de Raïma et de Gwenu-ver.

La caravane roulait en direction de l'ouest sous un ciel qui avait recouvré sa clarté glacée. Le vent ne dépo-sait plus que des scories isolées et déjà tièdes. Chak avait abandonné le volant à Moram et s'était allongé sur la couchette. Le pare-brise rafistolé à la hâte avec des bouts de tissu et de la glu fournie par un intendant tenait encore le coup, mais les courants d'air persistaient à s'inviter dans la cabine. Sur le bord opposé de la gorge se dressait une paroi verticale hérissée de saillies aigui-sées et d'arbustes pétrifiés. De temps à autre, les roues patinaient sur des plaques de verglas disséminées sous la neige. Le ronronnement du moteur étouffait le gron-dement lointain de l'éruption.

Par le rétroviseur extérieur, Solman observait le vol-can dont le sommet arasé dominait le reste du massif et dont l'activité continuait de décroître.

« Ce détour va nous coûter un max de gaz, lâcha Moram entre ses mâchoires serrées.

— Plus loin, on devrait trouver un vieux pont de pierre qui nous remettra sur la piste du Nord. »

Moram dévisagea à plusieurs reprises son passager avant de se décider à lui poser la question qui lui brûlait la langue.

« Comment tu fais pour voir tous ces... enfin, pour voir ce qui n'est pas visible ?

— Est-ce que tu réfléchis pour conduire ton camion ? Pour faire l'amour à une femme ?

— Ben non, c'est des trucs naturels...

— Eh bien, pour moi aussi, c'est naturel. »

La nature n'avait sans doute pas grand-chose à voir avec la communication qu'il avait reçue au plus fort de l'éruption volcanique, mais Solman s'abstint d'en parler à Moram. Il y avait, dans ses perceptions, une part de manipulation qu'il s'avérait incapable d'identifier, de quantifier, et il estimait inutile d'ajouter à la confusion qui régnait dans l'esprit des Aquariotes. Il savait seule-ment qu'il avait disposé, au moment opportun, d'une carte, d'un atlas infiniment plus précis que le livre transparent des prêtres bakous. Et que cela ne relevait pas de la clairvoyance, mais d'une connaissance, d'une mémoire et d'un regard qui n'étaient pas les siens. Son esprit ne lui appartenait plus, il était devenu le théâtre d'affrontements obscurs dont la finalité lui échappait mais qui, il en était convaincu, avait un lien avec la guerre déclarée au peuple de l'eau, avec l'irruption de Kadija, avec les hordes de chiens sauvages, avec les Slangs, avec les sauterelles[GM]... et même avec l'éruption volcanique.

« C'est ça que tu appelles un pont de pierre ? »

L'exclamation de Moram le tira de ses pensées. Il observa la construction jetée au-dessus de la gorge resserrée et qui, à en juger par son état, datait probablement de plusieurs siècles. Bâti en pierres sèches, directement appuyé sur les parois, il se présentait sous la forme d'une arche dépourvue de piles de soutènement et maintenue par la seule force de son cintre. De ses parapets défoncés ne subsistaient que des moignons enfouis sous la neige. Les pavés disjoints, verglacés, luisants, apparaissaient dans les rares parties dégagées de son tablier. Il donnait sur une piste taillée dans la paroi opposée, étroite, encaissée, verglacée elle aussi, aussi peu engageante que les chemins perdus de Bohême.

Le camion arrêté, le moteur coupé, Moram et Solman descendirent et allèrent examiner le pont, d'une profondeur de dix mètres pour une largeur de six. Il ne donnait pas meilleure impression de près, bien au contraire. Il avait sans doute vu passer un grand nombre de charrettes, de tracteurs et d'autres véhicules, mais il paraissait incapable, à première vue, de supporter le poids des lourds camions aquariotes et de leurs attelages. Chak vint les rejoindre quelques minutes plus tard, suivi d'Ismahil et des chauffeurs des camions suivants. Au fond de la gorge, le fleuve de lave n'était plus qu'un magma noir et craquelé d'où saillaient des bulles de gaz et des fumerolles dispersées par le vent. L'air restait imprégné d'une odeur sous-jacente de soufre et de carbone.

« Autant essayer de faire traverser un sanglier sur une brindille ! lança Chak.

— Renforçons-le, proposa Solman.

— Avec quoi ? Faudrait des poutres de plus de dix mètres de long... »

Solman s'avança prudemment jusqu'au milieu du pont, s'assurant de la solidité du tablier à chacun de ses pas. La chaleur l'enveloppa comme une gangue molle et bienfaisante. Il entrevit les rougeoiements sournois de la lave, brillant dans la pénombre de la gorge comme des yeux de sauriens. La neige fondait peu à peu, dévoilait les vestiges des parapets, les pierres en équilibre précaire au-dessus du vide. Les Aquariotes sortaient des voitures et s'égrenaient par petits groupes au long du convoi immobile. Les cris des enfants et les interjections des adultes carillonnaient dans le silence figé que soustendait encore le murmure diffus du volcan.

Une certitude se fit jour dans l'esprit de Solman : ce pont était la seule voie vers la piste du Nord. Comme il leur était impossible de rebrousser chemin, la lave ayant coupé la piste en amont, ils n'avaient pas d'autre choix que de tenter la traversée, ou ils devraient effectuer un détour de deux ou trois cents kilomètres pour passer par les plaines d'Aquitaine et la piste de l'Ouest. Or il leur fallait voyager au plus court s'ils voulaient garder une petite chance de rejoindre le relais de l'Île-de-France avant la pénurie de gaz. Puis, comme projetée dans le ciel, sa vision prit de la hauteur et embrassa l'ensemble du Massif central. Il discerna les ruines d'une cité à une vingtaine de kilomètres de là. Pas vraiment des ruines d'ailleurs, mais un ensemble de bâtiments consolidés, érigés sur un nid d'aigle et qui, à la lueur du cimetière de blindés et de véhicules militaires l'entourant comme un collier de fer rouillé, avaient probablement été utilisés comme base par l'une des deux armées durant la Troisième Guerre mondiale.

Une citadelle imprenable, d'où il serait facile de surveiller les environs. Un abri pour les camions soumis à rude épreuve depuis quelque temps. Une hibernation de quatre ou cinq mois en attendant de reprendre une piste nettoyée de la neige et du verglas. Un toit relativement sûr et confortable pour les Aquariotes exténués, excédés. Une pause qui permettrait aux mécaniques de souffler et aux hommes de se reposer, de se régénérer. Là-haut, les engins volants des Slangs n'auraient pas la possibilité de se poser, les chiens sauvages et les légions de l'Apocalypse se heurteraient à des portes fermées, à des remparts infranchissables. Restait le risque des éruptions volcaniques, mais, même en mouvement, la caravane était à la merci des phénomènes naturels, tremblements de terre, avalanches, inondations, incendies, tempêtes, pluies acides... Il faudrait déblayer la piste, fermée à plusieurs endroits par les éboulements rocheux et les sapins couchés en travers, mais les Aquariotes savaient montrer devant les difficultés un courage et une solidarité sans faille.

« Alors, qu'est-ce qu'on fait ? »

Solman sursauta. Il n'avait pas entendu approcher Moram. Le chauffeur avait déployé une telle prudence que, malgré son gabarit, il s'était aventuré sur le pont avec la légèreté d'un insecte.

« On traverse », répondit Solman.

Moram se caressa le crâne du plat de la main. Trois jours qu'il n'avait pas pris le temps de se raser, et son cuir chevelu, d'habitude plus lisse que les joues d'un nourrisson, se couvrait d'un chaume noir et dru qui lui irritait la paume, les doigts et les nerfs. Ses yeux clairs se troublèrent de la teinte indéfinissable de la peur.

« Faudrait encore alléger, et on n'a plus grand-chose à jeter.

— Faisons confiance à l'ingéniosité de nos ancêtres », proposa Solman avec un sourire.

Moram inspecta le pont du regard et eut une moue dubitative.

« On a vu ce que ça a donné, l'ingéniosité de nos ancêtres, murmura-t-il. La Troisième Guerre mondiale, un monde en ruine, une végétation folle, une eau empoisonnée...

— Tu veux laisser le volant à Chak ?

— Pas question. Je n'ai pas de famille, et sa femme a besoin de lui.

— Je monterai avec toi.

— Pas question non plus ! Les Aquariotes ont besoin de leur donneur. »

Solman s'approcha du bord du pont et, après avoir transféré tout le poids de son corps sur sa jambe saine, s'absorba pendant quelques instants dans la contemplation du fleuve de lave en cours de solidification.

« Je monterai avec toi, reprit-il d'un ton calme mais sans réplique. En qui pourraient-ils mettre leur foi si leur donneur n'a pas foi en sa propre vision ? »

CHAPITRE 27

Le camion s'avança lentement sur le pont, Moram au volant, Solman à son côté. Chak n'avait pas protesté lorsque son équipier s'était assis sur le siège du conducteur. Les règles tacites donnaient pourtant la préséance aux chauffeurs titulaires pour le franchissement de passages qui requéraient de l'expérience et une connaissance parfaite de leurs véhicules, mais cette entorse avait laissé Chak de marbre. Solman avait décelé en lui la forme d'apathie caractéristique de ceux qui s'éloignent d'eux-mêmes pour tenter d'échapper à leurs propres obsessions. Helaïnn l'ancienne s'était ainsi claquemurée pendant près de cinquante ans dans une bulle d'insensibilité. Se fermer à soi-même était la seule façon de fuir les démons qu'on refusait de regarder en face. Et une chimère : les démons attendaient patiemment leur heure pour resurgir de l'oubli, impitoyables, repus de tous les souvenirs refoulés.

Pendant que Moram effectuait les premières manœuvres, les yeux de Solman avaient erré sur les mille cinq cents membres du peuple aquariote massés de chaque côté de l'entrée du pont. Mahielle avait déserté la voiture et laissé Ismahil seul avec Kadija. Il l'avait aperçue dans la multitude, ainsi qu'Irwan, Gwenuver, Raïma, Glenn, et quelques têtes qu'il connaissait, Adlinn, la jeune femme qui avait perdu son bébé lors de l'attaque du relais de Galice, ou encore Izbel, la sœur de Rilvo, l'homme que les membres du conseil avaient chargé d'assassiner Raïma... Même s'il avait déjà rencontré la plupart des autres, il aurait été incapable de leur donner un nom. Il avait grandi à côté d'eux, pas avec eux : pendant treize ans, entre la mort de ses parents et ses dix-huit printemps, les pères et les mères du peuple l'avaient tenu enfermé comme un animal fabuleux, comme un butin réservé à leur seul usage, puis, après que Raïma avait ouvert la cage, les événements s'étaient précipités à une cadence telle qu'il n'avait pas eu le temps de parler avec les Aquariotes, de partager leurs inquiétudes, leurs peines, leurs soucis, leurs chants et leurs rires. « Tu seras toujours seul, tu rencontreras toujours la peur et la haine autour de toi... » Lorsqu'elle avait prononcé ces paroles, Helaïnn l'ancienne avait eu la lucidité implacable de ceux que le désespoir a dépouillés de toute illusion. Il était condamné à la solitude parce que les autres n'acceptaient pas – pas encore – de se contempler dans un miroir qui les révélait tels qu'ils étaient et non tels qu'ils se figuraient être. « Personne n'aime être placé devant le miroir de la vérité... » Il avait fallu près de cinquante ans à Helaïnn pour vaincre ses démons et consentir à se regarder en face. Mais elle avait trouvé le courage de le faire alors que, pendant des millénaires, l'humanité avait poursuivi des mirages qui l'avaient coupée d'elle-même et conduite à sa perte.

Au milieu du pont, il y eut une série de craquements, et quelques pierres des vestiges du parapet dégringolèrent au fond de la gorge, se plantant dans le fleuve de lave comme dans une boue épaisse. En sueur, Moram se retint à grand-peine d'appuyer sur la pédale d'accélérateur pour en finir au plus vite avec cette traversée de cauchemar. La moindre accélération, la moindre secousse pouvaient avoir des conséquences catastrophiques sur l'antique construction, l'une des seules à s'être sortie pratiquement indemne du conflit qui avait ravagé la Terre un siècle plus tôt. La fumée montant de la lave s'épaississait de plus en plus et répandait une odeur fétide de gaz.

Moram poussa un long soupir de soulagement lorsque le train avant du camion cessa de vibrer sur les pavés et mordit le verglas à moitié fondu qui habillait la piste encaissée. Il rétrograda et accéléra progressivement pour éviter de patiner sur les premiers vingt mètres de faux plat, puis il roula un petit moment entre les parois vertigineuses dont certaines saillies se rejoignaient plus haut au point de former des arches.

« Il a supporté le poids d'un camion, mais est-ce qu'il supportera les autres ? » soupira-t-il après avoir coupé le moteur.

Le peuple aquariote se scinda en deux. Les uns choisirent de traverser à pied en portant sur l'épaule des sacs de vivres, des couvertures et des produits de première nécessité, les autres, les plus nombreux, préférèrent attendre et conjurer le risque de se retrouver sans véhicule, sans voiture, sans abri, et cela, même s'ils savaient que la coulée de lave, en coupant la piste, interdisait tout retour en arrière. Irwan, Gwenuver, Raïma et Glenn, à son corps défendant, faisaient partie de ceux-là, mais, pour les trois premiers, il s'agissait avant tout d'affirmer leur désaccord avec le donneur et de contraindre leurs partisans à se déclarer.

Une trentaine de camions passèrent sans autre difficulté que des grincements alarmants et de nouvelles chutes de pierres. Chaque fois que l'un d'eux atteignait l'autre bord, des hommes, des femmes et des enfants se détachaient du groupe resté en arrière et, silencieusement, avec une sorte de réticence dans la démarche, venaient grossir les rangs de ceux qui avaient déjà traversé.

Puis un chauffeur, gagné par l'affolement, commit l'erreur de donner un brusque coup d'accélérateur au milieu du pont. Les hoquets du camion, de la voiture et de la remorque se transmirent à l'ensemble de l'ouvrage dont le tablier se lézarda et parut sur le point de se disloquer. Au lieu de continuer sur sa lancée, le chauffeur appuya de tout son poids sur la pédale de frein. Les roues arrière dérapèrent aussitôt sur les pavés glissants et le véhicule partit dans un travers que l'étroitesse du passage lui interdit de corriger. La remorque escalada les vestiges du parapet, fut happée par le vide et entraîna la voiture dans sa chute. L'attache qui reliait cette dernière à la citerne céda dans un craquement bref, mais cela n'empêcha pas le camion, emporté par son élan, de basculer à son tour dans le précipice. Les Aquariotes le virent s'écraser cinquante mètres plus bas dans un éclaboussement rougeoyant.

« Reculez-vous ! hurla Moram. Son réservoir va exploser ! »

Il avait à peine lancé son avertissement qu'une déflagration secoua le fond de la gorge, souleva une gerbe de morceaux de lave, de verre et d'éclats métalliques dont quelques-uns fusèrent au-dessus du pont. L'écho sourd de l'explosion se prolongea entre les parois resserrées, décrocha les stalactites de glace qui avaient résisté à la chaleur, se perdit dans les volutes de fumée noire qui s'échappaient de la carcasse enflammée.

« Ce crétin a tout foutu en l'air ! gémit Moram.

— Il est mort, fit Solman d'une voix sèche. Et je ne connais que des crétins vivants. Allons plutôt voir si le pont est encore en état. »

La construction tenait bon. Les lézardes du tablier, bien que profondes, avaient épargné les pierres taillées du cintre, et les vibrations n'avaient pas endommagé les culées qui reposaient sur des éperons rocheux renforcés par des massifs de maçonnerie. Solman ne chercha pas à savoir de quel bord venaient les cris de désespoir qui transperçaient le silence funèbre retombé sur les lieux. La femme du chauffeur, sans doute, ou sa promise, il lui avait semblé entrevoir un visage jeune derrière le miroir imparfait du pare-brise. En revanche, il ne pouvait ignorer les regards haineux qui lui léchaient la nuque et émanaient des deux côtés à la fois. Les Aquariotes mettaient la mort de cet homme, ainsi que l'attaque des sauterelles et l'éruption volcanique, sur le compte de son incompréhensible obstination à les guider dans les déserts glacés de l'hiver du Nord.

« Ça devrait pouvoir passer, dit Moram.

— Mais les chauffeurs accepteront-ils de prendre le risque ? demanda Solman.

— S'ils refusent, je m'en chargerai. »

Solman contempla les restes fumants du camion qui s'enfonçait peu à peu dans la lave. Le vent dispersait les odeurs de gaz et de soufre. Le froid revenait s'installer en maître après le court interlude de la colère volcanique.

« Ce n'est pas ta faute, donneur, murmura Moram dans son dos. Si ce crétin... pardon, si Frink n'avait pas perdu la boule, il serait encore en vie.

— Tu me l'as dit toi-même il y a deux jours : c'est moi qui vous ai foutus dans cette merde, c'est à moi de vous en sortir.

— Je continue à croire en toi, donneur. – Moram désigna le fond de la gorge. – Lui n'y croyait plus, voilà pourquoi il est mort. »

Solman se retourna avec vivacité et enfonça son regard dans celui du chauffeur.

« Je ne suis qu'un homme, Moram. Je ne te demande pas de croire en moi, mais en toi.

— En moi ? Je ne lis pas dans l'âme des gens, moi, je ne vois pas au-delà de ce que perçoivent mes yeux, je ne sais que me raser de haut en bas, conduire les camions et baiser les femmes.

— Tu vaux mieux que ça, et tu le sais, mais... »

Solman haussa les épaules. À quoi bon poursuivre cette discussion ? Les mots étaient impuissants à changer les réflexes forgés par des millénaires d'habitudes, d'inertie.

« Mais quoi ?

— Rien. Il y a une ancienne ville en bon état à vingt kilomètres de là. Nous pourrons nous y abriter jusqu'au retour du printemps. »

Moram hocha la tête avec un large sourire qui étira les rides de ses temps jusqu'en haut de son crâne.

Trois chauffeurs seulement acceptèrent de prendre le volant des quarante camions alignés sur le bord de la gorge, Moram, Chak et un ancien du nom de Josah. Les

284

autres se contentèrent d'avancer les véhicules déjà engagés sur la piste pour leur faire de la place. Le pont donna des signes de faiblesse, perdit quelques-unes de ses pierres, agrandit ses lézardes, émit des grincements et des gémissements qui annonçaient un effondrement proche, mais il supporta le poids des camions, comme s'il avait été conçu des siècles plus tôt dans le seul but de rendre ce service aux derniers humains. À aucun moment les trois hommes ne perdirent leur sang-froid, même quand les pavés se dérobèrent sous leurs roues et ajourèrent un tablier de plus en plus friable. Ils roulèrent au ralenti, évitant les saccades et les coups de volant intempestifs, choisissant les passages les plus denses, les plus solides. Chak se fit une petite frayeur quand les roues de la voiture qu'il tractait frôlèrent dangereusement le vide, mais il redressa sa trajectoire en douceur et gagna le bord opposé sans encombre. Lorsque la majorité des véhicules fut en lieu sûr, les derniers Aquariotes regroupés autour d'Irwan et de Raïma – Gwenuver s'était jointe depuis un bon moment à une famille qui avait suivi sa voiture – condescendirent à rejoindre les autres. Les nombreuses failles dans le tablier leur compliquèrent la tâche, et, si un garçon agile comme Glenn s'en sortit avec une relative aisance, la traversée revêtit pour les plus âgés l'allure d'une véritable épreuve.

Une fois que passagers et chauffeurs furent réinstallés dans les voitures et les cabines, les soixante-dix camions du convoi s'élancèrent sur la piste ouverte comme une blessure entre les massifs montagneux.

« Elle est où, cette putain de ville ? » gronda Moram qui partageait la banquette passagers avec Solman.

La nuit tombait. Déjà ralentis par le verglas et le mauvais état de la piste, ils avaient perdu deux heures à déblayer un virage obstrué par des rochers qu'on avait dû remuer à l'aide de leviers, puis une heure supplémentaire à tronçonner un grand sapin couché en travers et enseveli sous des tonnes de terre et de neige tassées.

La ventilation du chauffage ne suffisait pas à repousser le froid qui s'infiltrait dans les fêlures du pare-brise et sous leurs vêtements. Les faisceaux des phares ricochaient sur un mur de brume givrée, scintillante, aveuglante.

« D'après le compteur, on a pratiquement fait vingt-cinq kilomètres, reprit Moram, irrité par le mutisme du donneur. Et tu m'as bien dit qu'elle se trouvait à vingt kilomètres du pont... »

Solman commençait également à s'inquiéter. Sa vision lui avait montré un nid d'aigle perché au-dessus d'une zone dégagée, d'un espace qui ressemblait à un plateau, et la piste se traînait dans les profondeurs d'un paysage accidenté sans autre perspective que des parois verticales, comme coupées de haut en bas par une lame monstrueuse.

Moram revint à la charge.

« Va faire moins vingt cette nuit, on ne peut pas se servir du chauffage parce qu'on risque de manquer de gaz, y en a quelques-uns qui ne verront pas le lever du jour...

— Tu pourrais pas boucler de temps en temps ta grande gueule ? » soupira Chak.

Moram lui décocha un regard meurtrier.

« Arrête donc le camion, Chak. Ça fait trop longtemps que j'ai envie de m'expliquer avec toi.

— T'attendras qu'on soit arrivés. T'es pas le... »

Chak se tut. Moram avait tiré son revolver, déverrouillé le cran de sûreté, et lui avait posé la bouche du canon sur le cou. Les lueurs chétives du tableau de bord soulignaient ses traits déformés par la colère.

« Y a des choses qui peuvent pas attendre.

— Tu penses sans doute qu'on n'a pas encore eu notre compte de morts depuis...

— Arrête tout de suite ce putain de camion ! rugit Moram, les yeux hors de la tête, le doigt crispé sur la détente.

— Continue, Chak, intervint Solman.

— Te mêle pas de ça, donneur ! »

286

— Je me fous de vos histoires. La ville. On est arrivés. »

Au sortir d'un long tournant, le camion avait débouché sur une étendue plane, dégagée, bordée d'un côté par la masse sombre d'une forêt, surplombée de l'autre par une muraille rocheuse dont le sommet se hérissait de formes découpées qui évoquaient une succession de toits. Un vent violent soufflait par rafales, écharpait la brume, arrachait leur neige aux rochers et aux arbres.

À contrecœur, Moram remisa son arme dans la poche de sa veste. Les phares débusquèrent une piste secondaire qui partait sur la droite et piquait vers le bas de la muraille.

« Suis-la, dit Solman.

— Je veux bien, mais je vois pas comment on pourrait grimper là-haut avec les camions, objecta Chak.

— Si les engins militaires y réussissaient, il n'y a aucune raison qu'on n'y arrive pas.

— De quels engins militaires tu... »

Chak n'alla pas au bout de sa question : la réponse se trouvait devant lui, apportée par les phares. Un cimetière de carcasses à demi recouvertes de neige s'étalait au pied de la muraille, chars, camions, jeeps, coptères, entassés les uns sur les autres dans une profusion de métal cabossé, froissé, rouillé. La Troisième Guerre mondiale était venue jusqu'ici, dans ce coin perdu du Massif central, des batailles importantes s'y étaient déroulées à en juger par le nombre d'engins, par la présence de ce fortin niché en haut de la paroi.

« En tout cas, les plantes bouffeuses de fer, elles, n'ont pas été invitées au gueuleton, lança Chak.

— Elles s'inviteront, tôt ou tard, dit Solman.

— Comment tu peux en être si sûr ?

— Elles ne sont pas apparues par hasard. Elles ont une mission, débarrasser la Terre de tous ses déchets métalliques.

— Eh, tu en parles comme de soldats, comme si elles avaient reçu des ordres », intervint Moram.

Il avait décidé de mettre sa rancœur de côté. Pour l'instant : l'occasion se présenterait tôt ou tard de coincer Chak et de lui assener quelques vérités bien senties sur le nez et dans le ventre. Et puis, le froid qui régnait dans la cabine et gelait ses gros doigts amoindrissait ses facultés et ne se prêtait pas à une explication dans les règles.

« Tout est lié, répondit Solman. Elles appartiennent à la même armée que les chiens, que les Slangs, que les sauterelles.

— Stupide, lâcha Moram. On peut à la rigueur commander aux Slangs, dresser les chiens, mais les plantes...

— Stupide pour qui ? coupa Solman. Nous ne connaissons pas toutes les formes de langage.

— Les plantes ne parlent pas, ou alors ça nous ferait un sacré raffut !

— Je ne te parle pas de ce langage-là.

— Lequel alors ? »

Solman haussa les épaules et observa la muraille lisse balayée par les phares.

« Peut-être le langage du cœur de la matière », finit-il par répondre d'une voix morne.

La piste coupait par le cimetière d'engins profond de deux à trois cents mètres. La couche de neige accumulée par le vent s'épaississait de plus en plus, au point d'atteindre pratiquement la hauteur d'un homme, de céder sous les roues et de bloquer la progression du camion. Chak actionna la sirène à trois reprises afin de prévenir les autres qu'un obstacle se présentait devant lui.

« Va falloir qu'on dégage cette merde », maugréa le chauffeur.

Les pelles et les seaux étaient des outils dérisoires pour déblayer une telle masse de neige à la seule lueur des phares du camion de tête, et, même si plus de cinq cents hommes et femmes s'attelèrent à la tâche, Solman à leur tête, la corvée leur prit une bonne partie de la nuit. Le vent hurlant transperçait les bonnets, les gants,

288

les vêtements, engourdissait les membres, projetait des éclats de glace et de neige mêlées dans les yeux.

Quand la piste fut enfin dégagée, qu'ils découvrirent la bouche d'un passage creusé directement dans la roche, ils étaient tellement épuisés qu'ils n'eurent pas d'autre envie que d'aller se reposer dans les camions et les voitures.

Solman hésita un moment devant la porte de la voiture de Mahielle et des deux Albains. Puis, exténué, la jambe gauche tétanisée, il renonça à les déranger et retourna dans la remorque qui lui servait de chambre et dont il dut rafistoler sommairement la bâche défoncée par la congère. Il lui fallut également remettre un minimum d'ordre, nettoyer son matelas et ses couvertures des traces de neige, mais, même en gardant sa tunique et son pantalon de cuir, il ne parvint pas à chasser le froid qui le mordait jusqu'aux os ni la douleur à sa jambe torse. Il resta éveillé, aux prises avec une grande lassitude morale et physique, jusqu'à ce que les premières lueurs du jour s'infiltrent par les interstices de la remorque et tombent en rayons désordonnés sur les ustensiles et les rouleaux de tissu épars. Il se leva, passa la canadienne fourrée, enfila ses gants, ses bottes, poussa le hayon et sortit dans l'air congelé de l'aube. Le vent avait cessé de souffler, le ciel était d'un blanc métallique, éblouissant. La caravane s'étirait comme un serpent engourdi sur la piste. Il ne décela aucun mouvement, aucun bruit. Rien, pas même un murmure, pas même un craquement, ne troublait le silence figé. Le givre et la lumière s'enchevêtraient en rosaces complexes et fascinantes dans le cimetière d'engins.

Il longea le camion de tête, enjamba les pelles et les seaux abandonnés sur place et franchit la bouche d'entrée du passage. À première vue, le tunnel, consolidé par des poutrelles de béton, était assez large pour accueillir le convoi, et sa pente, bien qu'accentuée, paraissait tout à fait franchissable par les camions.

Puis, alors qu'il s'enfonçait dans le cœur de la roche, il lui sembla percevoir des hurlements dans le lointain.

Ils ne résonnaient pas à l'extérieur, mais à l'intérieur de lui. Appuyé contre la paroi, il oublia la douleur à sa jambe et la fatigue d'une nuit de veille pour plonger en lui-même et élargir son champ de vision.

La sensation l'effleura de milliers de formes sombres déferlant sur une plaine enneigée.

Les légions de l'Apocalypse.

Elles étaient en marche, et, ainsi que l'avait affirmé le prêtre bakou, elles se refermaient sur les derniers hommes comme les pinces d'un crabe.

CHAPITRE 28

On frappa à la porte. Solman prit le temps de glisser une bûche dans le fourneau du poêle avant d'aller ouvrir. Il entrevit, par la lucarne de la porte hérissée de barreaux métalliques, les lumières tremblantes des bougies, des poêles et des âtres qui, en contrebas, découpaient les ouvertures des bâtiments plongés dans l'obscurité. Ismahil était monté se coucher – ou seulement s'allonger, il ne dormait jamais d'après Mahielle – depuis un bon moment dans la chambre où reposait Kadija.

Solman partageait la maison avec les deux Albains. Les occupants précédents, des soldats de la ligne PMP comme l'indiquaient les uniformes abandonnés çà et là avec, sertis dans le col des vareuses, le drapeau rouge étoilé et l'ours stylisé, avaient enduit les murs de pierre, les sols et les plafonds d'un béton indestructible. Toutes les ouvertures étaient pourvues de barreaux épais et étroits fabriqués dans un métal inoxydable.

Avec les uniformes, parfois dans les uniformes, les Aquariotes avaient trouvé bon nombre de squelettes qu'ils avaient dû balancer du haut des remparts de la petite ville fortifiée. On n'avait relevé aucune trace de bataille, aucun impact de balle sur les murs, sur les vitres, sur les épaves disséminées dans les ruelles ; les meubles rongés par l'humidité, chaises, tables, couchettes, étaient restés debout. Les soldats de l'axe PMP n'avaient pas eu la possibilité de riposter, terrassés par un gaz fulgurant ou foudroyés par des insectes veni-

meux, parfois surpris dans leur sommeil, on avait découvert quelques squelettes dans les lits, enveloppés de
pans de draps poussiéreux comme d'autant de bande-
lettes usagées. En revanche, leurs armes étaient restées
introuvables, comme si le premier soin de l'armée ennemie avait été de passer les récupérer après le massacre.
De même on ne relevait aucune présence animale, pas
l'un de ces rats agressifs au poil noir et rêche qui pullulaient d'habitude dans les ruines des anciennes cités.

La répartition des Aquariotes dans les bâtisses n'avait
pas été une tâche facile, chaque famille cherchant à
obtenir les meilleures conditions de logement. Solman
ne s'en était pas mêlé, déléguant bien volontiers cette
tâche à Irwan et Gwenuver. Ils souhaitaient renouer
avec leurs anciennes prérogatives de père et de mère,
grand bien leur fasse ! Et qu'ils en supportent les conséquences ! Lui-même n'avait pas tiqué lorsqu'on lui avait
assigné sa résidence, une petite maison située tout en
haut de la forteresse et dont le toit de béton, dominant
le rempart, était exposé aux vents, au froid et aux tempêtes de neige. Il n'avait même pas eu à réclamer la
compagnie des deux Albains, on la lui avait imposée,
dans le but probable de lui signifier que son peuple le
regardait désormais comme un étranger.

Il avait nettoyé l'habitation de fond en comble avec
l'aide d'Ismahil. Sans eau, puisque la consigne était de
l'économiser, mais avec des chiffons imbibés de neige.
Placé au milieu de la pièce qui servait de cuisine, de
salle à manger et de salon, le vieux poêle en fonte diffusait sa chaleur dans les deux chambres et dans l'ancienne salle de bains dont ils gardaient les portes
ouvertes. Les intendants leur avaient distribué des draps,
des couvertures, des ustensiles de cuisine, des bûches
ainsi qu'une réserve de vivres et cinq jerrycans d'eau
qui, en principe, couvraient leurs besoins pour une
semaine. Cependant, comme Ismahil mangeait, buvait
et se lavait peu, comme Kadija restait inerte, les rations
assuraient davantage que le strict nécessaire, hormis le
bois, qu'il fallait aller chercher régulièrement dans l'an-

cienne église transformée en entrepôt. Ils faisaient chauffer les aliments sur les ronds du poêle et, parfois, avec la permission d'Ismahil, Solman se payait le luxe de remplir la baignoire à l'émail écaillé d'eau bouillante et de plonger un long moment dans un bain régénérateur. Il n'avait pas été exonéré des tours de garde effectués sur les hauteurs du rempart ou derrière la porte basse du tunnel d'accès hermétiquement rebouchée avec des pierres et des épaves d'engins militaires.

Il fut étonné de découvrir la silhouette enrobée de Gwenuver sur le seuil de la porte, la face encadrée par un fichu de laine, le corps enveloppé dans un ample manteau. Poussés par un vent irascible, quelques flocons de neige s'engouffrèrent dans l'embrasure et s'éparpillèrent dans la pièce avec la vivacité silencieuse de papillons de nuit.

« Eh bien, on n'invite pas sa mère à entrer ? »

Une moue maniérée brisait la rondeur du visage de Gwenuver.

« Ma mère est morte depuis bien longtemps, rétorqua Solman avec froideur. Qui vous envoie ? »

L'ardeur effrontée avec laquelle elle le fixa contrastait avec l'inquiétude sous-jacente qui imprégnait ses gestes et sa voix.

« Personne. Il m'arrive de prendre des initiatives personnelles, et plus souvent que tu crois. »

Elle ne mentait pas, mais elle masquait ses mobiles avec une prudence de chatte sauvage.

« Il fait froid dehors », reprit-elle après avoir lancé un bref regard sur la ruelle en pente.

Solman s'effaça pour la laisser entrer, puis il referma la porte métallique et tira le verrou. Elle retira ses gants, son fichu, son manteau, secoua sa chevelure grise et se dirigea vers le poêle au-dessus duquel elle étendit les mains. Elle portait une veste courte et un pantalon d'un tissu gris et épais qui, en épousant ses formes, alourdissaient encore sa silhouette.

« Que me voulez-vous ? attaqua Solman en venant se placer en face d'elle de l'autre côté du poêle.

— Essayer de mettre un terme à cette situation absurde, répondit-elle après quelques secondes de silence. Rapprocher les uns et les autres. Maintenant que nous sommes à l'abri... »

Elle s'interrompit et lui adressa un sourire hésitant. La chaleur du poêle redonnait des couleurs à son visage et de l'éclat à ses yeux clairs.

« Maintenant que tu nous as trouvé un abri, corrigea-t-elle, nous pouvons peut-être taire nos petites querelles et œuvrer ensemble au salut du peuple aquariote.

— Vous classez l'assassinat de mes parents, l'empoisonnement des Slangs et tout le reste dans la rubrique petites querelles ? » lança Solman.

Elle marqua le coup d'un raidissement de tout son corps. Les ronflements du poêle rythmèrent un silence devenu oppressant.

« Tes parents, les Slangs, le reste, tout cela a été pensé et organisé par mère Katwrinn, réussit-elle à articuler. Tu l'as toi-même entendue se vanter de...

— Les absents ont toujours tort, n'est-ce pas ? Elle se serait trahie bien avant si vous aviez eu la lucidité ou le courage de lui résister.

— Katwrinn était... comment dire ? si... persuasive. Notre erreur a été de croire qu'elle se vouait corps et âme au bien du peuple aquariote. Tu es né avec le don de clairvoyance, Solman, et, reconnais-le, elle a réussi à te tromper pendant plus de douze ans. »

Ce fut au tour de Solman d'accuser le coup. La douleur à sa jambe se réveilla tout à coup, comme un creuset où se fondaient instantanément les regrets, les manques et les doutes.

« Mon erreur à moi a été de vous regarder avec les yeux de l'affection, dit-il d'une voix sourde.

— Ce n'était pas une erreur. Nous t'aimions... nous t'aimons toujours comme un fils.

— Et pour me le prouver, vous répandez le bruit de ma folie, vous dressez les Aquariotes contre moi... »

Elle l'interrompit d'un geste suppliant de la main.

« Ils n'ont pas compris ta décision de les emmener dans l'hiver du Nord, ils sont venus se plaindre à nous. Que pouvions-nous faire d'autre que les écouter ? Devions-nous les rejeter, les abandonner dans leur désespoir ? Laisser croître leur colère ? Tu as parfois tort d'avoir raison, Solman, c'est le lot de tous les clairvoyants.

— Je n'ai ni raison ni tort. La manipulation ne m'intéresse pas, j'essaie seulement d'écouter mes perceptions. »

Il s'assit sur une chaise grinçante pour soulager sa jambe douloureuse. La crosse du pistolet de Chak lui pénétra profondément dans les plis du ventre.

« Ils n'ont pas les mêmes perceptions que toi, dit Gwenuver. Et ce qui te paraît juste leur semble injuste.

— Et vous, vénérée mère, qu'est-ce qui vous paraît juste ? »

La flamme de la bougie posée sur la table s'éteignit, la pièce sombra dans une nuit compacte et hachée par les éclats rougeoyants du poêle.

« Que nous réunissions nos forces au lieu de les disperser.

— Qu'est-ce que vous comptez gagner dans l'affaire ? »

Elle se raidit à nouveau, offusquée par la question.

« Rien... rien d'autre que la satisfaction du devoir accompli.

— Vous espérez vous racheter ? poursuivit Solman avec un regard aigu. Laver le sang sur vos mains ? Prouver votre importance aux yeux des Aquariotes ? »

Elle poussa un long soupir avant de ramener ses bras le long de son corps.

« Je suppose qu'il ne sert à rien de tricher maintenant que tu ne me regardes plus avec les yeux de l'affection. Je suppose également que l'intérêt que nous portons à la collectivité n'est qu'une façon comme une autre de poursuivre un but personnel. Tu n'échappes pas à la règle, Solman. »

Il dut reconnaître qu'il lui ressemblait sur ce point, que les intérêts collectif et individuel s'imbriquaient en lui de telle manière qu'il lui était impossible de les dissocier. Sa clairvoyance ne lui servait pas seulement à guider le peuple aquariote sur les chemins hostiles de l'Europe, il l'utilisait aussi et surtout pour descendre en lui, pour explorer le labyrinthe tortueux de son esprit, pour échapper à la prison de l'espace-temps, pour trouver un passage vers un autre état, une autre réalité.

« Vous avez raison, dit-il en renversant la nuque pardessus le dossier de la chaise. Qu'importent votre envie de rachat, votre besoin de reconnaissance, qu'importe le passé... »

Gwenuver s'engouffra immédiatement dans la brèche.

« C'est exactement ce que je te propose : faire du passé table rase, repartir de zéro, se consacrer au présent. Contrairement à Irwan et à Raïma, je persiste à penser que ton don nous est indispensable.

— Si je comprends bien, vénérée mère, vous venez m'offrir une alliance contre vos deux alliés. »

Elle contourna le poêle, tira un tabouret du dessous de la table et vint s'asseoir près de lui. Il décela son odeur fade sous l'essence de fleurs sauvages dont elle s'était parfumée. Autant il avait éprouvé de la compassion pour mère Katwrinn, autant il ne ressentait pour elle qu'une indifférence teintée de mépris. Il se le reprochait, car elle était sincère dans sa démarche, mais, depuis qu'elle s'était violemment disputée avec Raïma sur les bords de la Baltique, depuis qu'il avait osé la sonder, le lien s'était distendu, et il n'avait ni la volonté ni la force de surmonter sa déception, son désenchantement.

« Pas contre eux, mais en dépit d'eux. – Elle parlait à voix basse, comme si elle voulait l'emberlificoter dans son secret. – Ils ne sont pas mûrs pour une réconciliation, Raïma parce qu'elle est jalouse de l'Albaine...

— Jalouse d'une agonisante ! Qu'elle a elle-même empoisonnée.

— Elle m'a juré qu'elle n'était pour rien dans cette histoire. Quelqu'un a dérobé une de ses fioles de poison dans sa voiture. Si tu veux en avoir le cœur net, tu n'as qu'à la soumettre au jugement : tu verras qu'elle dit la vérité, j'en suis convaincue.

— Comment pourrais-je la sonder ? Elle me fuit comme la peste.

— La cérémonie publique d'adoption aura lieu demain après-midi dans l'église. Viens discrètement, et tu auras la possibilité de te faire une opinion. »

Solman se leva, incapable de supporter plus longtemps la promiscuité imposée par son interlocutrice. Le poêle ronflait comme un moteur, et son tuyau de métal anodisé, qui se jetait dans le conduit de la cheminée, émettait des craquements répétés.

« Vous ne m'avez pas consulté ! – Il ne chercha pas à retenir l'acrimonie qui tirait sa voix dans les aigus. – Et sans l'aval d'un donneur, une adoption ne vaut rien. Rien ! »

Il prit conscience que son statut de donneur avait forgé en lui un orgueil sournois mais immense. Il s'était toujours figuré que les autres dépendaient de sa force d'attraction et gravitaient autour de lui comme des planètes autour de leur étoile. Oh, bien sûr, il avait préféré imaginer que mère Nature l'avait voulu ainsi, comme elle avait voulu qu'il y eût des étoiles et des planètes, mais il s'était gonflé d'importance, et sa mise à l'écart dans l'organisation de cette cérémonie lui faisait l'effet d'une humiliation, d'une mortification. Pourtant, combien de fois avait-il rêvé d'être dispensé de son rôle et élevé au rang d'un homme ordinaire ? Loin de subir sa différence, comme il s'était complu à le croire, il s'en était nourri, il l'avait revendiquée, cultivée, et ses aspirations à la normalité n'avaient été que des leurres destinés à masquer sa suffisance.

« Tu as tenu Irwan à l'écart dans ta décision de remonter vers le Nord, il ne te l'a pas pardonné, dit Gwenuver. Mais je serai un pont secret entre toi et lui, entre Raïma et toi, et, quand les rancœurs se seront apaisées, vous pourrez vous retrouver. »

Solman hocha la tête avec un sourire amer.

« De quelle paix parlez-vous, vénérée mère ? Vous pensez donc que nous sommes à l'abri dans cette forteresse ? Nos ennemis savent très bien où nous sommes.

— Ridicule. Comment auraient-ils pu le savoir ?

— Je n'en ai aucune idée, mais leurs légions convergent vers le Massif central. »

Gwenuver se leva à son tour et eut un geste d'exaspération.

« Quel ennemi, Solman ? Seuls les chiens sauvages et les Slangs nous ont attaqués.

— Les bakous nous ont pourtant prévenus que...

— Ces fous ? Ils vivent en permanence dans le sang de leurs propres mutilations. La faim, la soif, la fièvre et le froid les font délirer.

— Raïma aussi parle d'Apocalypse.

— Raïma ? Elle s'éteint à petit feu et considère que le monde se meurt en même temps qu'elle.

— Vous prétendez que mon don vous est indispensable et vous refusez de m'entendre ? »

Les éclats rageurs de sa voix demeurèrent suspendus quelques instants dans l'obscurité de la pièce.

« Le don véritable, mon fils, pas les fruits de ton imagination, répondit Gwenuver. Katwrinn avait raison de distinguer l'inconscient, la clairvoyance, du mental, l'illusionniste. Retrouve l'essence du don, débarrasse-le de toutes les idées parasites inoculées par le Livre de Raïma, redeviens l'être pur que nous avons connu autrefois.

— Désolé, vénérée mère : j'ai perdu ma virginité. Et maintenant, avec votre permission, j'aimerais aller me coucher. »

Elle acquiesça d'un mouvement de tête, noua le fichu autour de sa tête, enfila son manteau et ses gants, se dirigea vers la porte, se retourna, la main posée sur le verrou.

« Prends le temps de la réflexion. Quand tu auras une réponse à me donner, positive ou négative, arrange-toi pour me le faire savoir. Par l'intermédiaire de Jean, peut-être, j'ai appris que vous vous voyiez régulièrement, toi et lui. Une dernière chose... »

Elle lâcha le verrou, se rapprocha de lui et ajouta, d'une voix à peine audible :

« Méfie-toi des Albains. Nous sommes nombreux à penser qu'ils cherchent à nous diviser. Ils n'ont pas été officiellement adoptés, et nous devrons bientôt prendre une décision à leur sujet. »

Elle resserra les pans de son fichu et sortit dans la nuit hantée par les flocons de neige. Solman la vit disparaître derrière une épave échouée en travers dans la ruelle descendante. Il laissa la porte ouverte pendant quelques minutes, le temps que se dispersent l'ombre pâle de son odeur et les effluves entêtants de son parfum.

La dernière bûche s'était consumée dans le poêle et le froid descendait peu à peu sur la chambre. Les trois couvertures ne suffisaient pas à réchauffer Solman, nu sous le drap, mais il aurait fallu bien plus qu'un fourneau ronflant à plein régime pour l'empêcher de grelotter. Jamais il ne s'était senti aussi démuni, aussi désemparé que dans la solitude glacée de cette chambre capitonnée de béton. Le passage de mère Gwenuver avait laissé des traces dans son organisme, comme un virus à effet retard grignotant ses défenses immunitaires. Il avait ressenti les mêmes doutes, la même fragilité, face aux accusations de mère Katwrinn, mais ils se trouvaient multipliés par dix, par cent, dans la paix nocturne froissée par les hurlements du vent.

Est-ce qu'il n'était pas en train de devenir fou ?

Son esprit était-il suffisamment puissant et pervers pour l'entretenir dans un monde illusoire ? Les images et les sensations qui s'imposaient à lui avec une fréquence et une clarté constantes n'étaient-elles pas de pures et simples affabulations élaborées par un cerveau détraqué ?

Les épisodes du relais de Galice, des sauterelles[GM] et de l'éruption volcanique tendaient à prouver, au contraire, que sa vision était en prise sur le réel, mais, comme l'avaient affirmé les vénérées mères Katwrinn et Gwenuver, il se pouvait très bien qu'il recouvre l'essence de son don dans des circonstances particulières, comme si le mental débordé cessait de fonctionner pour transmettre le relais à l'inconscient. Sans avoir l'air d'y toucher, Gwenuver avait posé deux conditions à sa réadmission dans le sein du peuple aquariote : un, qu'il accepte de redevenir simple donneur, c'est-à-dire qu'il réintègre les limites d'une fonction purement consultative et fasse acte d'allégeance au nouveau conseil, deux, qu'il se désolidarise des deux Albains qu'on s'apprêtait à chasser de la forteresse. Et la brève allusion de la visiteuse à ses relations avec Glenn-Jean était une menace voilée, un champ potentiel de représailles.

Il passa en revue les rangs de ses partisans, ou du moins de ceux qu'il considérait comme ses partisans : Glenn, en premier rang, Moram, parce que celui-là, avec son bon sens et ses muscles épais, n'était pas du genre à se laisser influencer, Chak, peut-être, encore qu'il ne lui eût pas rendu une seule visite depuis qu'ils s'étaient installés dans la forteresse, quelques chauffeurs encore, dont le vieux Josah, trois ou quatre femmes qui ne portaient pas Raïma dans leur cœur, une des deux jeunes sourcières qui le regardait avec un peu plus que de la sympathie, et puis... et puis... Les autres se hâtaient de reconstruire le monde qui avait vacillé lors du grand rassemblement et au relais de Galice. La hiérarchie, les rites, la répartition des tâches, autant de constructions qui les rassuraient, qui leur donnaient l'impression d'évoluer dans les limbes d'une matrice.

Il n'avait pas perçu d'autres voix, d'autres musiques, dans la démarche de Gwenuver, mais c'était tout le peuple aquariote qui s'était exprimé par sa bouche. Ou il se pliait à leurs règles, ou ils l'excluaient, comme ils étaient déjà déterminés à exclure Kadija et Ismahil. Ils aspiraient seulement à parcourir un chemin déchiffré pendant des millénaires, si souvent balisé qu'il apparaissait comme la seule voie vers la vérité.

Un bruit de pas précipités tira Solman de ses pensées. Il leva la tête, vit une ombre grise se ruer dans sa chambre, glissa la main sous le traversin, agrippa la crosse du pistolet.

« C'est moi, Ismahil... »

Une couronne de cheveux clairs encerclant un crâne lisse, une chemise blanche flottant sur des jambes maigres.

« Kadija... Kadija... »

Les mots se bousculaient dans la gorge du vieil Albain. La respiration de Solman se suspendit.

« Elle est... elle est...

— Elle est quoi ? hurla Solman.

— Elle s'est réveillée, elle est revenue à la vie ! »

CHAPITRE 29

Du rempart, une ceinture de béton à laquelle on accédait par un escalier tournant, Solman voyait les Aquariotes converger vers l'ancienne église, située dans la partie basse de la ville, au centre d'une place où débouchaient la plupart des ruelles. On devinait que c'était une église d'abord à sa masse imposante, disproportionnée par rapport aux autres constructions, ensuite à sa vague forme de croix et, enfin, aux trois arcs-boutants mystérieusement épargnés par les soldats de l'ancien temps. Pour le reste, elle tenait davantage du blockhaus avec le béton lisse qui l'habillait de bas en haut, les murs de parpaings criblés de meurtrières qui comblaient ses anciens vitraux et rosace, son portail métallique de plus de vingt centimètres d'épaisseur et son clocher arasé qui lui donnait l'allure d'une bâtisse pataude, obtuse. Comme sa surface avait pour seul équivalent les ateliers souterrains où étaient stationnés les camions et leurs attelages, elle était tout naturellement devenue le lieu de ralliement des Aquariotes, rendossant son ancien rôle après un court intermède militaire et près d'un siècle de désolation.

Vue d'en haut, la ville ressemblait à un échiquier où les rectangles de neige le disputaient au noir vertical des façades et des épaves. Solman avait éprouvé le besoin de contempler la blancheur apaisante des montagnes avant d'affronter ce qui s'annonçait comme une dure épreuve. D'un côté, la surface parfaitement lisse du plateau se brisait sur les récifs de la forêt avant de repartir en vagues moutonnantes qui venaient mourir sur les flancs affaissés d'éminences rognées ; de l'autre, se dressaient des pics découpés, serrés, un faisceau de lances pointées vers le ciel, une gigantesque grille naturelle qui semblait protéger le nid d'aigle où se perchait la ville. Un trait de fumée s'en élevait et traçait dans le bleu froid du ciel un sillage clair chahuté par le vent : le volcan fulminait encore, comme s'il lui restait un peu de bile à cracher.

« On n'aura pas de neige aujourd'hui. »

Solman se retourna : un homme se tenait devant lui sur le chemin de ronde luisant de verglas, appuyé d'une main sur le garde-corps crénelé, le visage enfoui sous un passe-montagne de laine écrue qui ne laissait paraître que ses yeux clairs, ses sourcils broussailleux et la naissance de son nez. Grand, maigre, il portait en bandoulière un fusil d'assaut, un modèle maintes fois réparé comme le montraient les pièces métalliques vissées sur la crosse et le canon. Son manteau, ses gants et ses bottes de cuir fauve avaient également subi un grand nombre de rapetassages, et il y avait fort à parier que sa peau elle-même était couturée de cicatrices.

« Je suis de garde, reprit l'homme. Je vais me les geler tout l'après-midi pendant que les autres seront bien au chaud dans l'église. »

Solman se sentit transpercé par son regard. Il ne le reconnaissait pas, mais sa voix enrouée éveillait en lui d'étranges sensations, remuait des souvenirs qui gisaient depuis des années dans la boue de sa mémoire.

« Qui êtes-vous ? »

Il lui avait fallu surmonter l'inexplicable oppression qui lui serrait la gorge et la poitrine pour prononcer ces quelques mots.

« Un anonyme, un homme de l'ombre, un de ces Aquariotes qu'on ne remarque jamais, répondit l'autre. La preuve, ça fait une vingtaine d'années que nous vivons dans la même caravane, et tu ne me connais pas, tu n'as même jamais entendu parler de moi. C'est vrai que je n'ai pratiquement plus de famille et peu de besoins. Je suis à peine plus réel qu'un fantôme.

— Vous portez bien un nom ? »

Les yeux de l'homme se voilèrent de tristesse.

« Autrefois on m'appelait Wolf, ça veut dire "loup" en neerdand.

— Autrefois ?

— Lorsqu'ils m'ont adopté, les pères et les mères du conseil m'ont rebaptisé Caïn, c'est le nom de l'un des premiers hommes du Livre des religions mortes.

— Vous étiez de quel peuple avant votre adoption ? »

L'homme s'accouda au garde-corps et, penché en avant, observa les ruisseaux fourmillants des Aquariotes qui affluaient vers le parvis de l'église.

« Scorpiote. Nous vivions dans la région de Latvia, Lettonie dans votre langue, mais notre berceau, c'est le pays des Scotts, l'Écosse. »

C'est alors seulement que Solman remarqua la pointe d'accent qui allongeait certaines de ses syllabes. Il tenta de le sonder mais, en dehors d'une impression superficielle de nostalgie et de fatalité, sa vision pénétrante se heurta à un mur infranchissable. Celui-là savait mieux que les autres protéger ses secrets.

« L'Écosse ? Elle n'appartient pas aux îles Britanniques ? »

L'homme acquiesça d'un grognement.

« Je croyais que les radiations nucléaires rendaient toute vie impossible là-bas ? poursuivit Solman.

— Nos ancêtres ont quitté les îles avant d'être exterminés par la pollution atomique. Mais tous les peuples scorpiotes en ont gardé des traces : transgénose, tares de toutes sortes, physiques aussi bien que mentales...

— Comment avez-vous atterri chez les Aquariotes ? »

À nouveau l'homme marqua un long temps de pause.

« J'avais à peine vingt ans quand le conseil de mon peuple m'a banni, répondit-il d'une voix hésitante.

— Pour quel motif ?

— J'ai eu le tort de m'élever contre le jugement d'un donneur. »

L'homme répugnait visiblement à évoquer ses souvenirs, mais Solman s'acharna, saisi par une envie furieuse, irrépressible, de déterrer son passé. Il ne restait pourtant que peu de temps avant le début de la cérémonie.

« Pour quelle raison ?

— Ce n'était pas un vrai donneur, il ne voyait pas, il était influencé.

— Comment pouviez-vous en être si sûr ? »

L'homme se redressa et épousseta la neige collée à ses manches.

« Les fantômes n'ont pas l'habitude de parler, boiteux, et je t'en ai déjà trop dit. »

Il s'éloigna dans le chemin de ronde d'une démarche vacillante, comme alourdi par le faix de son histoire.

« Est-ce que je vous reverrai, Wolf ? cria Solman.

— Je ne sais pas si c'est souhaitable », répondit l'homme sans se retourner.

Tous les membres du peuple aquariote, hormis les guetteurs, les malades et les femmes enceintes proches du terme, se pressaient dans l'église. Le vaisseau étant trop petit pour les accueillir, ils s'étaient répandus dans le narthex, dans les transepts et dans les travées de la nef où les intendants avaient entreposé les réserves de vivres, le bois de chauffage, les couvertures, les bougies, les produits d'entretien, les ustensiles, les outils, bref, tout ce dont avaient besoin les Aquariotes hormis l'eau, stockée dans les citernes des camions. Pour pallier l'absence quasi totale d'éclairage diurne, on avait allumé des dizaines de grosses bougies réparties sur les vestiges de l'autel, sur la chaire de bois restée intacte, sur les rebords des bases des piliers et, au-dessus du chœur, sur le plancher dénudé d'un ambon. Les petites flammes répandaient une agréable odeur de cire chaude et dispensaient une lumière ambrée qui s'intensifiait à la croisée des transepts et allait décroissant vers le porche et sur les côtés du vaisseau.

Irwan et Gwenuver trônaient sur une estrade sommaire et dressée devant l'autel, vêtus des tuniques amples et colorées qui leur avaient toujours servi de tenues officielles. Les derniers événements avaient amputé le conseil des deux tiers de ses membres, soit la même proportion que l'ensemble de la population. Sans doute ce parallèle avait-il joué un rôle important dans le resserrement des Aquariotes autour de leur dernier père et de leur dernière mère. On se retrouvait entre rescapés, entre hommes et femmes meurtris, endeuillés, on se raccrochait avec l'énergie du désespoir aux valeurs traditionnelles, à la stabilité, à l'autorité incarnées par Irwan et Gwenuver. Peu importaient les rumeurs qui insinuaient que ces deux-là avaient du sang sur les mains. De quoi les accusait-on ? D'avoir tenté d'empoisonner les Slangs ? On n'avait jamais aimé ces charognards aussi arrogants que puissants. D'ailleurs, le conseil avait fait preuve de sagesse, de clairvoyance, en cherchant à se débarrasser des troquants d'armes : n'étaient-ils pas en train de tendre un piège au peuple de l'eau sur les hauteurs du relais de Galice pendant qu'ils plaidaient – qu'ils pleuraient... – leur cause sous le chapiteau des jugements ? Quant aux autres accusations, ce crime que le conseil aurait perpétré contre les parents du donneur, cet assassin qu'il aurait lancé sur la guérisseuse, ces fraudes auxquelles il se serait livré pendant les élections, on les considérait comme de pures calomnies répandues par des langues de vipère (les derniers partisans du donneur). On en voulait pour preuve le comportement de Raïma : la guérisseuse aurait-elle accepté de paraître en compagnie d'Irwan et de Gwenuver si vraiment ils avaient eu la volonté de la tuer ?

Elle se tenait pourtant au milieu du petit groupe concerné par la cérémonie publique d'adoption, avec son fils Jean, avec Adlinn qui portait un nourrisson dont la mère était morte en couches quelques jours plus tôt, avec d'autres enfants, des hommes et des femmes, jeunes et moins jeunes, qui aspiraient à reconstituer les familles démantelées par les chiens sauvages, les roquettes des Slangs et les accidents de la vie. Sous la cascade exubérante et sombre de ses cheveux, le visage de Raïma n'était plus qu'un fatras incohérent de chair où se devinaient à peine les reliefs des traits. Le front avait doublé de volume, le nez était un appendice perdu parmi les crêtes qui poussaient sur les pommettes et les joues, la bouche disparaissait à moitié sous le renflement de la lèvre supérieure, le menton s'étirait et fuyait sur le côté droit. Seuls les yeux, où se lisait une souffrance indicible, avaient conservé leur éclat d'origine. Ils se posaient tantôt sur la foule, tantôt sur Irwan et Gwenuver, assis au milieu de l'estrade, avec l'intensité fiévreuse, dérangeante, d'oiseaux affamés en quête de miettes. Elle n'en était qu'au début de son calvaire : il lui faudrait donner le sein en public à Jean afin que l'assemblée entérine l'adoption, et, même si les bougies ne suffisaient pas à éloigner la pénombre, elle offrirait sa poitrine en spectacle à tous les Aquariotes, elle exhiberait ces protubérances difformes, ignobles, dont elle s'était autrefois montrée si fière.

Irwan écarta les bras, et, après avoir obtenu un silence relatif, prononça la formule d'usage :

« Notre mère Nature donne et reprend. Mais elle nous a offert, à nous ses enfants, le présent de la compassion, le pouvoir de donner ce qu'elle a repris, de reconstruire ce qu'elle a détruit. »

Il n'avait pas besoin d'élever la voix, amplifiée par l'acoustique vibrante de la nef.

« Ces derniers temps, notre peuple a été durement éprouvé. Aucun homme ne remplacera un homme disparu, aucune femme ne remplacera une femme disparue, aucun enfant ne remplacera un enfant disparu, car chacun de nous est unique, irremplaçable, mais certains ont manifesté le désir de rebâtir un foyer, et nous ne pouvons que les y encourager : le peuple de l'eau a besoin de pères, de mères et d'enfants, d'une explosion d'amour et de vie après ces terribles jours de deuil. »

Une femme hurla son approbation, un cri lui répondit du fond d'un transept, puis un autre jaillit d'une travée, et encore d'autres, et bientôt, des clameurs poussées par des centaines de poitrines s'élevèrent entre les murs bétonnés de la vieille église.

Gwenuver promena un regard extatique sur les visages effleurés par la lumière tremblante des bougies. Elle redevenait une poule veillant sur sa couvée, elle comptait ses poussins un instant égarés par les chiens sauvages et les renards slangs, elle retrouvait l'affection des siens, elle renouait avec la chaleur maternelle et bienheureuse qu'elle avait connue avant que ce serpent de Katwrinn ne s'insinue dans sa vie. Avant que... Certains souvenirs choisissaient mal leur moment pour se relever de leur tombe. Elle les chassa d'un geste énergique.

Les traits tendus, une lueur farouche dans les yeux, Adlinn s'avança sur l'estrade, leva le nourrisson à bout de bras et déclara, d'une voix fissurée par l'émotion :

« Moi, Adlinn, je regarde désormais cet enfant privé de père et de mère comme mon fils. Je lui donne le nom de Jakel. C'était... c'était le nom de mon fils tué par... »

Elle n'eut pas la force d'en dire davantage. De grosses larmes roulèrent sur ses joues tandis qu'elle dégrafait le haut de sa robe et déboutonnait son boléro pour libérer l'un de ses seins. Le nourrisson se mit aussitôt à téter mais, comme piquée par ce contact, elle le repoussa au bout d'une poignée de secondes et rajusta hâtivement boléro et robe malgré ses vagissements de protestation.

« Tu n'as pas choisi d'époux ? demanda Irwan.

— Pas encore, vénéré père. J'ai besoin de temps pour me réhabituer à un homme.

— Tu as fait le premier pas en adoptant cet enfant. Je suis sûr que très bientôt, tu oublieras ton époux décédé et que tu t'ouvriras à l'amour d'un autre homme. »

Comme le voulait l'usage, le peuple aquariote entérina l'adoption par une salve d'applaudissements et d'acclamations.

Une dizaine de cérémonies se succédèrent. Le rituel, établi par l'Éthique nomade, était invariable : les femmes s'avançaient sur l'estrade, accompagnées de l'enfant qu'elles souhaitaient adopter et, parfois, de leur mari, donnaient un nom à leur nouveau fils ou leur nouvelle fille, lui présentaient le sein devant la bouche pour un simulacre d'allaitement, puis, après quelques paroles échangées avec Irwan ou Gwenuver, le peuple aquariote marquait son approbation par une ovation et des bans.

Un silence suffocant tomba sur l'église, en revanche, lorsque Raïma et Glenn-Jean, les derniers à passer, se juchèrent sur l'estrade. Autant les membres de l'assistance s'étaient identifiés aux larmes, à l'émotion, aux rires et aux bons sentiments qui avaient nourri les cérémonies précédentes, autant le couple formé par la guérisseuse en phase terminale de transgénose et l'enfant miraculé du relais de Galice leur faisait l'effet d'une offense, d'une abomination. Ils ne comprenaient pas qu'une caricature de femme, fût-elle l'experte en plantes qui soignait leurs maux depuis des années, eût le front de revendiquer un quelconque droit à la maternité, elle que mère Nature, prévoyante, avait frappée de stérilité. Cette image de la dégénérescence les blessait, eux qui condamnaient leurs propres transgénosés, parents, fils, filles, frères, sœurs, à l'enfermement perpétuel dans deux voitures surnommées les « pourrissoirs ». La terreur génétique, issue des pollutions léguées par l'ancien monde, hantait l'esprit des nomades, et Raïma se dressait sur le devant de l'estrade comme une mise en garde, comme un rappel de cette malédiction qui pouvait s'abattre à n'importe quel moment sur l'un d'entre eux ou l'un de leurs descendants. Elle leur faisait prendre conscience de la longueur et de la difficulté du chemin qui les séparait du nouvel éden, d'une nature et d'un peuple rendus à leur pureté originelle. Ils s'estimaient à l'abri des prédateurs animaux et humains dans cette ville-forteresse, mais, quelles que fussent l'épaisseur et la hauteur des murs les isolant des dangers extérieurs, ils restaient à la merci du bouleversement des gènes, de ces guerres « exoniques », « introniques » – on ne connaissait pas la signification exacte de ces deux termes hérités de l'ancien monde, on savait seulement qu'ils décrivaient l'opposition entre pureté et infection –, invisibles en tout cas, qui transformaient leurs organismes en champs de bataille.

« Moi, Raïma, je regarde cet enfant privé de père et de mère comme mon fils et lui donne le nom de Jean. »

Sa voix, forte bien que légèrement tremblante, se prolongea en rumeurs décroissantes sous les voûtes du chœur et de la nef.

« Je lui enseignerai le secret des plantes. Mère Nature l'a épargné au relais de Galice pour qu'il devienne votre guérisseur. »

Elle se tut et observa l'assistance avec une attention provocante, pas longtemps, mais, dans le silence irrespirable qui ensevelissait l'église, cet acte de défi parut durer une éternité. Bon nombre d'Aquariotes baissèrent les yeux, incapables de soutenir l'acuité blessante de son regard. Alors, d'un geste lent, solennel, elle abaissa le haut de sa robe et, là où les autres femmes s'étaient contentées de dégager pudiquement un sein, se dénuda jusqu'à la taille. Des murmures s'étouffèrent dans la semi-pénombre du vaisseau.

Le torse de Raïma était le reflet de son visage, en plus proliférant, en plus chaotique. Impossible de discerner les seins dans cet enchevêtrement d'excroissances dont les plus imposantes se couvraient d'un duvet noir et de cercles pigmentés semblables à des aréoles. Elle se pencha, saisit Jean par la nuque et lui plaqua le visage contre sa poitrine. Le garçon accepta le contact avec cette chair difforme sans marquer de réticence. Irwan mit fin à l'étreinte choquante entre la guérisseuse et son fils adoptif.

« L'Éthique nomade interdit aux femmes atteintes de transgénose d'adopter. Mais, pour cette fois, nous ferons une exception. Et nous souhaitons longue vie à Raïma et à son fils Jean. »

Alors les Aquariotes prirent conscience de tout le courage qu'il avait fallu à cette femme pour affronter leurs regards et leurs préjugés. Des applaudissements crépitèrent, timides d'abord, appuyés par la suite, et, même si les clameurs n'atteignirent pas le volume sonore des manifestations précédentes, le peuple de l'eau montra qu'il plébiscitait l'adoption.

Irwan leva les bras pour restaurer le silence.

« Ainsi se terminent les cérémonies de...

— Pas tout à fait, vénéré père ! »

La voix avait jailli de l'obscurité qui noyait le porche de l'église. Elle plana un long moment au-dessus des têtes frappées de stupeur. Trois silhouettes s'engagèrent dans la travée centrale de la nef et s'avancèrent vers la croisée des transepts.

CHAPITRE 30

Solman et les deux Albains s'immobilisèrent à trois pas de l'estrade et retirèrent leurs écharpes et leurs bonnets de laine. L'apparition du donneur et la résurrection de la jeune Albaine, qu'on savait empoisonnée avec la substance foudroyante des feuilles mangeuses de fer et qu'on découvrait plus vivante et belle que jamais dans la lumière ambrée des bougies, avaient plongé l'assistance dans une stupeur mêlée d'effroi. Un parfum de magie, de sorcellerie, de soufre, émanait du boiteux, de la fille et du vieil homme. Une odeur largement entretenue par Mahielle, qui s'était répandue en confidences, en ragots, en calomnies sur le compte des deux compagnons de voiture imposés par le boiteux. L'homme et la femme recueillis dans le marais méditerranéen passaient pour des possédés – « Impossible de se guérir du poison, de survivre sans s'alimenter ni dormir si les démons ne vous habitent pas... » – ou pour des transgénosés d'un genre spécial, des erreurs de la nature, des « cadeaux » pervers de l'ancienne civilisation – « Allons, allons, les histoires de démons sont des croyances idiotes de l'ancien temps... ». Mais adeptes de la possession et défenseurs de la transgénose se rejoignaient dans le rejet de ces hôtes indésirables, infectés, vénéneux, et approuvaient la volonté plus ou moins déclarée du conseil de les chasser au plus vite de la petite ville fortifiée. C'est dire si leur irruption dans l'église à la fin de la cérémonie d'adoption jetait un froid.

Mère Gwenuver fut pour une fois plus prompte à réagir que père Irwan, pétrifié sur sa chaise. Raïma, qui achevait de rajuster sa robe, n'était pas encore descendue de l'estrade. Jean contint à grand-peine l'élan qui le poussait vers son frère de clandestinité.

« Nous n'attendions pas ta visite, Solman, déclara Gwenuver. Ou, disons, pas ce genre de visite. »

Elle avait parlé d'une voix mesurée, presque badine, mais le froncement de ses sourcils et l'éclat de ses yeux traduisaient à la fois sa surprise et sa colère. Elle l'avait certes convié à la cérémonie d'adoption lors de leur conversation de la veille, mais en toute discrétion, en toute humilité, pas comme un matamore flanqué de ces complices provocants qu'étaient les deux Albains. Elle s'était figuré que son intervention avait amorcé un rapprochement entre le donneur et le nouveau conseil, elle se rendait compte que son cher « fils » n'avait jamais eu l'intention de déposer les armes.

« Je ne viens pas en visiteur, vénérée mère », répondit Solman.

Son regard se posa tour à tour sur Gwenuver, Irwan, Raïma et Glenn-Jean. Il serra les dents pour ne pas trahir la douleur qui lui vrillait la jambe gauche. Il était entré depuis un bon moment dans l'église en compagnie de Kadija et d'Ismahil, et la longue station debout dans la pénombre du porche s'était peu à peu transformée en calvaire.

Le rituel d'adoption entre Raïma et Glenn-Jean lui avait laissé une curieuse impression : happé par un tourbillon de souvenirs, ému aux larmes par l'apparence monstrueuse de Raïma, il s'était retrouvé pendant quelques secondes à la place du garçon dans les bras et l'odeur de la guérisseuse, il s'était glissé dans leur intimité, dans leur chaleur, sans jalousie ni nostalgie mais avec un sentiment persistant de malaise, de gâchis.

« Si ton intention est de contester la validité de la cérémonie, Solman, je te rappelle que, selon l'Éthique nomade, la présence d'un donneur n'est pas nécessaire à l'adoption, dit Irwan après avoir remonté sa mèche rebelle d'un geste agacé. Il ne faut pas confondre l'habitude et la loi.

— Vous teniez un autre discours lorsque vous me demandiez de sonder vos interlocuteurs, vénéré père, répliqua Solman. Lorsque je mettais ma clairvoyance à votre service.

— Les temps ont changé...

— Les circonstances ont changé, mais vos têtes et vos cœurs, eux, restent les mêmes, vous êtes toujours sous l'emprise des vieilles habitudes, vous ne savez pas, ou vous ne souhaitez pas, précisément, vous adapter au changement. »

Irwan se leva d'un bond, comme propulsé par un ressort, et brandit un poing furibond en direction de Solman.

« Il suffit ! Nous avons assez subi tes provocations et tes lubies ! Les choses doivent maintenant rentrer dans l'ordre. Dans l'ordre ! »

Si Ismahil ne se départait pas d'un petit sourire crispant, le visage et les yeux de Kadija demeuraient impénétrables. Depuis qu'elle était sortie de son coma, apparemment aussi fraîche et dispose qu'après une bonne nuit de sommeil, elle n'avait pas prononcé le moindre mot, elle s'était contentée de poser un regard distant, absent, sur ses deux compagnons et sur son environnement. Solman avait essayé d'entrer en contact avec elle par le biais de la vision pénétrante, mais, comme avec Wolf sur le chemin de ronde du rempart, il s'était heurté à un mur infranchissable. Elle avait refusé la nourriture que lui avait proposée Ismahil, acceptant seulement de boire un peu d'eau. En revanche, elle s'était exécutée avec docilité lorsque les deux hommes lui avaient proposé de les accompagner à l'église.

« Je souhaite également contribuer au retour de l'ordre, vénéré père, dit Solman. C'est pourquoi je viens solliciter l'adoption d'Ismahil et de Kadija par le peuple aquariote. »

La tension soudaine qui figea les deux membres du conseil se communiqua comme un faisceau d'ondes concentriques au groupe des participants aux cérémonies d'adoption, massés sur un côté de l'estrade, puis aux rangs de l'assistance répartie dans la nef et les transepts. Elle épargna seulement Raïma, qui n'avait pas tressailli ni montré le moindre signe de désaccord mais dont les yeux étaient deux puits de haine dans le chaos de son visage.

« Mère nature nous a envoyé ces deux Albains, continua Solman d'une voix forte. Les adopter est un devoir, le devoir fondamental de tout peuple nomade. L'ancienne civilisation était fondée sur l'identité, sur le rejet, elle en est morte. Elles se terrent là, les vieilles habitudes, dans les tentations permanentes que nous offrent les sens, dans le désir d'appropriation, dans l'immobilisme. Nos ancêtres ont voulu le retour au nomadisme après la Troisième Guerre mondiale justement pour éviter de reproduire les erreurs de l'ancien monde, mais à quoi sert le mouvement à des hommes au cœur figé ? »

Irwan se pencha vers Gwenuver pour lui chuchoter quelques mots à l'oreille puis, tandis que des murmures montaient de la nef et des transepts, se tourna à nouveau vers Solman.

« Le nomadisme n'est qu'une étape destinée à garantir la survie des derniers hommes en attendant que mère Nature ait achevé sa mue. »

Sa voix avait en partie recouvré son calme, mais le donneur entendit en lui la sourdine de l'agressivité.

« Notre rôle, à nous et aux pères et aux mères qui nous succéderont, est de guider nos descendants vers la Terre promise, vers le nouvel Éden, ajouta Irwan.

— Je croyais que vous rejetiez les religions mortes, releva Solman. Et la Terre promise est l'une des notions fondamentales des religions mortes. De tout temps les hommes se sont entre-déchirés pour des terres promises, pour des territoires sacrés. Vous cherchez seulement un prétexte pour vous attribuer ce qui ne vous appartient pas et n'appartiendra jamais à personne. Les nomades, au moins, n'ont pas de propriété à conquérir ou à défendre.

— Tu parles des errements de l'Histoire, des hommes du passé...

— Je ne parle pas des hommes du passé, je parle aux hommes du passé. Vous vous êtes arrogé le monopole de l'eau comme les anciens hommes se sont attribué les terres.

— Ridicule ! Notre peuple disposait de sourciers, les autres non. Il était donc logique que nous revienne la distribution d'eau. Il s'agissait même d'une mesure d'urgence, de survie. »

Gwenuver leva les bras au ciel. Ils n'en auraient donc jamais fini avec ce petit serpent qu'ils avaient réchauffé en leur sein ? Pourquoi ne l'avait-elle pas écrasé quand elle en avait encore la possibilité, quand elle se glissait comme une voleuse dans la tente de Piriq et Mirgwann pour essayer de se familiariser avec ce nourrisson braillard qui était la chair de sa chair ?

« Quel rapport entre le nomadisme et ces deux Albains ? demanda-t-elle d'un ton excédé.

— Les rejeter signifiera que vous avez clôturé votre identité, votre territoire intérieur.

— Nous leur avons accordé le gîte et le couvert, quel besoin avons-nous de les adopter ?

— Nous prouver à nous-mêmes que nous ne sommes pas bloqués dans nos habitudes, que nous sommes encore capables d'accueillir l'évolution, l'inconnu, le présent, que nous ne sommes pas déjà morts. »

Gwenuver interrompit d'un mouvement du bras les grognements de protestation qui s'échouèrent au pied de l'estrade. Le regard de Glenn-Jean volait comme un oiseau affolé de sa mère adoptive à Solman, de Solman aux deux membres du conseil. L'obscurité pesait de plus en plus lourd sur les flammes agonisantes des bougies dont certaines avaient presque entièrement fondu. Les voix s'étiraient et s'entrelaçaient sous les voûtes de l'église.

« Morts, nous le serons seulement si nous nous laissons enfermer dans ta folie, boiteux », cracha Gwenuver.

Sa hargne transpirait à présent par tous les pores de son visage.

« Est-ce au nom de cette folie, vénérée mère, que vous êtes venue cette nuit chez moi me proposer un marché ? » insinua Solman.

Gwenuver pâlit mais s'astreignit à ignorer les regards interrogateurs d'Irwan et de Raïma.

« J'ai pris cette initiative, c'est vrai, dans le seul but de parler avec toi, de savoir si tu avais repris tes esprits, si les Aquariotes pouvaient encore compter sur toi. Tu m'as donné une partie de la réponse hier, tu l'as confirmée aujourd'hui. Le conseil aquariote te déclare provisoirement exdone. »

La jambe torse de Solman faillit se dérober, mais il réussit à rester debout grâce à ce réflexe instinctif de transférer le poids de son corps sur sa jambe valide. L'église se mit à bruisser des bourdonnements de la foule. Raïma ne bougeait pas, dressée sur un coin de l'estrade, les yeux dardés sur son ancien amant.

« Seuls les donneurs sont habilités à se déclarer exdones, cria Solman d'une voix brisée par la souffrance.

— Tu commets une erreur, mon garçon : l'Éthique nomade accorde aussi ce droit aux conseils. »

Il se rendit alors compte qu'il l'avait sous-estimée, cette mère, en la prenant pour la simple marionnette de Katwrinn. Elle tirait les fils, elle aussi, mais elle s'était arrangée pour offrir l'image d'une femme débonnaire, bornée, empêtrée dans sa propre faiblesse. Elle avait réussi à tromper la vision pénétrante, comme si son rôle, l'imprégnant au plus profond d'elle-même, avait modifié sa structure mentale. Le danger qui guettait les donneurs se tenait là, dans cette capture d'une vérité qu'on leur tendait comme un leurre.

« Comment les conseils pourraient-ils juger de quelque chose qu'ils ne connaissent pas ? »

Elle le fixa avec un sourire de commisération qui l'horripila.

« Il semble, mon cher fils, que tu n'aies pas réussi à éviter l'écueil principal des donneurs : l'orgueil. Si nous prenons cette décision, ce n'est pas pour te punir, mais pour te protéger contre toi-même. Quand nous jugerons le moment venu, tu reprendras ta place parmi nous.

— Vous m'éliminez du jeu comme vous avez éliminé mes parents, dit Solman d'une voix sourde. Comme vous avez essayé d'éliminer Raïma. Comme vous avez éliminé tous ceux qui, d'une manière ou d'une autre, ont eu le seul tort de s'élever contre votre volonté. »

Il sollicita Raïma du regard et comprit qu'il n'avait aucune aide à espérer de sa part, non qu'elle portât les deux survivants du conseil dans son cœur, mais, mortifiée par leur séparation, elle était comme ces chefs de guerre qui, s'estimant trahis, choisissent de pactiser avec l'ennemi. En arrière-plan, il percevait la présence attentive de Glenn-Jean, une trace bienfaisante de lumière et de chaleur dans l'obscurité glaciale de l'église.

« Qui juge en ce moment ? glapit Gwenuver. L'illusionniste ou le clairvoyant ? L'illusionniste voit des complots partout, le clairvoyant saurait que le conseil a toujours agi dans le but de préserver les intérêts du peuple de l'eau.

— Vous n'avez pas encore compris, vénérée mère, que les intérêts du peuple de l'eau se confondent avec les intérêts de tous les peuples ? Tant que vous considérerez l'eau comme l'instrument de votre pouvoir, vous perpétuerez cette division qui condamne à l'extinction les derniers hommes. L'intelligence destructrice se glisse dans nos failles, dans nos luttes, dans tous ces réflexes hérités de l'ancien monde. L'eau est à tous, comme l'air, comme la terre, comme le feu. Ce que je vous demande en sollicitant l'adoption d'Ismahil et de Kadija, c'est de faire un premier pas dans la voie du changement, de l'union. »

Gwenuver et Irwan se lancèrent dans un long conciliabule tandis que les murmures de l'assistance enflaient, transformant l'église en ruche.

« Tu as bien parlé, souffla Ismahil dans le dos de Solman. Un peu trop bien à mon goût. »

318

Ismahil arborait toujours ce sourire à la fois malicieux et sceptique qui lui donnait l'air d'un enfant dans un corps de vieillard. Kadija le dévisageait avec une intensité qu'il ne lui connaissait pas. L'éclat de ses yeux transperçait la pénombre et associait le trouble de la vie à sa beauté jusqu'alors hermétique.

« Qu'est-ce que vous voulez dire par trop bien ? demanda Solman à voix basse. Comme si j'avais jeté des perles aux pourceaux ?

— Je vois qu'on t'a enseigné quelques classiques, répondit Ismahil. Les idées mettent parfois du temps à tracer leur chemin.

— Mais nous, nous n'avons pas beaucoup de temps...

— C'est pourquoi nous devons préparer notre départ.

— Pour aller où ? »

Ismahil désigna Kadija d'un mouvement de tête.

« Je crois, j'espère qu'elle le sait. »

Solman observa la jeune femme et devina, aux frémissements qui lui parcouraient tout le corps, qu'elle tentait à nouveau d'entrer en contact avec lui, comme si elle prenait son élan pour franchir l'abîme qui les séparait. La voix tranchante d'Irwan brisa les prémices de cet échange silencieux.

« Notre décision relève de la sécurité du peuple aquariote, et non de griefs personnels. Nous laissons trois jours aux deux Albains pour quitter ce refuge. Cependant, afin de respecter l'Éthique nomade, nous leur remettrons de l'eau et des vivres qui couvriront leurs besoins pour une période d'un mois, ainsi qu'une arme à feu et une réserve de trente balles. Notre verdict est sans appel. Nous nommerons avant la tombée de la nuit les assesseurs chargés de veiller à son application. »

Les nerfs et les muscles de Solman le lâchèrent tout à coup, et, sans l'intervention d'Ismahil, il se serait effondré de tout son long sur les dalles de l'allée. Son propre échec, le cynisme des deux derniers membres du conseil, les applaudissements d'une grande partie de la foule, le petit air triomphal et désespéré qu'il discernait dans les yeux de Raïma se liguaient pour le vider de ses forces, pour le rendre aussi faible et désemparé qu'un nouveau-né. Il avait prévu la réaction de Gwenuver et d'Irwan, mais il avait espéré le soutien des Aquariotes, de ces hommes et de ces femmes qu'il avait tirés du mouroir de Galice.

Des pourceaux... Jamais il n'avait ressenti un tel mépris pour ses frères humains.

« Trois jours, c'est généreux de leur part », ironisa Ismahil.

Il soutenait le corps vacillant du donneur sans aucun effort apparent.

« Vous ne comprenez pas ? bredouilla Solman dans un éclair de lucidité.

— Comprendre quoi ?

— Irwan et Gwenuver, jamais ils ne vous laisseront partir... Ils violent l'Éthique nomade, et ils le savent... Ils n'ont pas l'habitude d'épargner les témoins gênants. Les assesseurs... »

Ismahil le secoua sèchement pour le contraindre à finir sa phrase.

« Ils... ils seront chargés de vous... de vous tuer... »

Puis, submergé par la douleur, il perdit connaissance.

Il se réveilla dans sa chambre. On lui avait retiré sa canadienne et ses bottes, mais on lui avait laissé sa tunique et son pantalon de peau ainsi que son pistolet. La lumière de deux bougies étirait, sur le béton lisse des murs, l'ombre d'une silhouette assise au pied de son lit. Il eut besoin de quelques minutes pour renouer avec ses souvenirs, pour relier les élancements de sa jambe gauche à son évanouissement dans l'église, pour se rendre compte que son ange gardien avait les traits et les yeux de Kadija. Bien que vêtue d'une simple chemise de nuit sans manches et faite d'un tissu léger, le froid semblait n'avoir sur elle aucune prise. Des images, des sensations traversèrent l'esprit et le corps de Solman comme des traînes de rêves, salles lumineuses, ciel éthéré, légèreté de plume dans une atmosphère confinée, illusion de liberté dans une bulle aseptisée, douleur implacable de la pesanteur.

Le monde de Kadija.

Elle se rapprocha de lui, tendit le bras et garda un long moment la main au-dessus de son front. Elle hésitait visiblement à le toucher, comme si elle craignait que ce contact n'enclenche un mécanisme irréversible. Solman observa cette main planant comme un oiseau farouche à quelques centimètres de ses yeux. Une perfection de main, une paume gracile et pourtant ample, des doigts d'une finesse irréelle, à l'intérieur desquels on devinait, à la lueur des bougies, le dessin sombre des os. Les lignes, en revanche, n'étaient pratiquement pas marquées, pas davantage les lignes principales de vie, de cœur et de tête, que les lignes secondaires, ni même les pliures des phalanges.

Kadija se pencha sur lui jusqu'à ce que son souffle lui lèche le visage. Elle ne dégageait pas d'odeur, simplement une douceur qui l'effleurait avec la fraîcheur sucrée d'une brise printanière. Il éprouva un trouble similaire à celui qui l'avait saisi lorsque Raïma s'était déshabillée dans la remorque des tapis et des rouleaux de tissu, mais il pressentit que l'invitation intime de Kadija l'entraînerait bien au-delà de l'exploration partagée des sens.

Elle finit par lui poser la main sur le front. Le contact, pourtant peu appuyé, lui fit l'effet d'une violente décharge énergétique, de celles qu'on reçoit en touchant par mégarde les cosses des batteries des camions, en beaucoup plus puissante. Le choc souleva une tempête d'images incohérentes, lui secoua la cage thoracique, réveilla en sursaut la douleur à sa jambe gauche. Comme affolée, Kadija se releva aussitôt et se recula vers la porte de la chambre. Son expression hésitait entre perplexité et déception ; elle animait en tout cas l'ovale pur de son visage et rendait sa beauté presque accessible.

Kadija écarta les mèches encombrantes de sa chevelure noire et accorda un dernier regard à Solman avant de sortir. Il entrevit son corps sous le tissu de sa chemise de nuit transpercé par l'éclairage qui provenait de la pièce principale. Un corps modelé, lui aussi, avec un souci obsessionnel de la perfection. Elle étira les lèvres pour ce qu'il devina être une amorce de sourire. Il le lui rendit, puis, épuisé, il se laissa retomber sur le matelas et plongea dans un sommeil bercé d'êtres aux regards et aux sourires éternellement tristes.

CHAPITRE 31

« Vous devriez déjà être partis, bordel ! »

L'éclat de voix réveilla Solman. Il se jeta hors du lit et se rendit en boitant bas dans la pièce principale de la maison. Saisi par le froid glacial, il découvrit Moram, la tête recouverte d'un bonnet, en grande discussion avec Ismahil qui lui faisait face de l'autre côté de la table. Kadija se tenait à l'écart, toujours vêtue de sa seule chemise de nuit, les bras et les pieds nus, les cheveux maintenus en arrière par un ruban de tissu. La luminosité sale des obliques qui tombaient des lucarnes indiquait que le jour venait tout juste de se lever. Il remarqua, près de la porte d'entrée, un sac de toile et un bidon de dix litres posés sur le sol de béton.

« Qu'est-ce qui se passe, Moram ? »

Le chauffeur salua Solman d'un sourire bref mais chaleureux.

« Ravi de te revoir en bonne santé après ce qui s'est passé hier dans l'église, boiteux.

— Tu y étais ?

— Évidemment. Et j'y ai entendu des saloperies qui m'ont mis les tripes à l'envers. J'ai failli intervenir, puis je me suis dit que je me rendrais plus utile si je bouclais ma grande gueule. Les autres, les assesseurs, ils ont reçu pour consigne d'accompagner les deux Albains en bas de la ville, de les flinguer puis de balancer leurs cadavres dans le cimetière d'engins militaires. »

Solman s'approcha de la table et s'assit sur une chaise pour soulager la douleur provoquée par l'afflux brutal de sang dans sa jambe mal irriguée. Il mourait d'envie de boire et de manger quelque chose de chaud.

« Comment tu le sais ?

— Un de ceux qui ont été désignés comme assesseurs a cru malin de s'en vanter ! Ces salopards n'ont pas été désignés, d'ailleurs, ils se sont tous portés volontaires.

— Quand doivent-ils...

— Dans quelques heures !

— Le conseil avait pourtant parlé d'un délai de trois jours. »

Moram retira son bonnet et se massa le crâne, rasé de frais à en juger par les écorchures encore sanguinolentes abandonnées par la lame mal aiguisée sur son cuir chevelu. Sa lourde veste de cuir gémissait à chacun de ses gestes.

« Croire le conseil, c'est comme croire à la vertu d'une femme, faites excuse, mademoiselle. Je dis ça parce que toutes les femmes que j'ai... que j'ai connues étaient déjà mariées. »

Il lança un regard en direction de Kadija puis, devant l'absence de réaction de la jeune femme, reporta son attention sur Solman.

« Les croque-morts du conseil veulent régler cette affaire dès aujourd'hui, ajouta-t-il. Dix assesseurs pour massacrer une femme et un vieil homme, ils ont mis le paquet. J'ai attendu la nuit, pendant que tous ces crétins s'abrutissaient de vin aigre, pour aller piquer de la bouffe, de l'eau et des armes dans les entrepôts souterrains. Ça me fout les boules de devoir lâcher ces deux-là dans l'hiver du Nord, mais, s'ils ne partent pas tout de suite, m'étonnerait fort qu'ils voient le soleil se coucher.

— Tu as prévu des vivres et de l'eau pour combien de jours ?

— Des rations pour deux personnes et quinze jours, trente en se serrant la ceinture. »

Solman se leva et esquissa quelques pas pour vérifier l'état de sa jambe. L'idée qui germait dans sa tête était folle, mais il n'avait pas d'autre choix que de suivre

Kadija s'il voulait découvrir ses secrets. Et percer, par la même occasion, le mystère de l'intelligence destructrice à laquelle elle semblait associée comme deux notes vibrant sur une même fréquence. Il lui en coûtait de trancher le seul lien affectif qui le rattachât encore au peuple aquariote, Glenn, mais il continuerait de veiller sur lui à distance et le retrouverait plus tard, lorsque le temps aurait cicatrisé les blessures.

« Deux semaines pour trois en se rationnant, marmonna-t-il. Le temps qu'il faut, avec un peu de chance, pour rejoindre un autre campement.

— Trois ? s'étonna Moram. Qui est le troisième ? »

Solman palpa machinalement la crosse de bois du pistolet passé dans sa ceinture.

« Moi, répondit-il d'une voix calme, mais résolue. Je pars avec eux.

— Tu perds la boule ! rugit Moram, les yeux hors de la tête. Je te rappelle que ta jambe est patraque. Eux peuvent s'en tirer, mais toi, tu n'as aucune chance de survivre dans ce putain d'hiver ! Aucune chance ! – Il se tourna vers Ismahil. – Vous, il vous écoutera peut-être. Dites-lui que vous ne voulez pas de lui !

— Elle est venue de loin pour le rencontrer, répondit le vieil homme avec un haussement d'épaules fataliste. Elle a besoin de lui, oh ! pas pour survivre dans le froid, elle est mieux armée que n'importe qui sur ce plan, mais pour une destination que j'ignore. »

L'énorme poing ganté de Moram s'abattit de toutes ses forces sur la table dont une planche se fendit sous la violence de l'impact.

« Tout le monde a viré cinglé dans cette putain de forteresse ! Et moi je ne vais pas tarder à le devenir. Il y a deux façons de te protéger, boiteux : ou t'empêcher de franchir le seuil de cette maison, ou partir avec toi.

— Qu'est-ce que tu choisis ? »

Moram hocha la tête à plusieurs reprises, les yeux rivés au sol.

« J'ai pas un appétit de moineau, moi ! Et je sais rien faire en dehors de...

— Conduire un camion et baiser les femmes », coupa Solman.

Un pâle sourire éclaira la face joufflue du chauffeur.

« Je pars avec toi. Je t'ai vu à l'œuvre, donneur, et même si je ne comprends rien à ce que m'a dit le vieux, faites excuse, Ismahil, sur cette fille et toi, je continue à te faire confiance, je suis du genre obstiné. J'y mets une condition : que nous passions par les entrepôts pour nous approvisionner plus généreusement en vivres et en balles. »

Une pudeur mal venue dissuada Solman, ému aux larmes, de se jeter dans les bras de Moram.

« Pourquoi ne sont-ils pas tous comme toi, Moram ? Pourquoi Chak n'est pas là ? »

Le chauffeur se détourna pour cracher par terre.

« Chak ? Il fait partie des assesseurs. Je ne voulais pas t'en parler, mais c'est lui, le salopard qui s'est vanté devant moi. Je crèverai moi-même cette salope d'Albaine, il m'a dit. J'aurais dû lui casser la gueule, mais il était bourré, et j'aime mieux faire les choses dans les règles. Si j'avais su... »

Ils dénichèrent des vêtements et des chaussures dans une caisse de bois livrée par les intendants au début de leur installation et qu'ils n'avaient pas encore ouverte. Ils se couvrirent chacun de trois ou quatre épaisseurs. Kadija enfila deux pantalons trop grands pour elle pardessous une robe épaisse, des bottes et des gants fourrés, un manteau de laine et un passe-montagne. Elle n'avait sans doute pas besoin de tout cet attirail pour combattre le froid, selon les paroles d'Ismahil, mais elle imita les autres sans rechigner, un peu comme une enfant singeant des adultes. Moram se chargea du sac de vivres, dans lequel il avait également glissé un petit réchaud à gaz ainsi qu'un pistolet, un briquet et une casserole, Ismahil s'empara du bidon d'eau, muni d'une lanière de cuir, sans tenir compte des protestations de Solman.

« Je marche dix pas devant vous, dit Moram en ouvrant la porte. Vous bougez seulement quand je vous fais signe. Compris ?

— J'ai l'impression d'être revenu un siècle et demi en arrière, dit Ismahil. Dans la colonie de vacances que je...

— Un siècle et demi ? Bon Dieu, vous avez quel âge ? »

Le vieil homme serra la lanière du bidon sous son aisselle.

« J'ai vécu trop longtemps...

— C'est quoi, une colonie de vacances ?

— Une sorte de jeu grandeur nature pour les enfants de l'ancien monde. »

Moram l'enveloppa d'un regard empreint de gravité tout en faisant pivoter le barillet de son revolver.

« Il ne s'agit pas d'un jeu, cette fois. Allons-y. On rase les murs pour éviter d'être repérés par les guetteurs. »

Ils s'engagèrent dans la ruelle étroite qui descendait en sinuant vers la partie basse de la ville. La couche de neige fraîche tombée au cours de la nuit crissait sous les semelles. Par chance, les nuages bas ensevelissaient le rempart crénelé et rendaient la visibilité quasi nulle. Ils déposaient également une humidité glaciale qui réussissait à se faufiler sous les épaisseurs des vêtements. Moram se porta une dizaine de pas en avant de Solman et des deux Albains, s'arrêtant à chaque virage, à chaque obstacle, pour vérifier que la voie était dégagée. Les pavés glissants les contraignaient par endroits à s'agripper aux saillies qui crevaient comme des épines métalliques le béton écaillé des façades. Les carcasses blanchies des engins militaires hantaient les rues principales et les ruelles adjacentes comme si elles attendaient de reprendre une guerre suspendue depuis près de cent ans. Les taches sombres des pierres des murs d'origine brisaient la blancheur et la grisaille dominantes.

Ils ne croisèrent pas âme qui vive jusqu'à la place centrale. Les Aquariotes avaient célébré les adoptions une grande partie de la nuit et, hormis les sentinelles

– et encore, celles-ci n'avaient probablement pas les yeux en face des trous –, tous dormaient du sommeil nauséeux des lendemains de fête.

« Planquez-vous derrière un coin de mur et attendez-moi là, dit Moram. J'en ai pour cinq minutes.

— Les intendants l'ont sûrement fermé à clef, objecta Solman en désignant le portail de fer de l'église.

— T'inquiète, j'ai mes entrées. Je préfère que vous restiez dehors au cas où un intendant aurait la mauvaise idée de s'amener pour une inspection matinale. »

L'attente s'éternisa dans le silence de l'aube. Ils n'avaient parcouru que trois ou quatre cents mètres, et déjà Solman peinait à remuer sa jambe gauche, à reprendre son souffle. Son mal au ventre, qui l'avait laissé en paix depuis le relais de Galice, choisissait ce moment pour se manifester à nouveau. Adossé à l'un des arcs-boutants de l'église, il commençait à se dire que, même en serrant les dents, même en s'efforçant d'oublier ces fichues douleurs qu'il traînait depuis l'enfance comme autant de boulets, il serait rapidement un poids mort pour les autres, comme il avait ralenti la progression du groupe d'Helaïnn l'ancienne lors de la rhabde d'Ukraine. Des jours et des jours de marche l'attendaient sur les versants du Massif central et les plaines enneigées de l'Île-de-France, des jours et des jours de souffrance, une perspective qui lui donnait le vertige et ranimait toutes ses peurs d'enfant. Il faillit renoncer à ce projet insensé, irréalisable, puis il croisa le regard de Kadija, blottie contre lui comme un animal effrayé, et il puisa de nouvelles forces dans l'eau noire de ses yeux.

Un bruit sec brisa le silence, un claquement de porte ou un fracas de planche brisée. Le cœur battant, Solman glissa la main dans l'échancrure de sa canadienne et agrippa le pistolet qu'il avait fourré dans la poche intérieure. Des crissements précipités se rapprochèrent. Il tira l'arme et déverrouilla le cran de sûreté. Les gants et la nervosité nuisaient à la précision de ses gestes. Il fit signe à Ismahil et Kadija de se rencogner derrière l'arc-boutant et pointa le pistolet sur l'arête du mur de l'église, face à la place, là où les bruits de pas signalaient la présence d'un ou de plusieurs hommes. Une silhouette surgit en courant dans son champ de vision. L'espace d'une fraction de seconde, sa vue se brouilla et son doigt commença à enfoncer la détente. Puis il reconnut Moram, davantage à ses gestes de sémaphore qu'à son bonnet et à sa veste de cuir, et leva précipitamment le canon de son arme vers le ciel avant de relâcher son index.

« Eh, un bon clairvoyant tire pas sur les amis ! fit le chauffeur à voix basse. Enfin, ça prouve que tu es sur tes gardes. »

Solman tremblait encore lorsqu'il remisa son arme dans la poche intérieure de la canadienne.

« Pour la bouffe, j'ai ce qu'il faut, ajouta Moram. Pour l'eau, on se servira à une citerne. On trouvera bien un bidon dans les ateliers. »

Ils gagnèrent sans encombre l'une des entrées des ateliers souterrains. La porte métallique s'ouvrait sur la façade d'un bâtiment aveugle en bas de la ville et donnait sur un escalier tournant. Les militaires qui avaient établi leur base dans ce nid d'aigle avaient ménagé des accès entre chaque niveau, sans doute en prévision des raids aériens. Ils avaient creusé un tunnel et d'immenses aires de stationnement dans le cœur de la roche de manière à garder les blindés et les autres véhicules à l'abri des bombes. Ils n'avaient, en revanche, trouvé aucune parade aux gaz foudroyants ou au venin des insectes[GM].

En bas de l'escalier s'étendait une première salle aux murs raboteux et au sol lisse. Moram alluma une torche à gaz dont le grésillement, à peine perceptible pourtant, résonna dans le silence caverneux avec la force d'un bourdonnement de hanneton[GM]. Le trait de lumière découvrit des remorques alignées dans un ordre parfait et des établis où s'étalaient des outils soigneusement rangés. Odeurs d'huile, de métal fondu, de graisse, de glu, on entrait dans l'univers mécanique, dans l'antre des chauffeurs et des mécaniciens. Moram y était venu tous les jours depuis que le peuple de l'eau s'était réfugié dans la forteresse, mais, à la différence des autres chauffeurs, il détestait tripatouiller la ferraille et plonger les mains dans l'huile. Eux exhibaient les pièces défectueuses comme des trésors obtenus de haute lutte, lui se contentait de réparer ce qui devait l'être en essayant de se salir le moins possible. Eux éprouvaient pour leur camion un amour proche – souvent plus fort – de celui qu'ils déclaraient ressentir pour leur femme ou leur maîtresse, lui aimait seulement la griserie que procurait la conduite, ce qui ne l'empêchait pas d'apprécier la compagnie des femmes.

Ils passèrent dans la deuxième salle, empruntant les allées tracées par le strict agencement des remorques et des voitures, franchissant l'une des trois arches d'une dizaine de mètres de largeur et séparées par des piliers taillés dans la roche. Le faisceau de la torche heurta un camion dont on avait démonté les capots, les ailes et les portières afin d'ausculter son squelette métallique. Son énorme moteur, posé sur une couverture au milieu d'une myriade de pièces, gisait comme un insecte géant veillé par sa progéniture. Ils s'avancèrent entre deux rangées de véhicules plus ou moins désossés. Les allées avaient ici l'allure de véritables routes jonchées de flaques d'huile, de morceaux de gomme, de déchets abandonnés par les postes à souder.

« Juste ce qu'il nous faut », chuchota Moram.

Le rayon de sa lampe venait de débusquer un jerrycan posé sous le robinet de la valve d'une citerne. Le mal au ventre de Solman s'amplifia, le fit chanceler, l'obligea à s'agripper à la partie supérieure du marchepied d'un camion.

« Ça ne va pas ? s'enquit Ismahil.

— Ne vous inquiétez pas, ça va passer... »

Moram se défit du sac de vivres, posa la lampe sur le pare-chocs de la citerne, dévissa le bouchon du jerrycan, en renifla l'intérieur pour vérifier qu'il ne contenait pas autre chose que de l'eau, aligna l'orifice sous le robinet et commença à tourner le petit volant crénelé de la valve.

Les phares d'un camion s'allumèrent soudain, frappant de plein fouet les vitres et les tôles, figeant Moram dans son geste, puis d'autres phares s'emplirent de lumière dans une succession de déclics, et une tornade éblouissante balaya la salle souterraine, révéla les stalactites de la voûte, les parois raboteuses, les amas d'essieux, de jantes, de pots d'échappement récupérés sur les engins militaires prisonniers de la ville.

Moram plongea la main dans la poche de sa veste et se redressa, les yeux exorbités, la bouche entrouverte.

« Bouge pas, Moram ! cria une voix. Y a au moins quatre flingues pointés sur toi. »

Un coup de feu retentit, une balle miaula à quelques centimètres du pied du chauffeur, la détonation se propagea dans les salles avoisinantes, l'odeur de poudre masqua fugitivement les relents d'huile de vidange.

« Jette ton arme devant toi, reprit la voix. Au moindre geste de travers, il y aura une autre balle. Et, cette fois, elle ne te ratera pas. »

Moram hocha la tête, sortit lentement la main de sa poche, s'accroupit, posa le revolver sur le sol et l'éloigna d'un petit coup de pied.

« Le boiteux, il a aussi un flingue. Je lui donne trois secondes pour s'en débarrasser. »

Solman surmonta sa douleur au ventre pour s'exécuter. Il connaissait cette voix grave, cassée, mais la lumière aveuglante des phares et le saisissement l'empêchaient pour l'instant de lui accoler un visage.

« Maintenant, alignez-vous tous les quatre au cul de la citerne. Inutile de chercher à vous échapper : des gars sont planqués un peu partout, et ils tirent juste. »

Solman croisa le regard désespéré de Moram. Les assesseurs avaient anticipé leur décision et s'étaient tranquillement postés sur leur trajet, comme prévenus par un mystérieux informateur.

À ses côtés, Ismahil et Kadija ne montraient pas le moindre signe de frayeur, comme si ces histoires entre

Aquariotes ne les concernaient pas. Le visage de Kadija prenait, dans le flot de lumière qui le brutalisait, l'apparence d'un masque abstrait, irréel.

Claquements de portières, bruits de bottes, cliquetis de fusils ou d'armes de poing, froissements des manteaux de cuir, trois assesseurs firent leur apparition dans les faisceaux des phares. Deux d'entre eux étaient armés de fusils d'assaut, le troisième d'un pistolet. Le cœur de Solman se serra lorsqu'il reconnut la silhouette épaisse et la moustache de Chak. Chak dont les yeux lançaient d'étranges lueurs sous les barres imposantes des sourcils, dont la bouche tordue en rictus dévoilait des dents rougeâtres, comme marbrées de sang. Une incohérence dans l'allure indiquait qu'il était sous l'emprise de l'alcool de baies sauvages. Il avait sans doute bu toute la nuit pour noyer ses remords, et il y était si bien parvenu qu'il paraissait désormais vidé de tout sentiment.

« Un de tes coups, Chak, pas vrai ? lança Moram. Tu m'as parlé hier pour m'amener à précipiter les choses, je me trompe ? »

Chak s'avança avec un sourire hideux. Les deux autres assesseurs, un chauffeur et un intendant, restèrent légèrement en retrait.

« T'es plus futé ce matin qu'hier soir, on dirait ! gloussa Chak. Je savais que tu courrais prévenir le donneur et les Albains, et je savais que tu les accompagnerais. T'es aussi prévisible qu'un bakou.

— Je crois pas que tu sois en état de t'en rendre compte, Chak, mais c'est une putain de vraie saloperie que tu t'apprêtes à faire là.

— Épargne-moi tes discours, Moram. J'ai des ordres. Et, pas de chance pour toi, le conseil nous a demandé d'éliminer tous ceux qui essaieraient de s'enfuir avec les Albains. J'ai bien dit : tous !

— Moi, pas de problème. Mais lui, Solman, ce ne sera pas seulement une saloperie si vous le tuez, mais une putain d'erreur ! Sans lui, le peuple aquariote sera comme un troupeau aveugle, comme toi et ton camion dans le relais de Galice : vous tomberez dans la première trappe.

— Qu'est-ce qui s'est passé pour que tu changes comme ça, Chak ? demanda Solman d'une voix douce.

— J'ai pas changé, boiteux, c'est bien le problème. J'ai possédé ta mère autrefois, Mirgwann, la plus belle femme du peuple aquariote. Chaque fois que je vois une belle femme, je deviens dingue, il me la faut, j'arrive plus à me contrôler. Vingt ans après, ma vraie nature m'a rattrapé. Fermez-la, maintenant, et avancez vers le tunnel sans vous retourner. »

Tout en marchant, Solman essaya de comprendre ce qu'avait voulu dire Chak. Il avait perçu la musique de la vérité dans sa voix pâteuse, incontrôlée, typique des ivrognes. Était-il l'amant tueur de sa mère dont avait parlé mère Katwrinn ? Il surprit les regards furtifs lancés par Kadija en direction des trois assesseurs qui les suivaient en maintenant un intervalle de cinq pas. Il remarqua la tension insolite des traits de la jeune femme et entreprit de la sonder à l'aide de la vision pénétrante. Il se retrouva dans la voiture de Mahielle, assis sur le lit inférieur de la couchette superposée. Il prit conscience qu'il n'était pas dans son corps à lui ni dans le moment présent, mais dans le corps de Kadija et dans le passé.

Mahielle vient de sortir afin de rendre visite à son fils. Ismahil s'est absenté quelques minutes plus tôt pour se dégourdir les jambes. Kadija en a profité pour retirer son vêtement et goûter la fraîcheur piquante de l'air sur sa peau nue.

La porte s'ouvre avec fracas et livre passage à un homme moustachu, visiblement hors de lui. Ses yeux se posent sur la jeune femme avec une rapacité d'oiseau de proie. Il s'approche de la couchette tout en retirant sa veste et en dégrafant le ceinturon de son pantalon. Il n'éprouve pas le besoin de recommander le silence à Kadija, il sait, comme tout Aquariote, qu'elle est muette. Arrivé près d'elle, il baisse son pantalon et exhibe un sexe énorme, noueux, strié de veines noires et gonflées de désir. Elle ne bouge pas, pas encore, car l'odeur, puissante, musquée, la suffoque, la paralyse. Il la prend par les épaules, la couche sur le lit, murmure des paroles incompréhensibles, pousse un grognement de satisfaction. Son haleine pue le vin aigre. Elle ne réagit pas jusqu'à ce qu'il s'allonge sur elle et, du genou, lui écarte les jambes. Alors elle détend le bras avec la puissance d'un ressort, elle le frappe une première fois dans le gras de l'épaule, une deuxième dans le plexus. Il part en arrière, le souffle coupé, elle lui saisit les testicules et les tord d'un geste sec, précis, jusqu'à ce qu'elle perçoive l'infime craquement des chairs déchirées. Il exhale un long râle avant de tomber comme une masse dans l'allée entre les deux couchettes. Elle le laisse là, recroquevillé sur lui-même, gémissant, enfile sa robe, sort de la voiture et se poste derrière un arbre. Elle le voit sortir quelques minutes plus tard, livide, flageolant, se tenant l'entrejambe, puis elle revient s'allonger sur la couchette. On lui a recommandé de s'habituer aux manifestations organiques, elle s'applique à tolérer l'odeur de l'homme qui flotte dans l'air comme une souillure...

Un coup de coude de Moram ramena Solman au moment présent. Ils étaient arrivés en bas du tunnel. Des rayons de lumière vive filtraient de l'amas de carcasses et de pierres qui en bouchait l'entrée et miroitaient sur les creux du sol emplis de glace. Des rafales d'un vent cinglant s'engouffraient en mugissant dans le passage et déposaient de la poussière de neige sur les aspérités rocheuses.

Solman se rendit compte que de trois, les assesseurs étaient passés à vingt. De braves Aquariotes, venus se joindre aux tueurs nommés par le conseil et déployés comme un peloton d'exécution à une dizaine de mètres de leurs cibles. Son mal au ventre avait disparu en même temps que sa douleur à la jambe et ses peurs d'enfant. Il regrettait seulement d'être resté à la porte de Kadija. Les hommes, les derniers hommes, n'avaient pas voulu cette rencontre entre la créature d'un autre monde et leur donneur.

« Je suis désolé, boiteux, murmura Moram.

— Bah, là où on va, on aura peut-être enfin la paix, dit Solman avec un sourire chaleureux. Je t'aime comme un frère, Moram. »

Des larmes perlèrent aux coins des yeux du chauffeur.

« Même maintenant, putain, je garde confiance en toi, donneur ! »

Chak les rejoignit d'une démarche lourdement provocante. Il joua un petit moment avec son pistolet, fit coulisser le chargeur dans sa paume, le remit en place, réitéra son manège à trois reprises.

« Je crois bien que le moment est venu de se dire au revoir, marmonna-t-il enfin sans relever la tête.

— C'est toi qui as essayé d'empoisonner Kadija, n'est-ce pas ?

— Pourquoi j'aurais fait ça ?

— Parce que tu as essayé de la violer, qu'elle t'a tordu les couilles et que, maintenant, elles ne te servent plus à rien. Je comprends pourquoi tu as laissé ton camion à Moram pendant trois ou quatre jours. Tu ne pouvais pas t'asseoir et tu préparais ta vengeance. Ta nature t'a rattrapé vingt ans après, mais, cette fois-ci, elle t'a joué un sacré tour. »

Chak resta pendant quelques secondes pétrifié, comme anéanti, puis, le visage décomposé par la haine, il leva brusquement son arme et la braqua sur la tête du donneur.

« Je la crèverai pour ça ! cracha-t-il. Mais après toi, boiteux. »

CHAPITRE 32

« Solman court un grand danger, vénérée mère, je le sens... »

Gwenuver noua d'un geste las la ceinture de sa robe de chambre avant de lever un regard à la fois embarrassé et irrité sur la visiteuse. Elle partageait avec Irwan une maison située dans le cœur tortueux des ruelles de la petite ville fortifiée, une demeure bien trop vaste pour deux personnes, mais les deux membres du conseil avaient cédé à la tentation mesquine de s'attribuer la meilleure part dans la répartition des logements. Et la chaleur matinale diffusée par les deux gros poêles placés aux extrémités de l'immense pièce proclamait qu'ils n'étaient pas soumis comme les autres aux restrictions du bois de chauffage.

Gwenuver feignait d'avoir été réveillée en sursaut par l'intrusion de la visiteuse, mais elle n'avait pas dormi de la nuit.

« Pourquoi serait-il en danger ? dit-elle après avoir réprimé un bâillement. Les ordres donnés aux assesseurs ne concernent que les deux Albains.

— Vos... assesseurs sont des brutes avinées et remontées contre le donneur, surtout après ce qui s'est passé dans l'église. Si Solman avait décidé d'accompagner les deux Albains dans leur fuite...

— Un bon clairvoyant ne commettrait pas une erreur aussi grossière, coupa Gwenuver. Ton imagination te joue des tours, Raïma. »

La guérisseuse abaissa l'ample capuchon de son manteau et découvrit son visage déformé par la transgénose. L'expression fugitive de dégoût de la vénérée mère ne lui échappa pas. Depuis quelque temps, elle ne suscitait chez ses interlocuteurs qu'une insupportable réaction de pitié mêlée d'horreur, même chez les malades qui venaient requérir ses soins. Seul Jean la contemplait sans manifester de rejet, comme protégé par sa candeur enfantine de la monstruosité de sa mère adoptive. Il progressait à une vitesse étonnante dans la connaissance des plantes et des mécanismes des maladies humaines. Il savait déjà déceler les liens occultes entre le corps et l'esprit, entre les symptômes et les causes, il comprenait que les douleurs organiques agissent la plupart du temps comme des signaux de détresse, traduisent le besoin vital d'être examiné, touché, rassuré, aimé... Il la surprenait souvent par la pertinence de son diagnostic.

« Je sais faire la différence entre l'imagination et le pressentiment, dit Raïma d'un ton sec. Vous êtes les seuls, Irwan et vous, à pouvoir arrêter les assesseurs. »

Gwenuver essaya de discipliner ses cheveux ébouriffés par des heures de vaine agitation dans un lit trop étroit pour deux. Malgré la chaleur dispensée par les poêles, le froid du sol de béton transperçait ses chaussons de peau retournée, grimpait le long de ses jambes, lui engourdissait le bassin.

« Même si je le pouvais, je ne le ferais pas, finit-elle par répondre d'une voix lointaine, indifférente.

— La mort de Solman serait une perte irréparable pour le peuple aquariote ! Ou vous êtes inconsciente, ou vous êtes incurablement idiote, vénérée mère ! »

La violence soudaine de Raïma avait blessé le silence de la maison. Gwenuver, elle, en appela à toute sa volonté pour ne pas paraître affectée par l'agressivité de la guérisseuse.

« Une perte irréparable pour le peuple ou pour toi ? insinua-t-elle avec un sourire hideux.

— Moi, je l'ai perdu depuis longtemps. Mais je sais encore faire la différence entre l'intérêt personnel et l'intérêt collectif. Et il n'a jamais été question, dans nos accords, de toucher un seul cheveu de sa tête. »

Gwenuver s'approcha à pas lents de la grande table de bois sur laquelle elle posa les mains. Elle demeura pendant quelques instants dans une attitude pensive, les bras écartés, la tête rentrée dans les épaules, le menton posé sur la poitrine. La lumière du jour n'avait pas encore chassé la pénombre, et les fourneaux des poêles jetaient des éclats rougeoyants sur les murs de béton, sur les ustensiles suspendus aux crochets du manteau de la cheminée, sur les jerrycans alignés devant des caisses de bois.

« Si ce petit serpent a choisi le parti des Albains, murmura-t-elle, alors tant pis pour lui. »

Raïma contourna la table et se rua sur elle comme si elle avait l'intention de la renverser, mais elle s'arrêta avant que leurs corps ne s'entrechoquent, comme figée par le mouvement de recul de son interlocutrice. Elle n'avait pas eu le temps de s'asperger de parfum et son odeur, l'odeur de charogne des transgénosés en phase terminale, semblait emplir toute la pièce.

« Ni toi ni cette loque d'Irwan n'avez eu l'intention d'épargner Solman. Sa mort entre dans vos projets, n'est-ce pas ? N'est-ce pas ? »

Elle avait saisi l'avant-bras de Gwenuver, qui, effrayée par sa colère et plus encore par le contact avec sa main déformée, tirait de toutes ses forces pour essayer d'échapper à sa prise.

« Tu dis n'importe quoi, ma pauvre fille. Lâche-moi, ou je crie. »

Raïma eut l'impression d'enfoncer ses doigts dans l'os poreux de la vieille femme.

« Et moi, je suis encore plus misérable de vous avoir écoutés, vous qui avez déjà assassiné les parents de Solman, qui avez essayé de me tuer... »

Elle dépensait une énergie folle dans l'affrontement physique avec Gwenuver. Sa course matinale dans les ruelles pentues entre sa maison de celle des deux membres du conseil l'avait déjà exténuée. Les efforts prolongés la vidaient de ses forces, la laissaient dans un état d'abattement dont elle mettait plusieurs heures à se relever. Et le sommeil ne réussissait plus à la régénérer, il lui permettait seulement d'occulter pendant quelques heures la souffrance qui la consumait à petit feu, et qui, parfois, se faisait tellement pressante, tellement intolérable qu'elle se jetait la tête la première contre un mur pour essayer de l'étourdir.

Gwenuver s'était presque dégagée en sacrifiant sa robe de chambre sous laquelle elle était nue. Elle ne dort donc pas seule, cette grosse truie, songea Raïma avant de perdre l'équilibre et de s'effondrer comme une masse sur le sol. Gwenuver se rajusta en couvrant d'un regard mi-compatissant mi-méprisant la... loque échouée à ses pieds qui n'avait plus d'une femme que la chevelure et les vêtements.

« Par pitié, vé... vénérée mère, eut encore l'énergie de souffler Raïma, couchée sur le dos comme un insecte sur sa carapace. Allez tout... de suite arrêter vos... assesseurs... Il ne faut pas... Solman...

— J'aurais pu, j'aurais dû tout arrêter avant, bien avant, dit Gwenuver. Il est trop tard, maintenant. »

Elle pivota sur elle-même, gravit l'escalier tournant qui donnait sur les chambres, la sienne, celle d'Irwan et deux autres pièces qui leur servaient de salles de réunion. Elle réveilla d'une bourrade l'homme qui dormait dans son lit, un chauffeur célibataire d'une quarantaine d'années dont la virilité, stimulée par le kaoua, n'était jamais prise en défaut mais dont la peau glacée ne réussissait pas à la réchauffer. Or elle l'invitait à se soulager en elle dans l'unique but de bénéficier, en retour, de la tiédeur dégagée par l'enlacement de leurs deux corps. Elle ne puisait aucun plaisir dans l'acte lui-même, trouvait même répugnante la manière qu'il avait de se secouer en elle comme un pantin mécanique. Elle n'aimait pas non plus se rouler toute la nuit dans la semence visqueuse qui dégouttait de son vagin et lui engluait les cuisses. Celui-là, malheureusement, faisait partie des hommes au sang froid et aux émissions abondantes. Elle avait beau se plonger chaque matin dans la baignoire remplie d'eau bouillante, elle ne parvenait pas à chasser l'impression de souillure qui l'imprégnait jusqu'à la moelle. Elle devrait rapidement lui trouver un successeur si elle voulait passer un hiver relativement confortable, elle qui, comme la plupart des femmes de son âge, souffrait d'une mauvaise circulation et d'extrémités toujours gelées.

« Raïma la guérisseuse est à moitié inconsciente dans la grande salle du bas. Ramène-la chez elle.

— Ça porte malheur de toucher une femme transgénosée », grogna l'homme.

Ses yeux chassieux, ses cheveux graisseux et son haleine repoussante confortèrent Gwenuver dans sa résolution de mettre au plus vite un terme à leur pitoyable relation.

« Et rajoute du bois dans les deux poêles en revenant. »

Il cessa de maugréer, comprenant qu'il ne gagnerait rien à contester les ordres de sa vénérée mère et maîtresse. Gwenuver s'assit sur le lit, le regarda se rhabiller, remonter son pantalon sur les plis adipeux de son ventre, refermer sa chemise sur la broussaille de son torse. Avec ses ongles noirs et l'embryon de barbe poivre et sel qui lui mangeait les joues, il avait l'air particulièrement laid et sale dans la lumière fade du matin. Elle eut la lucidité d'admettre qu'il était sans doute éclaboussé par la boue de ses propres pensées. Son cœur et son corps n'avaient chanté que pour un seul homme durant les soixante années de sa vie. S'il n'avait pas eu la mauvaise idée de boire de l'eau infectée alors qu'elle était enceinte de lui (elle s'était toujours demandé s'il n'avait pas été empoisonné par sa femme, une virago brune et sèche qui lui avait déjà donné deux garçons), les choses auraient été différentes. Lui vivant, Gwenuver, alors âgée de vingt-deux ans, aurait trouvé la force de garder l'enfant, mais, après sa mort, elle avait tenu secrète sa grossesse jusqu'à ce qu'elle mette au monde une petite fille qu'elle avait abandonnée sur le bord d'un cours d'eau. Elle n'avait pas eu le cœur de noyer la nouveau-née, une faiblesse dont elle s'était d'abord félicitée lorsqu'un couple âgé avait recueilli la fillette, l'avait ramenée au campement et l'avait adoptée sous le nom de Mirgwann ; qu'elle avait ensuite regrettée lorsqu'elle avait débordé d'un sentiment maternel qu'elle ne pouvait pas épancher. Quelques années plus tard, une fièvre maligne, colportée par les moustiques[GM] d'un marais insalubre du Nord, avait emporté le père et la mère adoptifs de Mirgwann, et Gwenuver s'était débrouillée pour être nommée tutrice de sa fille dont, par chance, personne n'avait réclamé l'adoption. Comme Mirgwann ne lui ressemblait pas, aucun Aquariote n'avait songé à établir la filiation entre l'orpheline et sa mère biologique. Ces années, les plus heureuses de son existence, s'étaient déroulées comme un rêve, comme une parenthèse de lumière et de chaleur dans l'hiver brumeux de sa vie. Elle s'était aventurée dans des liaisons sans lendemain, toujours avec des hommes mariés, mais aucun d'eux n'avait réussi à combler ses aspirations de femme. Et puis, Katwrinn, l'araignée, la tisseuse, était entrée dans sa tente un soir d'été...

« Elle habite où, la guérisseuse ? »

Elle prit conscience que son amant des jours maigres n'était pas encore sorti de la chambre.

« La deuxième rue sur ta droite en descendant, répondit-elle d'une voix morne. La quatrième ou cinquième maison... »

Elle se laissa tomber de tout son poids sur le lit quand il eut refermé la porte. Une odeur de sueur et de sexe froid imprégnait les draps et les couvertures. Les premières larmes roulèrent sur ses joues, chaudes, presque agréables. Elle avait consenti à l'assassinat de sa propre fille, elle avait été happée par la spirale de la destruction, de la malédiction, elle était, elle aussi, un ange déchu du Livre de Raïma. Dans quelques instants, si ce n'était déjà fait, les assesseurs auraient tranché son dernier lien de sang et fait le vide autour d'elle, elle resterait seule avec ses souvenirs et ses regrets, elle errerait comme une étoile éteinte dans un espace infini et glacial.

Un coup de feu claqua.

Atteignit Chak entre les omoplates. Le chauffeur ouvrit de grands yeux étonnés, chancela, essaya de maintenir son pistolet braqué sur la tête de Solman, de presser la détente, mais ses jambes se dérobèrent, il bascula à la renverse et s'étala de tout son long sur le béton du tunnel.

Un deuxième coup de feu empêcha les assesseurs de reprendre leurs esprits, de s'organiser. L'un d'eux, un colosse d'une trentaine d'années, s'affaissa comme une feuille morte, l'arrière du crâne disloqué. La moitié d'entre eux s'égailla dans le plus grand désordre le long du tunnel. Une salve de fusil d'assaut continue et précise en faucha cinq. Ils roulèrent les uns sur les autres comme des quilles renversées par une invisible boule. Certains ripostèrent au jugé, mais leurs balles s'écrasèrent contre les parois et effritèrent la roche. Une fumée dense et chargée d'une odeur de poudre noya le tunnel.

L'autre moitié du groupe se dirigea au pas de course vers les quatre condamnés. Ceux-là avaient immédiatement pris conscience que leur seule possibilité de salut reposait désormais sur ces boucliers humains qu'ils n'avaient pas eu le temps de fusiller. C'était sans compter avec la présence d'esprit de Moram, qui avait immédiatement exploité la confusion pour dégager le deuxième revolver dont il s'était muni avant de se rendre à la maison de Solman et des deux Albains. Les apprentis tueurs n'avaient pas pris la précaution pourtant élémentaire de le fouiller. Il avait discrètement dirigé sa main vers l'arrière de sa veste et s'était placé de manière à masquer son geste pendant que Chak tenait Solman en joue. La première détonation avait retenti alors que ses doigts effleuraient la crosse de l'arme glissée dans la ceinture de son pantalon. Il déverrouilla le cran de sûreté et tira à la hanche, sans prendre le temps de viser. Il ne disposait que de six balles pour une dizaine d'adversaires, mais, s'il n'en toucha aucun, son premier coup de feu suffit à les ralentir dans leur élan. Par chance, il n'avait pas affaire à des combattants aguerris, mais à de pauvres bougres alléchés par l'odeur du sang et la promesse d'un viol collectif. Leur panique permit à leur allié embusqué d'en coucher trois et à Moram de rectifier le tir.

« Planquez-vous ! »

Solman saisit Kadija par le bras, la tira dans une brèche de l'enchevêtrement métallique qui comblait la bouche d'entrée du tunnel, se tassa contre elle derrière ce qui semblait être l'aile compressée d'un camion militaire, s'écorcha la joue sur l'extrémité d'une tige métallique. Il perdit de vue Ismahil et Moram. Les détonations se succédèrent à une cadence effrénée, des balles ricochèrent sur la tôle rouillée, des chocs sourds ébranlèrent le sol, suivis de gémissements déchirants, l'odeur de poudre se fit âcre, irrespirable.

Le souffle de Kadija lui caressait le cou, un souffle régulier, lent, paisible, qui contrastait avec son propre halètement. Il essuya machinalement le sang de sa joue et se contorsionna pour lui jeter un regard. Elle ne manifestait aucun signe d'intérêt ou de peur, elle paraissait étrangère à sa propre vie, comme dépourvue de mémoire individuelle, comme incapable de prendre possession de l'enveloppe corporelle qui servait à délimiter son moi.

« Donneur ? »

La voix oppressée de Moram.

« Je suis là...

— Tu peux sortir. Il n'y a plus de danger. »

Solman prit alors conscience que seuls les râles des blessés troublaient désormais le silence retombé sur le tunnel. Il s'aventura hors de son abri, entrevit, sous la chape de fumée, les corps qui jonchaient le sol, parfois figés dans d'étranges postures. Le revolver à la main, le visage perlé de sueur, Moram l'accueillit d'un sourire las.

« C'est pas encore aujourd'hui qu'on se donnera rendez-vous dans l'autre monde, murmura-t-il.

— Ils sont tous morts ?

— Ou mal en point. J'ai dû en toucher trois ou quatre. Pas grand monde, par rapport à...

— Et Ismahil ?

— Je n'ai rien de cassé. »

Ils se retournèrent dans le même mouvement pour voir le vieil homme s'extirper du dessous d'un char dépourvu de chenilles. Kadija les rejoignit quelques instants plus tard, le manteau et le pantalon maculés de traces de rouille. Ses yeux noirs se troublèrent lorsqu'elle aperçut les cadavres. Solman eut l'impression qu'elle était confrontée à la réalité de la mort pour la première fois de sa vie. Le vent soufflant en rafales dispersait les relents de poudre et de sang.

« Savez-vous à qui nous devons ce sursis ? demanda Ismahil en remettant de l'ordre dans ses vêtements.

— À un putain de bon tireur en tout cas ! s'exclama Moram. Il en a couché plus de quinze en moins de trois minutes. »

Chak, étendu à trois pas de là, émettait un geignement sourd et remuait faiblement bras et jambes. Solman s'en approcha et se pencha sur lui. Le chauffeur, encore lucide, les yeux grands ouverts, agrippa le col de sa veste et s'en servit de point d'appui pour redresser la tête. Solman dut s'arc-bouter sur sa jambe valide pour ne pas être déséquilibré par son poids. Son haleine empestait le vin aigre, le sang et le fiel.

« J'ai... j'ai pas possédé ta mère, Solman... »

Sa voix n'était plus qu'une plainte à peine audible où se détachaient des bribes de phrases.

« Je l'ai aimée... Mirgwann... Tu lui ressembles... Elle était si belle... Selwinn... ne saura jamais... Je t'ai aimé aussi... comme... comme un fils... C'est mieux... plus juste... que je parte avant toi... Pardon... Pardon...

— Je n'ai rien à te pardonner, Chak, murmura Solman. Nous avons vécu de beaux moments tous les deux. C'est ceux-là, et ceux-là seuls, que je garderai de toi. »

Chak se raidit dans l'intention d'ajouter quelques mots mais aucun son ne franchit sa gorge. Ses yeux se voilèrent, il relâcha le col de la veste de Solman et retomba sur le sol avec une étrange douceur, comme soutenu par des bras invisibles.

« C'était un bon chauffeur, mais un sacré salopard. Et je pisse sur... »

Moram interrompit son oraison funèbre lorsqu'il croisa le regard sombre et implorant du donneur. Il baissa la tête, fouilla dans une des multiples poches de sa veste et en sortit une poignée de balles avec lesquelles il rechargea son barillet.

Des bruits de pas retentirent dans la pénombre du tunnel, se répercutèrent sur les parois incurvées. Des bottes ferrées, une allure posée, sans doute le mystérieux tireur embusqué. Moram eut le réflexe de glisser l'index dans le pontet et de lever le canon de son arme. Une silhouette émergea peu à peu de l'obscurité et des derniers entrelacs de fumée.

CHAPITRE 33

« Je ne pensais pas vous revoir de sitôt », dit Solman.

Il essuya d'un geste furtif le filet de sang qui lui dévalait la joue et agglutinait les poils épars de sa barbe. Les yeux bleu pâle de son vis-à-vis brillaient comme deux éclats de ciel dans la fente étroite de son passe-montagne. Ses mains blanches, fines, sillonnées de veines saillantes, restaient crispées sur la crosse et le canon de son fusil d'assaut. De la poussière de roche grisait le cuir fauve de son manteau.

« Caïn, souffla Moram.

— Vous vous connaissez ? » demanda Solman.

Le chauffeur accorda un regard distant, méfiant, à l'homme qui venait de leur sauver la vie.

« On se connaît sans se connaître, maugréa-t-il. C'est un Scorpiote, un taiseux, pas le genre de gars à qui on raconte sa vie. Autant se lier d'amitié avec un putain de fantôme.

— Je te l'ai dit, boiteux : je ne suis qu'un homme de l'ombre. »

À nouveau, la voix éraillée de Wolf-Caïn ranima des sensations endormies dans la mémoire de Solman. Il ne pouvait pas leur associer de souvenirs précis, pas encore, mais il prenait conscience que son passé était, d'une manière ou d'une autre, lié à l'ancien Scorpiote.

« L'homme de l'ombre... ou l'homme de main du conseil ? » lança Moram d'un ton rogue.

Les yeux de Wolf-Caïn lancèrent des éclats colériques avant de se voiler de tristesse.

« On ne peut revenir sur le passé, dit-il d'une voix à peine audible. Ni laver le sang sur ses mains.

— Il y a mieux à faire que d'évoquer le passé, intervint Ismahil. D'abord, nous vous devons d'avoir encore un avenir, ensuite, la sagesse commande de mettre la plus grande distance entre les Aquariotes et nous avant qu'ils ne découvrent cette boucherie. »

Wolf-Caïn se secoua, glissa la lanière de son fusil d'assaut sur son épaule, tendit le bras en direction de l'amas d'épaves et de pierres qui condamnait l'entrée du tunnel d'accès.

« La sagesse commande au contraire de ne pas franchir cette porte. »

Sa voix avait recouvré sa fermeté, sa dureté, et son conseil avait claqué comme un ordre.

« Pourquoi ? s'étonna Ismahil. Vous pensez que nous ne sommes pas assez équipés pour affronter l'hiver de...

— Il ne s'agit pas de ça. Les légions dont parlait le boiteux, elles sont là, et elles vont bientôt donner l'assaut. »

Solman établit brusquement la relation entre son mal au ventre et les paroles de Wolf-Caïn. Il n'avait pas ressenti la douleur à cause des assesseurs planqués dans le garage souterrain, comme il l'avait cru dans un premier temps, mais parce que les légions de l'intelligence destructrice s'étaient déployées pendant la nuit au pied de la petite ville fortifiée.

« Comment tu sais ça ? demanda Moram.

— J'étais sur le chemin de ronde, je les ai vues arriver.

— Avec tout ce putain de brouillard ?

— Ni le brouillard ni l'obscurité ne m'empêchent de voir. Une particularité des Scorpiotes, un... cadeau génétique. Sans ça, je n'aurais pas vu les assesseurs se rassembler au milieu de la nuit devant la porte basse qui donne sur les hangars souterrains, je ne vous aurais pas vus non plus descendre les ruelles comme des voleurs. »

Solman se retourna, examina l'enchevêtrement métallique, repéra l'amorce d'un passage, s'accroupit et commença à se faufiler entre les épaves.

« Hé, qu'est-ce que tu... gronda Moram.

— Laisse-le, coupa Wolf-Caïn. Ça fait un bon bout de temps qu'ils se promènent à l'intérieur de lui, il a envie de les contempler en face. »

Solman parcourut six ou sept mètres dans le labyrinthe étouffant des tôles froissées, déplaça des pierres, se glissa dans les rectangles béants des vitres, sous les châssis, entre les essieux, sur les ressorts pourrissants des sièges, s'écorcha les doigts sur des éclats de verre, déchira au passage le cuir de sa canadienne sur une poignée de portière sectionnée. Un rayon de jour l'éblouit alors qu'il venait de contourner la tourelle éventrée d'un char et que la sueur plaquait ses sous-vêtements sur sa peau. Il prit appui sur le canon plié comme un vulgaire fil de fer, colla la paume de sa main sur l'estafilade à la joue et laissa à ses yeux le temps de s'accoutumer à la luminosité. La bise lui mordit la face avec férocité. De la neige pulvérisée s'agglutina dans ses sourcils, dans sa barbe et dans les mèches qui dépassaient de son bonnet. L'ouverture n'était pas très large, de la taille d'un volant de camion peut-être, mais elle lui permettait d'apercevoir une partie du cimetière d'épaves au pied de la muraille rocheuse.

Il vit un chien, un molosse au pelage noir et au museau tacheté de feu. Il se tenait, silencieux, immobile, au milieu du passage creusé par les Aquariotes une dizaine de jours plus tôt. Il avait probablement flairé sa présence, car sa posture, les quatre pattes plantées dans la neige, la tête légèrement rentrée dans les épaules, le corps tendu, les oreilles dressées, la gueule entrouverte, les yeux étincelants, traduisait une extrême vigilance. Il était de la même race que les chiens qui avaient attaqué le campement aquariote dans les plaines du Nord. Solman captait en lui cette intelligence sous-jacente qui dominait son instinct et faisait de lui le soldat d'une armée. Sans doute aurait-il attaqué ou au moins aboyé s'il avait obéi à sa seule nature animale. Puis deux silhouettes traversèrent son champ de vision, un Slang, reconnaissable au cuir bardé de métal de ses vêtements et au plumet de cheveux qui oscillait au sommet du crâne, et une créature dont il n'aurait su dire si elle était un homme ou une femme : un visage presque inhumain à force de délicatesse, encadré de cheveux sombres et bouclés ; des vêtements clairs d'une fluidité presque aquatique, ni robe ni veste ni pantalon mais tout cela à la fois ; des mains arachnéennes, translucides ; une démarche aérienne, immatérielle, qui n'imprimait pratiquement pas de traces dans la neige ; une perfection énigmatique, fascinante, inquiétante, comme le pendant ténébreux de la beauté de Kadija. Il – ou elle – conversait avec le Slang, qui l'écoutait avec une déférence caricaturale, obscène, un peu comme s'il côtoyait le Dieu qui l'avait façonné. Il – ou elle – dégageait une sorte de champ magnétique à la fois subtil et puissant qui capturait son interlocuteur, qui l'empêchait de penser par lui-même. Ils disparurent tous les deux derrière une épave. Le chien s'ébroua, puis, visiblement à regret, abandonna son poste pour les suivre.

« Alors, qu'est-ce que t'as vu ? demanda Moram quand le donneur, en sueur, la joue en sang, la canadienne et le pantalon marbrés de rouille, se fut extirpé du fouillis métallique.

— Un chien, un Slang et un... quelque chose comme un ange », répondit Solman, essoufflé.

Moram brandit son pistolet vers la sortie du tunnel.

« Une légion de trois gusses ? C'est quand même pas ça qui va nous arrêter !

— Ils ne sont pas trois, mais au moins trois mille, dit Wolf-Caïn. Chiens, solbots, Slangs et une dizaine de ces... anges. Leurs lance-roquettes ne m'inquiètent pas trop. Mais ils ont de grandes boîtes en métal qui ressemblent à des ruches, peut-être bien des colonies d'insectes^{GM} venimeux. À mon avis, ils lanceront leur attaque dans quelques heures. »

Moram donna un coup de pied rageur dans la portière déjà gondolée d'une Jeep coincée sous la carcasse d'un camion. Les gémissements des blessés lui vrillaient les nerfs. Malgré le vent, l'odeur de mort se faisait de plus en plus insistante, de plus en plus oppressante.

« On est baisés ! rugit-il. Coincés dans ce trou à rats ! Piégés, comme les soldats de l'ancien temps ! »

Solman lut toute la virulence de ses reproches dans le regard qu'il lui décocha. Il y discerna également une supplique muette, comme si, quoi qu'il arrive, le chauffeur continuait de lui accorder sa confiance, s'obstinait à croire qu'il pouvait les sortir de cette situation comme il les avait sortis du piège de Galice, comme il leur avait épargné la colère du volcan.

« Tenter de passer avec les camions, c'est être cueillis par les microbombes des solbots, reprit Moram, excédé par le silence du donneur. De toute façon, on n'a plus le temps de dégager l'entrée du tunnel. Rester ici, c'est se faire bouffer par des saloperies d'insectes^{GM} ou égorger par les chiens. On n'a plus le choix qu'entre le feu et le poison foudroyant. Si je me trompe, n'hésitez pas à me contredire ! »

Solman s'assit sur la jante dénudée d'un véhicule hybride, mi-blindé mi-camion, à la fois pour détendre sa jambe gauche et apaiser le tumulte de son esprit. Il fixa intensément Kadija dans l'espoir de dénicher une solution, voire une simple indication, dans les yeux noirs de la jeune femme, mais elle s'était retirée en elle-même, comme un animal effrayé par le vacarme des coups de feu et la présence des cadavres, elle avait à nouveau dressé le rempart qui interdisait toute violation de son sanctuaire intime. Il ne lui restait plus qu'à chercher la réponse en lui-même. Il n'eut pas le temps d'atteindre, cependant, le niveau où la conscience du moi se dispersait dans le vide, où le présent brûlait, comme un feu ardent et pur, les représentations mentales du passé et du futur, la voix rauque de Wolf-Caïn le ramena presque aussitôt à la surface. Au passage, il fut effleuré par une sensation fugace de solitude et de peur, il se retrouva à l'âge de six ans dans sa chambre de la tente de ses parents, cerné par un silence suffocant, submergé par une odeur entêtante qu'il n'avait pas encore appris à identifier comme l'odeur du sang. Il capta la présence d'un homme essoufflé, désespéré, derrière la cloison de toile.

« Tu te trompes, déclara Wolf-Caïn. J'ai pris le temps d'explorer cette forteresse de fond en comble. Les soldats qui l'ont investie ont prévu une issue de secours, une deuxième galerie, nettement plus longue que celle-ci mais en moins bon état.

— Et elle donne où, ta putain de galerie ? »

L'espoir avait soufflé la colère dans la voix de Moram.

« Je l'ignore, je n'ai pas eu le temps de l'explorer jusqu'au bout.

— Elle est assez large pour les camions ? »

Wolf-Caïn désigna les parois et la voûte du tunnel.

« Moins que celle-ci, mais elle a également été conçue pour la circulation des engins militaires. À mon avis, les camions aquariotes devraient pouvoir passer.

— Sauf si on se retrouve coincés par un éboulement... »

L'ancien Scorpiote gardait son passe-montagne même si d'épaisses gouttes de sueur lui perlaient entre les sourcils et sur l'arête du nez.

« C'est ça, ou les bombes et le venin des insectes[GM].

— T'aurais pu en parler plus tôt ! grogna Moram. On aurait eu la possibilité de la vérifier, cette galerie, et au besoin de l'étayer. »

Wolf-Caïn haussa les épaules.

« Je savais que nous aurions besoin d'une issue de secours un jour ou l'autre, mais je ne tenais pas à divulguer certaines informations dans le climat actuel qui règne chez les Aquariotes. J'allais le faire ce matin quand je vous ai vus. J'ai jugé que le plus urgent était de sortir le boiteux des griffes des assesseurs. Et vous trois par la même occasion.

— Tu dis que tu savais ? T'es pas donneur...

— Peu importe. Il ne nous reste que très peu de temps pour prévenir les autres et organiser notre départ. »

Moram eut l'idée, pour gagner du temps, d'utiliser un camion allégé de sa citerne. Il le conduisit hors de l'atelier souterrain par le large portail qui donnait sur la partie basse de la ville, puis, tandis qu'Ismahil et Wolf se chargeaient de dégager le mur de brique qui condamnait l'entrée de la galerie, il déposa Solman et Kadija sur la place de l'église. Après leur avoir brièvement expliqué comment forcer l'entrée de l'édifice, il roula dans les rues principales sans cesser d'actionner la sirène.

Il avait estimé que le son grave de la sirène porterait plus vite et plus loin que les cris et entraînerait une réaction plus rapide de la part du peuple de l'eau, conditionné par des années de voyage sur les pistes. De fait, il ne lui fallut pas plus de trente minutes pour jeter les Aquariotes hors de leurs maisons et les rassembler sur la place de l'église, les traits tirés, les yeux bouffis, vêtus de manteaux, de capes ou de vestes passés directement sur les pyjamas ou sur les chemises de nuit. Les libations de la veille avaient laissé des traces dans les organismes, et, à l'hébétude que leur valait ce réveil en fanfare, s'ajoutaient les désagréments de la gueule de bois et d'un brouillard givrant, mordant. Mais, conscients qu'aucun chauffeur, quel qu'il fût, ne se serait amusé à sonner l'alarme sans raison sérieuse, ils n'auraient pas songé à regagner la chaleur de leur foyer ou de leur lit sans avoir au préalable pris connaissance des motifs de cette alerte matinale. La présence parmi eux de leur père Irwan, aussi hébété qu'eux, les confortait dans leur pressentiment qu'un événement grave était survenu au cours de la nuit. Seuls les enfants en bas âge, les femmes enceintes, les malades et les vieillards avaient été dispensés d'affronter le froid humide qui transperçait jambes, cous et visages. La proximité d'un danger les renvoyait à ces réflexes nomades qu'ils avaient oubliés pour un temps dans la sécurité et le confort relatifs des maisons de pierre.

Le camion surgit d'une rue perpendiculaire à la place et, à coups de sirène intempestifs, se fraya un passage dans la multitude. À force d'être piétinée, la neige avait pris la consistance d'une glace épaisse. Moram s'arrêta devant le parvis de l'église et dévala le marchepied de la cabine. Irwan, une couverture de laine sur les épaules, se détacha de la foule et s'avança vers le chauffeur d'une allure révélatrice de son exaspération. Il n'avait pas pris le soin d'enfiler ses bottes, et la neige imbibait la peau retournée de ses pantoufles.

« J'espère que tu as une explication valable à donner à ce... chambardement ! » lança sans préambule le dernier père du conseil.

Avant de lui répondre, Moram chercha du regard les deux femmes mariées qui, tout au long de leur séjour dans la ville fortifiée, étaient venues à tour de rôle lui tenir compagnie dans sa chambre ou dans la pièce principale d'une maison inhabitée. Il repéra l'une d'elles dans les premiers rangs. Elle lui adressa un clin d'œil à la fois inquiet et complice, mais il ne vit pas l'autre dans la mer de têtes qui lui faisait face.

« Le donneur avait raison, dit-il d'une voix forte. Les légions exterminatrices sont là, à nos portes. Des chiens, des solbots, des Slangs et leurs chefs. Ils sont équipés de bombes et, pis encore, ils ont avec eux des essaims d'insectes[GM]. Ils vont attaquer d'un instant à l'autre. Nous n'avons pas une seconde à perdre si nous voulons garder une toute petite chance de nous en sortir. »

Défait, livide, comme anéanti par les paroles du chauffeur, Irwan n'eut pas le tic habituel de remonter la mèche rebelle qui lui tombait sur le front et la pommette droite. Suspendus à la conversation des deux hommes, les Aquariotes retenaient leur souffle. Leurs idées étaient soudain à l'image de ce brouillard qui ne se lèverait pas de la journée, incertaines, lugubres.

« Qui les a vus ? finit par demander Irwan d'une voix morne.

— Caïn, l'ancien Scorpiote. Il était de garde sur le rempart. Une tare génétique lui permet de voir malgré la nuit et la brume.

— Et c'est sur la seule foi des élucubrations de ce... taré génétique que tu t'es permis de...

— Solman aussi les a vus ! coupa Moram.

— Deux fous n'ont jamais fait un homme normal ! »

Le chauffeur brandit son énorme poing à quelques centimètres de la face de son vis-à-vis.

« Une mère et un père assassins n'ont jamais fait non plus de bons parents ! Les vingt assesseurs que vous avez lancés sur les deux Albains et sur votre donneur sont morts ! Morts, vénéré père ! Ils gisent dans leur sang, là, en bas du tunnel. Votre putain d'entêtement nous a encore coûté vingt hommes dans la force de l'âge ! »

Des cris s'élevèrent de la foule. Des femmes et des mères rapprochaient les paroles de Moram de l'inquiétude qui les avait tenues éveillées jusqu'à l'aube : la veille au soir, leurs maris ou leurs fils étaient sortis pour effectuer leur quart de surveillance sur le chemin de ronde du rempart, et ils n'étaient toujours pas rentrés quatre heures plus tard, la durée habituelle des tours de garde, ni les heures suivantes.

« J'avais décidé de partir avec Solman et les Albains, parce que, moi, je crois encore en l'Éthique nomade, et j'estime que c'est une vraie putain de saloperie de chasser un vieil homme et une femme en plein hiver ! poursuivit Moram d'une voix gonflée de colère. Ils ont aussi essayé de me tuer ! Chak, mon propre équipier... Bordel de Dieu, vénéré père, est-ce que vous vous rendez compte du merdier dans lequel vous avez foutu les Aquariotes ? »

Les regards étaient maintenant braqués sur Irwan. Ébranlés par les accusations du chauffeur, tous attendaient ses explications, ses justifications, tous éprouvaient le besoin urgent d'être rassurés. Les cérémonies d'adoption de la veille avaient semblé ressouder la grande famille du peuple de l'eau, un instant éparpillée par les épreuves. Il lui avait fallu pour cela évacuer sa colère, sa détresse, sur ces symboles du malheur qu'étaient devenus le donneur et les deux Albains, un tribut exorbitant pour cette unité et cette tranquillité retrouvées.

« Qui a foutu les Aquariotes dans ce merdier ? contre-attaqua Irwan. Qui a décidé de les emmener dans l'hiver du Nord plutôt que dans la douceur du Sud ?

— Si Solman n'avait pas choisi cette option, les légions nous auraient coincés bien plus tôt, et on serait tous morts à l'heure qu'il est. C'est un donneur, un putain de bon clairvoyant, ce que vous ne serez jamais, vénéré père, même dans vos rêves les plus fous !

— Quelqu'un qui prétend croire à l'Éthique nomade ne manque pas de respect à un membre du conseil.

— Ça tombe bien, je ne te respecte pas ! Ni comme membre du conseil ni comme vieillard. Pour moi tu n'es qu'un foutu salopard qui aurait dû subir le même sort que notre mère Katwrinn. Et maintenant, assez bavassé. Écoutez-moi, vous tous ! »

Moram contourna Irwan et s'avança de deux pas vers la multitude. Il sentait, sur son front et ses joues, la chaleur bienfaisante du regard de sa maîtresse la plus proche, Jazbeth, une brune aux formes pleines et à la sensualité exubérante.

« Tu n'as aucune autorité légitime pour t'adresser au peuple ! cracha Irwan en se retournant.

— Je ne parle pas en mon nom, mais en celui de Solman.

— Où est-il, ton donneur ? »

À cet instant, le portail de l'église s'entrouvrit en grinçant et livra passage à Solman et à Kadija.

« Ici, vénéré père. »

Pétrifié par l'apparition du donneur, Irwan remua les lèvres mais ne proféra aucun son. Un silence tendu descendit brutalement sur la place, absorba les pleurs et les lamentations des épouses et des mères qui venaient de perdre un mari ou un fils.

Le brouillard estompait les façades grises des maisons environnantes. L'ancienne fortification avait déjà recouvré son statut de ville morte.

« Continue, Moram, ajouta Solman. Le temps nous est compté. »

CHAPITRE 34

Gwenuver resserra les pans de sa robe de chambre sur ses jambes.

Lorsqu'il était revenu de la maison de Raïma, son amant des jours maigres avait exceptionnellement souhaité prendre un bain pour, selon ses propres paroles, se purifier du contact avec le corps transgénosé et puant de la guérisseuse. Allongée sur le lit, perdue dans ses pensées, Gwenuver l'avait vaguement entendu remplir les casseroles d'eau, les poser sur les deux poêles, puis, quelques minutes plus tard, en verser le contenu dans la baignoire de la salle de bains du rez-de-chaussée.

Le son continu d'une sirène avait brisé le silence de la maison et provoqué une soudaine effervescence dans les rues proches. Irwan s'était précipité dehors après avoir jeté une couverture de laine sur ses épaules. Le signal d'alarme avait eu un effet inverse sur Gwenuver, clouée sur le lit par un sombre pressentiment : le rêve puéril du peuple de l'eau de mettre fin à son errance, de s'établir définitivement dans ces demeures ancestrales du Massif central, venait de s'écrouler. Elle avait présumé que quelqu'un avait découvert les corps de Solman et des deux Albains malgré les consignes transmises aux assesseurs de les dissimuler dans le cimetière d'engins militaires, et que, devant la mort de leur donneur, les Aquariotes avaient été submergés par une vague de panique qui éclabousserait tôt ou tard les deux membres du conseil.

Le moment était venu de payer la note.

Son amant avait surgi dans la chambre, la taille ceinte d'une serviette-éponge, l'air affolé, le torse et le visage encore marbrés des traces de ce savon noir et gras troqué par le peuple ariote.

« Tu ne... Vous ne sortez pas ? Il est sûrement arrivé quelque chose de grave... »

Il avait délaissé l'insupportable tutoiement réservé à la vieille femme, à la terre desséchée qu'il arrosait toutes les nuits de sa vigueur, pour revenir au vouvoiement d'avant leur relation, au respect dû à la vénérée mère. Il était, comme tous les hommes, prompt à rétablir les distances si un événement venait à perturber sa routine quotidienne.

« Va voir et reviens me dire ce qui se passe », avait-elle soupiré en le congédiant d'un geste de la main.

Il s'était exécuté avec une telle soudaineté que la serviette s'était affaissée sur le plancher de béton et qu'il s'était rué entièrement nu sur le palier. Elle s'était demandé ce qui l'avait poussée à accueillir ce goujat dans son lit. Le froid n'était qu'un prétexte finalement, elle éprouvait surtout le besoin névrotique de se prouver qu'elle avait encore de l'influence sur certains de ses enfants. Qu'elle pouvait, par exemple, contraindre un homme de quarante ans à commettre un inceste symbolique avec sa vénérée mère.

Avoir le courage de jouer avec les interdits, de transgresser les tabous, telle avait été la teneur du discours de Katwrinn lorsqu'elle s'était présentée dans sa tente un soir d'été. Gwenuver se souvenait avec une netteté saisissante, dérangeante, de leur première rencontre.

Une drôle de fille, Katwrinn, déjà sèche, déjà vieille, déjà morte, et pourtant emplie d'une énergie indomptable, transportée par une foi qui allumait dans ses yeux un éclat hypnotique et lui donnait une emprise étouffante sur ses interlocuteurs. Elle disait appartenir à une confrérie secrète chargée de préparer l'avènement des temps nouveaux, de refaire de cette terre un éden identique à celui qu'avaient connu les premiers hommes avant la chute – elle n'avait jamais précisé de quelle chute elle voulait parler. Elle affirmait que le peuple de l'eau se devait d'avoir un donneur, non pas l'un de ces juges de pacotille que les peuples nomades exhibaient comme des bêtes de cirque sous le chapiteau des grands rassemblements, mais un véritable clairvoyant, une antenne qui capterait les signaux des mystérieuses « entités » chargées de réparer les erreurs du passé.

« Et ta filleule, Gwenuver, sera le ventre du donneur. J'ai déjà le père. Il nous suffit d'attendre que Mirgwann soit devenue une femme.

— Comment peux-tu être sûre que l'union de Mirgwann et de cet homme engendrera un donneur ? »

Katwrinn avait eu l'un de ces petits ricanements de supériorité que Gwenuver apprendrait à subir puis à haïr pendant des années.

« J'ai des... garanties génétiques. Sois fière, Gwenuver : ta filleule est appelée à porter le futur donneur du peuple aquariote, l'homme qui guidera les siens vers leur ultime destinée. »

Gwenuver s'était bien gardée de préciser que Mirgwann, alors âgée de treize ans, était sa propre fille.

« Parle-moi un peu de cette confrérie, Katwrinn...

— Tu en fais partie désormais. Je ne connais qu'un de ses membres comme tu ne connais qu'un de ses membres. Si un jour tu sens que tu peux mettre ta confiance en quelqu'un, alors invite-le à nous rejoindre. Mais, si tu parles de mon rôle à quiconque, je dis bien à quiconque, tu seras aussitôt mise à mort. Pas par moi, bien sûr, mais par les frères d'en haut à qui rien n'échappe. L'efficacité de la confrérie repose sur le secret absolu. Tu n'auras qu'un seul intermédiaire : moi. »

Suffoquée par le ton comminatoire de son interlocutrice, Gwenuver s'était reculée, à la fois pour se donner de l'air et remettre de l'ordre dans ses pensées. Le simple fait que Katwrinn eût jeté son dévolu sur elle, sans doute parce qu'elle était la tutrice officielle de Mirgwann, la ligotait dans leur secret et lui interdisait toute marche arrière.

« Nous devons maintenant nous débrouiller pour être élues dans le prochain conseil. Je connais un homme prêt à tout pour devenir père du peuple. Proposons-lui une alliance et servons-nous de son ambition. »

Quelques jours plus tard, Katwrinn l'avait mise en relation avec Irwan. Gwenuver avait compris, ou cru comprendre, que l'alliance en question devait être scellée par un pacte intime et, Katwrinn n'ayant pas d'appétit pour les relations charnelles, elle s'était chargée de devenir sa maîtresse bien qu'elle ne ressentît aucune attirance pour cet homme, sec et brutal jusque dans ses caresses. Leur liaison n'avait duré que le temps de l'été, mais elle avait suffi à nouer entre eux cette complicité cynique propre aux amants unis par l'ambition et débarrassés des oripeaux passionnels. Ils avaient complété leur liste électorale avec les noms de Joïnner, d'Orgwan et de Lohiq, « des gens rassurants, sans personnalité, de parfaits comparses », avait affirmé Katwrinn, puis, jusqu'aux élections suivantes, ils avaient mené une campagne de tous les instants auprès des Aquariotes, dénonçant les faiblesses du conseil en place, usant largement de la promesse, stipendiant une poignée d'hommes pour créer un climat d'insécurité dans la caravane. Élus à une majorité écrasante, ils avaient d'abord joui du pouvoir avec un appétit d'affamés invités à un banquet. Ils avaient éliminé un à un les membres de l'ancien conseil en s'arrangeant pour déguiser leurs décès en accidents. Katwrinn confiait toujours ce type de besogne à Caïn, le Scorpiote qu'ils avaient recueilli quelques années plus tôt, un homme taciturne, discret, d'une efficacité redoutable, et apparemment dépourvu de scrupules.

Mirgwann avait grandi, s'était affranchie de la tutelle de Gwenuver, était devenue une femme épanouie sur laquelle tous les hommes se retournaient et dont sa mère était secrètement fière.

« Elle est mûre... »

Gwenuver avait espéré un temps que Katwrinn, comblée par l'exercice du pouvoir, oublierait ou renoncerait à son projet, mais sa « sœur » n'était pas du genre à lâcher sa proie.

« Et le père ? avait objecté Gwenuver. Mirgwann a son caractère, et elle a déjà des amants. Je le sais parce que maître Quira m'a avoué lui avoir prescrit des plantes contraceptives. Elle n'acceptera pas d'être... engrossée (ce mot lui avait écorché les lèvres) par n'importe qui.

— C'est mon affaire », avait rétorqué Katwrinn.

Les deux poêles s'étaient sans doute étouffés en bas. Le froid engourdissait les pieds et les mains de Gwenuver. L'espace de quelques secondes, elle fut tentée de s'habiller en hâte et de se rendre sur la place de l'église où les Aquariotes étaient probablement rassemblés. Elle parvint à vaincre l'inertie qui l'écrasait sur le lit, se releva, mais, au lieu de se diriger vers le petit tas de ses vêtements pliés sur une chaise, elle descendit au rez-de-chaussée et s'avança vers l'une des caisses en bois alignées contre le mur. Elle souleva le couvercle, fouilla parmi les divers sachets d'aliments, les bougies et les ustensiles, finit par mettre la main sur l'objet qu'elle recherchait : un pistolet au canon long, fin, à la crosse légèrement renflée, au pontet cabossé. Elle n'avait pas l'habitude de manier des armes – du moins ce genre d'armes – mais les deux intendants qui avaient livré la caisse lui avaient certifié que le pistolet était chargé.

« En temps ordinaire, personne ne songerait à s'en prendre à un père ou une mère du conseil, avait précisé l'un d'eux. Mais le donneur et les Albains ont des partisans enragés, et, comme vous refusez de vous entourer de guetteurs, cette arme pourrait vous être utile. Il vous suffit de déverrouiller le cran de sûreté. Vous voyez, cette petite molette au-dessus du pontet... »

Gwenuver remonta au premier étage, se dévêtit de sa robe de chambre et s'allongea sur le lit, nue, indifférente au froid qui la fouaillait jusqu'aux os, l'arme posée sur son ventre. Elle avait rivé son existence à une femme dont elle ne connaissait rien, à une tisseuse des ténèbres, à une énigme vivante. Elle avait consenti à l'inacceptable, au sacrifice de sa fille, au nom d'une idée, d'un avenir chimérique. Katwrinn l'avait possédée en exploitant ses points faibles, sa lâcheté, sa quête éperdue de reconnaissance, son orgueil, l'orgueil stupide et sournois des médiocres, des complaisants. Elle s'était vidée de sa substance humaine, de son amour pour Mirgwann et Solman, pour emplir sa carcasse creuse de principes, de lendemains enchantés, de rêves glorieux. La machine que les deux femmes avaient mise en route avait broyé Mirgwann, Piriq, des dizaines d'opposants, des centaines de Slangs, des milliers d'Aquariotes, et bien d'autres encore, puis, emballée, incontrôlable, elle s'était retournée contre Katwrinn et avait tué Solman, la laissant seule avec ses désillusions, avec ses remords.

Elle serait sa prochaine victime.

Elle écarta les jambes, bascula le bassin vers le haut et, lentement, avec une sensualité morbide, poussa le canon du pistolet à l'intérieur de son vagin. La mire en forme de cône lui irrita les muqueuses mais la caresse de l'acier lisse et tiédi par sa peau lui fut infiniment plus agréable que le contact avec le sexe rugueux de son amant des jours sordides. Elle n'avait plus qu'un désir désormais, déchiqueter ce ventre, cette matrice, dont elle ne s'était pas montrée digne. Elle dut se contorsionner pour déverrouiller le cran de sûreté et placer le pouce dans le pontet. Elle regretta de s'être désolidarisée de Katwrinn dans la forêt de grands sapins au sortir du relais de Galice : elle aurait connu une fin un peu moins solitaire, un peu moins misérable. Elle n'ignorait pas qu'elle risquait de souffrir un long moment si la balle n'atteignait pas un point névralgique, mais aucune agonie, si pénible fût-elle, n'était en mesure d'effacer les souffrances qu'elle avait causées. Elle se demanda si Katwrinn avait su un jour que sa « sœur » était la mère de Mirgwann et la grand-mère de Solman. Puis comment Katwrinn s'y était prise pour imposer à Mirgwann, si belle, si vivante, si courtisée, le monstre dégénéré qu'était le père de Solman.

Comme devant le pont de pierre, les Aquariotes se scindèrent en deux groupes, les uns restant regroupés autour de leur père Irwan, les autres se dispersant dans les maisons et dans les ateliers souterrains pour préparer leur départ. Des familles se divisèrent, se déchirèrent, des femmes tentèrent en vain d'infléchir leur mari, des enfants de persuader leurs parents, des hommes de retenir leur épouse. Il leur fallait prendre une décision immédiate qui reposait sur leur seule conviction, la brume empêchant de confirmer ou d'invalider les affirmations de Moram, et la trame aquariote s'effilochait, comme un vêtement trop longtemps porté, avec une facilité déroutante.

« Moi je veux partir avec vous, mais maman Raïma est fatiguée, elle est restée à la maison, elle n'a plus la force de marcher. »

De grosses larmes roulaient sur les joues de Glenn. Il était entré dans l'église et avait couru vers Solman qui s'occupait avec d'autres de remplir de vivres, de rouleaux de tissu et de bûches les grands sacs de toile que des hommes portaient dans les ateliers souterrains.

« Tu penses qu'elle souhaite venir avec nous ? demanda Solman.

— Elle est allée ce matin chez Gwenuver, elles se sont disputées, c'est un homme qui l'a ramenée à la maison. »

Les mots peinaient à se frayer un passage entre les sanglots de Glenn. Solman s'accroupit devant lui et l'invita à se calmer d'une pression soutenue de la main sur l'épaule.

« Pourquoi se sont-elles disputées ?

— J'sais pas. Maman Raïma a dit qu'elle avait eu tort de faire confiance à cette grosse... tr... uie. »

Solman hocha la tête, se redressa et se tourna vers les hommes et les femmes qui bourdonnaient comme des mouches affolées entre les bancs de l'église transformés en rayonnages. Debout au milieu de l'allée principale, Kadija les regardait s'agiter avec une attention d'entomologiste. Le jour s'engouffrait par le portail grand ouvert mais n'atteignait pas le chœur, plongé dans une obscurité profonde qui noyait les vestiges de l'autel et l'estrade dressée la veille pour les cérémonies d'adoption. Une odeur de cire froide masquait les relents de céréales, de fleurs séchées, de viande fumée, d'huile et de savon suspendus dans l'air froid. Dehors, le tissu aquariote continuait de s'effilocher. Comme happées par le mouvement, des silhouettes se détachaient du groupe le plus volumineux, serré autour d'Irwan, s'égaillaient dans les rues, couraient vers leur maison ou s'engouffraient dans l'église pour proposer leurs services.

« Est-ce que deux ou trois d'entre vous peuvent aller chercher Raïma la guérisseuse et la porter jusqu'aux camions ? demanda Solman. Glenn... Jean, son fils, vous guidera jusqu'à sa maison. »

Ses vis-à-vis se consultèrent du regard et hésitèrent un long moment avant que deux hommes s'avancent et indiquent, d'un geste de la main, qu'ils s'en chargeaient.

« Accompagne-les, Glenn, nous nous retrouverons aux camions. »

Le garçon acquiesça d'un vigoureux mouvement de tête qui décrocha les dernières larmes perlant à ses cils.

Solman décela, dans la nouvelle épreuve qui attendait les Aquariotes sur les pistes glacées du Nord, la promesse d'une réconciliation avec Raïma et se remit à l'ouvrage d'un cœur plus léger. Il avait laissé Moram tenter d'entraîner le peuple de l'eau à sa suite et, même si le chauffeur avait déployé une conviction à renverser les montagnes, il se reprochait de ne pas être intervenu. Il n'en avait pas eu l'énergie, vidé de ses forces, apathique, et, surtout, entravé par une rancune sourde à l'encontre des Aquariotes. Un vrai donneur n'aurait probablement pas tenu compte de son ressentiment, même justifié, mais quelque chose lui interdisait d'accéder au véritable statut de donneur, un reste de conditionnement, une mesquinerie d'homme dominé par ses émotions. Une étroitesse qui, sans doute, l'empêchait également d'entrer en communication avec Kadija. Les sentiments médiocres n'étaient pas compatibles avec l'essence de la jeune femme, comme les accords dissonants blessent une harmonie.

Il cessa de remplir le sac de sachets de céréales pour contempler Kadija, immobile au milieu de l'allée. Il en profita pour reposer sa jambe gauche, qu'une douleur aiguë tenaillait. Elle avait retiré son bonnet, et ses cheveux tombaient en cascades noires sur ses épaules. Elle fixait le chœur de l'église avec une obstination enfantine. Des hommes et des femmes avaient autrefois interpellé le Dieu de leurs pères en ces lieux, avaient exprimé leurs espérances, leurs peurs et leurs doutes. Peut-être captait-elle l'écho de leurs prières dans l'obscurité silencieuse, solennelle, qui semblait soustraire les murs et les voûtes à la réalité du présent ? Peut-être cherchait-elle une réponse à ses propres interrogations ? Il était temps d'aller vers elle, non pas avec l'impatience brutale d'un conquérant, d'un pillard, mais en l'explorant avec les yeux de l'âme, avec la fluidité de l'être. Elle tourna la tête et croisa son regard. Elle ressemblait à une petite fille perdue dans un monde trop vaste ou trop rude pour elle. La tentative de viol et d'empoisonnement de Chak ainsi que la fusillade de l'aube la maintenaient prisonnière de son silence, de sa solitude. Elle qui avait besoin d'être rassurée, aidée, n'avait pour l'instant des hommes qu'un spectacle affligeant où la mort et la souffrance jouaient les premiers rôles.

Il lui sourit, elle lui répondit d'un sourire timide qui suffit à éclairer son visage d'une lumière inhabituelle. Autour d'eux, les Aquariotes continuaient de s'agiter avec une frénésie de fourmilière aux abois, emplissant et transportant les sacs dans un tourbillon de claquements, de jurons, d'ahanements.

Solman entrevit une brèche dans le rempart de Kadija, mais il n'eut pas le temps de s'y faufiler.

« Tout est prêt en bas ! On part ! »

Moram s'était rué dans l'église avec la discrétion d'un bœuf. Des auréoles sombres maculaient sa chemise de laine, et son crâne rasé luisait de sueur. Les crosses brillantes de ses deux revolvers – sa première préoccupation avait été de récupérer l'arme confisquée par les assesseurs – dépassaient de chaque côté de sa ceinture de cuir. S'apercevant qu'il venait de perturber une communication intime entre le donneur et l'Albaine, à peu près comme s'il avait dérangé des amants au plus fort de leur étreinte, il détourna son embarras dans la contemplation soutenue de ses bottes.

« Caïn et Ismahil ont fini de dégager l'entrée de la galerie, reprit-il à voix basse. Les voitures et les remorques sont attelées. On aura une trentaine de camions, assez de gaz, de vivres et d'eau pour tenir deux mois. Une seule sourcière part avec nous, Hora elle s'appelle. Elle t'aime bien. Elle est jeune mais j'espère qu'elle est douée, ou on risque de crever de soif. »

Les autres commencèrent à sortir de l'église en portant sur l'épaule des couvertures ou des sacs bourrés jusqu'à la gueule.

« Faut y aller, insista Moram. Vite avant que ces salopards lâchent leurs insectes[GM]. »

Solman saisit la main de Kadija et l'entraîna sur les talons du chauffeur. Il ne reçut pas le choc qu'il avait éprouvé la première fois qu'elle l'avait touché, il fut traversé par une onde de chaleur qui effaça sa fatigue et anesthésia la douleur à sa jambe. Elle le suivit sans résister ni chercher à retirer sa main.

Lorsqu'ils franchirent le portail, ils se retrouvèrent face aux centaines d'Aquariotes qui avaient choisi le parti d'Irwan et qui, en dépit du brouillard givrant, étaient restés sur la place dans l'intention d'affirmer leur solidarité avec le conseil et leur rejet du donneur. Flanqué d'un côté de Kadija, de l'autre d'un Moram gagné par la fébrilité, Solman se dirigea tout droit vers le père du peuple. Il se demanda pourquoi Gwenuver ne se tenait pas aux côtés de son vieux complice, elle qui sautait sur toutes les occasions d'affirmer son ascendant sur son peuple.

« Il est encore temps, vénéré père...

— Temps de quoi ? siffla Irwan en resserrant les pans de la couverture sur sa poitrine. De nous égarer dans l'hiver du Nord ?

— De placer notre confiance en notre Mère Nature.

— Elle ne voit pas par tes yeux, elle ne parle pas par ta bouche. »

Solman embrassa du regard la foule frigorifiée. Il connaissait de vue la plupart d'entre eux, adultes, enfants, chauffeurs, intendants, lavandiers, tisserands, armuriers, sourciers, tous des gens de valeur, des êtres irremplaçables qu'il n'avait pas su convaincre de sa sincérité. En lui monta un sentiment de compassion qui s'épancha de ses yeux et baigna ses joues de larmes. Ô notre Mère, faut-il donc que tu sacrifies encore ceux-là pour offrir à ton peuple une petite chance de survivre ?

« Oublions nos querelles, vénéré père, dit-il en s'appliquant à maîtriser les tremblements de sa voix. J'ai vu, de mes yeux vu, les soldats des légions exterminatrices. Je vous demande du fond du cœur de partir avec nous. Vous n'avez pas le droit de condamner à mort vos enfants. »

Il lui sembla que son interlocuteur hésitait, vacillait, que le doute gangrenait la multitude massée derrière lui, puis Irwan remonta sa mèche rebelle d'un geste mécanique et rétablit les distances qu'il avait abolies l'espace d'un trop bref instant.

« Nous verrons lequel de nous deux a fait le bon choix.

— Il faut partir », murmura Moram.

Solman se rendit compte qu'il serrait la main de Kadija à la broyer et relâcha sa pression.

« Dites au revoir pour moi à mère Gwenuver, ajouta-t-il. Dites-lui que je lui pardonne la mort de mes parents et que je garderai d'elle un bon souvenir. Comme j'en garderai un bon de vous, vénéré père. Et de tous ceux qui... »

Il se tut, le souffle coupé, les jambes flageolantes. Sa vision se déployait sur eux, draguait, comme un filet aux mailles extraordinairement fines, leur mémoire, leurs sentiments, leurs souffrances. Ils n'étaient ni meilleurs ni pires que les autres, ils se débattaient dans une solitude désespérante que rien, ni victoire, ni défaite, ne pouvait briser. Il s'emplissait de leur histoire comme d'une eau amère, et sa coupe débordait, parce qu'il n'était, comme eux, qu'un humain, qu'un éclat infime de la création, parce qu'il n'avait pas assez de force et d'amour pour les consoler.

Moram le tira en arrière, puis l'entraîna dans une rue glissante, fuyante. Il resta relié à la réalité par la seule chaleur de la paume de Kadija.

CHAPITRE 35

Longtemps après que les partisans du donneur eurent déserté la ville, que les grondements des moteurs eurent retenti dans le silence comme des appels lointains et désespérés, les Aquariotes demeurèrent serrés autour d'Irwan, transis par l'humidité glaciale et leur propre inquiétude. Le peuple de l'eau s'était séparé pour la première fois de son histoire, et ils ne pouvaient s'empêcher de penser qu'ils avaient peut-être fait le mauvais choix, qu'ils auraient dû suivre leur femme, leur mari, leurs enfants, leurs parents, leurs amis...

Ils attendaient des paroles de réconfort de leur vénéré père, mais celui-ci, courbé, comme incapable de supporter le poids de sa couverture, ne disait pas un mot, pire même, semblait harcelé par les doutes, les regrets et les remords. Leurs certitudes se dissipaient dans le brouillard morose qui buvait les maisons environnantes et le toit de l'église. Ils se retrouvaient sans donneur, sans guérisseuse, le bruit ayant couru que deux hommes guidés par Jean s'étaient introduits dans la maison de Raïma et l'avaient transportée dans les ateliers souterrains. Ils avaient gardé avec eux deux sourciers, une jeune femme et un adolescent, une petite consolation dans un monde où la capture de l'eau revêtait une telle importance, mais un ressort était brisé, ils étaient amputés d'une partie d'eux-mêmes, ils souffraient déjà du manque.

Sans parler de la dispersion des familles, dont, la veille, ils avaient pourtant célébré l'importance. Sans

368

parler des souffrances qui viendraient les harceler lorsqu'ils auraient regagné leurs maisons et qu'ils prendraient conscience des gouffres creusés par le départ des êtres chers.

« On devrait peut-être descendre à l'entrée du tunnel, pour vérifier, dit un homme.

— Vérifier quoi ? glapit Irwan. Vous avez décidé de rester ici, vous savez donc que ces histoires de légions ne sont que des fables ! Assumez votre choix ! Et rentrez chez vous. Nous nous réunirons au début de l'après-midi pour dresser l'inventaire complet des ressources. »

Ils se dispersèrent sans un mot dans les rues qui partaient de la place. Quelques hommes décidèrent cependant de se rendre au tunnel d'accès et se retrouvèrent dans la partie basse de la ville après avoir effectué un détour pour se mettre à l'abri du regard inquisiteur de leur vénéré père.

Seul devant l'église, Irwan attendit encore quelques minutes avant de regagner sa maison. Il lui semblait détecter dans la brume la présence d'un danger. Il n'avait pas le don de clairvoyance, mais suffisamment d'expérience pour ressentir le calme annonciateur d'une tempête. Il aurait préféré mourir plutôt que de reconnaître ses torts devant son peuple et, pourtant, il savait qu'il avait commis une erreur. Certes, ce n'était pas la première depuis qu'il avait accédé aux responsabilités, mais celle-ci risquait d'avoir des conséquences dramatiques. Il avait l'impression d'être orphelin depuis la mort de Katwrinn, la conseillère de l'ombre, la stratège avisée du conseil. Ni lui ni Gwenuver n'avaient suffisamment d'envergure pour conduire les derniers hommes vers un avenir meilleur, ou seulement moins moche. Solman, en s'affranchissant de ses pères et mères, était devenu un guide, un rival, et, comme tous ses rivaux, Irwan n'avait eu qu'une idée en tête, obsessionnelle : l'éliminer. Il lui fallait régner, jouir par tous les moyens de cette ivresse inouïe que procure le pouvoir. L'amour physique était si peu de chose en comparaison de la puissance d'un père du peuple, du vertige qu'on ressent à exercer

son droit de vie et de mort sur ses sujets. Sur ses...
créatures. Oui, on ne pouvait le décrire qu'en termes
divins, ou diaboliques, ce qui revenait au même.

Il fut soudain rattrapé par la peur, respiration haute,
saccadée, rythme cardiaque précipité, ventre et gorge
noués. La mort n'était pas inéluctable dans ce lieu qui
avait déjà servi de tombe aux soldats de la Troisième
Guerre mondiale. Il était encore temps de se lancer sur
les traces du groupe de Solman, de fuir par la galerie
de secours dont avait parlé Moram. Avec leur habitude
du nomadisme, des départs précipités, il ne faudrait
qu'une heure, deux au grand maximum, aux Aquariotes
pour préparer les camions, les voitures, les remorques,
les réserves de vivres, de bois, de couvertures et d'armes. Il devait d'abord en référer à Gwenuver, unir ses
forces à celles de sa vieille complice pour renverser la
vapeur, pour réparer sa faute...

Leur faute.

Il se défit de la couverture, traversa la place au pas
de course, s'élança sans ralentir dans une rue perpendiculaire à la place, la remonta sur une cinquantaine de
mètres, gravit à la volée les marches du vieil escalier de
pierre, poussa la porte métallique restée entrouverte et
s'engouffra dans la pièce principale, le souffle court, les
yeux voilés de rouge.

« Gwenuver ! Gwenuver ! »

Le silence glacial lui hérissa les cheveux et la peau.
Le feu s'était éteint dans les deux poêles. Un murmure
à peine audible traversa le plancher de béton.

« Gwenuver... »

Il se rendit compte que quelqu'un avait ouvert une
caisse pendant son absence. La caisse où ils avaient
rangé... le pistolet fourni par les intendants. Fou d'angoisse, il se rua dans l'escalier qui donnait sur le palier
du premier étage et se précipita dans la chambre de
Gwenuver.

Il la découvrit allongée sur le lit, nue, d'une blancheur
de craie, les jambes écartées, les mains crispées sur un
objet poissé de sang. Il eut besoin de quelques secondes

pour identifier le pistolet et comprendre qu'elle s'était tiré une balle dans le vagin. Elle remuait encore, faiblement, et de sa bouche entrouverte s'échappaient des râles entrecoupés de gargouillis.

Horrifié, Irwan s'agenouilla à côté du lit.

« Gwenuver... »

Il lisait une souffrance indescriptible dans ses yeux entrouverts. Impossible, en revanche, de deviner si elle était consciente de sa présence ou si elle avait définitivement coupé les ponts avec la réalité. Le sang avait débordé du lit et s'était répandu en abondance sur le plancher. Il avait autrefois tenu ce corps dans ses bras, et, même s'il ne l'avait pas aimé, il s'était repu de sa vigueur maladroite, de la générosité de ses formes, de la tendresse de sa peau. Il était désormais le dernier survivant du conseil aquariote, le dernier de cette phalange qui avait gouverné sans partage sur le peuple aquariote pendant des années, sur l'ensemble des peuples nomades puisque tous dépendaient des livraisons d'eau. Il se releva, chancelant, les yeux rivés sur les seins lourds et affaissés de chaque côté du torse, sur le bas-ventre et les cuisses maculés de sang. Il ne pouvait plus rien pour elle, sinon lui épargner une trop longue agonie. Il saisit un oreiller et, secoué par les sanglots, il l'appliqua sur le visage de Gwenuver et appuya de tout son poids afin de lui boucher hermétiquement les narines et la bouche. Elle se débattit au bout de quelques secondes, agita les jambes, lâcha le pistolet, fut ballottée par une série de spasmes qui firent grincer les ressorts du lit, puis ses bras se relâchèrent et retombèrent avec une légèreté de plume le long de son corps. Son bassin resta basculé vers le haut et ses jambes écartées, repliées, dans la position d'une femme en train d'accoucher. Irwan la pleura un long moment, penché au-dessus du lit. Il prit conscience qu'il pleurait davantage sur lui que sur elle. Qu'avait-il connu d'elle, de cette femme qui avait ployé sous son poids, sinon qu'elle l'avait manipulé depuis le début en flattant son ambition, son orgueil ? Il était seul, désormais, à porter le fardeau de leurs fautes.

Des aboiements, des bruits de pas, des cris retentirent dans les rues. Il frissonna, lâcha l'oreiller et sortit de la chambre après un bref coup d'œil sur le visage enfin apaisé de Gwenuver. Il n'avait pas encore descendu l'escalier que la porte d'entrée claqua contre le mur et livra passage à deux jeunes femmes aux yeux agrandis par la frayeur et la colère. Une pensée, incongrue dans ces circonstances, lui traversa l'esprit : il aurait dû prendre le temps de se rhabiller pour ne pas se présenter devant elles en pyjama.

« Qu'est-ce qui se passe ? demanda-t-il en dévalant les dernières marches.

— Le donneur avait raison, père ! cria l'une d'elles.

— Une nuée d'insectes[GM] ! » hurla l'autre.

Elles non plus n'avaient pas eu le temps de s'habiller. Leurs chemises de nuit et leurs chaussettes tire-bouchonnées dépassaient du bas de leur manteau. La transpiration et les larmes collaient leurs cheveux emmêlés à leurs joues, à leurs mentons, à leurs cous. Elles le fixaient à présent comme un monstre, et c'est ce qu'il était, un monstre enfin démasqué, enfin débusqué.

« Les chiens mangent les cadavres, sanglota l'une.

— Comment comptes-tu nous tirer de là, père ? » cracha l'autre.

Il ne répondit pas. Il n'y avait rien à répondre, sinon qu'ils étaient perdus. Il ne servait à rien non plus de leur demander pardon, ils partiraient dans l'autre monde avec sa malédiction.

« La piqûre des insectes[GM] tue en quelques secondes, reprit la deuxième. Mes enfants sont morts, mon mari est mort. Avant de mourir, je veux m'assurer que ni toi ni cette garce de Gwenuver n'en réchapperont. »

Elle aurait pu être jolie sans la haine qui lui incendiait les yeux et dévastait ses traits. Elle tira un pistolet de la poche de son manteau et le braqua sur Irwan, qui n'esquissa pas un geste.

« Pas la peine de tuer Gwenuver… » Il eut l'impression que sa voix ne lui appartenait déjà plus. « Elle s'en est chargée elle-même. »

La femme fit feu, mais, comme elle tremblait de tous ses membres, elle l'atteignit au-dessus du genou. Il tomba en arrière, sur les premières marches, aux prises avec une douleur aiguë qui le baigna de sueur froide. Elle tira une deuxième balle qui miaula sur le béton du mur, et une troisième qui lui frôla les cheveux. Puis il les vit toutes les deux lever les bras et essayer de chasser les points brillants qui vibrionnaient autour de leurs têtes.

Les insectes[GM] s'étaient invités par la porte entrouverte et se répandaient dans la maison à la recherche de leurs proies. Si sa compagne s'affaissa sans un bruit, la femme au pistolet eut le temps de faire quelques pas avant de s'effondrer non loin d'Irwan. Il distingua alors les tueurs agglutinés autour de sa bouche, de ses narines et de ses oreilles. Des insectes rouges, d'une espèce inconnue, un peu plus gros que les moustiques des marais, un peu moins que les mouches. Quelques-uns ne bougeaient plus, comme s'ils avaient été programmés pour ne vivre que le temps d'une attaque, d'un baiser mortel. Quelle armée était assez puissante pour fabriquer des soldats-suicide de cette efficacité, de cette qualité ? L'intelligence dont parlait Solman était encore plus redoutable qu'il ne le pensait. Les autres, les Aquariotes qui avaient eu la sagesse d'écouter leur donneur, avaient seulement gagné un sursis. Elle ne leur laisserait aucune chance.

De petites pattes se promenèrent sur le front et le cou d'Irwan. Il eut encore le temps d'apercevoir les formes noires et bondissantes de chiens sauvages avant qu'un premier dard ne s'enfonce dans sa chair avec une délicatesse soyeuse, ironique.

Les camions roulaient au pas dans la galerie, parfois si étroite que les flancs des citernes en raclaient les parois. Solman avait exigé qu'on en condamne l'entrée après le passage du dernier des trente camions. À Moram, qui avait émis des réserves sur cette mesure, « une perte de temps, une vengeance mesquine et inutile contre ceux qui sont restés dans la ville... », il avait expliqué qu'ils devaient à tout prix empêcher les insectes et les chiens de se lancer sur leurs traces. Une trentaine d'hommes avaient donc remonté le mur de brique démoli par Wolf et Ismahil et l'avaient doublé d'un deuxième ouvrage de pierres, cimentées par un mortier de terre et d'une chaux grossière troquée par le peuple capriote.

« Combien de kilomètres est-ce qu'on a parcourus ? demanda Solman.

— À peine six, répondit Moram. On se traîne pire que des limaces. »

Ils s'étaient installés tous les deux dans la cabine du camion de tête, un véhicule en bien meilleur état que celui de Chak. La ventilation du chauffage n'empestait pas cette odeur d'huile chaude qui finissait par peser sur l'estomac. Le pare-brise était intact, n'étaient-ce, sur la première couche de verre, les cavités étoilées occasionnées par les averses de grêlons, les projections de cailloux ou les impacts des balles. Les irrégularités du sol de terre battue imprimaient à la cabine d'incessantes oscillations qui brinquebalaient Solman d'un bord à l'autre de la banquette passagers. Les vibrations engendraient parfois des chutes de pierres sans gravité et soulevaient une poussière dense sur laquelle butaient les faisceaux des phares.

« Six, c'est pas si mal, dit Solman. Assez, en tout cas, pour semer les insectes et les chiens.

— Tu crois ça ? Ces bestioles n'ont rien d'ordinaire, c'est toi qui l'as dit. Et puis, imagine que cette galerie ne donne sur nulle part, qu'on tombe sur un cul-de-sac... Y a pas la réponse, là-dedans ? »

Son index désignait la tête de Solman, qui eut une moue expressive : non, le donneur n'était pas un magicien, non, il n'avait pas la réponse à toutes les questions, la solution à tous les problèmes.

« Et les autres ? reprit Moram. Ceux qui ont refusé de nous suivre ? Tu crois qu'ils sont... »

Solman acquiesça d'un hochement de tête. À cette question il pouvait apporter une réponse. Depuis quelques minutes, une tristesse amère se diffusait en lui comme un lent poison : elle coulait d'une source sombre, froide, la mort des sept ou huit cents Aquariotes restés en arrière, condamnés par leurs peurs et leurs haines. Il espérait qu'ils avaient trouvé la paix pour ce voyage dans l'au-delà, mais que savait-on de la mort ? Que savait-on du sort de l'âme après l'abandon de la dépouille corporelle ? Suffisait-il de partir pour échapper à la loi de l'espace et du temps ? Mère Gwenuver veillait-elle sur lui, de là-haut, ou s'était-elle enfuie comme une voleuse d'une terre dont elle avait contribué à la ruine ? Que faisait père Irwan maintenant qu'il n'avait plus de mèche à remonter ni de peuple à garder ? Et les autres, qu'emportaient-ils comme souvenirs de leur passage dans ce monde de fureur et de sang ?

Il n'avait qu'une façon d'adoucir la douleur de la séparation : oublier les rancunes, les traiter en frères, les accompagner de sa compassion, de son amour, les aider peut-être à surmonter leurs frayeurs et à franchir le seuil.

« Merde, c'est leur faute aussi... » commença Moram.

Il se mordit les lèvres lorsqu'il vit les larmes rouler sur les joues du donneur. Il se concentra sur la conduite, une occupation plutôt fastidieuse à une allure de moins de dix kilomètres-heure. La lumière des phares ricochait sur les saillies rocheuses hérissant les parois et la voûte. De temps à autre, on distinguait une poutrelle métallique rouillée, gondolée, posée en travers, un étai provisoire qui résistait à la poussée de la terre depuis près de cent ans.

Moram ne comprenait pas pourquoi Solman pleurait des gens qui l'avaient chassé de leur cœur comme le pire des criminels. Lui n'avait laissé aucun être cher là-bas, pas d'enfants, pas de femme, pas de parents ni même de cousins. Bien qu'elles ne se connaissent pas, ou qu'elles ne sachent pas qu'elles se partageaient le même amant, ses maîtresses l'avaient suivi toutes les deux, l'une avec son mari, l'autre sans. Plutôt flatteur pour sa vanité, mais il lui faudrait multiplier les précautions pour continuer de les voir l'une à l'insu de l'autre dans un convoi réduit à trente camions... Il respecta le chagrin de Solman, immense à en juger par les larmes qui ruisselaient sur ses joues comme deux rivières gonflées par les pluies. Il lui était d'autant plus facile d'accepter la différence du donneur qu'il ne l'enviait pas, qu'il n'aurait pas échangé leurs rôles pour toute l'eau pure du monde.

Ils roulèrent en silence jusqu'à ce qu'une sirène retentisse par trois fois et que le convoi s'arrête. La galerie s'était affaissée quatre cents mètres en arrière. L'éboulement avait défoncé le toit d'une voiture, emprisonné sa vingtaine de passagers dans un amoncellement de terre, de pierres, de ferraille, et obstrué partiellement le passage. Éclairés par les phares, communiquant par cris, ils s'attelèrent à la tâche de chaque côté de l'éboulis, dégagèrent onze rescapés, six blessés et deux cadavres, une vieille femme au crâne défoncé par une pierre et un enfant de trois ans étouffé par la terre. Alertée par Glenn, Raïma tint à se lever malgré son extrême faiblesse pour porter les premiers secours aux blessés allongés sur des couvertures. Solman, Moram, Wolf et la plupart des hommes avaient noué un masque de tissu en bas de leur visage pour filtrer l'âpre odeur de moisissure. Les grondements sourds du ventre de la terre préludaient à de nouveaux écroulements. Une heure supplémentaire leur fut nécessaire pour déblayer la galerie, étayer la voûte et consolider les parois. Avec l'accord des familles, ils enterrèrent les deux corps côte à côte, puis, après une brève prière, ils remontèrent dans les camions et les voitures.

Juste avant de se remettre en route, Kadija sortit de la voiture accrochée au véhicule de tête et s'introduisit dans la cabine. Surpris, et ravi, Solman se poussa pour lui ménager une large place sur la banquette. Tout en actionnant le démarreur, Moram accorda à la jeune femme un regard admiratif, intrigué et courroucé. Il avait pris goût aux tête-à-tête avec le donneur. Non qu'il se fît des illusions sur lui-même, sur ses propres capacités, ou encore qu'il aspirât à changer de condition, mais il avait l'impression de côtoyer l'exceptionnel, d'être admis par effraction dans le cénacle où se décidait l'avenir des derniers hommes, et il devinait que la présence de cette fille l'exclurait du monde de Solman, le renverrait à cette solitude mélancolique que ne parvenaient pas à distraire les attentions de ses maîtresses.

Il but une gorgée de kaoua directement au goulot du thermos, embraya et accéléra avec une brutalité révélatrice de sa frustration. Le grondement du moteur enfla dans la galerie noyée de poussière. Les trépidations des camions provoquaient des effritements qui pouvaient à tout moment dégénérer en effondrements.

CHAPITRE 36

Une dizaine d'éboulements se produisirent sur une portion d'à peine cinq kilomètres. À chaque fois, il leur fallait s'arrêter, dégager les camions, les voitures ou les remorques ensevelies sous les coulées de terre, étayer la voûte et les parois à l'aide de pierres et de barres de fer arrachées aux planchers des remorques, puis déblayer la galerie, le tout dans une atmosphère poussiéreuse, étouffante. Cependant, comme la consigne avait été donnée aux passagers de s'abriter sous les tables, sous les couchettes ou sous toute autre surface rigide pouvant servir de bouclier, on ne recensa qu'une poignée de blessés légers, égratignés par les éclats de verre ou projetés contre les cloisons. Deux camions perdirent leur pare-brise, pulvérisé par des pierres, mais réussirent à repartir après un rapide nettoyage de la cabine et du moteur.

« Ce qui me fait peur, surtout, c'est qu'un réservoir se mette à fuir », haleta Moram, en sueur, en s'installant au volant.

Il avait tombé la veste puis la chemise et le maillot de corps, et c'est torse nu désormais qu'il participait aux corvées de déblai. Ses muscles épais roulaient comme des vagues convulsives sous sa peau rasée, luisante. Des griffures et des rougeurs lui parsemaient la nuque, les épaules et le dos, sans doute laissées par les ongles et les dents de ses maîtresses.

« Imagine que ça explose dans ce putain de boyau, poursuivit-il en enfilant son maillot de corps. On serait pulvérisés par le souffle. Comme ça ! »

Il claqua des doigts pour souligner son propos. Solman lui accorda un regard en coin mais ne répondit pas. Le contact avec la main de Kadija l'absorbait tout entier, le dissuadait même de descendre de la cabine lorsqu'une sirène faisait entendre ses trois ululements. Il s'était astreint à déplacer les pierres et la terre lors des premiers effondrements, puis la douleur à sa jambe s'était associée à la présence silencieuse de la jeune femme pour le river à la banquette. Ses maigres remords s'étaient définitivement estompés lorsque la main de Kadija s'était glissée dans la sienne et qu'ils avaient amorcé une communication silencieuse. Curieusement, cette tentative de rapprochement, la deuxième après leur bref échange dans le marais du littoral méditerranéen, s'effectuait encore une fois dans la cabine d'un camion. La menace minérale avait remplacé le danger des sauterelles[GM], la banquette était un peu plus confortable, un peu moins défoncée, que celle du camion de Chak, les relents d'huile moins oppressants, mais l'atmosphère confinée, métallique, était à peu près la même.

« Vivement qu'on se sorte de ce merdier ! » maugréa Moram.

Il embraya et roula en essayant de percer du regard les rideaux de poussière enluminés par les phares. Il devait en appeler à toute sa raison pour ne pas écraser la pédale d'accélérateur, et l'extrême lenteur de leur allure commençait à lui taper sur les nerfs. Ça, le litre de kaoua qu'il s'était enfilé et le mutisme déconcertant du donneur depuis que la fille était montée dans la cabine. Il aspirait à la lumière, à l'air pur, aux étendues de neige coiffées de l'infini du ciel, au corps à corps, également, avec l'une de ses maîtresses, Jazbeth, la brune aux formes pleines : elle s'était séparée de son mari pour le suivre et, même si cette décision avait été facilitée par le fait qu'elle n'avait pas d'enfant, c'était le moindre des hommages à lui rendre.

Kadija n'avait jamais été une petite fille, ou n'avait gardé aucun souvenir de son enfance. Sa mémoire contenait un savoir gigantesque qui semblait constitué de représentations générales, de concepts, d'observations, d'analyses. Elle était comme une fenêtre donnant sur l'immensité mais qui restait fermée, hermétique, comme si elle refusait d'être assimilée au monde qu'elle contemplait. Elle n'éprouvait pas d'émotions, peu de sensations et pratiquement aucun sentiment. Pourtant, lorsqu'elle s'était livrée à la vision clairvoyante de Solman dans la cabine du camion de Chak, il avait capté, ou cru capter, le chant de sa source, cette douceur et cette compassion inépuisables qui faisaient tant défaut aux derniers hommes. Et dont lui-même avait le plus grand besoin. Mais peut-être son don avait-il eu sur elle le même effet que sur les Aquariotes ou les autres nomades ? Peut-être avait-il spontanément perçu sa vérité cachée de la même manière qu'il détectait les intentions dissimulées ou inconscientes chez les hommes et les femmes soumis à son jugement ?

Il ressentait toujours cette impression de légèreté, de fluidité, de neutralité. Le monde de Kadija n'avait rien d'un frottement douloureux avec la matière. Il aurait probablement eu quelque chose d'idyllique, d'angélique, si Solman n'avait pas discerné la sourdine désespérante d'une blessure, d'une faille, d'un manque. Il n'appartenait pas à cette terre, mais il y était relié par un cordon qui avait été tranché et dont les deux extrémités se recherchaient avec une maladresse désarmante. Kadija elle-même ne savait pas comment s'y prendre pour se frayer un chemin jusqu'à Solman. Aucun des outils forgés par sa formidable connaissance, aucune de ses fantastiques capacités physiques et mentales ne lui était d'un quelconque secours. Une muette ordinaire se serait débrouillée pour communiquer par le regard, par l'expression, par l'attitude ; elle restait immobile, atone, passive, comme si elle estimait avoir accompli sa part en s'installant dans la cabine et en lui confiant sa main.

De temps à autre, Solman captait dans ses pensées l'image d'un pantalon baissé et d'un sexe dressé comme une épée malfaisante au-dessus de sa tête. La tentative de viol de Chak la renvoyait à un compartiment de sa mémoire où étaient entreposées des archives d'atrocités collectives, d'hommes en train de maltraiter des femmes, de femmes en train de tuer des enfants, d'enfants en train de décapiter des vieillards... Solman se rendit compte qu'elle n'avait pas vécu ce passé, qu'on lui avait implanté ces souvenirs comme des mises en garde, comme ces principes qu'on assène aux gosses afin de développer leur méfiance, leurs réflexes. Quelqu'un – qui ? l'intelligence destructrice ? – s'était appliqué à salir, à nier l'être humain en elle. Elle avait donc dû vaincre ses peurs, transgresser son conditionnement pour venir le rejoindre. D'abord, surmonter son appréhension de la gravité, elle qui avait toujours habité un univers clos où on se déplaçait sans aucun effort.

Lorsqu'elle avait repris connaissance dans la pièce sombre de la demeure souterraine d'Ismahil, elle était restée pendant plusieurs jours allongée sur le lit, écrasée par la pesanteur, meurtrie par les bruits. Le moindre mouvement lui réclamait une énergie considérable. Il lui avait fallu plus de cinq jours pour réussir à se lever, puis trois jours supplémentaires pour esquisser ses premiers pas. Elle s'était effondrée à plusieurs reprises sur le sol, comme un homme ivre, comme Chak lorsqu'elle lui avait tordu les testicules. Elle savait qu'Ismahil et ses amis étaient là pour l'accueillir et l'épauler dans son expédition, mais elle avait rencontré les pires difficultés à vaincre son appréhension, à s'accoutumer à leur odeur, à leur vacarme, à la grossièreté de leur aspect et de leurs manières. Comparée à l'endroit d'où elle venait, la terre des hommes lui faisait l'effet d'un gigantesque étau aux mâchoires implacables, d'un broyeur assourdissant. Là-bas, elle n'avait besoin que d'une quantité minime d'oxygène pour maintenir la pérennité de ses cellules, ici, elle devait, pour obtenir le minimum vital, prendre d'interminables inspira-tions et composer avec un air surchargé de particules délétères, mortifères.

Solman essaya d'orienter sa vision pénétrante sur le monde de Kadija, mais il ne distingua rien d'autre que les salles et les couloirs déjà entrevus, ouverts sur le ciel étoilé. Elle ressentait la nécessité impérieuse de partager avec lui la souffrance de son arrivée sur son monde, cette compression brutale dans l'espace-temps à laquelle lui-même, bien que né sur terre, avait déjà tant de mal à se plier.

Lorsqu'elle s'était sentie prête, elle avait quitté la demeure souterraine d'Ismahil pour essayer de rejoindre une sœur envoyée soixante-dix ans TT (temps terrestre) plus tôt et chargée de préparer le terrain. Solman discerna la silhouette élancée d'une jeune femme semblable à celle de Kadija. Il crut comprendre que cette sœur avait perdu tout contact visuel et mental avec sa tribu, son peuple ou l'entité qui l'avait chargée d'établir un contact avec les derniers hommes. Son armure de pureté n'était pas parvenue à la protéger de la souillure humaine et avait volé en éclats. On ne savait rien de la réaction des Saints – du moins c'est ainsi que Solman tendait spontanément à appeler les semblables de Kadija – descendus dans la fosse aux hommes.

S'orientant grâce à sa boussole intérieure – une boussole biologique qui indiquait la direction de la sœur perdue –, Kadija s'était mise en route vers le littoral méditerranéen. Elle avait marché un long moment dans le marais, empruntant les sentiers de terre, fascinée par les reflets des buissons, des roseaux et du ciel sur le miroir croupi et sombre de l'eau. Lancés à sa poursuite, Ismahil et un de ses amis l'avaient rattrapée deux jours après son départ. Ils avaient utilisé, pour la retrouver, un drôle d'engin à moteur, tout en hauteur, qui glissait aussi bien sur l'eau que sur la terre et qui répandait à des lieues à la ronde une forte odeur d'alcool brûlé.

« Hé, ça ne se fait pas de quitter les amis sans prévenir ! » s'était exclamé Ismahil.

Il était descendu de son perchoir et s'était approché d'elle. À nouveau elle avait dû surmonter sa terreur des hommes. Il lui avait tendu une étoffe claire et soigneusement pliée.

« Ça ne se fait pas non plus de se balader toute nue, même quand on est une belle femme. »

Elle avait saisi l'étoffe et l'avait dépliée. Elle n'avait pas songé aux vêtements parce qu'elle ne se souvenait pas d'en avoir un jour porté. Comme elle ne savait pas par quel bout prendre la robe, Ismahil la lui avait reprise des mains et enfilée d'autorité. Elle n'avait pas aimé les attouchements involontaires du vieil homme sur ses épaules et ses bras, et pas davantage le contact du coton sur sa peau. Il s'en était rendu compte, s'était reculé et l'avait contemplée avec une moue narquoise.

« Si je vous laisse aller seule et dans cette absence de tenue, vous n'aurez pas l'ombre d'une chance d'accomplir ce pour quoi vous êtes venue. Nous sommes des Albains désormais. Moi, je serai Ismahil, et je me présenterai comme votre grand-père. »

Elle comprenait ses paroles, car tous les langages humains, même disparus, étaient inscrits dans sa mémoire, mais elle se révélait incapable d'articuler le moindre son. Parler lui paraissait un moyen de communication inapproprié, sommaire, discordant.

« Vous avez besoin d'un accompagnateur, avait ajouté Ismahil. La... euh, personne que vous recherchez a sans doute failli parce qu'elle ne connaissait personne ici-bas. »

Elle n'avait ni acquiescé ni refusé, elle s'était remise en route, oubliant cette entrave de coton qui l'empêtrait à chacune de ses foulées. Après avoir congédié son compagnon d'un signe de main, Ismahil lui avait emboîté le pas. Le grondement du glisseur avait peu à peu décru et le marais avait recouvré cette paix ensorcelée propre aux eaux mortes.

« Vous... savez où vous allez ? » avait demandé Ismahil.

Elle lui avait décoché un regard perplexe, puis s'était souvenue que les êtres humains, eux, n'avaient jamais su où ils allaient.

« Si quelqu'un pouvait me dire dans quel putain de merdier on vient de foutre les pieds, ça m'arrangerait ! »

Solman sursauta. Ouvrit des yeux effarés. Se rendit compte que Kadija n'était plus à son côté.

« Si tu cherches la fille, je te signale qu'elle est descendue il y a de ça plus d'une demi-heure, dit Moram. Je te signale par la même occasion qu'on a dû s'arrêter à cause d'un nouvel éboulement, un balaise qui a bousillé une citerne. Enfin je te ferai respectueusement remarquer qu'on est sortis de cette putain de galerie. »

Il ne précisa pas qu'il avait mis à profit le dernier effondrement pour rejoindre Jazbeth au milieu du convoi et qu'ils s'étaient étourdis dans une brève mais ébouriffante étreinte derrière le repli d'une paroi.

Le regard hébété de Solman se porta machinalement sur les faisceaux des phares qui balayaient un espace dégagé, révélaient une terre hérissée de crêtes rocheuses, caressaient, sur les côtés, les formes étranglées de stalagmites, se perdaient au loin dans une obscurité indéchiffrable.

« Ça fait un petit moment qu'on roule dans cette grotte, reprit Moram. On dirait qu'elle n'a pas de fin. Un vrai labyrinthe ! T'as pas une vision, même une toute petite, qui pourrait nous indiquer la sortie ? »

Solman secoua la tête.

« Kadija ? Où est-elle partie ? demanda-t-il d'un ton hésitant.

— Dans la voiture de son grand-père, je suppose. T'en pinces drôlement pour elle, ma parole ! Remarque, y a pas de mal, elle est plutôt... »

Moram n'alla pas au bout de sa phrase. Les mots lui manquaient pour décrire Kadija. Il répartissait les femmes en plusieurs catégories, belles, laides, désirables, repoussantes, aimables, sèches, intelligentes, stupides – et elles ne se gênaient sûrement pas pour faire la même chose avec les hommes –, mais Kadija, elle, échappait à toute classification, à toute comparaison : sa beauté irréelle créait une distance, une appréhension qu'accentuaient son mutisme et le hiératisme de ses traits. Contrairement à cet obsédé de Chak, l'idée ne l'aurait jamais effleuré de se frotter à une fille pareille.

L'immensité de la grotte assourdissait les ronflements des moteurs. Solman apercevait, dans le rétroviseur extérieur, la procession des phares qui s'échelonnaient dans une large courbe, interrompue parfois par l'ombre d'une stalagmite ou d'une avancée rocheuse.

« On a roulé plus de sept heures pour parcourir trente malheureux kilomètres, soupira Moram. À ce train-là, on atteindra l'Île-de-France au printemps de l'année prochaine ! »

Il mourait d'envie de refermer la parenthèse de silence ouverte par ses deux passagers. Il avait bien essayé de parler avec Jazbeth quelques instants plus tôt, mais elle ne lui en avait pas laissé le loisir, elle s'était jetée sur lui comme une furie et, comme lui-même n'avait pas donné sa part aux chiens, il n'y avait eu de place entre eux que pour le langage des sens.

« Nous sommes à l'abri pour le moment, c'est le principal, dit Solman d'une voix distraite.

— À l'abri de quoi ?

— Des yeux du ciel. Sous terre, ils ne peuvent pas nous voir.

— Les yeux du ciel ? C'est quoi encore, cette invention ?

— L'intelligence nous observe et anticipe nos déplacements comme si elle nous voyait de là-haut.

— Comment c'est possible ? »

Solman haussa les épaules. Quelque chose le tracassait depuis qu'il avait émergé de sa communication avec Kadija. Une inquiétude sourde, une sensation diffuse d'éloignement, de séparation, de nostalgie.

« Je ne sais pas, répondit-il. Peut-être la science des hommes de l'ancien temps... »

Moram donna un coup de volant pour contourner une énorme stalagmite, puis actionna la sirène pour prévenir les camions suivants. Sans les aspérités du sol et les concrétions calcaires, le convoi aurait donné l'impression de rouler dans le vide. De temps à autre, les phares allumaient les pointes translucides de stalactites qui traversaient l'obscurité comme des étoiles filantes.

« Tu crois que cette... intelligence a quelque chose à voir avec les hommes de l'ancien temps ? » demanda le chauffeur.

Apporter une réponse à cette question aurait sans doute résolu une partie du problème. Connaître son ennemi, son potentiel, ses intentions, aurait permis au peuple de l'eau de s'organiser, de choisir une défense appropriée. Les hommes de l'ancien temps s'étaient-ils arrangés pour parachever leur œuvre de destruction à travers le temps ? Quel était le lien entre le passé de l'humanité et le monde de Kadija ? La mémoire de la jeune femme contenait des souvenirs d'atrocités qui semblaient rattachés à la Troisième Guerre mondiale, mais trop de pièces manquaient encore pour reconstituer l'ensemble du puzzle. Solman restait dans l'incapacité de déterminer si elle était le cinquième ou sixième ange de l'Apocalypse, la boîte du malheur selon l'expression de Raïma, ou bien si elle avait été envoyée afin d'aider les derniers hommes à échapper à l'extermination. Pourtant, il n'avait pas d'autre choix que de lui faire confiance, s'acharner à décrypter ses mystères, au risque d'entraîner les autres dans son erreur.

« Arrête-toi, Moram. »

Le chauffeur ouvrit des yeux étonnés.

« Pourquoi ? Qu'est-ce qui... »

Moram discerna une surface miroitante dans le lointain. Les phares éclairèrent une rangée de stalagmites qui bordaient une margelle de pierre, puis révélèrent, contre une paroi, plusieurs véhicules militaires alignés, camions et blindés, apparemment en parfait état.

« Tu penses qu'il y a des soldats dans ces engins ?

— Il ne s'agit pas de ça, dit Solman, oppressé. Je dois retrouver Kadija. Tout de suite.

— Je me demande si... On dirait de l'eau plus loin. »

Et Moram, au lieu de freiner, donna un coup d'accélérateur. La lumière des phares étendit un voile doré sur la surface noire et frissonnante d'une vaste retenue d'eau.

CHAPITRE 37

Le bassin rectangulaire occupait un espace d'environ trois cents mètres de longueur pour une largeur de cent. Quant à sa profondeur, on n'avait pas trouvé de jauge adéquate pour en toucher le fond. Il contenait en tout cas des milliers de mètres cubes d'eau, qui, si elle était potable, représentaient une véritable manne. Tous étaient descendus des camions et des voitures pour s'accouder à la margelle. Les adultes avaient perché les enfants sur le faîte de l'ouvrage de pierre sèche qui avait résisté à l'usure du temps. La fascination exercée par l'eau sur les Aquariotes les figeait dans un silence respectueux, presque religieux. Les véhicules s'étaient répartis, parfois à quatre ou cinq de front, entre les stalagmites dont les énormes bases et les couches de concrétion trahissaient l'extraordinaire vieillesse. Des gouttes s'écoulaient des stalactites suspendues au-dessus du bassin comme des racines inutiles et dessinaient des cercles concentriques sur la surface agitée d'imperceptibles tremblements. La température de la grotte restait agréable, confortable, en comparaison du froid polaire qui soufflait sur le Massif central.

Solman, lui, n'avait eu qu'une préoccupation en descendant de la cabine. Sitôt que Moram avait arrêté son camion, il s'était engouffré dans la voiture de Kadija sans même laisser le temps à ses passagers de sortir.

Il n'y avait pas trouvé la jeune femme.

« Vous savez où elle est ? » avait-il demandé à Ismahil.

Le vieil homme l'avait dévisagé avec étonnement.

« Je... je la croyais avec toi.

— Je l'ai vue passer devant la voiture la dernière fois que le convoi s'est arrêté », était intervenu Wolf, en bras de chemise mais le visage toujours enfoui sous son passe-montagne.

L'ancien Scorpiote s'était saisi du fusil d'assaut posé sur son manteau de cuir étalé sur la table. Les deux cartouchières qui lui enserraient la poitrine plaquaient sa chemise sur son torse et faisaient ressortir sa maigreur.

« Cette arme ne vous servira à rien, avait dit Ismahil. Kadija a parfois des réactions bizarres, ou qui nous paraissent bizarres. Elle n'est probablement pas loin.

— Vous m'avez l'air bien sûr de vous. Pourtant, lorsqu'elle s'est enfuie de chez vous, vous avez mis deux jours à la retrouver avec votre glisseur... »

Les paroles de Solman avaient provoqué un raidissement de stupeur chez le vieil homme.

« Ah, elle te l'a raconté ?

— Pas au sens où vous l'entendez. Pas avec les mots en tout cas. Elle se sert de mon don pour communiquer.

— Qu'est-ce qu'elle t'a raconté d'autre ?

— Qu'elle est à la recherche de quelqu'un, d'une... sœur qui a été expédiée sur terre soixante-dix ans plus tôt. Mais ça, vous le saviez déjà, n'est-ce pas ? »

Ismahil avait acquiescé d'un hochement de tête.

« J'avais été prévenu...

— Par qui ? »

D'un geste péremptoire de la main, le vieil homme avait invité les autres passagers, hormis Wolf, à descendre et avait attendu pour répondre qu'ils aient tous déserté la voiture.

« Je ne sais pas au juste. Je fais partie d'un groupe de... savants de l'ancien temps qui avaient prévu la Troisième Guerre mondiale et s'étaient réfugiés dans un abri souterrain à l'épreuve des bombes à fusion et de toute arme chimique ou génétique. Nous avions conçu le projet de sauvegarder une partie du patrimoine scientifique humain. »

Il s'était assis sur une couchette inférieure, comme écrasé par le fardeau de son passé. Wolf avait refermé la porte et s'était posé sur un coin de la table, le fusil d'assaut entre les mains. Solman était resté debout dans l'allée malgré la douleur qui lui vrillait la jambe gauche.

« Nous pensions restituer nos connaissances à l'humanité lorsqu'elle en aurait terminé avec ce conflit. J'étais... je suis encore un astrophysicien, je m'intéresse aux phénomènes célestes, j'essaie de percer le mystère de la formation et du statut de l'univers. Une illusion, bien entendu, mais de tout temps l'homme a poursuivi des chimères. Plus on s'approche du cœur de la matière, et plus elle se voile, un mécanisme implacable. J'avais regroupé autour de moi des physiciens, des biologistes, des chimistes, des informaticiens, des mathématiciens, un noyau de spécialistes des sciences dites dures. Peut-être pas les esprits les plus brillants de notre époque, mais sans aucun doute les plus honnêtes, ou les plus libres, les moins compromis en tout cas avec les grandes compagnies, avec ces groupes tentaculaires qui ne s'intéressaient qu'aux applications militaires et commerciales de la science. »

Ismahil avait marqué une pause et contemplé pendant quelques secondes les traces de terre qui maculaient le plancher de la voiture. Les cris enthousiastes des Aquariotes avaient transpercé les cloisons métalliques avant de se disperser dans le silence du gouffre.

« Nous avons appliqué certaines de nos expériences sur nous-mêmes. On m'a ainsi injecté plusieurs gènes qui ralentissent considérablement le vieillissement des cellules et me gardent des maladies liées à l'âge. Tous mes compagnons n'ont pas eu ma chance. Certains, même, ont très mal supporté la prévention génétique, sont devenus fous ou sont morts dans l'année qui a suivi...

— La transgénose ? avait demandé Solman.

— Quelque chose comme ça, sauf que la transgénose est plus progressive. Moi-même j'ai parfois des absences, des étourderies.

— Quel rapport avec la sœur de Kadija ?

— J'y viens, mais il me paraît important de vous décrire sommairement le contexte. Nous avons obtenu quelques résultats encourageants dans le domaine de l'informatique moléculaire, c'est-à-dire en nous servant des fantastiques capacités de l'ADN de synthèse pour mémoriser, stocker et transmettre les informations. Les cellules vivantes sont incomparablement plus performantes que le silicium ou tout autre support issu du monde minéral, et, surtout, elles sont compatibles avec le corps humain. Les recherches, déjà bien avancées, avaient reçu un coup d'arrêt brutal avant la guerre, comme si les groupes industriels avaient subitement cessé de miser sur l'informatique moléculaire. La vague religieuse qui a déferlé à ce moment-là sur les cinq continents n'est sans doute pas étrangère à ce désintérêt. Nous avons repris le flambeau et nous sommes parvenus à développer le concept de micropuces en ADN de synthèse. Avec nos pauvres moyens et avec la nécessité quotidienne d'entretenir notre abri, ces travaux nous ont coûté près d'un demi-siècle. Puis la guerre a pris fin, faute de combattants. Nous nous sommes alors rendu compte qu'il ne subsistait pratiquement plus rien de l'humanité, que la terre en avait pour des siècles avant de redevenir habitable. Nous nous étions institués gardiens du temple de la connaissance, il ne nous restait plus un fidèle avec qui la partager. »

Les traits d'Ismahil s'étaient creusés, comme s'il ressentait la même déception un siècle après.

« Vous ne connaissiez pas l'existence des peuples nomades ? » s'était étonné Solman.

Le vieil homme avait eu un geste fataliste.

« Lorsque nous avons découvert les peuples nomades, les survivants du conflit, il était trop tard, le rêve était brisé. La plupart de mes compagnons s'étaient suicidés, les autres avaient perdu le goût de la recherche. Comment leur en vouloir ? De tout temps les hommes se sont emparés des découvertes à des fins dominatrices, destructrices. Le feu, l'atome, le gène, aucun n'a échappé à la règle. La science, notre chère science, avait fini par se retourner contre nous. Et nous, les scientifiques, nous portions une très lourde responsabilité dans cet échec, puisque nous n'avions pas su empêcher les chefs d'État, les dictateurs, les généraux ou les conseils d'administration d'exploiter nos travaux. Le savoir, hélas, ne protège pas de l'appât du gain, de la vanité, de la stupidité. Bref, nous avons décidé de rester terrés, de ne pas intervenir dans la vie des peuples nomades. D'ailleurs, ils se débrouillaient très bien sans nous, ils s'adaptaient à leur nouvel environnement à une vitesse sidérante. Vos ancêtres ont balayé nos doutes sur leurs capacités à survivre en milieu hostile. Les eaux polluées, les pluies acides, les solbots, les hordes d'animaux sauvages, les insectes[GM], les plantes toxiques, rien de tout cela n'a empêché la vie de se perpétuer sur le continent européen...

— Quel rapport avec la sœur de Kadija ? » avait insisté Solman.

Un sourire las avait éclairé les rides d'Ismahil.

« Nous avons décidé de conserver un terminal informatique en état de marche au cas où des groupes analogues au nôtre chercheraient à nous contacter. Après tout, il était possible que certains satellites émettent encore, même si leur durée de vie n'excède pas en général les vingt ou trente ans. Du groupe initial de trois cents personnes, hommes, femmes et enfants, nous étions désormais réduits à une dizaine. Les autres étaient morts ou avaient décidé de quitter l'abri. Ceux-là ne sont jamais revenus. »

Il avait calmé d'un froncement de sourcils l'impatience grandissante de Solman.

« Nous avions suffisamment d'eau et de vivres pour tenir encore trois siècles. La vie s'est peu à peu écoulée, parfois morne, parfois amère, jamais douce en tout cas. Je vieillissais avec une lenteur désespérante. Je me demande encore comment j'ai résisté à l'envie, parfois insoutenable, de me tirer une balle dans le crâne. J'attendais quelque chose sans doute, un événement qui justifiât mon existence, mon acharnement... »

Wolf ne bougeait pas, ses yeux clairs rivés sur le visage d'Ismahil. Solman entrevoyait la peau blême et les clavicules saillantes du Scorpiote par l'échancrure de sa chemise.

« Nous avons reçu un message des années et des années plus tard, presque un siècle, une éternité. Il émanait d'un certain Benjamin. Il nous disait qu'il avait délégué une sœur auprès des derniers hommes pour les préparer à surmonter leur ultime épreuve. Et qu'il allait bientôt en envoyer une deuxième. Il nous avait choisis parce qu'il n'avait trouvé aucun autre support sur terre pour réceptionner son message. De fait, sa communication nous est parvenue de manière spéciale : d'habitude, l'émission est décodée puis transcrite en lettres sur l'écran, mais là, les puces moléculaires nous l'ont... suggérée mentalement, directement imprimée dans le cerveau si vous préférez. Nous avons d'abord cru que nous étions devenus fous. Nous avons alors recouvré nos vieux réflexes scientifiques et nous avons rédigé le message chacun de notre côté avant de nous concerter. Chacun de nous avait écrit exactement le même texte, à la lettre près. Nous sommes donc tombés d'accord pour dire que ce n'était pas une hallucination, ou alors une hallucination collective, et nous nous sommes interrogés sur la provenance de cette communication. Notre IM, intelligence moléculaire, s'est avérée incapable de déterminer le lieu d'émission et d'analyser les ressources technologiques de notre correspondant. L'ADN n'avait gardé aucune mémoire de son passage, comme si Benjamin avait programmé l'effacement de toute trace de sa communication après réception. »

Ismahil s'était levé, étiré, approché de la fenêtre et avait observé les Aquariotes rassemblés autour du bassin.

« Si le qualificatif de sœur nous renvoie probablement à une organisation de type religieux, le prénom Benjamin ne nous apprend rien, mis à part le fait qu'il est d'origine biblique, avait-il repris en se retournant. Nous avons donc attendu la deuxième envoyée en espérant que celle-ci nous en révélerait davantage sur son organisation. Nous l'avons trouvée un jour devant l'une des portes de l'abri, enfermée dans une sorte de sarcophage fabriqué dans un alliage métallique que nous ne connaissions pas. Comment était-il arrivé jusqu'ici ? Mystère... Elle était à l'intérieur aussi nue qu'au jour de sa naissance. Je ne vous parlerai pas de sa beauté, vous avez d'aussi bons yeux que moi. Comme elle restait inanimée, nous l'avons transportée dans une chambre où elle a repris connaissance deux jours plus tard. Nous avons décidé de la baptiser Kadija, un prénom albain. La suite, tu la connais, Solman : elle s'est enfuie au bout d'une semaine... Non, pas enfuie, elle est partie à la recherche de sa sœur, comme si un signal avait retenti en elle. Nous avons battu le marais pendant quarante-huit heures avant de la repérer. Bien que nue, elle ne semblait pas souffrir du froid, pourtant vif en cette saison.

— Pourquoi avez-vous décidé de vous faire passer pour des Albains ? avait demandé Solman.

— Une mesure de précaution. Nous ne savions pas comment réagiraient les « hommes de surface », comme nous avions pris l'habitude de vous appeler. Et le peuple albain est le seul dont je connaisse à la fois la langue, les coutumes et les vêtements.

— Vous avez pourtant dit que vous n'étiez jamais allé à la rencontre des peuples nomades. »

Ismahil avait hoché la tête.

« Exact. Mais un de mes compagnons avait mis au point une sorte de ballon-sonde visuel, muni d'une caméra numérique qui captait des images et des sons de la terre et les expédiait sur l'écran de notre IM. Pour une raison inconnue, le ballon s'est bloqué au-dessus de cette région qui s'appelait autrefois l'Albanie. Mais ses puces ADN, increvables, ont continué de fonctionner et, pendant plus de soixante ans, nous avons reçu des images des montagnes albanaises et des peuples nomades qui y ont élu domicile. Nous avions recréé la télévision à une seule chaîne... Le cauchemar stalinien de l'information, le pire qu'on puisse imaginer.

— Comment avez-vous appris leur langue ?

— Rien qu'en les écoutant et en reliant les mots aux expressions et aux gestes. J'avais tout mon temps et c'était pratiquement la seule occupation encore capable de me distraire. J'ai même fabriqué des vêtements identiques aux leurs.

— Tout ça ne nous dit pas où est passée Kadija. Il nous suffit d'explorer la grotte et de remonter la galerie pour...

— Ce gouffre est gigantesque, bourré de cachettes. Nous perdrions notre temps à la chercher. Elle reviendra quand elle le jugera utile.

— Si elle est restée avec nous, c'est que sa sœur fait partie du peuple de l'eau, non ? »

Ismahil avait enfilé et boutonné sa veste.

« Peut-être, peut-être pas. À vous de voir s'il existe une Aquariote qui pourrait correspondre à la définition. Une femme d'origine inconnue, adoptée sans doute, qui aurait plus de soixante-dix ans mais qui ne ferait pas nécessairement son âge.

— Et si Kadija ne revient pas ? »

Le vieil homme avait levé les bras au ciel.

« Alors c'est qu'elle aurait abandonné la piste aquariote pour en suivre une autre.

— Quelle autre piste ? D'après les bakous, tous les peuples nomades ont été massacrés.

— Les peuples nomades, pas obligatoirement sa sœur... »

Hora s'approcha du bassin, très pâle, la baguette de coudrier en main, la robe remontée sur les cuisses. Appuyé sur la margelle aux côtés de Moram, Wolf et Glenn, Solman percevait en elle une peur incommensurable, terreur ancestrale de l'empoisonnement, mais aussi angoisse de ne pas être à la hauteur, fardeau de l'énorme responsabilité qui lui ployait les épaules.

Elle venait à peine d'atteindre ses dix-huit ans. Jusqu'alors, comme tout apprenti, elle avait participé aux rhabdes dirigées par des sourciers expérimentés. Il lui revenait, en tant que dernière sourcière du peuple aquariote, de vérifier la pureté de la retenue. Sa robe rêche et grise des chasseresses d'eau laissait ses bras et une partie de son torse nus. Sa baguette tendue vers l'avant, comme aimantée, tremblait dans ses mains. Elle avait rassemblé ses cheveux en chignon dont quelques mèches indomptables se coulaient comme des serpents ambrés autour de son cou. Tout était rond chez elle, visage, épaules, hanches, une plénitude sensuelle propre aux jeunes filles robustes.

Il fallait maintenant qu'elle passe de l'autre côté de la margelle, qu'elle se perche sur la corniche étroite dressée une vingtaine de centimètres au-dessus de la surface frémissante, qu'elle s'accroupisse et évalue la qualité de l'eau à la tension de sa baguette. Elle devrait ensuite la goûter au cas où elle l'estimerait potable. Si elle se trompait, elle mourrait dans les trois ou quatre secondes suivantes. Les mauvais sourciers préféraient déclarer l'eau empoisonnée plutôt que courir le moindre risque, mais Solman décelait de l'honnêteté en elle.

Elle refuserait de priver ses frères d'un tel trésor par peur ou par négligence, elle prendrait sa décision en son âme et conscience. Les autres, agglutinés autour du bassin, la regardaient avec un mélange d'espoir et d'effroi.

Hora lança un regard furtif à Solman avant d'enjamber la margelle. Le silence sépulcral de la grotte, la présence de sept ou huit cents spectateurs et la lumière des phares donnaient une solennité écrasante à chacun de ses gestes. Elle se laissa glisser lentement de l'autre côté du muret de pierre sèche jusqu'à ce que ses pieds se posent sur la corniche. Là, elle reprit son souffle et rajusta sa robe qui s'était retroussée sur son ventre. Elle peinait visiblement à tenir sa baguette, qui la déséquilibrait vers l'avant. Le dos plaqué contre la margelle, elle s'accroupit avec une lenteur exaspérante.

Elle tourna une nouvelle fois la tête vers Solman. Il lui adressa un sourire d'encouragement. Il avait du mal à concentrer son attention sur elle, l'esprit toujours accaparé par Kadija. Les interrogations se succédaient à un rythme effréné sous son crâne. Pourquoi s'était-elle enfuie ? L'avait-il déçue d'une manière ou d'une autre ? Reviendrait-elle ? Qui était sa sœur ? Qui était Benjamin ? Quel rapport avaient-ils avec l'intelligence destructrice ? La conversation avec Ismahil avait davantage épaissi les ténèbres qu'elle n'avait apporté de lumière. Il contenait tant bien que mal son envie de se lancer à la recherche de la jeune femme. Le vieil homme avait raison : il perdrait son temps à essayer de la retrouver dans ce labyrinthe souterrain. Il ne lui restait plus qu'à ronger son frein, espérer son retour et, si elle ne réapparaissait pas, vivre le reste de ses jours en compagnie des regrets.

Hora tendit les bras au-dessus de l'eau, arc-boutée sur les cuisses pour résister à la traction de sa baguette. Elle demeura dans cette position pendant un bon quart d'heure, puis, d'un geste hésitant, elle glissa la baguette dans la poche ventrale de sa robe, se pencha vers l'avant et puisa un peu d'eau au creux de sa main.

Une voix déchira le silence de la grotte.

« Ne la bois pas ! »

CHAPITRE 38

Les regards convergeaient maintenant vers la femme qui avait poussé ce cri. Une femme sans âge, qui pouvait aussi bien être proche de la quarantaine que de la soixantaine. Peu de rides, pas de fil blanc dans la masse blonde de ses cheveux, pas de maigreur ni d'embonpoint excessifs, mais une lassitude dans les yeux et sur les traits qui indiquait une profonde usure.

« Miriel, une des sourcières qui s'est déclarée exdone après l'attaque du relais de Galice », souffla Moram.

Solman l'observa : il l'avait déjà croisée, comme la grande majorité des Aquariotes, il croyait se rappeler qu'elle avait perdu toute sa famille au relais de Galice et que son chagrin lui avait retiré son don, ou l'envie d'exercer son don, mais il ne savait pratiquement rien d'elle, et sa vision se heurtait à un mur de douleur infranchissable. Il se demanda pourquoi elle avait suivi son groupe plutôt que d'attendre la mort dans la petite ville fortifiée et de rejoindre les siens dans l'autre monde. Elle n'en connaissait sans doute pas elle-même les raisons.

Le sang s'était retiré du visage de Hora, qui avait suspendu ses gestes. Si elle avait été sûre d'elle, elle n'aurait pas tenu compte de cette intervention, elle aurait affirmé son statut de sourcière, mais sa réaction démontrait qu'elle n'avait pas confiance en son jugement, qu'elle n'avait pas réussi à se déterminer sur la qualité de l'eau, qu'en désespoir de cause elle avait choisi de s'en remettre au hasard, à la chance.

« Tu n'es plus sourcière, Miriel, tu n'as pas à t'en mêler ! protesta une femme.

— Je me suis déclarée exdone, je n'entends plus l'appel de la rhabde, mais je ne suis pas certaine que cette eau soit potable, répliqua Miriel.

— Hora est mieux qualifiée que toi pour en juger, objecta un homme.

— Elle est sûrement plus douée que je ne l'étais à son âge, mais elle est inexpérimentée, et elle a tellement envie de vous faire plaisir que son jugement est faussé. La preuve, elle n'a même pas pris le temps de vérifier qu'elle n'avait pas d'égratignure avant de plonger la main dans cette eau. Si elle en buvait, elle pourrait en mourir et vous vous retrouveriez sans sourcier.

— Peut-être qu'elle est bonne ! cria quelqu'un. On ne va tout de même pas cracher sur cette réserve à cause de tes doutes ! »

Miriel se tourna vers Solman. Une détermination farouche éclairait ses yeux sombres et redonnait de l'éclat à son visage.

« Si le donneur n'y voit pas d'inconvénient, c'est moi qui la goûterai. J'ai tout perdu en Galice. – Elle désigna Hora. – Je n'ai plus qu'un passé, elle a encore un avenir. Elle est capable de grandes choses si vous prenez soin d'elle, si vous la laissez grandir. Moi je serai seulement heureuse et fière de vous rendre ce service. »

Sa voix s'éleva comme un chant d'espoir sous l'invisible voûte. Solman acquiesça d'un clignement de paupières. La proposition de Miriel l'émouvait, le réconciliait avec le genre humain, effaçait par magie la rancune tenace qui le rongeait depuis la cérémonie d'adoption. La générosité des êtres humains était proportionnelle à leur bassesse, et parfois c'étaient eux, les pourceaux, qui lançaient les perles, eux qui montraient la voie, eux qui se dressaient dans l'obscurité comme des colonnes de lumière. Il devait apprendre à les accepter tels qu'ils étaient pour s'accepter lui-même et accéder au statut de donneur. La sévérité de ses jugements le renvoyait impitoyablement à son moi, à ses limites, à ses manques. Son regard accrocha Hora, pétrifiée sur la corniche.

Elle ne réagit pas quand Miriel vint s'accroupir à son côté, vêtue d'un ample pantalon beige, la poitrine barrée d'une bande d'étoffe verte. Solman ne décela pas la manifestation d'un orgueil froissé dans l'immobilité de Hora, mais un soulagement immense, une gratitude infinie pour l'ancienne accourue à son secours. Miriel lui entoura l'épaule de son bras. Les deux femmes restèrent enlacées pendant quelques instants, comme deux sœurs solidaires face à l'adversité. L'ancienne écrasa du bout des doigts les larmes qui coulaient des yeux de la plus jeune. Puis elle se pencha vers l'avant, plongea la main dans l'eau, en recueillit quelques gouttes dans le creux de sa paume, l'approcha de sa bouche et y trempa la pointe de la langue.

Elle voulut se redresser pour corriger son léger déséquilibre, elle n'en eut pas le temps. Le venin des anguilles^{GM} s'était diffusé à une vitesse foudroyante dans sa salive, dans son sang, et attaquait déjà ses centres nerveux. Les savants de l'ancien temps l'avaient conçu de telle manière que le moindre contact avec la langue ou avec une égratignure conduisait irrémédiablement à la mort. Les sourciers passaient un temps considérable à vérifier qu'ils ne présentaient aucune blessure superficielle avant de partir en rhabde, s'inspectant les uns les autres comme des singes en train de s'épouiller. Jamais ils n'auraient accepté par exemple de mettre leurs organes génitaux et leur anus, sujets aux microcoupures, au contact d'une eau douteuse. Hora avait manqué à tous ses devoirs de prudence en négligeant d'inspecter sa main, mais, par chance, le poison n'avait pas trouvé de faille où se faufiler.

Le visage de Miriel se crispa, ses lèvres devinrent bleues, elle porta les mains à sa gorge, puis, les yeux exorbités, elle oscilla sur elle-même avant de basculer vers l'avant et de s'effondrer dans l'eau. Tétanisés, les Aquariotes virent son corps, emporté par son élan, dériver vers le centre du bassin avant de couler à pic. Nul doute que Hora, désespérée, l'aurait suivie dans la mort si Moram n'avait pas eu l'idée de foncer le long de la margelle, de s'arrêter à hauteur de la jeune sourcière, de basculer le torse par-dessus l'ouvrage de pierre, de l'empoigner par les aisselles et de la haler vers lui.

Elle ne résista pas, mais, lorsqu'il la déposa sur le sol rocheux de la grotte, elle se défit rageusement de sa robe et, vêtue du court pagne drapé qui lui servait de sous-vêtement, secouée par les sanglots, elle courut s'enfermer dans une voiture.

Moram se pencha pour ramasser la robe.

« Ne touche pas à ça ! »

Il se redressa et fixa la femme qui venait de l'interpeller. Jazbeth, inquiète pour sa santé sans doute, mais irritée, surtout, par la précipitation avec laquelle il avait volé au secours de la sourcière. La jeunesse et la beauté sont des rivales redoutables lorsqu'elles se parent de détresse. Moram lui lança un regard de défi, saisit le vêtement entre le pouce et l'index et le maintint en l'air comme un trophée chèrement acquis. La baguette s'échappa de la poche ventrale et tomba sur le sol où elle rebondit à deux reprises avant de s'immobiliser entre ses bottes.

« Maman Raïma veut te parler, Hadès », dit Glenn.

Le garçon contempla le corps inerte qui flottait au milieu du bassin. Les cheveux dénoués de l'ancienne sourcière, couchée sur le ventre, les bras en croix, ondulaient autour de sa tête comme les rayons d'un soleil gisant. On ne pouvait pas lui accorder de sépulture décente ni rendre hommage à son courage. L'eau avait tué, hors de question de lui offrir une autre vie pour lui reprendre un cadavre. Les Aquariotes ne disposaient pas de perches ou de gaffes assez longues pour atteindre le centre du bassin. Ils s'étaient retirés l'un après l'autre, serrant leurs enfants à les étouffer, déçus de devoir renoncer à cette gigantesque réserve, bouleversés par le sacrifice de Miriel.

Accoudé à la margelle, les pensées tournées vers Kadija, Solman était resté seul. Moram était parti vérifier l'état de son camion après une courte mais orageuse discussion avec sa maîtresse brune, Wolf s'était évanoui dans la pénombre avec sa discrétion coutumière, Ismahil était resté enfermé dans sa voiture, Glenn avait couru rejoindre sa mère adoptive. Des chauffeurs désossaient les engins militaires, découpaient les pare-brise, démontaient les pneus et les autres pièces dont ils craignaient la pénurie. Ils avaient au préalable, à l'aide de bâtons, dégagé les squelettes – des soldats de la ligne PMP – prisonniers de la tôle depuis près d'un siècle.

On se préparait à nouveau à partir, à quitter cette grotte qui, l'espace d'un trop bref instant, avait eu pour le peuple aquariote l'allure d'une caverne d'abondance. Ils auraient pu s'y installer et attendre la fin de l'hiver, à l'abri du froid et des dangers extérieurs, comme dans un ventre accueillant, mais les hommes de l'ancien temps s'étaient ingéniés à infecter le liquide matriciel, à empoisonner les relations entre leurs descendants et leur mère nourricière. De quel mal avaient-ils donc souffert pour s'obstiner ainsi à éradiquer toute forme de vie ? De quel mal souffrait l'intelligence destructrice pour s'acharner de la sorte sur les derniers êtres humains ?

Glenn agrippa la manche de Solman.

« Hadès... »

Solman saisit son petit frère par la main.

« Allons-y. »

Raïma logeait dans une grande voiture en compagnie des blessés, des malades et de quelques autres passagers. Elle n'avait pas eu le loisir d'emporter ses bocaux et ses autres préparations lorsque les deux hommes étaient venus la chercher dans sa maison de la ville fortifiée. Elle avait bourré ses poches de quelques sachets de plantes séchées et des fioles les moins encombrantes. Elle s'était installée à l'intérieur d'une couchette réservée à son seul usage et dont le rideau restait tiré en permanence. Les blessés les plus graves occupaient les autres lits ; les malades, dont un adolescent en phase terminale de transgénose, s'entassaient dans le couloir central ; les bien-portants, tous des adultes, se calaient où ils le pouvaient et supportaient de leur mieux les odeurs de putréfaction, de merde, d'urine et de vomi. Regroupés devant la porte – ils avaient tout intérêt à attendre le dernier moment pour monter dans la voiture –, ils s'écartèrent pour laisser passer le fils de la guérisseuse et le donneur.

La puanteur eut sur Solman le même effet qu'un coup de poing. Étourdi, suffoqué, il dut faire un violent effort sur lui-même pour ne pas tourner les talons et respirer l'air relativement agréable du gouffre. Les blessés et les malades se vidaient sous eux et, personne ne se chargeant de les laver, il avait suffi d'une journée pour transformer la voiture en latrines. Éclairés par une applique à gaz, Glenn et Solman enjambèrent les corps allongés en travers de l'allée, veillant à ne pas poser les pieds dans les flaques d'urine ou de vomi, puis écartèrent le rideau pour s'introduire dans la couchette.

Raïma se tenait recroquevillée dans un coin, recouverte d'un drap, le regard vissé sur la vitre. Une lampe posée sur une étagère diffusait une lumière douce. Des sachets ouverts, des fragments de plantes séchées et des fioles jonchaient le matelas. L'état de la guérisseuse avait encore empiré depuis la cérémonie d'adoption. Sans sa chevelure, intacte, et l'éclat de ses yeux, Solman aurait été incapable de distinguer les contours du visage dans l'amas de chair boursouflée qui émergeait au-dessus du drap.

« Va dehors, Jean. »

Sa voix aussi avait changé. À peine audible, elle semblait se briser sur les excroissances qui lui entravaient l'intérieur de la bouche et lui obstruaient les lèvres. Glenn eut une moue de dépit, puis, sur un signe de son grand frère, il s'esquiva, parcourut l'allée encombrée en sens inverse et claqua la porte derrière lui.

Solman s'assit sur le matelas et observa Raïma en silence. Elle répandait une odeur de charogne que ne parvenaient pas à dompter les diffuseurs d'essence suspendus aux lattes de la couchette supérieure.

« Tu es devenu un homme, dit Raïma. Un bel homme. Comment va ta jambe ?

— Elle me fait souffrir de temps en temps. Mais rien en comparaison de...

— Du spectacle que tu as sous les yeux ? »

Il secoua la tête, les larmes aux yeux. Le fait de se retrouver dans son intimité le troublait. Le gémissement d'un malade s'éleva non loin de la couchette.

« En comparaison de la peine que tu m'as faite en refusant de me voir », ajouta-t-il.

Elle s'anima dans un murmure de drap et de peau froissés.

« Qui a rejeté l'autre ? Qui a renié l'autre ? »

Il reconnaissait par instants les éclats tranchants de sa voix d'avant.

« Je ne suis pas expert en la matière, mais il arrive souvent que les histoires d'amour aient une fin. Je ne suis qu'un homme comme les autres.

— J'attendais de toi que tu ne sois pas comme les autres, Solman. C'était une erreur. Tu es surtout un homme comme les autres. Et le don n'a rien à voir là-dedans... »

Des larmes scintillèrent entre les protubérances de ses joues. Solman eut envie de la prendre dans ses bras, de l'arroser de tendresse, mais ses sens se heurtèrent à son odeur, à son aspect, et le maintinrent tétanisé sur le matelas.

« J'ai attendu toute ma vie que quelqu'un, pas nécessairement un homme, me regarde avec les yeux de l'âme, dit-elle. Mes parents ne voyaient en moi que la porte de la malédiction, et mon maître Quira, une disciple un peu plus douée que les autres. J'ai cru que tu serais celui-là, mais tu n'étais qu'un adolescent, un apprenti. Pas un homme, fût-il un saint, n'aurait envie de partager l'amour d'une femme transgénosée. »

Elle marqua un temps de pause, épuisée par sa tirade, et remonta le drap sur ce qui avait été autrefois son menton. La lampe grésillante créait une bulle de lumière autour d'eux, renforçait l'impression d'intimité offerte par la couchette supérieure, les cloisons et le rideau.

« Une femme transgénosée n'est pas une femme, mais un monstre en devenir, reprit Raïma. Elle devrait renoncer à toutes ses aspirations, elle devrait s'effacer, renoncer au désir, au plaisir, à l'amour, elle devrait... elle devrait...

— Aucune règle ne l'impose. »

Elle releva la tête, il sentit la brûlure de ses yeux sur son front.

« Les règles valent mieux que la pitié, crois-moi ! Le Livre interdit raconte que, jadis, la loi obligeait les lépreux à vivre à l'écart des gens sains. Mes illusions seraient tombées plus tôt si le peuple de l'eau avait eu le courage de me bannir. Je n'aurais pas continué à... espérer.

— Pourquoi voulais-tu me rencontrer ? »

Même s'il refusait de se l'avouer, il lui tardait de sortir de cette voiture, d'échapper à la pression du regard de Raïma. Sa nausée s'accentuait, sa jambe torse lui élançait, deux aiguilles chauffées à blanc lui perforaient les tempes.

« Je vais bientôt partir. Aujourd'hui je suis lucide mais, demain, j'aurai peut-être perdu la raison, et je refuse d'être réduite à une masse de chair agonisante et puante. Tu m'as fait une promesse, tu t'en souviens ? »

Il se rappelait vaguement qu'il lui avait juré de lui administrer le poison des plantes grimpantes lorsque la transgénose aurait accompli son œuvre. Une simple promesse d'enfant, une parole sans conséquence, une esquive, mais il était devenu un homme et le temps l'avait rattrapé.

« J'exige, tu m'entends, j'exige de mourir de ta main, Solman. Jean et toi vous m'avez donné les plus belles heures de mon existence. Jean est encore trop petit pour qu'on lui impose une telle responsabilité, il ne reste que toi. Toi que j'ai aimé plus que moi-même. Et que je continue d'aimer... »

Le drap glissa sur son corps mais elle était trop faible, trop désespérée, pour le remonter. Elle ne portait pas de vêtements en dessous, sa peau martyrisée ne supportait plus le contact avec les étoffes serrées. Solman s'astreignit à contempler les ravages de la maladie sur son buste, son bassin et ses jambes. La transgénose aussi était un présent des hommes de l'ancien temps, le pire de tous peut-être, une interminable et atroce négation de l'être humain. Les images de la Raïma d'avant, de celle qui l'avait initié au plaisir dans la remorque des tapis et des rouleaux de tissu, de la Raïma pleine de sève et d'orgueil, affluèrent dans son esprit. Et, à nouveau, il perçut la splendeur de son âme dans sa débâcle charnelle.

« Je souhaite aussi me réconcilier avec toi, Solman, ajouta-t-elle. Je suis consciente qu'il s'agit là d'un désir purement égoïste : je veux vivre en bonne compagnie après ma mort, je veux que tu gardes un bon souvenir de Raïma la guérisseuse.

— J'en aurais de toute façon gardé un bon, objecta Solman avec un sourire.

— Je ne sais pas quel est le but de cette fille, Kadija, mais je sais que j'ai été jalouse d'elle, à en pleurer, à en vomir. J'aurais donné n'importe quoi pour la faire expulser de la caravane, j'aurais vendu mon âme au diable, à la bête de l'Apocalypse... Je l'ai simplement bradée à Irwan et Gwenuver. Et puis je me suis rendu compte qu'ils projetaient de se débarrasser de toi, que j'étais complice de leur crime, comme la mère Joïnner et les pères Orgwan et Lohiq ont jadis été complices de l'assassinat de tes parents... »

Sa voix n'était plus qu'un murmure entrecoupé de chuintements qui ressemblaient à des sanglots.

« Tout ça n'a plus aucune importance, dit Solman. Je te remercie du fond du cœur d'avoir envoyé Gle... Jean me chercher. Je viendrai te rendre visite tous les jours, et quand j'estimerai le moment venu, je t'administrerai le poison. »

Le bras de Raïma se détendit, ses doigts pratiquement collés les uns aux autres désignèrent une fiole.

« Tu m'en verseras tout le contenu dans l'étrange orifice qui me sert de bouche. Ne le confonds surtout pas avec un autre. »

Ils rirent tous les deux, lui avec gêne, elle avec gaieté.

« Dernière chose : le Livre des religions mortes. Je te le confie. Peut-être trouveras-tu à l'intérieur les réponses à certaines de tes questions ?

— Les pères et les mères du conseil possédaient de vieux livres. Ils m'ont bien appris à lire autrefois, mais je ne sais pas ce qui me reste de leurs leçons.

— Les réponses n'ont pas toujours besoin d'être lues. »

Elle sortit son autre bras de sous le drap et lui tendit le livre. Elle avait maintes fois rafistolé et consolidé la couverture comme le montraient les couches successives de tissu, de brindilles et de glu.

« Les pages ont jauni, certaines sont abîmées, mais il n'en manque pas une seule. Le Nouveau Testament. Un beau livre, une belle histoire. Les hommes de l'ancien temps en ont fait un socle de terreur, un instrument du mal. Le dénouement est proche. Tu es le seul qui puisse encore offrir un avenir à l'humanité.

— Si encore je savais comment ! »

L'exclamation de Solman étouffa les geignements qui résonnaient en sourdine dans la voiture.

« Deviens un donneur, dit Raïma d'une voix où se mêlaient douleur et mélancolie. Fais confiance en ton jugement. »

Il s'empara du livre, le glissa dans la poche de sa canadienne et se pencha sur la main déformée de la guérisseuse pour y poser la joue. Puis, se contorsionnant dans l'espace confiné de la couchette, il se défit rapidement de ses chaussures et de ses vêtements. Lorsqu'il fut entièrement nu, il s'approcha d'elle à genoux et lui entoura les épaules de ses deux bras. Ses muscles se nouèrent au contact des excroissances dures, blessantes.

Elle demeura sans réaction pendant un long moment, surprise, tendue, avant de répondre à son étreinte. Ils se serrèrent l'un contre l'autre avec force et oublièrent leurs pauvres prisons de chair pour s'abîmer dans la communion des âmes.

CHAPITRE 39

« On a refait l'inventaire avec un intendant, fit Moram. On ne peut pas rester dans cette grotte. On a perdu pas mal de flotte à cause de ces putains d'éboulements. On a de quoi tenir à peine un mois avec les réserves restantes. Il faut que Hora reparte le plus rapidement possible en rhabde, même si c'est l'hiver là-haut.

— Elle se remettra de la mort de Miriel ? demanda Solman.

— Je suis allé tout à l'heure lui redonner sa baguette et sa robe. Je lui ai dit que la meilleure façon de rendre hommage à Miriel était de trouver de l'eau pure. Elle a fini par m'écouter. »

Le convoi était prêt, les camions, les remorques et les voitures révisés ; les chauffeurs et les passagers attendaient autour du bassin maudit en montrant des signes d'impatience. On avait éteint les phares afin d'épargner les batteries et rendu le gouffre à son obscurité première. Les rayons furtifs de lampes de poche à gaz isolaient de temps à autre des pierres de la margelle, la surface frissonnante de la retenue d'eau, la tache claire du corps de Miriel... Wolf se tenait à quelques pas de Solman, la main sur la crosse de son fusil d'assaut. Ses yeux pâles transperçaient la pénombre et se posaient sur les Aquariotes avec une vigilance fiévreuse. Adossé près du donneur à une stalagmite, Glenn était trop heureux de la réconciliation entre son grand frère et sa mère adoptive pour se soucier de l'inquiétude ambiante. Les chutes des gouttes d'eau libérées par les stalactites résonnaient dans le silence funèbre avec la puissance de coups de feu.

« Combien de temps encore on va attendre ? » soupira Moram.

Solman ne pouvait se résoudre à donner le signal du départ.

Pourtant, son mal au ventre s'était réveillé avec une soudaineté et une virulence qui révélaient l'imminence d'un danger. La profondeur de ce gouffre n'était pas un obstacle insurmontable pour l'intelligence destructrice, pour les tentacules de la pieuvre. Les doigts de Solman palpaient avec nervosité la couverture de bric et de broc du Livre des religions mortes, ce recueil de croyances de l'ancien monde qui était également le mode d'emploi de l'extermination des derniers hommes. Il respirait encore l'odeur de Raïma, l'odeur sourde de charogne d'où se détachaient, telles des fleurs aux teintes vives, les notes joyeuses de son parfum.

Kadija n'avait pas donné signe de vie. Moram avait formé six groupes chargés d'explorer la galerie et le gouffre sur un rayon approximatif de trois kilomètres. Solman n'y avait pas participé, affaibli par la douleur, essayant de renouer le contact avec la jeune femme par le biais de la vision pénétrante. Les recherches n'avaient abouti à aucun résultat, hormis le fait, très important, qu'on avait trouvé, au bout d'une enfilade de salles, l'entrée d'une deuxième galerie étayée, praticable, semblable à celle qu'ils avaient empruntée depuis la petite ville fortifiée.

« Elle a des ressources, dit Ismahil, assis sur l'arête d'un rocher. Si elle le veut vraiment, elle nous rejoindra. »

Il avait probablement raison, comme Moram, comme Wolf, comme tous ceux qui l'incitaient du regard à prendre la décision qui s'imposait, mais, même s'il ne captait plus la musique de Kadija, Solman refusait de se rendre à l'évidence. Chaque seconde gagnée pouvait permettre à la jeune femme de rejoindre le convoi. Sans elle, il ne saisissait pas l'intérêt de poursuivre leur course aveugle à travers un territoire gelé, piégé, non seulement parce qu'elle détenait les clefs d'une partie du mystère, mais surtout parce que sa présence l'aiguillonnait, le galvanisait, l'aidait à parcourir le chemin épineux du donneur. Il gardait les yeux rivés sur les profondeurs de la grotte, espérant à chaque instant voir sa silhouette crever les rideaux de ténèbres.

« Des solbots et des chiens, dit soudain Wolf. Ils approchent. »

Moram se redressa, tous sens aux aguets.

« Je n'entends rien...

— Mes oreilles sont comme mes yeux, murmura le Scorpiote.

— J'aimerais bien que tu retires de temps en temps ton putain de passe-montagne quand tu me parles, Caïn ! gronda Moram.

— Et moi j'aimerais que tu cesses de m'appeler Caïn ! répliqua Wolf. La mort des pères et mères du conseil m'a délivré de mon nom de baptême aquariote.

— C'est aussi une tare génétique des Scorpiotes d'entendre ce que les autres n'entendent pas ?

— Appelle ça comme tu veux. Les chiens et les solbots avancent vite. Les Slangs suivent. Ils seront sur nous dans moins d'une heure.

— On avait pourtant rebouché l'entrée de la galerie...

— Quelques pierres et un peu de mortier n'ont jamais arrêté les microbombes des solbots.

— Et les insectes[GM] ? »

Wolf haussa les épaules. La lumière d'une lampe de poche miroita sur le canon de son fusil.

« Je l'ignore. Ils sont trop petits pour être entendus, sans doute...

— Comment se fait-il que toi, tu perçoives tout ça et pas Solman ?

— Il... »

Wolf hésita, comme s'il craignait d'insulter le peuple de l'eau à travers son donneur.

« Quand l'esprit d'un homme est accaparé par une fille, il s'avère incapable de penser à autre chose. »

Ses paroles cinglèrent Solman avec la puissance d'un coup de fouet. Absorbé par la disparition de Kadija, il n'avait pas cherché à savoir ce que tentait de lui signifier sa douleur au ventre. L'ancien Scorpiote venait de lui rappeler qu'il avait la responsabilité de sept ou huit cents rescapés poursuivis par un adversaire acharné à leur perte.

« Hé, fais gaffe à ce que tu dis, Scorpiote ! » rugit Moram, la main posée sur la crosse de l'un de ses revolvers.

Solman apaisa le chauffeur d'un geste du bras et dirigea sa vision vers la galerie. Le bruit de ses pensées l'empêcha d'abord de plonger en lui-même, puis sa douleur au ventre s'amplifia, l'obligea à lâcher les prises, un tourbillon le happa et le projeta brusquement dans le boyau. Il discerna, entre les éboulis de terre et de pierres, les formes noires et bondissantes de chiens et d'autres, grises et fuyantes, de solbots. Plus loin, éclairés par des torches, des hommes couraient, soufflaient, juraient, s'efforçaient de suivre le rythme imprimé par la horde animale et la cohorte des soldats mécaniques. Des Slangs, armés de fusils d'assaut et de bazookas. Pas de traces, en revanche, d'insectes[GM] ni de l'ange entrevu dans le cimetière d'engins militaires. Les contours de la galerie s'obscurcirent, s'estompèrent, il fut à nouveau saisi par un courant, aspiré par une invisible bouche, il flotta dans une lumière éclatante au-dessus des toits de maisons de pierre noire. Il reconnut, enrobés de brouillard, les remparts de la ville fortifiée. Des cadavres d'hommes, de femmes et d'enfants gisaient dans les ruelles, les uns emmitouflés dans des vêtements chauds, les autres habillés de chemises de nuit, de pyjamas ou de sous-vêtements. Tout autour d'eux, de minuscules points rouges jonchaient la neige et la glace comme de la poussière de tuile. Solman s'en approcha et identifia des insectes[GM], qui, comme beaucoup de leurs semblables, étaient morts après avoir inoculé leur venin. Les chiens avaient commencé à dévorer les cadavres, à en juger par les ventres déchirés, les membres sectionnés et les flaques de sang plus ou moins absorbées par la neige. La rage qui saisit Solman à ce spectacle troubla sa vision, lui donna l'impression d'errer dans un monde incolore, abstrait, cauchemardesque, puis il discerna des formes sombres qui ramassaient les corps et les jetaient dans une remorque tirée par un petit véhicule à chenilles. Il ignorait à quel usage ces fossoyeurs destinaient les cadavres mais il prit conscience que l'intelligence destructrice était fermement décidée à effacer tout vestige de l'humanité de la surface de la terre.

Il revint dans la grotte avec une telle soudaineté qu'il lui fallut une bonne trentaine de secondes pour réintégrer les limites de son corps, pour se réhabituer à la densité, à la matière.

Le temps le condamnait à la séparation définitive d'avec Kadija. Il n'existait pas de tyran plus implacable. Sa douleur au ventre avait disparu mais un étau lui comprimait la poitrine, lui broyait le cœur, lui coupait la respiration.

« Qu'est-ce qui s'est passé, bordel ? fit Moram, le front soucieux. T'es devenu tout pâle, tu as poussé un cri...

— Wolf a raison, répondit-il d'une voix hachée. Les chiens, les solbots, les Slangs, ils arrivent. Tout le monde embarque. Nous partons. »

Les ordres claquèrent tout au long de la margelle du bassin. Les Aquariotes n'eurent besoin que d'une poignée de minutes pour se répartir dans les voitures et les camions. Les grondements des moteurs emplirent le silence, la lumière des phares inonda la grotte, arrosa les tores boursouflés des stalagmites, la dentelle translucide des stalactites, l'eau meurtrière du bassin, le corps en croix de Miriel...

Le convoi s'ébranla, le véhicule de Moram en tête.

Après avoir longé la margelle du bassin sur toute sa longueur, Moram obliqua vers la droite et se dirigea vers une deuxième salle dont l'entrée, de forme régulière, avait visiblement été percée et consolidée par les soldats de la Troisième Guerre mondiale. Il ne cessait de tempêter, agacé par l'obligation qui leur était faite de rouler le plus rapidement possible sur ce sol inégal. Irrité, surtout, par la présence de Caïn... ou Wolf, que Solman avait convié à s'asseoir à ses côtés sur la banquette passagers. Il n'accordait aucune confiance à un homme qu'il ne se souvenait pas d'avoir un jour vu à visage découvert. Il pensa à Hora pour se changer les idées : il n'avait pas seulement cherché à consoler la jeune sourcière de la mort de Miriel lorsqu'il était allé lui rendre sa robe et sa baguette, il l'avait contemplée avec une insistance presque indélicate, il l'avait trouvée particulièrement attirante avec ses cheveux d'ambre, sa peau tendue, ses joues rondes et ses larmes. Elle n'était pas mariée et, pour la première fois de sa vie, il s'était surpris à penser que ce n'était pas un défaut. Il était sorti de la voiture en se disant que les femmes, décidément, avaient l'esprit aiguisé : Jazbeth avait eu raison de lui faire une scène de jalousie quand il avait ramassé la robe de la sourcière.

Le camion s'engouffra dans la salle, plus petite. Les phares balayèrent les parois torturées et la voûte surchargée de stalactites, dont certaines s'étiraient au point de rejoindre les fûts déjà ventrus de futures stalagmites. La roue arrière gauche sauta sur l'arête d'un rocher. D'un coup d'œil dans le rétroviseur extérieur, Moram s'assura que l'attache de la voiture avait tenu le choc.

« Kadija nous a fait perdre notre temps, grommela-t-il. On est obligés de se grouiller maintenant, et on risque d'abîmer le...

— Sans elle, on risque bien davantage que des dégâts matériels, coupa Solman d'un ton dépourvu d'aménité.

— Pourquoi ? insista Moram. Qu'est-ce qu'elle nous a apporté depuis qu'on l'a ramassée dans le marais ? À part les emmerdes, je veux dire ? »

Ce fut Wolf qui répondit :

« Elle essaie de nous apporter notre salut, mais elle ne sait pas comment s'y prendre.

— Comment tu peux affirmer ça, toi ? ricana Moram. T'es pas donneur, que je sache ?

— Encore une erreur, Moram », répondit le Scorpiote.

Bien que posée, sa voix éraillée avait étouffé le ronflement du moteur.

« Qu'est-ce que tu veux dire, bon Dieu ? Que t'es...

— Donneur ? J'en étais un, autrefois. Et j'ai des restes. »

Moram lança au Scorpiote un regard en coin qui ne cherchait pas à masquer son incrédulité. La révélation, en revanche, n'étonna pas Solman. Dès l'instant qu'ils s'étaient croisés sur le chemin de ronde de la petite ville fortifiée, il avait deviné que Wolf et lui étaient liés d'une manière ou d'une autre. Il comprenait maintenant pourquoi il n'avait jamais réussi à pénétrer dans son esprit : les pensées de Wolf se dispersaient, comme les siennes sans doute, hors des frontières de son moi, dans le silence infini de la vision.

« Pourquoi tu l'es plus ? demanda Moram. Tu t'es déclaré exdone ? »

Le camion pénétrait dans une troisième salle aussi austère, celle-ci, que l'église de la ville fortifiée. De larges taches lisses et claires en recouvraient les parois : les hommes de l'ancien temps avaient projeté du béton à certains endroits pour les empêcher de s'effriter. De même, ils avaient comblé les dépressions les plus profondes avec un mélange de sable et de cailloux tapissé d'une couche superficielle de terre.

« Pas exactement, répondit Wolf. Ce sont les pères et les mères de mon peuple qui m'ont déclaré exdone. J'avais le tort de contester certaines de leurs décisions. Ils ont pris à ma place un garçon qui n'avait pas le don et qu'ils pouvaient contrôler à leur guise. Un jour, je n'ai pas pu me retenir de contredire publiquement un jugement de leur soi-disant donneur. Il venait de condamner à mort une femme accusée par son mari d'avoir noyé leur fille. J'avais vu (il insista sur ce mot) dans l'esprit de cette femme qu'elle n'avait pas commis ce crime, je l'avais vue essayer de rattraper la fillette qui courait en direction du cours d'eau, j'avais vu saigner son cœur de mère, j'avais vu que son mari essayait de se débarrasser d'elle pour épouser une femme plus jeune, j'avais vu enfin qu'il y avait collusion entre le conseil et le mari.

— Ça ressemble assez à ce qui se pratique chez les Aquariotes ! ironisa Moram.

— Le conseil n'a pas osé m'exécuter en public. Il craignait une réaction violente de ceux qui n'avaient jamais cessé de croire en moi et qui venaient régulièrement me consulter. Il m'a condamné au bannissement, puis a envoyé ses tueurs à mes trousses. Malheureusement pour eux, deux de mes amis avaient réussi à me procurer des armes. J'étais fou de colère, avide de vengeance, j'ai donc tué les hommes de main du conseil. L'un après l'autre, à l'arme blanche pour ne pas trahir ma présence. Puis j'ai marché en direction du sud, sans vivres, sans eau. Je n'avais plus de forces lorsque j'ai atteint les rives de la Baltique. Je me suis évanoui et réveillé quelques heures plus tard dans la voiture de maître Quira, le guérisseur aquariote. Il m'a remis sur pied. Irwan, Katwrinn et Gwenuver sont alors venus me voir et m'ont proposé l'adoption si je consentais à les aider à conquérir le conseil du peuple de l'eau. J'ai accepté, sans me rendre compte qu'ils me condamnaient à une nuit perpétuelle. »

La voix de Wolf s'était assombrie. Solman percevait, en même temps que les relents de vieux cuir de sa veste, les éclats de sa tristesse, incommensurable, inconsolable.

Moram engagea le camion dans l'entrée d'une quatrième salle, presque aussi grande que la première. L'air s'imprégna tout à coup d'une humidité moisie qui paraissait suinter de la roche et disséminait des flaques de boue sous les roues. Les phares capturèrent, derrière un amas de rochers aux arêtes saillantes, les reflets argentés et fugaces d'un torrent souterrain. Une forêt de stalagmites étayait la voûte qu'estompait plus haut une obscurité plus dense que de la suie.

« Que savez-vous de Kadija ? demanda Solman.

— Pas grand-chose, répondit Wolf. On dit que... le sang versé obscurcit la clairvoyance, et je crois que c'est vrai. Je n'ai plus que des bribes, comme je le disais tout à l'heure. Contrairement à toi, je ne peux pas provoquer le don, jamais prévoir à quel moment il choisira de se manifester. De Kadija, j'ai juste entrevu qu'elle n'était pas de ce monde et qu'elle essayait de nous aider.

— Nous aider ou nous enfoncer ? » releva Moram.

Wolf marqua un temps de silence, les yeux rivés sur le sol cahoteux que dévoilaient les phares une trentaine de mètres devant le camion.

« L'un ne va pas sans l'autre, finit-il par répondre. Je suis convaincu que ses intentions sont sincères, mais peut-être que quelqu'un se sert d'elle comme d'une sorte de balise.

— Vaut mieux dans ce cas-là qu'elle ait foutu le camp », marmonna le chauffeur.

Solman fut chahuté par une violente envie de gifler Moram avant de s'apercevoir qu'il n'avait jamais envisagé cette hypothèse. Peut-être Kadija s'était-elle effectivement rendu compte que l'intelligence destructrice l'utilisait comme un repère, comme un aimant, et, dans ce cas-là, sa disparition était une autre façon de leur venir en aide.

Ils roulèrent sans dire un mot jusqu'à la bouche de la galerie. Au passage, ils entrevirent dans la dernière salle une dizaine de blindés mangés par la rouille. L'armée de la ligne PMP avait sans doute exploité ce labyrinthe souterrain pour lancer des offensives éclair sur les positions ennemies. Et puis, toute médaille ayant son revers, grottes et tunnels s'étaient transformés en nasse : il avait suffi à la coalition IAA d'en localiser les accès et d'expédier du gaz meurtrier, des robots-tueurs ou des essaims d'insectes[GM].

Solman se reprochait d'avoir privilégié ses sentiments personnels au détriment de l'intérêt collectif. En repoussant sans cesse le moment du départ, il avait placé les Aquariotes, près d'un siècle plus tard, dans la même situation que les soldats de la ligne PMP. Prisonnier de ses émotions, de ses désirs, il avait failli à son rôle de donneur. Puisque Kadija avait décidé, pour une bonne ou une mauvaise raison, de les abandonner à leur sort, il lui fallait déployer toutes ses ressources, combattre jusqu'à l'épuisement de ses forces pour différer l'extermination du peuple de l'eau. Chaque seconde gagnée entretiendrait l'espoir, chaque piège déjoué serait une victoire, chaque existence préservée proclamerait la pérennité des derniers hommes. Il songea, avec amertume, que, s'il avait eu la lucidité et le courage de s'affranchir plus tôt de la tutelle du conseil aquariote, il aurait pu fédérer les peuples nomades et épargner de nombreuses vies.

Il lui tardait à présent que le convoi débouche à l'air libre. Sa vision lui montrait par instants la progression des légions lancées à leurs trousses. Les chiens bondissaient sans montrer de signes de fatigue, les solbots franchissaient sans ralentir les obstacles de pierres et de terre, les Slangs, distancés, suivaient quelques centaines de mètres derrière.

Moram réduisit l'allure pour engager le camion dans la galerie. Le flanc de la citerne arracha au passage une saillie rocheuse.

« Bordel, elle est encore plus serrée que l'autre ! »

Les phares la transmutaient en une coulée de lumière qui s'assombrissait et se rétrécissait dans le lointain. Son étroitesse obligeait le chauffeur à rouler au pas. Le métal de la citerne se frottait aux aspérités des parois, aux brusques affaissements de la voûte. Les raclements, les grincements dominaient à présent le ronronnement du moteur, des grappes d'étincelles jetaient des lueurs fulgurantes sur les côtés de la cabine.

« Imaginez qu'il y ait un putain d'obstacle, un éboulement ou un char de l'ancien temps coincé en travers », ajouta Moram, le visage inondé de sueur.

Solman essaya de diriger sa vision vers l'avant, mais elle le ramena des années en arrière dans la tente de ses parents, à la respiration sifflante de l'homme qui venait de les égorger.

« La voie est apparemment libre, dit Wolf. Mais je ne sais pas ce qui nous attend à la sortie. »

CHAPITRE 40

Une sirène ulula à trois reprises à l'arrière.

« C'est vraiment pas le moment de s'arrêter, merde ! »

Moram, pourtant, appuya sur la pédale de frein jusqu'à ce que le camion s'immobilise. Les règles de sécurité et de solidarité des chauffeurs devaient être respectées quoi qu'il arrive. Il tira le frein à main, coupa le moteur, empoigna un de ses revolvers, ouvrit la portière et dévala le marchepied après avoir proféré un juron de son cru. Wolf et Solman descendirent à leur tour de la cabine et se glissèrent le long de la citerne. Les quelques moteurs qui tournaient encore se turent l'un après l'autre, et le silence ensevelit la galerie. L'odeur de terre et de moisissure s'estompait dans les gaz d'échappement et les relents d'huile chaude.

Des hurlements se répercutèrent d'un bout à l'autre du convoi, suivis presque aussitôt de détonations. Solman pensa que les chiens et les solbots avaient rattrapé et attaqué les camions de queue. Wolf s'efforçait de hâter l'allure devant lui, mais l'exiguïté de l'espace entre les véhicules et la paroi rocheuse ne facilitait pas leur progression. De l'autre côté, Moram, gêné par sa corpulence, marchait encore moins vite qu'eux. Des crissements et des cris stridents, rageurs, répondaient désormais aux salves nourries. Une odeur piquante de poudre se propagea dans la galerie.

Ils dépassèrent une quinzaine de camions, précédés et suivis par des chauffeurs et des passagers qui, tous, s'étaient munis d'une arme. La lumière des phares les éclairait comme en plein jour, transperçait les dentelles vaporeuses écharpées par d'imperceptibles souffles d'air.

Ils arrivèrent à l'endroit où la caravane s'était scindée, où les hommes s'étaient déployés sur toute la largeur de la galerie. Ils pointaient fusils et pistolets sur l'espace d'une cinquantaine de mètres qui séparait les deux parties du convoi, et faisaient feu sans relâche.

« Qu'est-ce qui se passe ? cria Wolf.

— Des rats ! » répondit quelqu'un.

Le Scorpiote se fraya un chemin à coups de coude jusqu'au premier rang, suivi de très près par Solman et d'un peu plus loin par Moram. La fumée des armes inondait le boyau, mais les faisceaux des phares révélaient une multitude grouillante de rats au poil noir et rêche, d'une espèce transgénique, mutante, qui avait colonisé l'ensemble du territoire européen. Il leur arrivait de s'attaquer aux campements quand la famine les jetait hors de leurs abris habituels, les ruines des cités, les marais intérieurs ou les anciennes décharges. Agressifs, agiles, résistants, ils n'hésitaient pas à se jeter sur les hommes pour leur trancher la carotide d'un coup d'incisives, leur déchiqueter le visage, ou, à l'aide de leurs griffes puissantes, leur entailler cuisses et bras jusqu'à l'os. Et les blessures bénignes qu'ils provoquaient dégénéraient souvent en infection, voire en gangrène. Les peuples nomades créditaient à leur compte la plupart des disparitions inexpliquées, les brusques éclaircissements des troupeaux ou encore les mises à sac des réserves de céréales.

« Putain de Dieu ! siffla Moram. Y en a des milliers ! »

Ils jaillissaient d'une cavité de la voûte comme des grains dans un silo, rendus hystériques par le vacarme des détonations, par les odeurs de poudre et de sang. Menacés par la famine, attirés par le grondement des moteurs, et, donc, par la promesse d'un butin, ils avaient surgi par grappes entières au-dessus du camion, grimpé sur le capot, obstrué le pare-brise et contraint le chauffeur à sonner l'alarme.

« Ce con... il aurait dû leur rouler dessus au lieu de s'arrêter ! » fulmina Moram.

Les tirs de barrage maintenaient pour l'instant les rats au centre de l'espace dégagé, mais ils ne refluaient pas, comme conscients que le sacrifice d'un grand nombre des leurs était nécessaire à la survie du groupe, que la loi du temps et du nombre jouait en leur faveur.

« J'ai peur, Hadès. »

Solman se retourna et découvrit le visage blême de Glenn à moins d'un pas de lui.

« Rentre à la voiture. Tout de suite. »

Mais le garçon ne bougea pas, paralysé par la frayeur. Autour de lui, les hommes avaient mis en place une chaîne de fortune pour alimenter en munitions les tireurs du premier rang, qui gardaient leurs armes pointées vers le sol de peur de toucher les Aquariotes massés à l'autre extrémité de l'espace vide. Des balles ricochaient sur le bas des parois et, parfois, venaient s'échouer sur le bord opposé à l'issue d'une diagonale sifflante. Le grouillement de rats formait à présent une vague à deux crêtes, haute d'un mètre cinquante en son milieu, touchant presque la voûte sur les côtés. Roulant les uns sur les autres, ils avançaient dans les deux directions à la fois. Chaque salve en fauchait des dizaines, mais ne parvenait pas à briser leur mouvement. Dès qu'ils auraient comblé les intervalles, ils deviendraient irrésistibles, leur torrent de griffes et de dents submergerait les deux parties du convoi, déborderait les tireurs, déchiquetterait pneus, bâches, sacs, briserait vitres et portières, se répandrait dans les voitures, dans les cabines, se retirerait en ne laissant derrière lui que carcasses et squelettes.

La main de Glenn se posa sur celle de Solman comme un oiseau tremblant. Fusils et pistolets commençaient à brûler les bras et les joues des tireurs. La vague des rongeurs déferlait dans un tourbillon insaisissable de poils noirs, d'éclairs meurtriers, de cris assourdissants.

« L'eau ! cria Solman.

— Quoi, l'eau ? haleta Moram en rechargeant son revolver.

— Il faut vider une citerne.

— Ça ne suffira pas à les noyer.

— Sauf si on y ajoute du poison... »

Il fixa Glenn avec intensité.

« Cours à la voiture de Raïma. Demande-lui de te donner ses fioles de poison. Vite. »

Le garçon demeura sans réagir pendant quelques instants, puis une bourrade de Solman le sortit de sa léthargie, il tourna les talons et se faufila entre les hommes répartis le long de la paroi.

Moram écrasa de l'avant-bras des gouttes de sueur qui lui perlaient sur le front.

« Et si ces saloperies de bestioles sont immunisées ?

— Tu vois une autre solution ? »

Le chauffeur hésita un bref instant.

« Monter dans les camions et rouler.

— Les rats empêcheront ceux de l'arrière de passer. Pas question de les abandonner.

— On risque de mourir avec eux.

— C'est la nouvelle règle, Moram : ou on s'en sort tous ensemble, ou on meurt tous ensemble. »

Même en criant, ils avaient du mal à s'entendre dans le vacarme des détonations et des couinements.

« Demande-leur d'intensifier le tir, reprit Solman. Le temps que Glenn revienne. »

Moram hocha la tête, se retourna et hurla les consignes aux autres. Les Aquariotes, un moment démoralisés, reprirent courage et mitraillèrent sans discontinuer la vague sombre qui continuait d'avancer. Wolf rechargea son fusil d'assaut pour la quatrième fois et balaya toute la largeur de la galerie d'une rafale rageuse.

Jouant des coudes et des épaules, Solman se fraya un passage jusqu'à la remorque, l'escalada, grimpa sur le toit de la voiture à laquelle elle était accrochée, le franchit à quatre pattes et descendit de l'autre côté pour accéder à la citerne. Le canon de son pistolet lui pénétrait dans l'aine, les élancements de sa jambe torse se prolongeaient dans sa colonne vertébrale, des gouttes de sueur dégringolaient de son front et se conjuguaient à la fumée pour lui irriter les yeux. Il tourna le volant crénelé de la valve jusqu'à ce que les premières gouttes s'écoulent sur le sol. Il suivit des yeux la course des rigoles, constata qu'elles prenaient la bonne direction et referma la valve. La galerie était légèrement déclive à cet endroit, sans doute parce qu'elle entamait sa montée vers la surface. Il espéra que la citerne n'était pas aux trois quarts vide. Il se posta près de la paroi pour attendre Glenn. Le temps s'égrena, interminable, rythmé par les éclairs, les détonations, les couinements suraigus des rongeurs, les éclats de voix des hommes qui s'encourageaient. Il essaya de se calmer, mais il en fut incapable, les nerfs en capilotade, le souffle court, les muscles noués, le cœur à vif.

Qu'est-ce que fabriquait Glenn ? Avait-il eu des difficultés à convaincre Raïma de lui remettre les fioles qu'elle réservait à son propre usage ? Solman se maudit d'avoir confié une tâche d'une telle importance, d'une telle urgence, à un enfant de six ans. Les hommes couraient le long de la paroi, transportant des caisses de balles, se bousculant, s'invectivant. S'ils s'en sortaient, les Aquariotes auraient gaspillé une bonne partie de leurs munitions.

S'ils s'en sortaient...

L'intelligence destructrice avait trouvé dans les rats des alliés de circonstance. Règnes animal, végétal, humain, tous semblaient se mettre à son service, s'incliner devant sa puissance. Les chiens et les solbots ne tarderaient plus à opérer la jonction, à refermer le piège sur les derniers hommes de la même manière qu'il s'était refermé sur les soldats de l'ancien temps. L'histoire n'était qu'une litanie de schémas et de comportements répétitifs qui allaient tous dans le sens de l'anéantissement.

« Glenn ? »

Le garçon venait de déboucher à l'angle de la citerne, les yeux agrandis par la terreur, les joues baignées de larmes. Il sortit de ses poches quatre fioles que Solman identifia du premier coup d'œil.

« Maman Raïma, balbutia Glenn. Elle est... elle est...

— Morte ?

— Non, folle, elle dit n'importe quoi. Elle a voulu m'empêcher de prendre les fioles. J'ai été obligé de me défendre... de la frapper...

— J'irai la voir dès qu'on en aura fini avec les rats. Et qu'on sera sortis de cette galerie. Attends-moi ici et tourne le volant quand je te le dirai, d'accord ? »

Glenn acquiesça et s'avança en pleurant vers la valve. Solman glissa les fioles dans les poches de sa canadienne et gravit l'échelle qui donnait sur le toit de la citerne. Il fut surpris par l'étroitesse du passage entre la voûte de la galerie et les barres métalliques. Il lui fallut ramper, se contorsionner, se cogner le crâne à la roche et se frotter au fer blessant pour atteindre la trappe circulaire qui servait d'accès aux hommes chargés du nettoyage annuel. On l'utilisait également comme orifice de remplissage lorsque les tuyaux étaient engorgés ou que le moteur de la pompe donnait ses signes de faiblesse. Allongé, à demi aveuglé par la sueur et la pénombre, Solman entreprit de dévisser les papillons des écrous qui plaquaient la trappe sur le joint de caoutchouc et lui assuraient son étanchéité. Les tirs, les cris et les couinements s'intensifièrent, signe que les rats se rapprochaient de leur but. Sa fébrilité s'accentua, ses doigts tremblants, humides, ripèrent sur les ailettes dont certaines, récalcitrantes, refusaient de se décoincer. La rage au ventre, soufflant, pestant, luttant contre les crampes, ignorant la douleur à son bassin, son dos et sa nuque, il parvint à débloquer les trois écrous qui se trouvaient de son côté et à soulever la lourde trappe de quelques centimètres. Il glissa le coude sous le couvercle métallique pour l'empêcher de se rabattre, puis, de sa main libre, il retira le bouchon d'une fiole, enfonça le goulot dans l'ouverture et la maintint penchée jusqu'à ce que son contenu se soit entièrement déversé dans l'eau.

« Tourne le volant, Glenn ! À fond ! »

424

Il craignit que sa voix ne porte pas assez loin dans le tumulte ambiant, mais son oreille rivée au métal capta le bruissement caractéristique d'un écoulement. Il vida les trois autres fioles dans la réserve, puis, versant des larmes d'épuisement, il se laissa choir de tout son long sur la citerne.

L'eau s'insinua entre les jambes des hommes de la première ligne et s'avança en serpents scintillants vers les rats. La vague noire, tourbillonnante, ondulait à moins de dix mètres des tireurs, qui avaient inconsciemment reculé de deux pas. De près, le grouillement évoquait une hydre à mille têtes, à mille griffes, à mille yeux, à mille queues. Son désordre n'était qu'apparent : les rongeurs exploitaient leur nombre pour avancer coûte que coûte, les rats du dessus se laissaient glisser jusqu'au sol pour permettre à leurs congénères du dessous de prendre la relève. Un comportement collectif adapté, étonnant quand on connaissait leur tendance à l'individualisme.

« Ne touchez pas à l'eau ! glapit Moram. Le donneur l'a empoisonnée. Et continuez le feu ! »

L'eau enflait maintenant en ruisselets qui se jetaient les uns dans les autres pour s'étaler en mare sur la largeur de la galerie. Elle lécha les rats les plus proches, qui, surpris par sa fraîcheur, se mirent à gigoter pour essayer de se dégager de la masse. Comme leur progression groupée engendrait un grand nombre de griffures, elle entra en contact avec les pelages égratignés, avec les museaux coincés, avec les queues éraflées, elle dilua le sang des cadavres et, gonflée par l'écoulement de la citerne, se propagea tout le long de la horde. La plupart des rats du dessous, écorchés par les griffes et les incisives de leurs congénères, moururent dans un spasme, foudroyés par le poison.

L'eau montait toujours, filtrée par le barrage des rongeurs désormais immobile.

« Grimpez sur n'importe quoi ! cria Moram. Il ne faut pas que cette putain de flotte vous touche ! »

Certains tireurs, dont Moram et Wolf, se hissèrent sur la remorque tandis que les autres refluaient précipitamment vers l'avant du convoi. La vague des rats commençait à se briser, piégée par sa propre inertie. Ils avaient compris que l'eau était porteuse d'une mort bien plus sournoise et radicale que la grêle de balles. Le fossé entre les hommes et eux était maintenant infranchissable, des deux côtés puisque l'onde meurtrière avait traversé leurs rangs et transformé leur amas en île. Les Aquariotes regroupés devant la deuxième partie du convoi cessèrent à leur tour le tir. On n'entendit bientôt plus que le roulement de la cataracte qui tombait de la valve grande ouverte et le clapotis de l'eau sur les parois.

« Attention, vous là-bas ! cria Moram. L'eau est empoisonnée !

— Compris ! » lui répondit une voix.

Les rats restaient silencieux, figés, comme impuissants face au nouveau danger. Puis des soubresauts agitèrent l'amas, et ils recouvrèrent d'un seul coup leur instinct de survie ainsi que les réflexes individuels afférents. Ceux qui occupaient le sommet de la vague ne rencontrèrent aucune difficulté pour se glisser dans la cavité par laquelle ils étaient arrivés, mais les autres, ceux des rangs inférieurs, se débattirent avec férocité pour atteindre l'ouverture synonyme de salut. Le bel ordonnancement qui leur avait permis d'affronter les balles s'effrita à une vitesse étonnante. Des dizaines d'entre eux dégringolèrent dans l'eau, où la moindre plaie, la moindre respiration se traduisaient par une mort immédiate.

« La citerne est presque à sec, souffla Moram.

— Je ne crois pas qu'ils le savent », fit Wolf.

Les rongeurs étaient effectivement trop affolés pour se rendre compte qu'il leur suffisait d'attendre la décrue pour augmenter leurs chances de rester en vie. D'autant que la hauteur de l'amas avait considérablement diminué et qu'il était désormais impossible aux rescapés d'atteindre la cavité. Alors ils firent ce que font tous les rats dans ce genre de circonstances, ils optèrent pour le suicide collectif.

« Plus vite, bordel ! Les chiens et les solbots vont nous tomber dessus ! »

Moram houspillait les Aquariotes qui, à l'aide de pelles et de fourches, étalaient les cadavres des rats. La citerne s'était entièrement vidée, et l'eau s'était écoulée dans la pente de la galerie, abandonnant dans son sillage des traînées de sang, des monceaux de douilles et des flaques boueuses. Une puanteur de chair corrompue avait supplanté l'odeur de poudre. Le poison des plantes grimpantes ne neutralisait pas seulement les fonctions vitales, il hâtait le processus de décomposition. La plupart des hommes avaient noué un foulard ou une écharpe sur leur visage pour ne pas inhaler un air devenu délétère.

Solman était descendu du toit de la citerne mais s'était avéré incapable de rester debout. Affalé sur l'attache de la voiture, il avait délégué à Moram et Wolf la responsabilité du rassemblement et du nettoyage de la galerie. Quand l'amas de rongeurs fut réduit à un tapis épais mais franchissable, les Aquariotes se répandirent de part et d'autre de la galerie pour regagner leurs voitures ou leurs cabines.

Glenn demanda à Solman s'il pouvait s'installer avec lui dans le camion de tête.

« Je ne veux pas rester avec maman Raïma. Elle me fait trop peur. »

Solman le prit par le bras et le poussa devant lui vers l'avant du convoi.

« Putain de riche idée que t'as eue là ! » s'exclama Moram.

Ils roulaient depuis un quart d'heure. La pente de la galerie s'accentuait, et ils apercevaient dans le lointain un halo pâle, peut-être celui du jour. Une fatigue insidieuse se diffusait dans le corps de Solman, alourdissait ses membres, engourdissait ses pensées. Moram avait bu une gorgée de kaoua avant d'en proposer à ses passagers (trois maintenant, sa cabine était plus fréquentée que la couche de certaines femmes de sa connaissance). Wolf s'en était octroyé une généreuse rasade au goulot du thermos, mais Solman avait décliné l'offre : la seule odeur du kaoua suffisait à lui retourner le cœur. Quant à Glenn, il avait sombré dans un sommeil profond quelques minutes à peine après le départ.

« Tu devrais en boire, avait insisté Moram. Ça te tiendra éveillé. D'après mes calculs, ça fait un jour et une nuit qu'on se trimballe dans ce trou du cul du diable ! »

Aucune sirène de détresse n'avait retenti, signe que les camions de queue avaient roulé sans problème sur le tapis de rats.

« D'autant plus riche que ces satanés clébards risquent aussi de s'empoisonner, reprit le chauffeur.

— N'y compte pas trop, objecta Solman d'une voix somnolente. La preuve, ces chiens-là ne craignent pas les insectes[GM]. »

La tête de Glenn, assis entre Wolf et lui, lui pesait sur l'épaule. La fatigue avait ceci de bon qu'elle l'empêchait de penser à Kadija.

« Les chiens, je comprendrais encore, dit Moram. Mais les Slangs ? Comment se fait-il qu'ils n'aient pas été piqués ? Tu les as bien vus courir derrière les chiens et les solbots, non ?

— Ils ont sûrement été immunisés, intervint Wolf.

— Comment ? Par qui ?

— Par les anges, sans doute... »

Une bouche étincelante se découpait à l'extrémité de la galerie. Plus que cinq ou six cents mètres à parcourir, et ils déboucheraient enfin à l'air libre.

« Ouais, mais qu'est-ce qui nous attend dehors ? » marmonna Moram.

CHAPITRE 41

Les attendaient un ciel d'un bleu pâle traversé de traînées roses et un plateau tendu d'une blancheur immaculée. Pas tout à fait : on discernait, comme des figures géométriques estompées, des traces de pas à demi recouvertes par les averses de neige de la veille ou de la nuit. Des animaux étaient passés par là, ou plutôt avaient piétiné à cet endroit, car les empreintes décrivaient des circonvolutions caractéristiques d'une attente. On distinguait également la légère dénivellation d'une ancienne piste qui coupait par le centre du plateau avant de bifurquer au loin sur la gauche. Les sommets du Massif central s'échelonnaient alentour en courbes douces, apaisantes, teintées d'or clair par le soleil levant.

Le camion roulait sans difficulté sur la neige dure.

« Nom de Dieu, on revit ! » s'écria Moram.

Il vérifia que l'ensemble du convoi était sorti de la galerie avant de s'arrêter.

« Dix minutes pour permettre aux uns et aux autres de souffler, de manger, et on repart.

— Nous avons plus que dix minutes, dit Wolf. Les chiens et les solbots ont été bloqués par un éboulement. Ils ne seront pas là avant trois ou quatre heures. »

Solman dut s'arracher à sa torpeur pour suivre le Scorpiote, qui bondit sur le marchepied comme propulsé par un ressort. Ni le silence ni les courants d'air ni l'agitation ne réveillèrent Glenn, qu'il prit soin de recouvrir d'une couverture de laine trouvée dans la couchette.

La pureté de l'air froid, coupant, l'enivra. Il remonta le convoi d'un pas chancelant. Les hommes et les femmes qu'il croisa lui adressèrent de larges sourires, lui proposèrent du kaoua, de l'eau, des galettes de céréales, des fruits ou des morceaux de viande séchée. Comme il mourait de soif et de faim, il but plusieurs gorgées d'eau et accepta autant de nourriture que ses mains pouvaient en contenir. Puis il remercia ses donateurs d'un mouvement de tête et commença à grignoter tout en suivant à distance Moram et Wolf. Même s'il traînait la jambe, cette marche dans le froid matinal lui faisait le plus grand bien, effaçait sa fatigue, dispersait les cauchemars de l'interminable nuit passée dans le ventre de la terre. Il se souvint des paroles de Glenn lorsqu'il passa devant la voiture de Raïma, mais il repoussa à plus tard le moment de lui rendre visite. Il espérait qu'elle retrouverait bientôt la raison et qu'il ne serait pas obligé de tenir trop tôt sa promesse. Des éclaboussures pourpres maculaient les roues, les ailes, les calandres et les capots des camions qui avaient roulé sur les cadavres des rats.

Les chauffeurs et d'autres hommes convergeaient vers la queue du convoi et se rassemblaient devant la bouche de la galerie, qui, de loin, ressemblait à une grotte ordinaire avec son parement de rochers torturés et ensevelis sous la neige. Ceux qui avaient apporté de la nourriture, du kaoua et du vin en proposèrent aux autres. Ils mangèrent et burent en silence, les yeux rivés sur la sortie du labyrinthe souterrain. Lorsque Solman arriva à leur hauteur, ils se retournèrent à l'unisson et le contemplèrent avec, dans les yeux, quelque chose de plus que le respect et la gratitude, quelque chose qui évoquait de l'amour. Il se mordit l'intérieur des joues pour contenir les larmes qui lui venaient aux yeux. Ils le regardaient enfin comme l'un des leurs, et non plus comme un monstre boiteux qui avait la sale manie de fureter dans leurs greniers intimes. Ils appartenaient au même peuple, à la même fraternité, au même temps. C'était la première fois qu'il mangeait en leur compagnie, et ce repas partagé, même pris sur le pouce, avait pour lui davantage de valeur que les discours ou n'importe quelle autre manifestation de leur reconnaissance. Une onde de chaleur le parcourut, estompa la douleur à sa jambe, réchauffa ses pieds transis dans ses bottes. Il croisa le regard de Wolf et devina qu'il souriait, à ses yeux plissés, aux pattes-d'oie qui s'étaient creusées sur ses pommettes et ses tempes. Le Scorpiote paraissait heureux de l'hommage muet rendu par les Aquariotes à leur jeune donneur. Lui ne mangeait pas, comme s'il refusait de soulever son passe-montagne pour enfourner les aliments dans sa bouche.

« Faudrait condamner la sortie ou l'entrée, ça dépend dans quel sens on la prend, de cette galerie, lança Moram.

— Les solbots pulvériseront n'importe quel barrage, objecta quelqu'un.

— Et puis, avec quoi la condamner ? fit observer un autre. On ne peut pas sacrifier un camion, même ceux qui ont perdu leur pare-brise. Encore moins une voiture, on manque déjà de place.

— Y aurait peut-être une solution », fit un chauffeur entre deux âges.

Une plaque rouge lui marbrait la joue, une brûlure sans doute abandonnée par la crosse chauffée à blanc de son fusil. D'un geste, Moram l'invita à continuer.

« J'ai pris quelques bâtons de dynamite et un détonateur avant de quitter la ville fortifiée. Ceux dont on se sert... dont on se servait, avant, pour dégager les pistes. J'ai pensé que ça pourrait servir.

— T'aurais dû le dire plus tôt, gronda Moram. On aurait pu boucher la première galerie.

— Faire exploser quoi que ce soit dans le réseau souterrain nous aurait tous condamnés à l'ensevelissement, intervint Wolf.

— Combien de temps vous faut-il pour installer la dynamite ? demanda Solman.

— Le temps d'aller chercher le matériel, de brancher les fils, de coupler le détonateur, de mettre tout le monde à l'abri, y en a pour une petite heure », répondit le chauffeur.

Ils finirent de manger et se passèrent les thermos de kaoua. Des bruits de pas les firent se retourner. La silhouette menue d'Ismahil s'avançait à leur rencontre. Le vieil homme mâchait distraitement une galette de céréales.

« Un revenant ! cria Moram. Vous êtes au courant, au moins, qu'on a été attaqués par des saloperies de rats ? »

Ismahil prit le temps d'avaler une bouchée avant de répondre. Les rayons rasants du soleil miroitaient sur son crâne lisse.

« Je ne le sais que trop. Je suis allé aux nouvelles lorsque le convoi s'est arrêté. Quelqu'un m'a parlé des rats, et je suis aussitôt remonté dans la voiture. J'ai beau avoir plus de cent soixante-dix ans, je n'ai jamais réussi à vaincre ma répulsion des rongeurs. De tous les rongeurs sans exception. »

Si l'âge d'Ismahil n'étonnait pas outre mesure les Aquariotes, le bruit s'étant répandu qu'il était un savant de l'ancien temps, l'aveu de sa terreur les stupéfiait. Comment un homme de son expérience, comment un homme qui avait vécu les horreurs de la Troisième Guerre mondiale pouvait-il être à ce point effrayé par des rats ? Mystères de l'âme humaine...

« Heureusement qu'on n'est pas tous comme vous ! s'exclama Moram.

— Non, en effet. La science ni même la psychanalyse n'ont jamais apporté de vraies solutions aux phobies. J'ai connu un des plus grands esprits du siècle dernier, un mathématicien philosophe qui faisait des comparaisons somptueuses entre la structure de l'être et les mathématiques pures, eh bien, il n'a jamais réussi à se débarrasser de son obsession de téter les seins des femmes. De n'importe quelle femme, j'entends. Ça lui prenait parfois dans la rue. Il accostait la première passante et la suppliait de lui donner ses seins à téter. Le plus étonnant, c'est que quelques-unes acceptaient.

« — Si ç'avait été une femme et qu'elle ait demandé aux hommes de leur... enfin, vous voyez ce que je veux dire, je parie que seuls quelques-uns auraient refusé », gloussa Moram.

Ils éclatèrent de rire, y compris Solman, Wolf et Ismahil. À sa manière, le chauffeur venait de résumer la grande différence entre les hommes et les femmes. Leurs rires tonitruants, proches de l'hystérie, se prolongèrent un long moment, plus que nécessaire sans doute. Ils célébraient le bonheur d'être en vie, eux, les derniers hommes, les descendants des mathématiciens obsédés par les seins des femmes et des savants effrayés par les rats.

Ils se mirent à l'ouvrage. Les uns, dont Moram, inspectèrent l'entrée de la galerie pour choisir les endroits où poser les bâtons de dynamite, d'autres s'égrenèrent le long du convoi pour rassembler le matériel réparti dans diverses remorques, d'autres enfin se chargèrent d'éloigner les véhicules les plus proches et d'établir un périmètre de sécurité.

Adossé à une remorque, Solman les observait, admirait la précision de leurs gestes, l'harmonie qui se dégageait d'eux lorsqu'ils œuvraient dans un même élan, qu'ils poursuivaient un but commun. Il sentait, sur sa nuque ou sur sa joue, le regard insistant de Wolf, assis dans la neige quelques mètres plus loin, le fusil planté devant lui comme un étendard. L'image de Kadija le hantait à nouveau, mais il était trop las pour déployer la vision pénétrante et tenter de la localiser. La moindre velléité d'immersion dans les profondeurs de l'esprit se délitait dans des brumes de fatigue. Si Kadija était restée dans le labyrinthe souterrain, comme c'était probable, la condamnation de la galerie l'emmurerait à jamais dans les entrailles de la terre. Mais il admettait la nécessité de cette mesure de précaution. Même s'ils n'en avaient pas fini avec l'intelligence destructrice, les Aquariotes auraient au moins vaincu une de ses légions, lui auraient montré qu'ils pouvaient aussi lui porter des coups.

Les hommes entraient et sortaient de la galerie, les bras chargés de ces cylindres explosifs rougeâtres fournis par les Slangs. Aveuglés par leur désir de contrôler les peuples nomades, les troquants d'armes ne se rendaient pas compte qu'ils seraient éliminés dès qu'ils cesseraient d'être utiles. Solman se souvint de l'adoration avec laquelle le Slang avait fixé l'ange dans le cimetière d'engins militaires. Les officiers de l'Apocalypse exerçaient une emprise totale sur leurs soldats, la même qu'ils avaient exercée sur Katwrinn, la même que Katwrinn avait exercée sur les membres du conseil aquariote... la même que Kadija exerçait sur lui.

En même temps que le soleil, un vent tourbillonnant s'était levé, qui jouait dans ses cheveux et lui piquetait les oreilles. Il frissonna, remonta le col de sa canadienne, sortit son bonnet de sa poche et s'en recouvrit la tête. Un nuage enflammé traversait le bleu étincelant du ciel comme un rêve solitaire, hautain. Les hommes déroulaient maintenant les fils en direction du détonateur posé sur une caisse de bois à une cinquantaine de mètres de la galerie.

« Boiteux... »

Solman sursauta, brutalement arraché à ses rêveries. Wolf s'était approché de lui avec la discrétion qui le caractérisait, une discrétion d'ombre, de fantôme. Il le dévisageait avec une intensité fébrile, presque brûlante. Le bleu pâle de ses yeux tranchait sur les couleurs fanées de son passe-montagne. Personne ne leur prêtait attention.

« J'ai tellement de choses à te dire que je ne sais pas par laquelle commencer, dit le Scorpiote.

— Moi je sais, fit Solman avec un sourire. Je ne crois pas vous avoir encore remercié pour votre intervention contre les assesseurs du conseil. »

Une expression fugitive de tristesse troubla les yeux clairs de Wolf.

« Bah, je n'ai fait que verser un peu de sang. Un peu plus... Je n'ai pas de mérite, je suis attaché à ta surveillance depuis que tu es né. »

Solman se redressa, interloqué.

« Comment se fait-il que je ne vous ai jamais remarqué ?

— C'est le propre d'un bon ange gardien que d'intercéder sans révéler sa présence.

— Qui vous a chargé de ce rôle... d'ange gardien ?

— Personne. Les membres du conseil s'estimaient assez puissants pour se passer de mon aide. »

Wolf posa le fusil d'assaut contre sa jambe dans un gémissement de cuir desséché.

« Ils se croyaient même assez puissants pour négliger mes conseils, mes initiatives, reprit-il. Ils sont... ils étaient comme tous ces chefs de guerre qui rechignent à partager leur triomphe avec leurs subalternes. Oh, bien sûr, ils ont cherché à m'éliminer. J'étais pour eux un témoin gênant, une ombre qui ternissait leur gloire. Mais j'étais aussi sur mes gardes, et les apprentis assassins qu'ils m'ont envoyés n'étaient pas de taille. Combien en ai-je tués ? Trente, quarante... Des jeunes pour la plupart, de pauvres bougres auxquels ils promettaient une place de choix dans la hiérarchie aquariote. On a mis leur disparition sur le compte des hordes d'animaux sauvages. »

Le Scorpiote s'accorda un temps de pause. Il sembla à Solman que les rafales tourbillonnantes, cinglantes, n'étaient pas responsables des larmoiements de son vis-à-vis.

« Bien sûr, j'aurais pu, j'aurais dû me laisser tuer. La mort aurait été mille fois préférable à une vie de fantôme, à une méfiance de tous les instants, aux nuits sans sommeil, aux voyages dans les remorques ou sous les essieux, à la solitude implacable des assassins. Mais, si je mourais, plus personne n'aurait veillé sur toi, tu aurais été livré pieds et poings liés à la volonté des pères et des mères du peuple. Tant qu'ils me savaient là, j'étais leur menace, leur épine, leur hantise, ils n'osaient pas te maltraiter, te transformer à leur image, ils me redoutaient avec la même force que les sourciers craignent le venin des anguilles[GM]. »

Il eut un petit rire aigu, effilé comme un pic de glace.

« C'est sans doute ce qu'on appelle l'équilibre des pouvoirs. J'ai entendu dire, quand j'étais enfant, que les hommes de l'ancien temps se gardaient en paix de cette façon. Le jeu a duré dix-sept ans. Dix-sept ans pendant lesquels nous avons disputé, le conseil et moi, une incessante, une épuisante partie de cache-cache. Et puis la guérisseuse est tombée amoureuse de toi, t'a initié aux choses du sexe, t'a soustrait à leur influence, et, comme ils savaient que tu étais un vrai donneur, un juge des âmes, tu devenais dangereux pour eux, tu risquais de percer à jour tous leurs petits secrets. Ils ont donc décidé d'éliminer Raïma, puis de t'éliminer. Malheureusement pour eux, les chiens sauvages n'ont pas laissé à Rilvo le temps d'égorger la guérisseuse. Et les trois Neerdands chargés de te tuer au grand rassemblement sont tombés sur un os. Sur une balle, plutôt... »

Les yeux de Solman s'écarquillèrent de stupeur.

« C'était... vous ? J'ai toujours pensé que je devais la vie aux pères slangs. Ils disaient que j'étais précieux, qu'on devait veiller sur moi jour et nuit.

— Les Slangs sont des brutes manipulées par les anges, mais ils étaient loin de supposer que le conseil aquariote cherchait à supprimer son donneur.

— Comment avez-vous su que les trois Neerdands me tendraient un piège ?

— J'ai aperçu Katwrinn et Irwan en leur compagnie au début du grand rassemblement. Pas difficile de deviner leurs intentions. Je t'ai suivi dans tous tes déplacements. Ces trois-là étaient aussi de pauvres types. Un seul coup de feu, une simple blessure à la cuisse ont suffi à les égailler.

— Et comment vous... Ah, c'est vrai, vous voyez dans la nuit aussi bien qu'en plein jour.

— Une particularité qui m'a été rudement utile au long de ces années, soupira Wolf. Les assassins sont comme les chouettes, ils ne sortent que la nuit. »

Plus loin, sous le regard attentif d'Ismahil, les hommes achevaient de brancher les fils au détonateur. Bon nombre d'Aquariotes s'étaient regroupés autour du périmètre de sécurité pour assister à l'explosion.

« Pourquoi... pourquoi avez-vous fait tout cela pour moi ? » balbutia Solman.

En même temps qu'il avait formulé la question, des réponses s'étaient esquissées en lui, si incroyables, si inconcevables, qu'il en avait le souffle coupé, que toutes ses douleurs, passées et présentes, étaient revenues le hanter. Le sol se déroba sous ses pieds, et il dut s'appuyer au hayon de la remorque pour ne pas tomber.

« La solidarité entre donneurs, dit Wolf d'une voix hésitante. Mais pas seulement... »

Solman ferma les yeux. Allongé dans la chambre de toile de la tente, il percevait le souffle précipité de l'assassin, une odeur chargée de malheur se déployait dans la nuit, la peur l'écrasait sur son matelas, son urine brûlante, irritante, honteuse, imbibait les draps. Le visiteur venait de tuer ses parents, cela ne faisait pas l'ombre d'un doute. Sa respiration empestait les remords, la détresse, ses expirations sifflantes se prolongeaient en soupirs déchirants. Solman ne bougeait pas, comme empaqueté dans son réseau de nerfs, tout entier suspendu aux gémissements du tueur, aux froissements de la toile, aux craquements de la nuit. Il devinait, il savait que l'homme n'avait pas l'intention de s'en prendre à lui, mais il lui fallait fuir, échapper à cette atmosphère morbide qui le suffoquait, qui lui labourait le ventre. Il commença à se traîner sur le matelas avec une maladresse désespérante. Chacune de ses reptations faisait plus de bruit que les piquants d'un hérisson, il sanglotait, il reniflait, et l'assassin l'entendait, ne réagissait pas, comme s'il l'encourageait à partir. Il se glissa sous la toile intérieure de la chambre, qu'heureusement son père avait oublié de fixer, se retrouva le nez et la bouche dans l'herbe aplatie, roula sous la deuxième toile, plus épaisse, plus rêche, passa sous le ciel étoilé, se prit dans les cordes, buta sur un piquet. Les senteurs d'été embaumaient la nuit, fleurs, bruyères, menthe sauvage, résine...

Une nuit bien trop douce pour mourir. Il se releva et courut devant lui sans savoir où le portaient ses pas, les jambes fouettées par les branches basses des buissons. Il n'entendait ni les pas ni le souffle de l'assassin, mais il sentait sa présence derrière lui, une ombre vigilante, le gardien de ses cauchemars...

Solman rouvrit les yeux, constata que Wolf avait disparu. Il le chercha du regard parmi les hommes agglutinés autour du détonateur, puis au milieu des Aquariotes, mais sa haute et maigre silhouette demeura invisible.

« Tout le monde recule ! hurla Moram. Ça vaut aussi pour toi, Solman ! »

CHAPITRE 42

L'écho de la déflagration se prolongea de sommet en sommet. La chaleur de l'explosion se propagea sur le plateau comme une haleine de poudre. Les rochers s'effondrèrent dans un fracas d'orage. Une colonne de fumée ocre submergea le tertre qui se dressait au-dessus de la bouche de la galerie. Le vent la déchiqueta, la dispersa en quelques minutes, et le ciel fut bientôt rendu à son azur limpide.

Moram chercha des yeux l'approbation du donneur. Il s'aperçut que Solman pleurait à chaudes larmes, comme cela lui arrivait de temps en temps, sans raison apparente, et il préféra concentrer son attention sur Hora, qu'il avait repérée parmi les spectateurs installés aux premiers rangs. Parfois, il valait mieux éviter de battre avec le cœur du monde et se contenter d'écouter le sien. La jeune sourcière lui rendit son sourire d'une adorable moue. Moram perçut presque aussitôt le regard venimeux de Jazbeth, postée à quelques pas de sa rivale. Il n'avait jamais trop su comment s'y prendre pour rompre avec ses maîtresses, au point parfois qu'il en avait compté plus qu'il ne pouvait en satisfaire, même en abusant du kaoua. La condamnation de la galerie agissait sur lui comme un révélateur : c'était son passé, son ancienne vie, que la dynamite venait de souffler, et Jazbeth ne méritait ni son mépris ni son silence. Il adressa un nouveau sourire à Hora et s'avança d'un pas décidé vers son ancienne maîtresse.

Solman ne reverrait pas Wolf aujourd'hui. Leur conversation avait probablement causé au Scorpiote autant de peine, voire davantage, qu'à lui-même, et Wolf, comme un fauve blessé, était parti cacher sa souffrance dans l'un de ces recoins secrets qui avaient abrité l'essentiel de son existence. Les hommes rangeaient déjà le matériel dans les remorques et fêtaient cette petite victoire sur l'ennemi d'une gorgée de kaoua ou d'un verre de vin de fruits.

« Faudrait y aller maintenant. »

Moram, d'habitude si tonitruant, avait parlé d'une voix douce, respectueuse du chagrin du donneur. Solman s'essuya les yeux d'un revers de manche et aperçut, sur la joue du chauffeur, l'empreinte rouge vif d'une main.

« Jazbeth, expliqua Moram. Elle... euh, n'a pas supporté que je rompe et m'a balancé une gifle. Une vraie, bien sonore. Ça a fait rigoler tout le monde. Sauf Hora, qui est venue m'embrasser. Elle était encore plus rouge que moi ! Elle me plaît bien, cette petite.

— Tu veux dire que tu en es complètement amoureux ! releva Solman.

— Ah, tu crois ? C'est que je ne suis pas plus intelligent que les autres, alors ? »

Solman sourit.

« Seuls les idiots croient que l'amour rend idiot.

— Ben, si tous les maris n'étaient pas des idiots finis, leurs femmes ne seraient jamais venues me trouver. »

Ils se dirigèrent d'un pas tranquille vers le camion de tête. Autour d'eux, ce n'étaient que plaisanteries, éclats de rire, étreintes et bourrades. Le soleil, l'air pur et vif des montagnes redonnaient aux Aquariotes le goût de vivre.

Ils ont gagné un sursis, songea Solman, mais pour combien de temps ? Y a-t-il sur cette terre un endroit capable encore de les abriter ?

« Je suis désolé pour Kadija, dit Moram. Je me rends compte, maintenant, de toute l'importance qu'une femme peut avoir pour un homme. Pas simplement pour la... enfin, tu me comprends.

— Elle n'avait pas seulement de l'importance pour moi, répondit Solman. Mais pour nous tous.

— On tâchera de s'en sortir sans elle. On continuera à pied si on tombe en panne de gaz. »

Les chauffeurs vérifièrent les attaches des voitures et des remorques. Le soleil, déjà haut dans le ciel, plaquait un or scintillant sur la moitié de la surface du plateau. Ses rayons vifs dispensaient une chaleur revigorante entre les rafales.

« Et Wolf, qu'est-ce qu'il te voulait ? » s'enquit Moram.

À califourchon sur l'attache, il redressait la tige filetée d'un écrou en se servant de la crosse de son revolver comme d'un marteau.

« Me parler du passé, répondit Solman, évasif.

— Le passé est mort.

— Il a vécu pendant des siècles à travers les anciens hommes, et il continue à vivre à travers nous. Parce que nous ne l'avons jamais regardé en face. Parce que nous n'acceptons pas de nous regarder avec les yeux de l'amour. »

Moram s'interrompit et lança au donneur un regard perplexe.

« C'est que... c'est pas toujours facile de se supporter. On est plutôt à l'étroit dans cette putain de carcasse. De là à se regarder avec amour, comme tu dis, il y a un sacré fossé ! »

Trois ululements graves et brefs incisèrent le silence majestueux du massif. Le chauffeur leva la tête avec la vivacité d'un animal aux abois.

« Eh, c'est à moi de donner le signal du départ ! Et pas avec trois coups, mais cinq. »

Ils se précipitèrent vers l'avant du camion.

Ils distinguèrent alors les centaines de points noirs et mouvants qui, dans le lointain, couvraient toute la largeur du plateau. Quelqu'un frappa sur le pare-brise. Le visage encore ensommeillé et inquiet de Glenn se découpait derrière la vitre éclaboussée de lumière.

« On dirait... des chiens », fit Moram d'un ton sinistre.

Solman, pourtant, n'avait pas ressenti ce mal au ventre qui l'informait de l'approche des légions de l'Apocalypse. Les animaux étaient encore trop éloignés pour qu'on puisse les distinguer, mais ils paraissaient marcher d'une allure paisible, comme sûrs de leur fait.

« On grimpe dans les camions et on fonce à toute blinde dans le tas ! » grogna Moram.

Solman prit le chauffeur par le bras.

« Attends. »

Il venait en effet de remarquer la silhouette qui avançait au milieu de la horde.

La silhouette élancée, aérienne, d'un ange.

CHAPITRE 43

Assise dans la neige, Kadija devait se résigner à l'évidence : sa sœur n'était plus.

Benjamin avait perdu sa trace un demi-siècle TT (temps terrestre) plus tôt, soit vingt années TT après son départ. Elle était restée en fréquence tribale au début, puis ses communications s'étaient brouillées, comme perturbées par l'atmosphère de la terre, et, après un dernier échange où elle avait tenté d'exprimer cette notion inconnue qu'était la souffrance, elle s'était définitivement tue.

La mort, pourtant, n'était pas inscrite dans le futur des Saints.

Kadija recevrait bientôt son nom d'Éternelle, mais elle s'était habituée à celui que lui avaient donné Ismahil et ses amis. Elle commençait de même à s'accoutumer à la souffrance – un concept absent de sa mémoire mentale et organique – qui la cernait à la façon d'une prédatrice omniprésente et tenace.

Souffrance physique d'abord, la gravité qui plaque au sol, qui sollicite sans cesse muscles, organes et nerfs ; souffrance morale ensuite, le frottement blessant avec les émotions, les sentiments, le passé des hommes. Bien que reliée en permanence à la fréquence de Benjamin, qui pouvait ainsi analyser ses réactions et lui proposer les réponses appropriées, elle se sentait coupée des siens, fragmentée, abandonnée. Elle se demandait si les onze tribus installées sur terre ou dans les profondeurs océanes éprouvaient les mêmes sensations qu'elle. Bien

443

que le temps approchât du rassemblement des Saints dans leur nouvelle demeure, elle ne savait rien des autres tribus. Conformément aux préceptes de l'*Eskato*, elles avaient cessé de communiquer entre elles pour « poursuivre dans le silence l'œuvre de purification qui engendrerait des êtres irréprochables, dignes de l'arbre de vie ».

Pouvait-on réellement s'affranchir des lois de la Terre ? De cette course incessante contre le temps qui avait entraîné les hommes à leur perte ? Benjamin avait estimé que la sœur envoyée en reconnaissance soixante-dix ans TT plus tôt avait été victime de son manque de préparation, mais, même en jouissant d'une immunité renforcée, Kadija avait elle-même conscience de perdre un peu de son intégrité à chaque seconde qui s'écoulait. Elle ne s'était pas portée volontaire, car le concept de volonté, ou d'affirmation du moi, ne revêtait aucune signification au sein de la tribu, mais l'analyse avait montré que ses aptitudes génétiques en faisaient l'élément le plus qualifié pour partir à la recherche de la sœur disparue. Elle avait été installée, après une préparation méticuleuse, dans l'un de ces tubes à énergie solaire qui serviraient bientôt à conduire les Saints dans leur nouvelle et dernière demeure. Benjamin avait profité de l'occasion pour vérifier la fiabilité du système de transport qu'il avait mis au point en se servant à la fois de la science des hommes et de ses propres connaissances. En état cataleptique, elle n'avait gardé aucun souvenir d'un voyage qui avait duré trois jours TT selon sa chronologie interne. Lorsqu'elle s'était réveillée dans la demeure d'Ismahil et de ses amis, elle avait reçu un tel choc qu'elle s'était révélée incapable de réagir, de synchroniser ses ressources mentales et physiques. Allongée sur un matelas d'où montait une odeur oppressante, offerte à leurs regards comme les femmes de l'ancien temps soumises à la concupiscence des hommes, elle avait mis deux jours à s'adapter, à modifier son métabolisme, à se familiariser avec la gravité, l'épaisseur de l'air, la grossièreté vibratoire de ses hôtes humains, puis

444

une semaine supplémentaire pour découvrir et maîtriser les fonctions principales de son corps écrasé par la pesanteur.

Une fois habituée à son nouvel environnement, elle avait capté la présence de sa sœur : une sourdine lointaine, un frémissement ondulatoire, un écho étouffé du chœur de Benjamin. Elles étaient marquées du même sceau et, bien qu'agressées par la densité de l'atmosphère, bien que séparées par l'espace et le temps, elles s'étaient aimantées comme deux particules de charge opposée assez puissantes pour s'attirer à des centaines de kilomètres de distance. Elle s'était mise en route, pressée de quitter la demeure souterraine d'Ismahil et de ses amis. Elle avait d'abord piqué tout droit vers la mer Méditerranée puis traversé le marais du littoral en direction de l'ouest.

Curieusement, elle avait pris goût à la marche, aux caresses de l'air froid sur sa peau, au spectacle envoûtant de l'eau calme et lisse qui reflétait nuages, soleil, sentiers et végétation. À cela non plus, elle n'avait pas été préparée. La beauté paisible du marais ne correspondait en rien aux images de destruction, de barbarie, de désolation, que sa mémoire gardait de la Terre.

L'empreinte ondulatoire de sa sœur s'était subitement effacée.

Alarmée, Kadija s'était immobilisée au milieu d'un sentier envahi d'herbes noires et était restée un long moment en symbiose avec Benjamin. L'analyse globale n'avait pas apporté d'élément nouveau, sans doute parce que la tribu était aussi perturbée qu'elle. Et puis, c'était à elle, l'envoyée, de prendre des initiatives, de surmonter les difficultés dont la fraternité, là-haut, ne saisissait pas toutes les données. Elle avait donc décidé de poursuivre en direction de l'ouest, parcourant des dizaines de kilomètres sans s'arrêter, fascinée par les scintillements de la mer qui apparaissait de temps à autre entre les buissons et les bosquets d'arbres torturés. La nuit l'avait enveloppée comme une cape sombre.

Des milliers d'étoiles s'étaient allumées dans le ciel et dans l'eau.

Vue d'en bas, l'immensité cosmique prenait une tout autre dimension. La différence se faisait flagrante, criante, entre la légèreté du vide et l'attraction terrestre. L'univers se réduisait soudain à cette vision géocentrique qui avait de tout temps maintenu les hommes dans le culte de leur propre importance. La gravité n'avait pas seulement rivé leur corps à la croûte terrestre, mais également leur esprit.

Comment le leur reprocher ? Si l'*Eskato* n'était pas venu délivrer ses enseignements, les tribus elles-mêmes n'auraient pas échappé à cette matérialisation, à ce durcissement inéluctable de l'être. L'univers entier était condamné au refroidissement, et l'esprit, cette trace du feu primordial, devait être sauvegardé dans une enveloppe appropriée, délivrée de la hantise du temps, s'il voulait conserver son incomparable fluidité. Les cris des crapauds et des rapaces nocturnes avaient bercé le rythme de ses pas et le balancement de ses bras. Le soleil levant avait éclaboussé le marais de lumière. Émerveillée par la splendeur des mares enflammées qui se fragmentaient à l'horizon comme les facettes d'un immense joyau, elle avait tenté de transmettre ses impressions à Benjamin. L'analyse lui avait renvoyé un écho laconique : ne pas se laisser distraire par les mirages terrestres, rester concentrée sur la mission.

Ismahil l'avait retrouvée au milieu du jour à l'aide de son glisseur pétaradant et puant. Elle avait accepté sa robe et sa compagnie, toutes les deux dérangeantes, parce que, Benjamin le lui avait confirmé, l'association avec un humain augmentait les probabilités de réussite. Puis, après quelques heures de marche silencieuse, une nuée de sauterelles[GM] s'était déployée derrière eux comme un filet gigantesque et bruissant. Elle avait décelé l'empreinte de l'*Eskato* dans l'apparition des insectes venimeux. Ismahil avait poussé un cri et s'était mis à courir pour essayer d'échapper au fléau. Kadija, elle, avait d'abord évalué le danger et cherché la réponse adéquate dans la symbiose, la réponse en tout cas qui lui coûterait le moins d'énergie : elle avait la possibilité, en cas de piqûre, de neutraliser l'action du venin en activant la fonction détoxiquante logée dans son foie, mais le nettoyage de son sang nécessiterait une catalepsie de trois jours. Elle avait donc opté pour la fuite, comme le vieil homme. Elle l'avait rapidement dépassé puis elle avait ralenti sa course pour l'attendre.

« Des bruits de moteur », avait hurlé Ismahil, essoufflé, en sueur.

Un engin roulant était apparu au loin quelques minutes avant que les sauterelles opèrent la jonction.

C'est ainsi que Kadija avait fait la connaissance des deux Aquariotes, Solman et Chak. Elle s'était immédiatement rendu compte qu'elle exerçait un désir irrépressible chez le chauffeur, comme s'il recherchait la fusion éblouissante à travers elle de la même façon que particules et antiparticules s'annihilent en une mort de lumière. Elle n'avait pas eu le temps de s'en troubler, la vision de Solman l'avait visitée, transpercée et, le temps du passage de la nuée, l'avait envoûtée avec la même suavité que l'eau des marais captivait les nuages, la lumière et les roseaux. Son chant à la fois beau et triste avait éveillé des sensations inconnues en elle, l'avait reliée avec des souvenirs d'avant sa conception, d'avant... l'éternité. L'*Eskato* dépeignait pourtant les humains comme des créatures laides, corrompues, grossières, souillées, qui, à l'image symbolique des deux premières d'entre elles, méritaient toutes d'être bannies de l'Éden. Les hommes, les fils bien-aimés de la chaleur originelle, avaient saccagé leur écrin, cédé aux pulsions bestiales, concouru au refroidissement de l'univers, à l'extinction de toute étincelle de vie. Comment se faisait-il en ce cas que l'esprit de l'un d'eux, un infirme, un impur, eût assez de fluidité et de puissance pour passer à travers elle comme une radiation primordiale ? Pour ouvrir des brèches sur le rempart d'oubli qui délimitait sa mémoire, sa conscience, ses connaissances ?

Elle avait pris peur, et, les jours qui avaient suivi son arrivée chez les Aquariotes, elle avait évité Solman, elle s'était retranchée aussi loin que possible en elle-même, s'engourdissant dans une sorte de léthargie mentale et laissant son corps agir à sa place. Benjamin était également demeuré neutre, perplexe, dans l'expectative. Il attendait d'en savoir un peu plus sur la première sœur disparue pour lui délivrer ses instructions.

L'intrusion de Chak dans la voiture avait brusquement tiré Kadija de son inertie. Lui était un homme comme les décrivait l'*Eskato*, presque rassurant dans sa normalité, dans sa bestialité. Un moment interloquée, elle avait fini par trouver la riposte adéquate, sans colère, seulement tendue vers l'efficacité. Lui tordre les testicules ne lui avait procuré aucune sensation particulière. C'était une expérience comme une autre sur un tissu vivant, un phénomène classique d'action-réaction. Déchirer les chairs à certains endroits, aux points faibles, entraînait une névralgie et réduisait les humains à l'impuissance. La violence de l'odeur et du désir du chauffeur, en revanche, l'avait hantée durablement, de même que la vision de son sexe dressé au-dessus de sa tête comme une arme. Sa mémoire contenait un certain nombre d'informations sur les relations sexuelles d'après la Chute, que l'*Eskato* assimilait à la perte de l'innocence primitive, au commencement de la fin. Le prix à payer, pour connaître un plaisir passager qui n'était finalement qu'une poignée de cendres de la fusion originelle, était exorbitant : la sexualité, la célébration de la dualité, impliquait l'acceptation des cycles, donc la soumission au temps.

Elle avait commis ensuite une imprudence étonnante en mangeant la gaufre prétendument offerte par les Aquariotes. Même si elle n'éprouvait pas – pas encore... – le besoin de reconstituer son énergie physique avec un apport de nourriture, elle s'était montrée incapable de résister à l'envie de mordre dans cette pâtisserie odorante en forme de cœur.

Ingérer et digérer les aliments était également une forme de cycle, une autre prière d'insérer dans le temps. À l'issue de son combat silencieux contre le poison, la seule explication qu'elle avait trouvée à son impulsion était que la vie sur Terre engendrait des contraintes particulières, que les organes y avaient leur utilité, leur importance.

Peut-être cherchait-elle à comprendre les derniers hommes à travers leur mode de survie ? Comprendre les hommes ou... Solman ?

Elle ne parvenait plus à chasser Solman de ses pensées. Elle n'en avait ni l'envie ni la volonté. Un élan incompréhensible l'avait poussée à le veiller après son évanouissement dans l'église de la petite ville fortifiée, à le rejoindre dans la cabine du camion de tête, à rechercher sa compagnie, son contact. L'*Eskato* ne l'avait pas préparée à cette attirance, si duelle, si contraire aux lois de l'Ultime Évolution qu'elle avait l'impression de renier sa nature, de trahir l'ensemble des tribus par la même occasion. Solman l'entraînait irrésistiblement sur la pente humaine, dans la spirale fatale du temps. Au bout, il y avait le néant, la mort, cela ne faisait pas l'ombre d'un doute. Or elle avait parcouru le chemin de l'immortalité, comme tous les Saints, comme tous les Justes de l'*Eskato*, elle vibrerait bientôt avec le chœur secret de l'univers, elle brûlerait du feu infini qui sous-tendait la Création.

Pourquoi Benjamin lui avait-il imposé cette épreuve ?

La réponse s'était aussitôt dessinée : la sœur disparue n'a fait que jeter les bases, il te revient d'achever ce qu'elle a commencé. La tribu cherche, à travers toi, à travers cette immersion dans la conscience individuelle, des réponses à une interrogation préoccupante, fondamentale. Des doutes ont fissuré les certitudes et troublé la pureté des enseignements de l'*Eskato*.

Benjamin est-il le seul dans ce cas, ou bien les autres tribus disséminées sur terre et dans les océans expriment-elles la même perplexité ?

Les autres tribus n'ont pas suivi le même cheminement, sans doute parce qu'elles n'ont jamais quitté l'atmosphère terrestre. Elles ont capté la fréquence de notre sœur disparue et se sont servies d'elle pour accélérer l'Apocalypse, l'œuvre de purification.

Est-ce qu'elles se servent aussi de... ma fréquence ?

C'est un risque que nous devons courir...

Elle entendit soudain des cris, des jappements. Elle se leva et, sans prendre la peine d'épousseter la neige de sa robe, se dirigea vers la source des bruits, délaissant le petit tas formé par ses autres vêtements et ses chaussures. Le soleil dorait le bleu du ciel et illuminait le blanc les montagnes. La petite planète perdue dans un coin du disque galactique méritait en cet instant le titre que lui avait attribué l'*Eskato* : le nouvel Éden, la demeure pure des Saints.

Un risque...

Elle avait jugé qu'elle devait s'éloigner au plus vite de la caravane aquariote. Elle avait parcouru en courant la succession de grottes et la galerie qui donnait sur l'extérieur. Elle devait maintenant trouver un moyen de mettre le peuple de Solman à l'abri des anges de l'Apocalypse. Utiliser la parole au besoin, même si l'*Eskato* considérait la communication orale comme une erreur, comme une offense au silence majestueux de la Création. Car, telle était l'idée de Benjamin, telle était la raison de sa présence sur Terre, il ne fallait à aucun prix que les derniers hommes disparaissent avant le rassemblement des Saints. Or ces aboiements retentissaient comme autant d'appels à l'extermination.

CHAPITRE 44

Une bourrasque cinglante souffla l'espoir de Solman comme la flamme d'une bougie. Glenn, qui avait déniché des jumelles dans la boîte à gants de la cabine du camion, les lui avait aussitôt apportées, rechignant à les pointer lui-même sur la silhouette sombre qui avançait au milieu de la horde de chiens. Ce troupeau et son mystérieux berger effrayaient le garçon bien davantage que les rats du labyrinthe souterrain. D'eux se dégageait quelque chose de démoniaque, une détermination froide, calculée qui se lisait dans leur allure tranquille, dans la cohérence de leurs mouvements, dans le flamboiement de leurs yeux.

Ce n'était pas Kadija qui se tenait au milieu des chiens, comme Solman l'avait espéré dans un premier temps. Les points communs entre la silhouette et la jeune femme, chevelure charbonneuse, peau d'une blancheur de neige, démarche aérienne, l'avaient entretenu pendant quelques instants dans l'illusion, mais il avait pris conscience de son erreur lorsqu'il avait capturé l'ange dans les cercles grossissants des jumelles. Un ange identique à celui qu'il avait aperçu dans le cimetière d'épaves du bas de la ville fortifiée : même aspect androgyne, même vêtement informe et drapé qui tenait lieu à la fois de veste, de robe et de pantalon. N'était-ce la couleur de l'étoffe, d'un brun sombre qui tirait sur le noir, on aurait pu penser qu'il avait suivi une autre piste avec ses centaines de chiens pour attendre les Aquariotes à la sortie du labyrinthe souterrain, comme un chasseur dix fois plus perspicace et rapide que son gibier. Les animaux ne se pressaient pas, contrairement aux hordes sauvages ordinaires qui, stimulées par leurs instincts, perdaient tout contrôle à l'entame de la curée.

Solman baissa les jumelles.

« On fait comme tu as dit, murmura-t-il. On roule sans s'arrêter, on fonce dans le tas. »

Les chauffeurs, regroupés derrière eux, piétinaient dans la neige et trituraient nerveusement leurs armes dans l'attente d'un signe, d'un ordre. Moram eut une moue dubitative.

« Je ne sais pas si c'est une bonne idée, finalement. Ils sont moins nombreux que les rats, mais c'est pas tout à fait le même genre de bestiole. Ils courent vite, ils sont puissants, résistants, sûrement capables de sauter sur les capots et de défoncer les pare-brise. Sans compter que deux camions ont déjà perdu les leurs...

— Tu proposes une autre solution ? »

Le chauffeur retira son bonnet et, du plat de la main, frotta un crâne qu'il n'avait pas rasé depuis plusieurs jours et qui, comme ses joues, se couvrait d'un gazon ras et rêche.

« Il ne nous reste plus beaucoup de munitions, et, quand bien même, je ne suis pas persuadé que les balles arrêteraient ces putains de clébards... »

Il fallait prendre une décision pourtant. Déployée sur toute la largeur du plateau, la meute avançait avec la force implacable d'une vague sombre.

« Et puis, les idées, c'est ton rayon », ajouta Moram en lançant un regard de biais au donneur.

Solman s'abstint de lui avouer que son esprit était vide, neutre. De la même façon qu'il n'avait pas ressenti la douleur au ventre qui le prévenait habituellement du danger, ses tentatives de recourir à la vision demeuraient infructueuses, comme si le problème posé par l'ange et sa terrible légion outrepassait le seuil de sa compétence. Comme s'il n'y avait aucune solution dans le désert blanc qui miroitait sous les ors du soleil. La condamnation de la galerie et la herse de reliefs dressée de chaque côté du tertre interdisaient toute marche arrière. De toute façon, jamais les Aquariotes n'auraient accepté de retourner dans le cauchemar du labyrinthe souterrain. Il ne leur restait plus qu'à démarrer les camions et prendre un maximum de vitesse avant que la horde ait comblé l'intervalle. Rouler à fond sur cette neige, au risque de déraper, de perdre tout contrôle sur les véhicules. Au risque, comme l'avait souligné Moram, de voir les molosses sauter sur les capots, pulvériser les pare-brise et sauter à la gorge des conducteurs. Des chiens sauvages communs n'en auraient pas eu l'audace, mais on ne connaissait pas la puissance, la férocité et l'agilité de ceux-là, et leur attaque du campement aquariote dans les plaines du Nord tendait à prouver qu'ils ne craignaient pas grand monde ni grand-chose sur cette Terre.

« Donne le signal du départ, Moram », dit Solman.

Il se sentait étrangement calme, incapable de s'imprégner de la réalité de cette scène. Il n'y aurait pas eu les autres, les derniers hommes, il se serait couché dans la neige et aurait attendu la mort avec sérénité, voire avec soulagement. Il ne serait pas fâché de quitter ce corps contrefait, d'offrir son esprit aux vents, d'être dispersé dans les vides de cet univers à la fois si intime et si froid.

« Si tu penses qu'il n'y a pas moyen de faire autrement, lâcha Moram avec résignation.

— Nous roulerons de front, sur toute la largeur du plateau. Vague contre vague. La plus résistante l'emportera. »

Moram transmit les consignes aux autres chauffeurs, se hissa dans la cabine et actionna la sirène pour enjoindre aux Aquariotes de remonter dans les voitures. Solman et Glenn prirent place sur la banquette passagers après qu'il eut démarré le moteur.

« Va falloir s'accrocher ! cria Moram. Ça risque de chahuter pas mal sur cette foutue patinoire.

— Pense à Hora, fit Solman avec un sourire. J'ai cru la voir s'installer dans la voiture accrochée à ton camion.

— Je sais, c'est même moi qui le lui ai suggéré... »

Solman se demanda où était passé Wolf. L'occasion ne se présenterait peut-être plus jamais de mettre un terme à leur discussion, de dissiper les dernières zones d'ombre, et il en concevait des regrets.

Le chauffeur desserra le frein à main en secouant la tête d'un air abattu.

« La vie est mal faite, bordel. J'ai eu toutes les autres femmes sans les vouloir, je veux Hora et je ne pourrai sans doute jamais l'avoir.

— Tu es devenu bien pessimiste d'un seul coup... »

Dans un grondement assourdissant, dans un miroitement de métal et de verre, les trente véhicules aquariotes vinrent s'aligner de chaque côté du camion de tête.

« Devenu pessimiste, moi ? T'es pas si futé pour un clairvoyant ! grogna Moram. Pessimiste, je l'ai été depuis que j'ai ouvert les yeux sur ce putain de monde ! »

Il donna cinq coups de sirène, embraya, accéléra et s'assura d'un regard machinal que les autres camions suivaient le mouvement.

Les chauffeurs roulaient très près les uns des autres, parfois à moins de deux mètres de distance, à la même allure, animés par la volonté de ne former qu'une seule et grande lame d'acier, un soc compact qui creuserait un sillon dans la horde, qui ouvrirait un passage vers la survie, vers l'avenir. Ils soulevaient des gerbes de neige dont l'écume giflait les pare-chocs, les ailes, les capots et les vitres.

Les chiens se mirent à galoper, à bondir, comme pour accorder leur propre vitesse à celle des camions. Ils cessaient d'être des soldats disciplinés et sûrs de leur force, ils libéraient leurs instincts, ils tendaient leur énergie et leurs muscles vers un seul but, débusquer les êtres vivants terrés dans leurs cavernes d'acier rugissantes, les déchiqueter, les dévorer.

« Putain de Dieu, souffla Moram. L'ange court aussi vite qu'eux ! »

Courir n'était probablement pas le terme le mieux approprié pour décrire l'allure de l'ange qui, effectivement, avançait au milieu des formes bondissantes sans marquer le moindre signe de fléchissement. Cheveux flottant autour de son visage comme une auréole de flammes noires, il semblait poussé par le vent ou par le souffle de la meute quelques centimètres au-dessus de la neige.

« Y a de la magie, là-dessous », dit Moram d'une voix blanche.

Solman ne répondit pas, mais il n'était pas aussi certain que le chauffeur d'assister à un phénomène magique. On ne connaissait pratiquement rien de l'univers, des lois qui le gouvernaient. L'ange était peut-être, comme Kadija, le produit d'une évolution différente, le représentant d'un règne nouveau destiné à succéder à celui des hommes. Glenn essaya de dissiper le froid de sa peur en se blottissant dans la chaleur du corps de son grand frère. L'aiguille du compteur indiquait soixante kilomètres-heure et, déjà, des vibrations secouaient la cabine. Lourds, perchés sur leurs roues comme des échassiers, les camions aquariotes n'étaient pas conçus pour la vitesse, surtout sur un sol aussi incertain, aussi glissant que l'était le plateau enneigé. Leurs chevaux leur servaient principalement à tracter citernes, voitures et remorques sur tous les types de terrain, tant sur les pistes tortueuses des massifs montagneux que sur les immenses étendues d'herbes de l'Europe du Centre ou dans les bourbiers de l'Europe du Nord à la saison des pluies.

Le visage perlé de gouttes de sueur, Moram restait concentré sur la conduite, évitant de fixer la meute lancée à toute allure : étant donné les faibles intervalles entre les camions, le moindre dérapage aurait eu des conséquences dramatiques. Il s'efforçait également de ne pas penser à ce qui se passerait quand les chiens se jetteraient sur les capots et pousseraient les chauffeurs à commettre des écarts. L'idée de Solman, rouler de front, n'était sans doute pas si bonne que ça, mais la formation habituelle en colonne aurait présenté d'autres inconvénients, entre autres la possibilité pour les molosses de couper la caravane en de multiples tronçons et d'isoler les camions.

« On va bientôt cogner ! » glapit Moram.

Soudain, alors qu'une distance de deux cents mètres séparait les deux fronts, les chiens s'arrêtèrent et se couchèrent dans la neige. L'ange resta debout, immobile, le visage tourné vers la droite du plateau, comme s'il attendait quelque chose ou quelqu'un.

« Eh, on dirait que ces satanés clebs ont la trouille ! »

Moram avait inconsciemment relâché l'accélérateur, et les autres chauffeurs également, puisque aucun camion n'avait dépassé le sien. Solman repoussa Glenn, s'empara des jumelles et les braqua dans la direction du regard de l'ange. Les cercles grossissants errèrent un petit moment sur la neige avant de capturer une silhouette qui dévalait la pente de l'un des monts bordant le plateau.

« Freine ! cria Solman.

— Pourquoi ? Qu'est-ce que...

— Freine, je te dis ! »

La voix tranchante du donneur dispersa les réticences de Moram. Tout en donnant de petits coups sur la pédale de frein, il rétrograda et pressa à trois reprises le poussoir de la sirène. Le brusque louvoiement du véhicule placé à sa droite lui confirma que ses collègues réagissaient au signal de détresse. Les ailes des deux camions se touchèrent, mais le fracas de tôles froissées, s'il provoqua une pluie d'étincelles et arracha à Glenn un cri de terreur, n'affola ni Moram ni l'autre chauffeur. Ils s'éloignèrent l'un de l'autre de façon progressive, corrigeant avec délicatesse la dérive engendrée par le frottement. Les roues des remorques et des voitures qui les avaient dépassés soulevaient d'immenses gerbes de neige illuminées par le soleil. Elles se pulvérisaient sur les pare-brise et rendaient la visibilité quasi nulle. Moram avait l'impression d'avancer dans une brume scintillante au milieu d'autres masses sombres lancées à l'aveuglette et incapables de maîtriser leur glissade.

Le camion s'immobilisa enfin dans un hurlement de freins torturés. Moram coupa le moteur, resta prostré un petit moment sur le volant, se redressa et constata que l'ensemble du convoi s'était arrêté sans autres dommages qu'un peu de tôle cabossée et de courts dérapages qui avaient imprimé un mouvement circulaire à certains véhicules et à leurs attelages. Les roues avaient creusé des sillages profonds dans la neige, le vent avait dissipé l'écume blanche, le silence était retombé sur les environs. Il tressaillit lorsqu'il aperçut les chiens allongés à une vingtaine de mètres à peine de son pare-chocs. Il tira machinalement l'un de ses revolvers et vérifia le barillet.

« J'espère que tu sais ce que tu fais, donneur ! »

Solman ne l'écoutait pas. À l'aide des jumelles, il suivait la progression de la silhouette qui se dirigeait vers l'ange, toujours debout au milieu de la horde.

« Il sait toujours ce qu'il fait, protesta Glenn, qui ne supportait pas qu'on mette en doute les capacités de son grand frère.

— C'est beau, l'optimisme », soupira Moram.

Glenn s'abstint de répliquer : il ne savait pas ce qu'était l'optimisme, pas plus qu'il n'avait compris le sens du mot pessimiste. Et puis son cœur battait tellement fort que le martèlement emplissait tout son corps et que les mots peinaient à sortir de sa bouche. Bien que terrorisé, il ne parvenait pas à détacher son regard de l'ange et de ses chiens.

« Qu'est-ce qu'on fout maintenant ? grogna Moram. L'autre salopard va envoyer ses chiens nous bouffer les c... »

Il s'interrompit, se rendant compte que Glenn n'était pas encore en âge d'entendre le langage des chauffeurs. La place d'un enfant, d'ailleurs, n'était pas dans la cabine, mais à l'arrière, dans une voiture. Les chauffeurs, c'était une de leurs règles tacites, détestaient que les autres Aquariotes, petits ou grands, viennent s'immiscer dans leur univers. Eux ne se mêlaient pas des rhabdes des sourciers ni des ouvrages des tisserands ou des activités des autres membres du peuple de l'eau, ils souhaitaient en retour qu'on les laisse s'organiser entre eux, avec leur kaoua, leurs manières frustes et leur langage ordurier.

« Alors ?

— On attend que Kadija ait parlé à l'ange, répondit Solman d'une voix absente.

— Kadija ? »

La surprise creusa les rides de Moram, transforma son visage rond en un masque d'écorce. Il distingua, sur la surface miroitante du plateau, une forme sombre, floue, qui semblait être une femme en mouvement. Il brûlait d'envie, à présent, d'arracher les jumelles des mains de Solman, mais le respect qu'il vouait au donneur – le même respect affectueux qu'un enfant éprouvait pour ses parents, du moins le supposait-il, il n'avait pas connu ses parents – l'en dissuada. Il rongea son frein en vérifiant le barillet de l'autre revolver, puis en comptant les balles en vrac dans les poches de sa veste.

« Je descends, dit Solman. Vous, vous ne bougez pas.

— Hein ? T'es malade ! rugit Moram. C'est pas parce que les clébards se sont... »

Solman ouvrit la portière, une rafale d'air froid s'engouffra dans la cabine.

« La fille n'a sûrement pas besoin de toi pour régler le problème avec cet enc... avec l'ange, insista le chauffeur.

— C'est notre avenir qui est en jeu, rétorqua Solman debout sur le marchepied. Il faut que les hommes soient représentés. Je suis votre donneur, c'est donc à moi d'y aller. »

Moram hocha la tête, conscient que toute tentative d'infléchir la détermination de Solman serait inutile. Et puis, il pressentait que le donneur avait raison : les derniers hommes étaient depuis trop longtemps absents des cercles où se jouait leur destinée, il était temps pour eux de prendre le taureau par les cornes, de manifester haut et clair leur présence, leur légitimité, leurs désirs.

Le chauffeur ne put s'empêcher de frémir lorsque Solman s'avança vers la horde, puis il commença à se détendre en constatant que les chiens ne bougeaient pas. Le courage – l'inconscience ? – du boiteux l'emplit d'admiration : lui, il aurait probablement fait dans son froc s'il lui avait fallu traverser seul une meute de fauves dont chacun pesait à vue cent kilos et dont les crocs, reposant sur les babines plissées, mesuraient entre sept et quinze centimètres de longueur. Solman marchait sans hâte, et sa fragilité, son boitillement donnaient encore plus de relief à sa témérité. Les yeux de Moram s'emplirent de larmes. Il prit conscience qu'il avait bien davantage que du respect pour le donneur de son peuple, il ressentait... oui, il pouvait le reconnaître sans rougir... de l'amour. Un amour différent de celui qui le poussait vers Hora, un amour qui n'avait pas de visage, pas d'enjeu, un amour qui se suffisait à lui-même comme il suffisait au soleil, là-haut, de paraître pour réchauffer la terre.

Une prémonition lui souffla que Solman, telle une étoile filante, éblouirait les ténèbres de ses feux avant de disparaître, happé trop tôt par la grande roue du temps. Peut-être pleurait-il pour évacuer un peu de cette tristesse qui le submergerait lorsque le boiteux s'en irait, après avoir tout légué à ses frères, enfin léger, enfin libre ? Il fixa Glenn d'un regard en coin et distingua, dans ses yeux, une vénération semblable à celle que lui-même éprouvait. Alors il tendit le bras et, d'un geste tendre, ébouriffa les cheveux du garçon dont, quelques secondes plus tôt, il avait tant exécré la présence.

CHAPITRE 45

Solman ne lisait aucune expression dans les yeux de l'ange maintenant fixés sur lui. Ou, plus exactement, il y décelait la même vigilance impersonnelle que les chiens couchés dans la neige, comme si la horde et son berger étaient pétris de la même essence, de la même énergie. Il marchait entre les fauves en s'efforçant de maîtriser les tremblements de sa jambe torse, de contenir une peur qui ne demandait qu'à jaillir comme une source froide et sale.

Leur course ne semblait pas avoir marqué les chiens dont le poil était resté sec. Leurs expirations lentes, à peine perceptibles, s'éparpillaient dans les sifflements du vent. Ils paraissaient être les modèles améliorés de ceux qui avaient attaqué le campement aquariote quelques semaines plus tôt – quelques semaines qui avaient duré un siècle – : mâchoires et pattes plus puissantes, poitrail plus massif, crocs plus longs, plus effilés, pelage noir et feu plus épais, plus luisant... Solman présuma que l'intelligence destructrice avait le pouvoir de modifier à loisir les caractéristiques de ses soldats, qu'à chaque problème soulevé par ceux qui contestaient sa volonté hégémonique elle puisait dans ses connaissances phénoménales, dans sa magie aurait dit Moram, pour proposer une solution adaptée. Les derniers hommes n'avaient que leur instinct de survie à lui opposer, un acharnement à vivre qui enrayait parfois sa mécanique mais, tôt ou tard, ils seraient balayés de la même manière que la civilisation de l'ancien temps avait été laminée par les bombes à effets successifs et les armes génétiques.

Solman s'immobilisa à cinq ou six pas de l'ange et transféra tout le poids de son corps sur sa jambe valide. Malgré le froid, il transpirait en abondance sous sa canadienne. Les chiens grondaient en sourdine, frustrés sans doute de ne pas pouvoir se jeter sur cette proie venue d'elle-même s'offrir à leur convoitise.

Kadija franchissait la partie dégagée du plateau d'une allure soutenue. Elle s'était débarrassée de plusieurs couches de ses vêtements et n'avait gardé sur elle que sa robe. Elle faisait à Solman l'effet d'une apparition surnaturelle dans la lumière vibrante du soleil réfléchie par la neige. Il ressentait maintenant une joie profonde qui effaçait ses douleurs et ses peurs, qui éclairait les zones d'ombre, qui redonnait un sens à son errance, qui, par contraste, dévoilait la véritable nature des chiens et de l'ange. La férocité des uns et la beauté androgyne de l'autre ne renfermaient que des créatures mécaniques, sans âme, sans flamme. Il captait, venant de l'arrière, les notes d'inquiétude et d'espoir des Aquariotes massés à l'intérieur du mur rutilant des camions.

Kadija traversa la horde sans prêter attention aux formes sombres disséminées dans la neige. Elle se dirigea d'abord vers Solman et, arrivée près de lui, lui caressa la joue du dos de la main avec un sourire dont la chaleur inhabituelle le fit frissonner de la tête aux pieds.

« Solman... »

Elle avait prononcé son nom comme un soupir de regret, d'une voix tellement basse qu'il crut l'avoir confondue avec un murmure du vent ou le gémissement d'un chien. Hébété, étourdi par la chaleur de la jeune femme, il prenait conscience qu'elle avait aboli en partie les distances, mais il se montrait incapable de répondre à son sourire et au contact de sa main. L'ange les contemplait sans qu'un voile de trouble ou une lueur d'intérêt ne daigne ajouter une touche d'humanité à son regard. Leur comportement ne paraissait ni l'étonner, ni le contrarier, encore moins le réjouir, il restait impassible, comme un soldat attendant les ordres. Le silence isolait le plateau du reste du monde, étouffait tout bruit parasite qui aurait nui à la pureté de leur échange.

Solman devinait qu'elle avait dû, pour venir à lui, renier en partie sa nature et surmonter la terreur incommensurable gisant dans sa mémoire cachée. De la même façon que les obligations de donneur le poussaient sans cesse à s'élever au-dessus de la condition humaine, elle avait dû s'affranchir de sa propre condition pour descendre vers lui, pour... s'humaniser. Ils s'attiraient comme la lumière attire l'ombre, comme les ténèbres révèlent les étoiles, ils avaient besoin l'un de l'autre pour relier le ciel et la terre, le jour et la nuit, le vide et la matière, le passé et l'avenir.

Elle se détourna et s'avança vers l'ange. Au bout de quelques minutes d'un silence que Solman interpréta comme une communication silencieuse, l'ange mit un genou à terre et inclina la tête, dans une attitude de soumission totale qui évoquait l'adoration d'une créature pour une déesse. Le donneur avait maintenant la confirmation que Kadija appartenait au monde de l'intelligence destructrice, mais qu'elle s'y était opposée pour une raison encore indéterminée. L'ange la reconnaissait en tout cas comme une entité supérieure, et, à bien les observer, l'évidence s'imposait que son apparence n'était que le reflet imparfait, incomplet, de la jeune femme. Les cheveux étaient de la même soie bouclée et noire, la peau de la même texture, les traits avaient la même finesse, mais quelque chose d'indéfinissable, la lumière du regard peut-être, traduisait leur appartenance à des niveaux différents de la hiérarchie. Les oreilles baissées, la queue repliée, les chiens poussaient des aboiements sourds, plaintifs.

L'ange se releva au bout de quelques minutes et, sans qu'il esquisse un geste, sans qu'aucun son franchisse ses lèvres, les chiens sautèrent sur leurs pattes et s'éloignèrent en sa compagnie vers le bord du plateau.

« Ils ne vous feront plus de mal. »

Kadija avait parlé sans se retourner mais, cette fois, Solman avait parfaitement discerné le son de sa voix, une voix dont le timbre harmonieux, envoûtant, se devinait sous les hésitations.

« Ils vous... ils nous aideront, poursuivit-elle. Je leur ai demandé d'être nos gardiens. »

Solman s'approcha d'elle, le cœur battant. Elle avait recouvré – ou découvert – l'usage de la parole, et même si ce mode de communication était moins précis que la vision ou la pensée, il aurait le mérite de faciliter leurs rapports. Tant de questions se pressaient dans sa gorge qu'il ne savait par laquelle commencer.

« Comment... Pourquoi t'obéissent-ils ? »

Elle lui lança, par-dessus son épaule, un regard où il lui sembla entrevoir de la mélancolie.

« Je suis marquée du Sceau. Ils me reconnaissent.

— Quel sceau ?

— Le Sceau des Justes. Les êtres intermédiaires sont ainsi conçus qu'ils ne peuvent pas déplaire aux Saints.

— Pourquoi t'obéiraient-ils à toi, et pas à l'intelligence destructrice ? »

Kadija le considéra pendant quelques instants avec une expression qui oscillait entre intérêt et perplexité.

« L'intelligence destructrice ?

— Celle qui a déclenché l'Apocalypse. Qui s'acharne à tuer les derniers hommes, à effacer toute trace de l'humanité sur cette terre. Qui commande aux anges, aux hordes de chiens, aux Slangs, à la végétation, aux éléments... »

Elle recula d'un pas, comme frappée par la précipitation rageuse avec laquelle il avait craché ces mots.

« Nous devons partir, dit-elle au bout d'un long moment de silence. Nous mettre à l'abri.

— Elle nous traque où que nous allions ! » s'écria Solman.

Elle se rapprocha de lui et, à nouveau, lui effleura la joue. Un sentiment de pudeur le retint de se jeter dans ses bras, dans sa beauté, dans son odeur.

« Benjamin nous aidera à trouver une solution. »

Elle désigna, d'un mouvement de tête, les points décroissants et sombres de l'ange et de la horde absorbés par la blancheur aveuglante de la neige.

« Eux n'ont pas d'autre choix que de m'obéir.

— Qui sont-ils ?

— Les serviteurs chargés de préparer la demeure des Saints.

— Si les... Saints refusent de partager la terre avec les derniers hommes, c'est qu'ils ne sont pas aussi saints qu'ils le prétendent ! »

Elle marqua un deuxième temps de silence. Ses cheveux tiraient des rideaux soyeux et fuyants sur son visage. La légère crispation de ses lèvres et les mouvements désordonnés de ses mèches faisaient ressortir la pureté irréelle de ses traits.

« La sainteté représente un degré d'évolution supérieur à celui de l'humanité, finit-elle par répondre. De la même manière que les mammifères ont supplanté les dinosaures, les Saints sont destinés à remplacer les hommes.

— En ce cas, pourquoi est-ce que tu nous viens en aide ?

— Je ne sais pas encore. Je sais seulement que je suis ici pour continuer ce que ma sœur a commencé.

— Qui est ta sœur ?

— J'ai perdu sa trace. Je crois qu'elle est... morte. »

Son hésitation n'échappa pas à l'attention de Solman.

« Sa mort n'était pas prévue, n'est-ce pas ? »

Elle ne répondit pas. La disparition de sa sœur la perturbait, ébranlait quelques-unes de ses certitudes.

« Qu'est-ce qu'elle a commencé ? insista Solman.

— Benjamin a éprouvé le besoin de l'envoyer sur Terre parce que les Saints de la tribu ressentaient un trouble, un manque. Quelque chose d'indéfinissable. Ils... nous espérions qu'elle pourrait trouver les raisons de ce malaise sur Terre.

— Où est ta tribu ? Dans l'espace ?

— Je ne suis pas autorisée à te le dire. Nos règles de sécurité sont très strictes. Nous perdons du temps. Nous devons partir maintenant. »

Elle pivota sur elle-même et se dirigea vers les camions. C'est alors seulement qu'il se rendit compte qu'elle ne portait plus de chaussures, qu'elle marchait pieds nus dans la neige. Il la rattrapa au prix d'un effort qui raviva la douleur à sa jambe gauche.

« Encore une chose, haleta-t-il. Pourquoi as-tu attendu tout ce temps avant... avant de parler ?

— Parler est un mode de communication archaïque, répondit-elle sans modifier son allure. Parler transforme les structures mentales. Tu utilises parfois le langage pur de l'esprit, Solman, mais tu es aussi et surtout un homme. Parler risque de me couper de la tribu, mais je n'ai pas d'autre choix si je veux me rapprocher de toi.

— Rien ne t'oblige à te rapprocher de moi. »

Elle s'arrêta cette fois et le fixa avec une intensité brûlante.

« Rien, en effet. Peut-être est-ce ce qui donne de la valeur à mes actes. Mais je ne parlerai à personne d'autre que toi : je n'ai pas envie de me rapprocher des autres. »

Après avoir traversé le plateau, le convoi avait emprunté une piste étirée en larges méandres entre les reliefs d'un versant. En fait de piste, il s'agissait d'un sillon d'une dizaine de mètres de largeur, peut-être le lit d'une ancienne rivière ou encore un chemin creux labouré par les passages réguliers de troupeaux de vaches sauvages. L'épais tapis de neige n'empêchait pas les pierres et les ornières, par endroits aussi profondes que des ruisseaux, de cahoter camions, voitures et remorques.

Les branches basses de sapins aux aiguilles noires ou d'autres arbres pétrifiés barraient de temps à autre le passage. Moram donnait alors trois coups de sirène, attendait que les autres chauffeurs arrivent avec des haches et des scies, puis descendait pour les aider à couper les branches parfois plus dures que du béton. Solman les voyait s'agiter avec une frénésie décuplée par la présence des chiens qui suivaient les camions à distance et pointaient le museau dès que le convoi s'immobilisait. Le donneur leur avait assuré qu'ils n'avaient désormais plus rien à craindre de la horde, mais leurs peurs, telles des harpies, revenaient les harceler lorsque les molosses se glissaient comme des ombres entre les troncs et surgissaient à quelques pas d'eux, la gueule entrouverte, la langue pendante, les crocs dégagés.

« Une chose est sûre, fit Moram après s'être installé sur son siège. On n'aura pas assez de gaz pour atteindre la réserve de l'Île-de-France. »

Il lança un regard perplexe à Kadija, qui avait pris la place de Glenn sur la banquette. Convaincre le garçon qu'il lui fallait retourner dans la voiture auprès de sa mère adoptive n'avait pas été une tâche facile. Solman s'y était employé en lui promettant de lui rendre visite à la première halte prolongée.

Le chauffeur enfila sa veste, poussa un long soupir et but une gorgée de kaoua avant de démarrer.

« Dire qu'on ne sait même pas où mène cette foutue piste », ajouta-t-il en reposant le thermos dans le compartiment de la portière.

Elle menait au fond d'une vallée encaissée, cernée de part et d'autre par des parois abruptes et hérissées de saillies rocheuses. Ils roulèrent avec une lenteur exaspérante sur une neige dure, face au vent violent qui s'engouffrait en mugissant dans la calandre et dominait par instants le ronflement du moteur. Ici régnait la désolation de l'hiver, une pénombre persistante, lugubre, un froid exécrable qui transformait les rares arbustes en squelettes, qui armait le moindre relief de stalactites de glace plus affûtées que des lames.

« Un vrai putain de coupe-gorge », marmonna Moram.

Il jetait des coups d'œil réguliers par la vitre pour surveiller la progression des chiens sur les lignes des crêtes. Bien que la question lui brûlât les lèvres, il n'avait pas osé demander à Solman comment la fille s'y était prise pour retourner l'ange et sa meute. Son intervention miraculeuse évoquait les pouvoirs des sorcières qui hantaient les légendes aquariotes, la Chuine, par exemple, à qui il suffisait de pointer l'index sur les nuages pour déclencher une pluie de sang, ou encore la Vanette, qui transformait tout ce qu'elle touchait en cendres froides... Moram ne l'aurait jamais avoué, même sous la torture, mais, dans sa petite enfance, les histoires que racontaient les anciens lors des longues veillées d'été l'avaient terrorisé au point d'en perdre l'appétit et de se cacher des journées entières sous les draps. La crainte sournoise que lui inspirait Kadija montrait qu'il subissait toujours l'influence de ses frayeurs d'enfant, et cette constatation n'arrangeait pas un moral déjà mis en berne par le paysage sinistre, l'impression de rouler sans but et la solitude à laquelle le condamnait le mutisme obstiné de ses deux passagers. Il se raccrochait à ce qu'il pouvait, en l'occurrence au visage de Hora, mais les joues pleines et le sourire timide de la jeune sourcière ne réussissaient pas à le délivrer d'une morosité qui l'imprégnait jusqu'aux os.

Solman avait capté des bribes de la communication que Kadija avait établie avec sa tribu, puis sa fatigue, accentuée par les bercements du camion, avait brouillé sa vision et l'avait peu à peu plongé dans une torpeur cadencée par les soupirs et les jurons de Moram. Le ressac obsédant de ses pensées le ramenait sans cesse vers la nuit cauchemardesque de l'assassinat de ses parents, vers le souffle de l'homme tapi derrière la toile de sa chambre. Les paroles prononcées par mère Katwrinn juste avant son exécution se superposaient à ses souvenirs et le maintenaient dans un engourdissement boueux, nauséeux. Seule une nouvelle conversation avec Wolf pourrait trancher le lien qui le retenait dans le passé, qui l'empêchait de prendre son envol, mais le Scorpiote n'avait pas donné signe de vie et, même s'il avait l'habitude de ces longues phases de clandestinité, de cette « existence de fantôme » selon ses propres termes, Solman redoutait qu'il n'eût préféré le silence définitif à l'exhumation de la vérité.

« Bordel, du monde devant ! »

L'exclamation de Moram, associée à un coup de freins brutal et aux trois coups de sirène réglementaires, produisit sur Solman l'effet d'un électrochoc. Il rouvrit précipitamment les yeux, eut besoin de quelques secondes pour reprendre pied dans la réalité, pour apaiser son souffle et les battements désordonnés de son cœur. Une sueur abondante, haïssable, collait ses sous-vêtements à sa peau et lui donnait l'impression de mariner dans un bain de miasmes.

« On est coincés dans cette saloperie de goulet, grogna Moram. On peut même pas faire demi-tour. J'aime pas ça. »

Kadija n'avait pas réagi, comme si cette alerte ne la concernait pas. Le défilé baignait dans une pénombre indéchiffrable, scindée, entre les crêtes des parois, par le ruban bleu pâle du ciel. Solman distinguait à présent des formes imprécises et mouvantes dans le lointain. Il ne ressentait pas de douleur au ventre, mais un mal-être sournois se diffusait dans les moindres recoins de son corps.

Des cascades noir et feu dévalèrent les parois de la gorge : les chiens sautaient de rocher en rocher avec une telle rapidité, une telle agilité, une telle cohérence qu'ils se fondaient dans un mouvement ondoyant et compact.

CHAPITRE 46

« Arrête les chiens, Kadija ! » hurla Solman.

Les formes étaient encore floues, mais sa vision lui avait montré des images fugaces d'hommes, de femmes et d'enfants à l'intérieur de chariots bâchés tirés par des attelages de bœufs.

« Tu perds la tête ! protesta Moram. Et si c'étaient ces salopards de Slangs ?

— Arrête les chiens », reprit Solman d'une voix suppliante.

Kadija ne bougea pas, aucune expression ne troubla son visage, mais les chiens, dont une centaine avait déjà atteint le fond de la gorge, cessèrent de courir et se figèrent dans une posture d'attente, les pattes tendues, la tête rentrée dans les épaules, la gueule entrouverte.

Moram lança un regard stupéfait à la jeune femme : l'immobilisation subite de la horde le renforçait dans sa conviction qu'elle était une magicienne, une sorcière. Il tritura avec nervosité la crosse de son revolver. Depuis que les circonstances l'avaient poussé à se glisser dans l'intimité du donneur, il se sentait dépassé par les événements, il avait l'impression qu'une porte s'était ouverte dans le ciel par laquelle s'engouffraient les personnages des légendes aquariotes et de ses cauchemars enfantins. Il repoussa la tentation d'allumer les phares et d'éclairer la gorge où les ombres grises s'agitaient comme les tentacules d'un monstre. Un froid pénétrant dispersait les derniers nids de chaleur et s'installait en maître dans la cabine.

« Faudrait qu'elle m'explique un jour comment elle fait pour commander à ces... à cette meute sans ouvrir la bouche, marmonna le chauffeur.

— L'univers est régi par des lois que nous ne connaissons pas, dit Solman. Ce n'est pas parce qu'on ignore certaines choses qu'elles n'existent pas. »

Moram désigna Kadija de son revolver.

« Peut-être, mais elle me flanque la frousse. »

Solman posa l'index sur le canon de l'arme.

« La tuer ne te délivrerait pas de tes peurs. Pas davantage que le sang versé n'a assouvi la faim de pouvoir des pères et mères aquariotes. Pas davantage que sa tentative de viol n'a délivré Chak de ses obsessions. »

Moram ouvrit la bouche, hésita, s'absorba dans la contemplation de la veine sombre du goulet, des formes qui émergeaient peu à peu de l'obscurité, puis remisa son revolver dans la ceinture de son pantalon.

« J'ai un putain de grand corps, des muscles épais, on me croit fort, courageux, et, pourtant, il ne se passe pas une minute dans cette chierie de vie sans que je sois bouffé par la trouille ! »

Un voile de tristesse avait glissé sur ses traits et allumé des lueurs humides dans ses yeux.

« Je l'ai jamais dit à personne, boiteux, mais, dans le fond, je suis resté le gamin que le moindre coup de vent effrayait. Je pensais peut-être... je pensais qu'en ta compagnie, j'apprendrais à ignorer les foutus démons qui me rognent les tripes, mais c'est le contraire qui se produit, ces salopards prennent de plus en plus de place.

— Je ne peux pas te débarrasser de tes peurs, Moram, j'ai déjà assez à faire avec les miennes. Il faut seulement que tu les acceptes. Elles grossissent à ton insu si tu les refuses.

— Ouais, tu m'as déjà dit un truc comme ça... J'arrive pas à me regarder avec les yeux de l'amour, putain, non, j'y arrive pas.

— Regarde-toi déjà avec humour, tu auras fait le premier pas. »

Le chauffeur frissonna, remonta le col de sa veste et se rencogna sur son siège. Il pesta intérieurement contre les intrus qui, quels qu'ils fussent, l'avaient obligé à s'immobiliser et à couper le moteur, donc le chauffage. Allez donc vous regarder avec humour quand vous êtes coincé dans un froid et un paysage pareils, veillé par des chiens qui peuvent vous couper en deux d'un seul coup de mâchoires, accompagné d'une fille qui ne prononce pas un traître mot et qui pourtant commande aux cohortes des anges, guidé par un donneur qui lit en vous aussi clairement que dans une source d'eau et vous renvoie impitoyablement à vos contradictions... Comment trouver de l'humour à une existence marquée par la mort, la peur, la fuite, la désespérance ? Comment plaisanter sur les cadavres de ses parents à demi déchiquetés par une mine à fragmentation des hommes de l'ancien temps ? Comment sourire d'une enfance passée dans un monde où chaque plante est une meurtrière en puissance, où chaque gorgée d'eau peut vous emporter en quelques secondes, où chaque bosquet cache une horde d'animaux sauvages ou un essaim d'insectes[GM] ? Où aucun bras, aucune poitrine ne vous étreint pour vous rassurer, vous protéger, vous consoler ? Où la solitude est la seule compagne de vos nuits désespérantes ? Où le culte des absents se traduit par un besoin obsessionnel de séduire les femmes, de les posséder, puis de les quitter sans laisser d'empreintes afin de s'épargner de nouvelles déceptions ?... Oui, bon Dieu, comment avoir de l'humour sur cette putain de vie ? Est-ce qu'une fille comme Hora pourrait vraiment aimer un homme comme lui ? Est-ce qu'il pouvait vraiment avoir confiance en une femme comme Hora ?

Les formes approchaient du camion, et Moram ne les discernait toujours pas. La faute n'en était pas à l'obscurité mais aux larmes qui lui brouillaient la vue. Vaguement honteux, il se redressa et s'essuya les yeux d'un revers de main rageur. Des images et des sensations lui vinrent instantanément à l'esprit lorsqu'il distingua les attelages de bœufs et les chariots en bois : les plaines du Nord battues par un vent chargé d'iode, les maisons sur pilotis dressées comme des échassiers au bord d'une mer grise, les digues à demi éventrées, les odeurs de fumier, de crottin, de céréales fermentées...

« On dirait des Sheulns, souffla-t-il.

— Ce sont des Sheulns », confirma Solman.

Moram apercevait à présent le chapeau, les vêtements et la longue barbe du conducteur assis sur le banc du premier chariot. Il entrevoyait, par l'entrebâillement des bâches, la mante grise et la coiffe ronde d'une femme penchée sur ce qui pouvait être un berceau. Les reliefs en arc de cercle de leurs côtes se découpaient sur les flancs des bêtes, qui marchaient d'un pas pesant, la tête penchée vers l'avant, les cornes recouvertes d'un manchon de cuir. À première vue, une quinzaine d'attelages avançaient ainsi au rythme lancinant d'une procession funéraire.

« Ça leur a fait un bon millier de kilomètres depuis là-haut, murmura Moram. En plein hiver...

— Allons à leur rencontre avant que les chiens n'effraient leurs animaux », proposa Solman.

Moram s'astreignit à surmonter sa crainte des chiens pour suivre Solman et Kadija. Il prit garde, toutefois, à ne pas frôler, même par mégarde, le flanc de l'un des molosses qui, debout dans la neige, guettaient le signal de la curée. Aussi figée que la roche, une partie de la horde se tenait sur les excroissances étagées des parois telle une armée de gargouilles. Dehors, le vent, virulent, irascible, trouait le cuir épais des vestes et des bottes avec la même facilité qu'il aurait transpercé des tricots de mailles. Il gonflait la robe de Kadija, dévoilait par instants ses jambes et ses pieds nus, mais la température, qui selon les estimations de Moram oscillait entre – 20 °C et – 30 °C, semblait n'avoir aucun effet sur elle – le chauffeur interpréta cette insensibilité au froid comme une nouvelle preuve des pouvoirs surnaturels de la jeune femme.

Le Sheuln tira sur les rênes lorsqu'il vit les trois silhouettes s'avancer dans sa direction. Il eut un instant d'hésitation puis plongea la main dans la poche de son lourd pardessus de laine et l'en ressortit avec un pistolet rouillé.

« Je croyais que ces cromagnons refusaient de toucher le métal », murmura Moram qui, sous sa veste, empoigna discrètement la crosse de son revolver.

Solman écarta les bras pour signifier au conducteur de l'attelage qu'il n'avait rien à craindre d'eux. Les bœufs, épuisés, squelettiques, n'avaient même plus la force de relever la tête. Le bois du joug avait imprimé des marques profondes, purulentes, sur le cuir de leur cou. Le Sheuln cracha une salve de mots dont les sonorités gutturales accentuaient l'inflexion menaçante.

« Nous sommes Aquariotes, cria Solman. Est-ce que vous parlez français ? »

Pour toute réponse, le Sheuln braqua son pistolet sur ses trois vis-à-vis et continua de libérer un flot incompréhensible jusqu'à ce que la femme passe la tête par l'entrebâillement de la bâche. Elle lui frappa le bras pour le contraindre à baisser son arme et à se taire, puis elle descendit du chariot par le marchepied, longea le limon et s'avança vers eux d'une démarche vacillante.

« Ya, je, parler français, petit peu », dit-elle d'une voix éteinte.

Ses yeux brillaient de fièvre sous ses arcades sourcilières saillantes. Son visage n'était plus qu'un lacis de creux et de reliefs souligné par la sévérité de son chignon enfoui sous sa coiffe. Sa jeunesse se devinait en filigrane sous le vernis d'usure qui donnait à sa peau une teinte grisâtre, maladive. Sa mante et sa robe, toutes les deux faites d'une laine grossière, répandaient une âpre odeur de mouton.

« Pourquoi vous êtes-vous lancés sur les pistes en plein hiver ? » demanda Solman.

Un froncement prolongé des sourcils indiqua qu'elle n'avait pas compris la question. Solman la lui reposa, plus lentement, en détachant chacune de ses syllabes.

« Ya... Nos maisons, nos récoltes, détruites, notre peuple, tué, nous partir avant être tués...

« — Qui vous a attaqués ?

— Chiens tuer hommes, enfants, Slangs violer femmes, filles, puis tuer elles, mettre feu maisons.

— Comment leur avez-vous échappé ?

— Nous, radeaux, suivre canaux ancien temps, arriver milieu France, puis canaux gelés, suivre piste vers Sud, grand rassemblement.

— Les Slangs ne vous ont pas retrouvés ?

— Nein, nein. Seuls chiens sauvages suivre nous, voler réserves, tuer hommes et femmes, prendre enfants... »

Elle éclata en sanglots, et Solman vit qu'elle avait perdu deux de ses enfants au cours de leur périple, l'un dévoré par les chiens sauvages – et non par les soldats de l'intelligence destructrice –, l'autre emporté par la faim. Sa coupe, à nouveau, déborda de cette compassion amère qu'il avait ressentie devant Irwan et les Aquariotes rassemblés sur la place de la ville fortifiée. Les Sheulns avaient beau être des fanatiques du retour au naturel et déverser leur mépris sur les autres peuples, ils restaient avant tout des hommes, des pères, des mères, des enfants frappés cruellement dans leur chair. Leur exode, ainsi que celui des Aquariotes, ne connaîtrait pas d'autre issue que la mort si les derniers hommes ne trouvaient pas le moyen de neutraliser l'intelligence destructrice, d'enrayer cette force insaisissable. La présence du pistolet montrait en tout cas qu'ils avaient déjà renoncé à quelques-uns de leurs principes. Les épreuves avaient fissuré leur armure de rigidité.

« Vous n'avez plus d'eau, plus de vivres ?

— Nein. Beaucoup malades. Presque morts.

— Et les douze chefs de familles, où sont-ils ? »

Elle secoua la tête avec lassitude.

« Slangs clouer têtes tous les Sheulns sur... bois, piquets.

— Quel est votre nom ?

— Jeska.

— Eh bien, Jeska, que diriez-vous d'abandonner vos chariots et de venir avec nous ? »

474

Du coin de l'œil, Solman entrevit la grimace de réprobation de Moram.

« T'es cinglé ! On a même plus assez de réserves pour nous !

— C'est le moment ou jamais de faire confiance à notre mère Nature, répliqua Solman. Ils sont aussi ses enfants.

— Ouais, mais ces cromagnons ne sont pas nos frères ! À part le jour où nous leur livrions leur eau, ils passaient leur temps à nous pisser dessus ! »

Leurs voix prenaient de l'ampleur au fond de la gorge, volaient sur les rafales de vent, se prolongeaient en échos assourdis entre les parois.

« Les temps ont changé, Moram. Ce que nous n'avons pas réussi à faire au grand rassemblement, nous avons l'occasion de le faire ici.

— Tu parles d'un rassemblement ! ricana Moram. Une poignée de fanatiques à moitié dingues et aux trois quarts morts de faim... »

Les yeux délavés, effarouchés, de la femme Sheuln allaient de l'un à l'autre avec un temps de retard, se posant parfois sur Kadija comme pour l'implorer d'intervenir, de l'aider à saisir. La méfiance fermait toujours le visage de l'homme assis sur le banc du chariot.

« Vu leur état, leurs bœufs ne les mèneront pas loin, dit Solman. Nous pourrions les abattre, nous disposerions d'une réserve de bonne viande.

— De la carne, oui ! Et puis, la place nous manque, boiteux. Les voitures sont déjà surchargées. »

Solman se tourna pour enfoncer son regard dans celui du chauffeur.

« De quoi as-tu encore peur, Moram ?

— Pourquoi est-ce que tu me parles de ça maintenant ? Qu'est-ce que la peur a à voir... »

Moram se tut, comme frappé par une soudaine évidence. La peur, oui, bien sûr, la peur de manquer, la peur de l'inconnu, la peur de l'avenir, la peur rapace, omniprésente, qui s'accrochait à chaque pensée, à chaque action... Il baissa la tête en signe de capitulation.

Solman réitéra sa proposition à la femme Sheuln. Après avoir indiqué qu'elle avait compris, elle s'adressa à l'homme, son mari sans doute, en neerdand. Une vive discussion les opposa, lui refusant manifestement de se compromettre avec des êtres qui symbolisaient la dépravation technologique, elle, plus pragmatique, saisissant l'offre des Aquariotes comme un cadeau inespéré, comme une possibilité de sauver la vie de leur dernier enfant. Les éclats de voix attirèrent les Sheulns des autres chariots, hommes et femmes, tous maigres, maladifs, vêtus de hardes puantes, parfois réduites à l'état de loques. Ils se firent expliquer de quoi il retournait et se mêlèrent aussitôt de la conversation, s'interrompant quelquefois pour lancer des regards tantôt haineux tantôt curieux aux trois représentants du peuple aquariote. Solman n'avait pas besoin de saisir le neerdand pour se rendre compte qu'ils se divisaient en deux camps, celui des hommes, prêts à sacrifier leur vie et la vie des leurs sur l'autel des dogmes, celui des femmes, qui, parce qu'elles souffraient pour la donner, plaçaient la vie au-dessus de toute autre valeur. Elles criaient plus fort que leurs maris, comme toutes les femelles du monde animal prêtes à griffer, à mordre, à tuer pour assurer la sauvegarde de leurs petits.

« Qui a peur en ce moment ? grogna Moram. Eux ou moi ?

— Les maris ne veulent pas lâcher sur les principes, mais ils finiront par céder, dit Solman. Ils ne peuvent pas arrêter le cours de la vie.

— C'est pas comme cette... comment tu l'appelles, déjà ?... cette saloperie d'intelligence destructrice !

— Elle, elle cherche plutôt à imposer une nouvelle forme de vie. Et elle est guidée par une autre peur : la peur de l'humanité. »

Les femmes Sheulns finirent par obtenir gain de cause et chargèrent Jeska, la seule francophone du groupe, d'en informer Solman.

Il fallut dégager le défilé et, pour cela, égorger les bœufs et démolir les chariots à coups de masse et de hache. Les chiens s'en étaient retournés sur les crêtes, escaladant les parois avec la même agilité qu'ils les avaient dévalées. La réaction des Aquariotes surprit Solman lorsqu'il leur annonça qu'ils devraient encore se serrer pour accueillir des rescapés Sheulns. Le peuple de l'eau, rassemblé devant le camion de tête, n'émit aucune récrimination, aucune restriction. Les hommes allèrent chercher les outils dans les remorques et les femmes invitèrent les épouses Sheulns à se rendre de voiture en voiture afin de redistribuer les places.

Puisque la halte se prolongeait, on décida de rôtir un bœuf sur place en utilisant le bois des chariots. On l'embrocha avec un limon taillé en pointe et posé sur les moyeux de deux roues accotées aux parois. Les hommes Sheulns, qui s'étaient d'abord tenus à l'écart pour manifester leur désapprobation, vinrent peu à peu se joindre aux Aquariotes et se réchauffer à la chaleur des braises. Après inventaire de leurs maigres ressources, ils avaient dû admettre qu'ils n'avaient pas vraiment le choix : il ne leur restait pratiquement plus d'eau, plus de vivres, les enfants en bas âge souffraient de déshydratation et de fièvre, bon nombre d'adultes et d'adolescents, pris de vomissements et de diarrhées, n'auraient sans doute pas passé deux jours... Ils avaient également dû reconnaître que la Grâce Divine de leur prophète et martyr, Andréas Sheuln, s'était détournée d'eux. L'offensive brutale des Slangs avait brisé leur vieux rêve d'une terre rendue à sa pureté originelle et de la réunion des douze tribus. Du peuple arrogant qui avait fertilisé les plaines du Nord ne subsistaient qu'une petite centaine de survivants. Ceux-là avaient eu la chance de se trouver, au moment de l'attaque, près des radeaux avec lesquels ils transportaient leur bétail sur les étendues d'eau des anciens polders. Ils y avaient entassé en hâte leurs familles, leurs attelages, quelques barriques d'eau, des vivres, et s'étaient lancés dans une navigation hasardeuse sur le réseau fluvial légué par les hommes de l'ancien temps. Puis l'embâcle les avait contraints à abandonner les embarcations et à parcourir les pistes gelées du centre de la France dans l'espoir de gagner le lieu du grand rassemblement, harcelés par les meutes de chiens sauvages, ignorant que l'extermination s'était étendue à l'ensemble des peuples nomades.

La guérisseuse étant dans l'incapacité d'exercer, Glenn se chargea de soigner les malades, assisté d'Ismahil qui avait gardé quelques notions de médecine de son passé de savant. Solman repoussa une nouvelle fois le moment de rendre visite à Raïma. Sans doute y avait-il de la lâcheté dans sa procrastination, mais il se saisissait de tous les prétextes pour remettre une entrevue qu'il pressentait particulièrement pénible.

Le vent répandait une odeur de bois brûlé et de viande grillée. Le bleu du ciel s'assombrissait et annonçait le court intermède du crépuscule avant le déploiement de la nuit. Solman chercha Wolf pendant un bon moment, puis, ne le trouvant pas, grimpa dans la cabine du camion de tête où s'était réfugiée Kadija. L'odeur froide de Moram flottait dans l'air confiné. Les braises rougeoyaient dans la pénombre de la gorge, effleurant les silhouettes d'hommes et de femmes, Aquariotes et Sheulns, affairées à découper les carcasses des bœufs. On avait précieusement recueilli le sang des animaux dans des jarres de terre cuite alignées au pied de la paroi.

« C'est étrange, dit Kadija avant même que Solman n'ait eu le temps de s'asseoir sur le siège et de détendre sa jambe douloureuse. Les croyances de ce peuple, les Sheulns, évoquent les douze tribus, l'espoir de retrouver le paradis perdu...

— Comment le sais-tu ?

— Je les ai entendus parler.

— Tu comprends le neerdand ?

— Le neerdand n'est qu'un mélange de trois anciennes langues de la Terre, et je les comprends toutes. On dirait que leur prophète, Andréas Sheuln, a repris à son compte toutes les idées de l'*Eskato*.

— À moins que ce ne soit l'inverse. »

Solman se rapprocha d'elle et lui entoura les épaules de son bras. Elle résista un peu avant de s'abandonner sur son épaule.

« Si tu me parlais de l'*Eskato*... » murmura-t-il.

Elle ne répondit pas. Il se laissa bercer par le rythme régulier et bienfaisant de son souffle sur son cou.

CHAPITRE 47

Les camions roulaient à faible allure entre les collines blanches. Plus question de suivre les pistes désormais – lesquelles étaient d'ailleurs ensevelies sous la neige et ne proposaient plus aucun point de repère –, on coupait au plus droit par les paysages vallonnés du centre de la France.

Prochaine étape : les ruines d'une ville de l'ancien temps appelée Tours, sur les rives du fleuve autrefois nommé Loire et rebaptisé « Bord de Sud ». D'après Kadija, une grande quantité d'essence gisait là-bas, une énergie liquide qui pourrait, selon Ismahil, se substituer au gaz à condition de modifier les réservoirs et les réglages des moteurs.

Kadija avait confié à Solman que Benjamin lui avait proposé cette solution après avoir analysé les raies spectrales émises par la réserve souterraine. En revanche, Benjamin n'avait pas trouvé de traces du relais des Portes de l'Oise : la déflagration qui avait secoué cette région de la France quelques jours plus tôt, générant une onde de lumière et de chaleur parfaitement décelée par les capteurs atmosphériques, signifiait selon toute probabilité que les légions de l'Apocalypse avaient fait sauter les cuves de gaz liquide. D'autres explosions avaient suivi celle-ci, moins importantes, échelonnées, réparties sur tout le territoire européen. Solman en avait déduit que les Slangs, les solbots ou d'autres soldats de l'intelligence destructrice avaient localisé puis détruit tous les relais aquariotes. Une course de vitesse s'était maintenant engagée entre le peuple de l'eau et ses adversaires, les uns voulant mettre la main sur la réserve d'essence de Tours, la dernière possibilité de ravitaillement des camions, les autres cherchant vraisemblablement à l'anéantir.

Les chauffeurs avaient pris la décision de rouler sans s'arrêter. Ils ingurgitaient des litres de kaoua pour dissiper une fatigue que ne réussissaient pas à chasser les deux heures de pause nocturne qu'ils s'accordaient. Les chiens et l'ange, répartis en deux colonnes de chaque côté du convoi, suivaient le rythme sans difficulté. Les Aquariotes commençaient à s'habituer à leur présence, de la même façon que les rescapés Sheulns commençaient à se familiariser avec les us et coutumes de leurs hôtes. On voyait, lors des courtes haltes, les femmes s'habiller de tenues vives, libérer leurs cheveux, donner le sein en public, plaisanter par gestes avec les chauffeurs, participer activement aux tâches quotidiennes, on voyait les hommes tailler leurs longues barbes, se dépouiller de leur austérité, essayer leur français balbutiant sur les femmes aquariotes, on voyait les enfants des deux peuples courir ensemble vers les chiens qu'ils osaient approcher et caresser comme des animaux domestiques. Quelquefois les camions, les voitures ou les remorques s'embourbaient dans la neige, par endroits très meuble. On creusait alors, avec des pelles, un large cratère autour du véhicule immobilisé, puis on glissait des bûches sous ses roues, on accrochait des cordes à ses montants métalliques et on tirait à trente ou quarante pour aider l'attelage à se sortir de son enlisement.

Glenn avait imploré à plusieurs reprises son grand frère de rendre visite à sa mère adoptive, mais, à chaque fois, Solman avait décliné l'invitation pour une raison ou une autre, mauvaise le plus souvent, et le garçon s'était éloigné la tête basse, les larmes aux yeux. Glenn n'aurait pas d'enfance lui non plus : endosser à six ans le rôle de guérisseur du peuple de l'eau lui retirait à jamais sa part d'insouciance. Il se débrouillait plutôt bien dans ses nouvelles fonctions, étonnant Ismahil par l'étendue de ses connaissances et la sûreté de son diagnostic. Il avait déjà remis sur pied la plupart des adultes Sheulns et maintenu en vie des enfants en bas âge que leurs ventres ballonnés et leurs membres affreusement maigres semblaient promettre à la mort. Il serait bientôt confronté à la pénurie d'herbes et de préparations, et il devrait attendre le printemps pour recueillir les plantes et les minéraux que lui avait appris à reconnaître sa mère adoptive. Même s'il s'en voulait de le décevoir, Solman ne se résolvait pas à s'introduire dans la voiture où gisait Raïma. Il n'avait pas affronté toutes ses peurs lui non plus, il esquivait un peu trop facilement les miroirs qui lui renvoyaient des images dérangeantes. Pourtant, il en était conscient, chacune de ses dérobades accentuait son mal-être, troublait sa clairvoyance, l'éloignait un peu plus de lui-même.

« On a fait presque deux cents bornes depuis le Massif central, dit Moram. La jauge sera bientôt au plus bas. Il nous reste quoi ?... Une autonomie de cinquante kilomètres, à tout casser.

— Arrête-toi si tu vois une pompe ! » cracha Solman.

Le chauffeur poussa un interminable soupir, comme une cuve se vidant de son air. La morosité du donneur s'associait au mutisme de Kadija pour entretenir une ambiance pesante dans la cabine. Moram, lui, retrouvait goût à la vie depuis qu'ils étaient sortis du Massif central : il tirait profit des enlisements, des moindres haltes pour s'éclipser et rejoindre Hora, qui l'attendait toujours au même endroit, à côté de l'attache entre la citerne et la voiture. Il ne s'était rien passé entre eux, pas encore, parce que la brièveté des arrêts leur interdisait pour l'instant d'approfondir leur relation, mais ils se retrouvaient avec un plaisir grandissant, avec, également, une certaine pudeur, comme si Moram, qui prenait d'habitude ses conquêtes à la hussarde, revenait à ses émois d'adolescent, renouait avec cette timidité qui l'avait longtemps inhibé avant d'abandonner sa virginité dans les bras d'une initiatrice mûre et insatiable. Dans une certaine mesure, Hora était sa première femme, la première en tout cas qui lui donnait l'envie d'aller au-delà des relations charnelles, de partager les réveils aussi bien que les coucheries, les riens quotidiens aussi bien que les joutes sensuelles, les petites misères aussi bien que les élans de bonheur. Pour la première fois, il acceptait l'idée de fonder un foyer, une cellule qui donnerait naissance à d'autres cellules et propagerait ses gènes à travers le temps. Il se sentait pousser des ailes, et ses peurs, ses putains de peurs, le laissaient tranquille pour le moment.

Il observa Solman d'un regard de biais : le retour de Kadija aurait dû le combler de joie, et c'était le contraire qui se produisait. Les traits hâves, les yeux renfoncés très loin sous les arcades sourcilières, la bouche crispée, le donneur semblait sombrer peu à peu dans la mélancolie et n'en émerger que pour lâcher des réflexions agressives, voire franchement méchantes. Sans doute l'inquiétude et la fatigue expliquaient-elles en partie son attitude, et peut-être également le manque d'intimité que leur valait ce trajet à marche forcée, mais le chauffeur songeait que, non, décidément, il ne comprendrait jamais rien au monde des donneurs – et encore moins à celui de Kadija.

Après une journée sans difficulté notoire, ils atteignirent au crépuscule les rives d'un fleuve.

« Dans ce sens-là, on devrait plutôt l'appeler Bord de Nord, non ?

— Rien ne dit que c'est la Loire, objecta Solman.

— Les rivières ne sont pas aussi larges, et ça ne peut pas être la Seine.

— Je ne vois pas de ruines... »

L'embâcle emprisonnait l'eau du fleuve et ne laissait paraître que les échines d'îlots ensevelis sous la neige. Les branches d'arbres décharnés effleuraient la glace cuivrée par les rayons du soleil couchant. Les camions roulaient au sommet de coteaux qui descendaient en pente douce vers les grèves jonchées de rochers et dont les flancs se couvraient de buissons pétrifiés.

Kadija posa la main sur l'avant-bras de Solman et, d'un regard, lui indiqua qu'elle avait une communication à lui faire. Il acquiesça d'un mouvement de menton, trop perturbé, trop sale pour recourir à la clairvoyance, pour la rencontrer dans le silence de l'esprit.

« Arrête le camion, Moram. »

Le chauffeur ne se fit pas prier pour obtempérer. La réserve d'essence revêtait une importance cruciale pour l'avenir du peuple de l'eau, mais chaque halte lui offrait l'opportunité de revoir Hora, d'oublier pendant un temps la tension qui lui nouait les muscles du cou et du dos. Il donna les trois coups de sirène d'usage, immobilisa le camion au milieu d'une descente et sortit de la cabine sans demander son reste. Comme à l'habitude, les chiens se répartirent de chaque côté du convoi pour former une haie vivante, vigilante. La silhouette de l'ange se découpait à contre-jour sur le faîte d'une éminence qui dominait le moutonnement blême des collines.

« Il s'agit bien de la Loire, dit Kadija. Mais nous nous trouvons à l'est de l'emplacement des ruines de Tours, à environ cinquante kilomètres. Il nous suffit de suivre la rive du fleuve en direction de l'ouest.

— Ton Benjamin est un atlas autrement perfectionné que celui des prêtres bakous, ironisa Solman. Je ne suis pas certain que nous ayons assez de gaz pour faire encore cinquante kilomètres.

— Nous ne le saurons que si nous essayons. »

Kadija observa, par le rétroviseur, les Aquariotes et les Sheulns ; ils profitaient de la halte pour se dégourdir les jambes. Elle-même commençait à ressentir une léthargie qui partait de ses membres pour s'étendre à l'ensemble de son corps. Les moyens de transport des hommes étaient non seulement bruyants et polluants, ils présentaient l'inconvénient de les couper de leur source énergétique. Jamais elle n'avait éprouvé ce genre de lourdeur dans les salles et les couloirs de Benjamin. Sa sœur disparue avait sans doute expérimenté, et de manière beaucoup plus brutale, cette inexorable descente dans le cœur de la matière. Conservant ses attributs de Sainte dans les premiers temps, elle avait alarmé la tribu sur ses difficultés avant de perdre définitivement le contact. Les dernières nouvelles qu'on avait reçues d'elle faisaient état de son adoption par un peuple nomade et de la poursuite de sa mission. Benjamin avait exploité ses informations pour affiner son analyse et renforcer le potentiel de Kadija.

« Tu redeviens comme les autres, Solman, dit-elle sans quitter le rétroviseur des yeux. Ton esprit se voile.

— Je ne suis pas différent d'eux, je suis de leur temps, répliqua-t-il d'un ton sec.

— Ils ne sont que les ultimes vestiges du passé, d'un monde mort.

— Alors, moi aussi. Pourquoi toi et les tiens ne laissez-vous pas l'intelligence destructrice nous renvoyer dans l'oubli ? »

Elle se redressa et le fixa avec une étrange douceur dans les yeux.

« Ce que tu appelles intelligence destructrice, l'*Eskato* le nomme œuvre de purification, de reconstruction.

— Et ton... ton *Eskato* ne nous juge pas dignes d'appartenir à son putain de nouveau monde, hein ? »

La violence soudaine avec laquelle il avait expulsé ces mots la renfrogna pendant quelques minutes dans un silence défensif.

« Vous n'êtes pas marqués du Sceau, finit-elle par répondre. Vous gardez en vous cette faute originelle, cette barbarie qui offense la Création.

— De quel côté est la barbarie ? cria-t-il. Qui lance des chiens, des insectes^{GM} et des bombes sur les peuples nomades ? Qui s'acharne sur les femmes, les enfants, les vieillards ? Qui dresse les Slangs contre nous ? »

Les éclats de sa voix firent trembler le verre et le métal de la cabine. En contrebas, une volée d'enfants se risquaient sur la glace du fleuve sous le regard attentif des parents et des chiens.

« Ce n'est qu'un aboutissement logique, une solution appropriée à un problème millénaire. L'*Eskato* a jugé que la Terre devait être retirée aux hommes.

— Qui est l'*Eskato* pour prononcer de telles sentences ?

— Le messager des temps nouveaux, le Verbe pur.

— Tu en parles comme d'un dieu... »

Elle eut un mouvement de tête qui imprima à sa chevelure un mouvement délicat de balancier.

« Le concept de Dieu ne signifie rien pour les Saints. Nous cherchons seulement à préserver la chaleur de la fusion originelle.

— Ismahil vous dirait sûrement que tout a une fin, même la chaleur des origines. Et si le verbe de l'*Eskato* était si pur que ça, tu ne serais pas assise à mes côtés ! »

Il changea de position sur la banquette pour allonger sa jambe torse. Sa propre odeur lui fouetta les narines.

« Benjamin estime que, contrairement aux préceptes de l'*Eskato*, nous avons quelque chose à apprendre des hommes, dit Kadija.

— Qui est Benjamin ? Votre roi ? Votre père ?

— Je suis une part de Benjamin, une part de la douzième tribu. Le jour du rassemblement approche, et l'activité des serviteurs de l'*Eskato*, de ceux que tu appelles les anges, va bientôt s'intensifier.

— Tu veux dire qu'ils vont multiplier les attaques ?

— Pas seulement. Ils déclencheront la métamorphose finale de la terre pour la rendre digne de ses nouveaux habitants. »

Les phares balayaient des reliefs assaillis par les plantes grimpantes. Quelques murs échappaient encore à l'étranglement végétal, qui ne se contentait pas d'envahir les ruines mais dissolvait les déchets métalliques à l'aide d'un suc extrêmement corrosif – le suc dont s'était servie Raïma pour fabriquer ses poisons. Les ombres des rares bâtiments restés debout masquaient par intermittence les scintillements de la surface gelée du fleuve.

Ce trajet nocturne sur le bord de la Loire avait exigé une concentration constante de la part des chauffeurs.

Ils ne roulaient pas sur une piste, mais sur un terrain bosselé, hérissé de souches, de rochers, de crevasses, de branches d'arbres. Les chiens, qui avançaient désormais plus vite que la caravane, étaient obligés de ralentir l'allure pour l'attendre. La nuit et la neige s'étaient associées pour tromper les yeux fatigués par des heures d'attention et entraîner quelques camions dans des chausse-trappes. Moram, en tête de convoi, s'était lui-même fourvoyé dans un fossé. Son véhicule s'était pratiquement couché sur le flanc sans toutefois entraîner voiture et remorque dans son affaissement. Le crissement de la tôle raclant les arêtes des roches avait réveillé Solman en sursaut. Projeté violemment sur Kadija, il avait craint d'avoir blessé la jeune femme, mais, le rassurant d'un sourire, elle avait glissé les bras autour de sa taille et l'avait gardé serré contre elle jusqu'à ce que les chauffeurs, accourus en hâte, parviennent à décoincer la portière. Il aurait aimé passer toute la nuit blotti contre elle, léché par son souffle, bercé par les pulsations de son cœur. Les chauffeurs avaient perdu plus d'une heure à dégager le camion et à redresser l'attache tordue. On n'avait pas recensé d'autres dommages que le bris d'un phare, le froissement de l'aile et de la portière droites, mais Moram n'avait pas décoléré jusqu'aux premières ruines de l'ancienne ville de Tours.

« Et maintenant, on va où ? demanda-t-il d'une voix où perçaient des accents contenus de fureur. On n'a pratiquement plus une goutte de gaz ! »

Solman sollicita Kadija du regard. Elle lui fit comprendre, d'une mimique, qu'elle ne parlerait pas en présence du chauffeur. Comme lui-même n'avait pas la volonté ni l'envie ni même la capacité de recourir à la vision, ils n'avaient pas d'autre choix que d'arrêter à nouveau le convoi.

« On a encore besoin de...

— Qui c'est celui-là, bordel ? » coupa Moram.

Un homme s'était perché sur le marchepied, côté conducteur, pendant que le camion roulait au pas entre deux monticules et, d'un geste de la main, il demandait au chauffeur de baisser la vitre. Moram obtempéra après avoir pris la précaution de tirer son revolver de sa ceinture. L'air froid de la nuit se coula comme un serpent dans la tiédeur de la cabine. Une tête se découpa dans l'ouverture. Solman reconnut instantanément les yeux clairs, presque blancs, qui brillaient comme deux étoiles vives dans la fente d'un passe-montagne.

« T'es vraiment un putain de fantôme, Ca... Wolf ! grogna Moram en remisant son revolver. Ça ne se fait pas de grimper en pleine nuit sur un camion en marche. Pour un peu, je t'aurais tiré dessus.

— Des Slangs et des solbots nous attendent à la réserve d'essence, haleta Wolf. Ils nous ont tendu un piège. »

Moram garda les yeux rivés sur les faisceaux mouvants des phares qui heurtaient des murets ensevelis sous les plantes grimpantes. La couche de neige s'évanouissait par endroits pour dévoiler le béton craquelé des anciennes rues.

« Comment tu sais ça, merde ? T'étais passé où pendant tout ce temps ?

— Je te l'ai déjà dit, mon don me revient par instants. »

Moram donna un coup de volant sur la gauche pour éviter les décombres d'un bâtiment aux trois quarts effondré.

« Et comment ça se fait que notre donneur n'a rien vu ? »

La question s'adressait à Solman, qui, soudain, prit conscience qu'il avait manqué à tous ses devoirs.

« La vision... elle me lâche, dit-il d'une voix sourde.

— Ça arrive à tous les donneurs. Elle reviendra quand tu auras résolu certains problèmes. »

Les sifflements du vent et le grondement du moteur avaient contraint Wolf à hurler.

« En attendant, ça arrive au pire moment, lâcha Moram entre ses lèvres serrées. On y était presque, bordel ! C'est déjà un miracle que personne ne soit tombé en panne de gaz.

« — Arrête le convoi sans actionner la sirène et éteins les phares, cria Wolf. Pas la peine de prévenir les solbots et les Slangs de notre arrivée.

— Tu crois encore qu'ils ne sont pas prévenus ? Ces saloperies de solbots peuvent détecter les bruits à des dizaines de kilomètres.

— Possible, mais inutile d'en rajouter. »

Moram freina en douceur en espérant que les autres avaient suffisamment gardé de réflexes pour éviter d'emboutir les remorques ou les voitures qui les précédaient.

Solman ne descendit pas lorsque Moram eut rejoint Wolf en bas du marchepied. Il resta prostré sur la banquette, aux prises avec un sentiment de culpabilité dont la virulence lui rongeait les sangs et ravivait la douleur à sa jambe tordue. Il s'était montré incapable de surmonter ses états d'âme pour remplir ses devoirs de donneur, incapable de dépasser son petit moi pour se dissoudre dans l'infini de la vision. Sans Wolf, resurgi *in extremis* du néant, les Aquariotes auraient donné tête baissée dans le piège. Les voix graves des chauffeurs qui accouraient vers le camion de tête résonnaient comme un chœur accusateur. Le regard insistant de Kadija accentuait encore sa détresse : il ne faisait partie d'aucun monde, refusant la laideur de celui qui l'avait vu naître, trop laid lui-même pour accéder à celui qui se présentait. Écartelé entre ciel et terre, infirme de corps et d'esprit. Wolf, lui, avait assumé son terrible destin. Il avait étouffé orgueil et remords pour mener une existence solitaire, clandestine, inconfortable, toléré les limites blessantes de son moi pour se consacrer sans faille à l'œuvre de sa vie.

Solman prit conscience qu'il n'avait toujours pas appris à s'accepter, et que, s'il débordait parfois de compassion, il n'acceptait pas la déformation de Raïma, il n'acceptait pas son passé, il n'acceptait pas les autres, il n'acceptait pas l'humanité, il n'acceptait pas la vie dans son ensemble. Il n'avait jamais cessé, comme Moram, d'être un orphelin, un enfant perdu dans un monde hostile.

« Va leur dire que j'envoie les chiens en reconnaissance. »

La voix de Kadija glissa sur lui comme un songe. Il ne bougea pas, il n'avait pas envie de croiser les regards des siens.

« Toi non plus tu n'avais rien perçu, rien deviné ? bredouilla-t-il.

— Je suis reliée à Benjamin. Benjamin est relié aux serviteurs de l'*Eskato*, pas aux Slangs ni aux solbots. Et l'*Eskato* le sait. »

Elle lui pressa l'avant-bras avec fermeté.

« Va leur dire, Solman. »

CHAPITRE 48

L'aube rosissait le ruban glacé du fleuve et les pics translucides qui enguirlandaient les branches des arbres. Les feuilles des plantes grimpantes, la seule espèce végétale apparemment capable de résister aux vents du nord qui soufflaient sans discontinuer entre les ruines, recouvraient peu à peu leur vert éclatant, insolite. La ville de l'ancien temps se reconstituait en filigrane sous la lumière encore pâle. Çà et là se devinaient les tracés des rues, les agencements des bâtiments, les piles d'un pont dressées au-dessus du fil figé de la Loire comme des clochers d'églises englouties. Tours n'était sûrement pas la plus grande agglomération d'Europe – les ruines de Prague, de Berlin, de Lyon, pour ne citer que celles-là, étaient beaucoup plus vastes, beaucoup plus complexes –, mais elle avait sans doute abrité davantage d'âmes que n'en avaient jamais compté l'ensemble des peuples nomades.

Les chauffeurs trompaient leur impatience en se passant les thermos où fumaient les dernières gouttes de kaoua, trop énervés désormais pour aller s'allonger sur leurs couchettes. Pendant que leurs passagers dormaient dans les voitures, ils attendaient le retour des chiens qui s'étaient éclipsés comme des ombres juste après l'intervention de Solman.

Le donneur avait estimé le combat contre les Slangs et les solbots perdu d'avance et avait jugé préférable de confier à l'ange et à sa meute la tâche de nettoyer les abords de la réserve.

491

« Des chiens contre des solbots ? avait objecté Moram. Des crocs contre des putains de carcasses métalliques ?

— Ce ne sont pas des chiens ordinaires », avait répondu Solman.

Il avait eu l'impression de se présenter nu devant eux, avec ses faiblesses exhibées, saignant comme des blessures. Le regard étrangement tendre de Wolf l'avait apaisé avec la douceur d'un baume.

« Admettons qu'ils soient plus costauds que la moyenne, ils restent des animaux, avait avancé un chauffeur. Qui peut demander à des animaux de prendre ce genre d'initiative ?

— Kadija, avait répondu Solman. Elle sait s'en faire obéir.

— Comment ? Elle ne parle pas.

— Elle utilise une forme de langage qui nous est inconnu. Sans elle, la horde ne nous aurait pas laissé la moindre chance à la sortie du labyrinthe souterrain. »

À peine avait-il prononcé ces paroles que les pelages noirs des chiens avaient ondulé dans la nuit dans un froissement de ruisseau. Le visage blême de l'ange avait flotté pendant quelques secondes sur le fond de ténèbres. Les chauffeurs avaient alors levé la tête vers les vitres du camion de Moram afin d'examiner cette fille qui avait le pouvoir de commander à la horde sans donner de la voix ni esquisser le moindre geste, mais Kadija était demeurée invisible, soustraite à leur curiosité, à leur perplexité, par le flot d'obscurité inondant la cabine. Puis ils avaient tapé des pieds pour se réchauffer, ils s'étaient équipés de leurs pistolets, de leurs fusils, de leurs poignards, et s'étaient préparés à passer de longues heures dans la froidure polaire. Aucun d'eux n'avait songé à regagner sa cabine, à se mettre à l'abri du vent, conscient qu'il s'écroulerait de sommeil sitôt qu'il aurait posé les fesses sur son siège. Ils avaient besoin d'inconfort pour rester éveillés, vigilants, prêts à déguerpir à la moindre alerte. Ils s'étaient gardés du froid en vidant les thermos et en faisant les cent pas sur la neige.

Solman était resté en leur compagnie malgré la douleur insoutenable qui lui vrillait la jambe gauche. Pour la première fois de sa vie, il avait accepté de goûter le kaoua. L'amertume du breuvage lui avait déclenché un haut-le-cœur, puis, passé ce désagrément initial, il s'y était habitué, avait bu d'autres gorgées et s'était senti requinqué, stimulé, par le liquide bouillant.

Il avait également éprouvé l'effet secondaire du kaoua. Un désir brutal, purement physique, était monté en lui avec la rage d'un brasier et l'avait maintenu pendant des heures dans un état d'excitation tel qu'il transpirait à grosses gouttes, qu'il aurait donné n'importe quoi pour soulager la tension inouïe de son sexe. Il avait à plusieurs reprises refoulé d'extrême justesse l'impulsion qui lui commandait de grimper dans la cabine et de se jeter sur Kadija. Il comprenait maintenant pourquoi la grande majorité des chauffeurs entretenaient plusieurs relations amoureuses en même temps. Il avait surpris, lors de l'avant-dernier grand rassemblement, la conversation de deux filles à la langue rieuse qui parlaient des Albains comme d'amants infatigables. La raison en était toute simple : les Albains étaient les premiers consommateurs de la poudre noire qu'ils fabriquaient et troquaient. Et s'ils interdisaient à leurs femmes et à leurs filles pubères de sortir avant la tombée de la nuit, c'était sans doute parce qu'ils se savaient eux-mêmes incapables de maîtriser leurs pulsions. Il suffisait aux femmes, pour se venger, d'exploiter la situation à rebours, de se glisser clandestinement dans la tente de n'importe quel homme pour s'en faire aussitôt un amant anonyme. Le kaoua augmentait de façon sensible la puissance sexuelle, mais, revers de la médaille, rendait les hommes dépendants de leurs désirs, donc vulnérables. Une faiblesse qui avait entraîné Chak à renier les sentiments pourtant sincères qu'il éprouvait pour Solman : il avait choisi, en s'engageant dans les rangs des assesseurs du conseil, de détruire ce qu'il y avait de plus beau en lui plutôt que d'endurer cet écartèlement permanent, insupportable, entre ses aspirations et ses obsessions.

Pendant quelques heures, Solman avait subi la même tyrannie, et, sans la présence des chauffeurs, sans le regard attentionné de Wolf, il ignorait ce qu'il serait advenu de lui. Les paroles de Raïma, « tu es surtout un homme comme les autres », avaient pris un relief saisissant dans cette nuit qui ne voulait pas mourir. Il n'était pas meilleur que Chak ou que n'importe quel autre Aquariote, il était soumis, lui aussi, aux exigences despotiques de son corps, de ses glandes, de ses hormones. Il avait accueilli les premières lueurs de l'aube avec un immense soulagement, comme délivré d'une bataille intérieure qu'il n'était pas certain de remporter.

« Combien de temps on va encore attendre ? demanda Moram en refermant sa braguette après s'être soulagé contre un monticule de terre.

— Le temps qu'il faudra », dit Wolf.

Le visage du chauffeur, déjà chiffonné par la nuit de veille, se renfrogna un peu plus.

« Tu devrais perdre cette foutue manie de répondre aux questions qui ne te sont pas posées, Scorpiote !

— Dès que tu auras perdu cette manie de poser des questions qui n'ont pas lieu d'être posées, Aquariote ! » rétorqua Wolf.

Moram serra les poings et décocha un regard venimeux à son vis-à-vis.

« Je te propose de régler ça sans attendre !

— Je n'ai pas d'énergie à perdre avec ce genre de connerie. »

Moram pivota sur lui-même pour prendre les autres chauffeurs à témoin.

« Vous entendez, vous autres ? Il refuse de s'expliquer d'homme à homme.

— Lorsque je n'ai pas d'autre choix que de m'expliquer avec un homme, c'est en général une question de vie ou de mort. »

Bien que posée, la voix éraillée de Wolf enfla démesurément dans le silence de l'aube. Moram eut un petit sourire qui se voulait supérieur mais dans lequel se devinait un début d'appréhension. Même si le chauffeur avait l'avantage de la jeunesse et de la corpulence sur le Scorpiote, Solman, assis sur le pare-chocs du camion, se rendait compte que les chances n'étaient pas équitables. Les muscles et la vivacité de l'un ne pesaient pas lourd face à la détermination froide de l'autre. L'un dissimulait son manque d'assurance sous les rodomontades, l'autre avait pour lui la certitude de ceux qui ont fait du crime l'activité essentielle de leur vie. Le problème de Moram était maintenant de sortir de cette situation sans perdre la face.

« Qui parle de vie ou de mort, Wolf ? Réglons ça aux poings, comme des gens civilisés.

— Les mains sont des armes redoutables, Moram. Silencieuses, précises, traîtresses. Je me méfie de moi : je ne pense pas que je résisterais à la tentation de te briser les vertèbres ou de te broyer le larynx. Or je sais que notre donneur a de l'amitié pour toi. Restons-en là, s'il te plaît. »

Le chauffeur s'engouffra dans la brèche ouverte par son interlocuteur.

« Est-ce que tu veux dire que tu... refuses le combat ? »

Les yeux de Wolf lancèrent des éclats menaçants par la fente de son passe-montagne.

« Tu ne crois pas que le sang a déjà assez coulé ? »

Moram hocha la tête puis chercha l'approbation des Aquariotes rassemblés en demi-cercle autour des deux hommes.

Ils n'étaient pas dupes, comme en témoignaient leurs regards fuyants et leurs mines embarrassées, mais le chauffeur, en abandonnant au Scorpiote l'initiative de décliner le combat, avait sauvegardé les apparences.

Une trentaine de chiens firent leur réapparition alors que des nuages bas recouvraient le ciel et déposaient une humidité maussade sur les ruines. Babines, crocs et poitrail marbrés de sang, poil roussi et, pour certains, parsemé de brûlures qui dévoilaient un cuir noirci, boursouflé. Ils se couchèrent dans la neige à une dizaine de pas du camion de tête.

« C'est tout ce qui reste de la horde ? s'étonna un chauffeur.

— Et l'ange, il est passé où ? » s'exclama un autre.

Ils se tournèrent vers Solman, mais, comme sa vision refusait obstinément de s'éclaircir, qu'il n'avait pas de réponse à leur fournir, ce fut à nouveau Wolf qui prit la parole.

« Ils ont fini leur travail. Il n'y a plus de danger.

— On ne sait même pas où se niche cette putain de réserve, grommela Moram.

— Mettons-nous en route et suivons-les, ils nous y conduiront.

— Est-ce que tu es d'accord avec ça, donneur ? »

Solman se releva et se dirigea en boitant bas vers le marchepied de la cabine.

« C'est lui le donneur pour l'instant. »

La neige se mit à tomber à l'instant où le convoi s'ébranlait. Les flocons, denses, aussi volumineux que des pommes sauvages, escamotaient les formes sombres et fuyantes des chiens et interdisaient de voir à plus de dix mètres de distance. Wolf ne s'était pas installé dans la cabine du camion de tête, mais était resté perché sur le marchepied du côté conducteur, accroché au montant du rétroviseur. Malgré le vent, la neige commençait à s'incruster sur la laine de son passe-montagne, sur ses gants et sur les manches de son manteau de cuir.

Le sourire lumineux de Kadija avait dispersé comme par enchantement les lambeaux des désirs nauséeux de Solman. Le kaoua le maintenait toujours dans un état d'excitation nerveuse qui empêchait son sexe de recouvrer sa flaccidité apaisante, mais la tension de son esprit était retombée, comme si l'épreuve était désormais loin derrière lui.

« Bon Dieu de bon Dieu, si cette purée continue, on va perdre les chiens, grogna Moram.

496

— Wolf n'a peut-être pas besoin des chiens pour se repérer, dit Solman.

— Est-ce qu'on peut vraiment faire confiance à ce Scorpiote de malheur ?

— Il t'aurait tué, Moram, et tu le sais, mais il a choisi de ravaler son orgueil. Tu devrais lui en être reconnaissant. »

Ils roulaient au ralenti entre des bâtisses et des reliefs aux allures fantomatiques sous les bourrasques de neige. La Loire se fondait peu à peu dans la blancheur environnante, au point que Moram craignait à tout moment de s'aventurer par mégarde sur son lit et d'entendre les craquements de la glace sous les roues du camion. Il surveillait dans son rétroviseur la progression du véhicule suivant, le seul qu'il lui fût possible d'apercevoir au milieu des flocons.

« Désolé, je ne peux pas avoir de la reconnaissance pour un type dont je n'ai jamais vu le visage, lâcha-t-il d'une voix sourde.

— Voir, voir, voir... Je me demande si la vue n'est pas le problème majeur des hommes. »

Solman avait pensé à lui en prononçant ces paroles. La vue l'avait coupé de Raïma, la vue le projetait dans le jugement extérieur, le retenait à la surface des choses, brouillait la vision.

« Comment je conduirais mon camion si j'étais aveugle ? lança Moram.

— Si on savait voir sans les yeux, on pourrait peut-être se passer des camions. »

La main de Kadija se faufila dans celle de Solman. La vue le coupait aussi de la jeune femme, dont la beauté était un obstacle autant que la laideur de Raïma.

La réserve d'essence gisait au fond d'un bunker de béton enseveli, côté fleuve, sous l'imposante colline que dressaient les ruines des bâtiments effondrés. De l'autre côté, les abords de l'abri avaient été dégagés récemment à en croire les voiles de neige fraîche tendus sur les monticules de terre et de pierres. L'entrée, une porte à l'embrasure déchiquetée mais pas encore assez large pour accueillir les camions, se découpait, cinq ou six mètres en dessous du niveau du sol, sur un mur convexe bardé de pointes métalliques et criblé de cavités probablement dues aux explosifs.

Moram donna trois coups de sirène et immobilisa son véhicule en haut de la large excavation creusée devant l'accès au bunker. Il vit les chiens avaler la pente avec leur agilité coutumière et disparaître l'un après l'autre par la porte.

« Impossible que les camions puissent descendre là-dedans, dit-il. Faut qu'on aille se rendre compte à pied. »

Il dégagea un de ses revolvers avant de rejoindre Wolf en bas du marchepied. Main dans la main, Solman et Kadija attendirent quelques instants avant de descendre. La neige tombait à gros flocons, buvant les bruits pour ne laisser percevoir que son crissement feutré. Les autres chauffeurs arrivèrent à tour de rôle, accompagnés de passagers, Aquariotes et Sheulns, tous armés de fusils, de pistolets, et munis de lampes de poche à gaz. Glenn s'était faufilé parmi eux, les yeux rougis par le manque de sommeil, l'inquiétude et le chagrin, ainsi qu'Ismahil, qui semblait maintenant accuser le poids des années.

Wolf arma son fusil d'assaut dont il cala la crosse entre son coude et sa hanche. De minuscules stalactites de givre formaient comme des couronnes inversées sous les arcs de ses sourcils. Il consulta Solman du regard, qui, d'un clignement de paupières, lui confia la direction des opérations. Le Scorpiote répartit la petite troupe en deux groupes, le premier se chargeant d'explorer le bunker pendant que l'autre assurerait la surveillance des camions.

« Je viens avec vous, dit Glenn.

— Moi aussi, fit Ismahil.

— D'accord, mais vous resterez en arrière. »

La trentaine d'hommes du groupe d'exploration dévalèrent la pente, très raide, presque verticale, de l'excavation, avec beaucoup moins d'adresse que les chiens.

La plupart d'entre eux achevèrent leur descente sur les fesses ou sur le dos, mais le tapis de neige, qui commençait à s'épaissir en contrebas, amortit leur dégringolade.

Wolf fut le premier à pénétrer dans le bunker, suivi de Moram, de Solman et de Kadija. Ils traversèrent d'abord une pièce nue, éclairée par la lumière du jour, puis une enfilade de salles plus ou moins vastes qui plongeaient peu à peu dans une obscurité totale, oppressante. Une odeur puissante, écœurante, masquait les relents de poudre, de sang et de chien mouillé qui flottaient dans l'air immobile.

« Ça pue l'essence, ici... »

Le chuchotement d'Ismahil résonna avec force dans le silence sépulcral. Moram se retourna et, du canon de son revolver, lui intima l'ordre de se taire. Les rayons des torches glissaient sur un sol écaillé et sur des murs enduits d'une substance noirâtre, brillante, indéfinissable.

« Faut pas y toucher, murmura Glenn. C'est le suc des plantes grimpantes.

— Je vois pas de plantes, ici, objecta Moram à voix basse.

— Elles sont au-dessus, elles mangent le béton et le fer des maisons de l'ancien temps.

— Ce qu'il veut dire, précisa Ismahil, c'est que l'acide qu'elles fabriquent s'infiltre dans la terre et finit par s'écouler sur ces murs.

— Charmante demeure... »

Au fond de la dernière salle, une large voie d'accès s'enfonçait en tournant dans le ventre de la terre. Une lumière jaune, ténue, vacillante, en éclairait le bas et révélait un pan du revêtement d'une salle souterraine.

« D'où vient cette putain de lumière ? souffla Moram.

— Sans doute d'un groupe électrogène, répondit Ismahil.

— Un groupe quoi ?

— Électrogène. Il produit de l'électricité, l'énergie la plus répandue, avec l'essence, dans l'ancien temps. Vous n'entendez pas ce bruit de moteur ? »

Un grésillement lointain sous-tendait en effet le silence comme un bourdon grave.

« Qui a pu mettre ce truc en route ?

— Possible que ce soient nos adversaires. Possible aussi qu'il fonctionne tout seul depuis un siècle. Il dispose de suffisamment d'essence pour tourner encore pendant mille ans.

— Un moteur, ça finit tôt ou tard par tomber en panne.

— En principe, oui. Mais celui-là a probablement été fabriqué avec des alliages inusables. »

La voie, en parfait état, ressemblait à une rampe conçue pour le passage de véhicules. Sans doute ce bunker, tout comme la petite ville fortifiée du Massif central, avait servi un temps de point de ralliement et de ravitaillement à l'armée de l'un ou l'autre camp pendant la Troisième Guerre mondiale.

Ils découvrirent leur premier cadavre au milieu du deuxième tournant. Un Slang, identifiable aux lambeaux de ses vêtements de cuir sertis de pièces métalliques. Il ne restait de son corps qu'une poignée de cheveux, un peu de chair dans les creux de son visage, la moitié du bassin et une jambe mystérieusement dédaignée par les chiens.

« Ces clebs sont vraiment tarés ! marmonna Moram.

— Ils font le boulot pour lequel ils ont été conçus, dit Wolf. Je ne connais pas de tueurs plus efficaces.

— On dirait que tu as de la sympathie pour eux.

— Sans doute parce que eux et moi avons de nombreux points communs », rétorqua le Scorpiote.

Solman épia du coin de l'œil la réaction de Kadija. Si le visage de la jeune femme demeurait impassible, il avait la nette impression que le spectacle de ce corps déchiqueté la reliait aux scènes pénibles implantées dans sa mémoire et ravivait son dégoût des hommes.

Un deuxième cadavre, tout aussi mutilé, les attendait en bas de la rampe, puis des dizaines d'autres, jonchant le sol d'une immense salle souterraine éclairée, non par un groupe électrogène comme l'avait présumé Ismahil, mais par quatre, séparés les uns des autres par des intervalles d'une cinquantaine de mètres. Ils alimentaient des rangées d'ampoules qui, insérées dans le plafond, dispensaient une lumière crue et habillaient les murs et le plancher de béton d'un gris maladif. Les chiens, pratiquement au complet, étaient allongés entre les énormes tampons métalliques des cuves enterrées. Les émanations d'essence engendraient de curieuses sensations dans le cerveau et le corps de Solman, quelque chose comme une ivresse sournoise, nauséeuse.

« C'est une putain de vraie boucherie là-dedans ! gronda Moram.

— La boucherie, c'est nous qui l'aurions subie si les chiens n'avaient pas fait leur travail, fit Wolf.

— À force de prendre leur défense, tu vas finir par... »

Un grincement prolongé l'interrompit. Il braqua son revolver vers l'endroit d'où avait jailli le bruit. Wolf et tous les autres l'imitèrent dans un concert de cliquetis, sauf Glenn, qui se serra contre Solman, et Ismahil, qui préféra se tenir légèrement en arrière.

Un solbot surgit d'un repli du mur et s'avança dans leur direction. Les volets circulaires, les « narines de la mort », s'étaient déjà ouverts au milieu de son cylindre. La lumière des ampoules se coula sur les canons dégagés de son pistolet automatique et de son lanceur de bombes. Ses chevilles articulées tournaient sur elles-mêmes dans une succession de crissements irritants. Les chiens ne bougeaient pas, comme s'ils avaient compris que l'immobilité était la seule défense face aux soldats mécaniques.

« Bordel, on dirait qu'il en vient d'autres », souffla Moram.

CHAPITRE 49

Le repli du mur avait craché une trentaine de solbots. Le roulement des chenilles sur le béton soulevait un vacarme assourdissant. Le bataillon scintillant louvoyait en rangs serrés entre les chiens couchés, les cadavres des Slangs, les bondes des cuves, et se dirigeait à une vitesse constante vers les Aquariotes resserrés en bas de la rampe. Solman discernait les aigles aux ailes déployées gravés sur les troncs cylindriques, les trois groupes de six chiffres, les sigles DARPA, NASTI, USA, au-dessus des rectangles verts qui renfermaient les étoiles et les croissants de lune.

« Je savais bien que les chiens seraient impuissants face à ces putains de solbots ! glapit Moram. Y a plus qu'à se tirer, et vite fait ! »

Quelques hommes n'avaient pas attendu sa suggestion pour s'élancer sur la rampe. La main de Kadija se glissa à nouveau dans celle de Solman et la pressa à plusieurs reprises. Il se demanda, dans un premier temps, ce qu'elle cherchait à lui signifier, puis un grand calme se déploya en lui, dispersa ses inquiétudes, et il comprit qu'ils n'avaient plus rien à craindre des anciens soldats mécaniques de la coalition IAA.

« Inutile de courir, dit-il. Ils ne nous feront aucun mal.

— Eh, ce sont des saloperies de machines, boiteux ! protesta Moram. Elles bombardent tout ce qui bouge, sans distinction.

— Il est plus facile de commander aux machines qu'aux chiens.

— Il n'a pas tort, intervint Ismahil. Ce ne sont que des machines, il suffit d'en changer la programmation pour modifier leur comportement.

— Et qui va s'en charger, hein ? C'est vous qui allez plonger les mains dans leurs narines ? »

La voix de Moram s'étrangla. Sa fébrilité grandissait au fur et à mesure que les solbots se rapprochaient, volets circulaires béants, canons des armes bien en évidence. D'autres hommes, incapables de maîtriser leur panique, se détachaient du groupe comme des feuilles arrachées par le vent.

« Lui s'en est déjà chargé », dit Solman.

Il désignait l'ange qui venait à son tour de surgir du repli du mur et marchait derrière les soldats mécaniques d'une allure aérienne. La lumière des ampoules donnait à son visage un aspect blafard et accrochait des reflets mordorés dans les boucles de sa chevelure noire. Solman était désormais convaincu qu'il s'était rendu maître des solbots de la même manière qu'il avait soumis la horde de chiens. Pour certains Aquariotes, en revanche, le doute était permis, et, cédant à l'affolement, ils refluèrent à toutes jambes vers la sortie du bunker.

Un coup d'œil à Glenn, immobile malgré la frayeur qui lui agrandissait les yeux, convainquit Moram de rester en compagnie du donneur, de Kadija, de Wolf et d'Ismahil. Il n'allait tout de même pas se montrer plus froussard qu'un enfant de six ans, qu'un vieillard terrorisé par les rats, qu'un Scorpiote, qu'une fille, qu'un boiteux... Ses index tremblaient sur les détentes de ses revolvers, des armes d'hommes, des armes dérisoires face aux robots. Les hommes, au moins, on pouvait lire la lâcheté, la colère, la sournoiserie, la détermination dans leurs yeux, tandis qu'on ne décelait aucune intention, aucune faille dans les miroitements des pièces métalliques des machines de l'ancien temps.

Le bataillon mécanique avança à une dizaine de pas de ce qui restait du groupe d'exploration. La sueur liquéfiait Moram dans ses vêtements. Les canons télescopiques se rétractèrent subitement, les volets circulaires se refermèrent, les chenilles cessèrent de rouler, et les sol-bots se figèrent dans un dernier claquement qui résonna un long moment dans le silence restauré de la salle. L'ange traversa les rangs des robots désormais inertes, se dirigea vers Kadija, et, comme sur le plateau enneigé du Massif central, s'inclina devant elle. Moram lui aurait bien logé une balle dans le crâne, histoire de faire payer à quelqu'un les quelques minutes de trouille qu'il venait d'endurer et qui l'avaient laissé aussi tremblant qu'un oisillon tombé du nid, mais il y renonça, craignant de réveiller en sursaut le peloton mécanique. Pas sûr, de toute façon, qu'une balle eût un quelconque effet sur ce... sur cette créature. Et puis, l'ange avait rallié la cause humaine, comme le prouvait sa posture, son geste d'al-légeance. Ses chiens, en nettoyant le bunker – d'une façon horrible, certes, mais les atrocités sont le lot cou-rant de la guerre... –, avaient épargné de nombreuses vies aquariotes. Peu importait qu'il fût issu de mondes incompréhensibles, inaccessibles, peu importait qu'il fût d'essence magique ou démoniaque, seuls comptaient le présent, la survie des derniers hommes. Encore fébrile, le chauffeur verrouilla les crans de sûreté de ses revolvers et les glissa dans la ceinture de son pantalon.

« Maman Raïma... »

Glenn fut emporté par les sanglots avant d'aller au bout de sa phrase. Solman lui posa la main sur le crâne pour l'apaiser.

« J'y vais, murmura-t-il. Est-ce que tu lui as dit au revoir ?

— Elle... elle m'a serré très fort avant de m'envoyer te chercher. »

Solman s'accroupit pour descendre son visage à hau-teur de celui du garçon.

« Tu ne la reverras plus, tu le sais ? »

Ils s'étaient glissés entre deux voitures dans l'une des salles en enfilade au premier niveau du bunker. Le vent s'engouffrait à flots par les larges ouvertures qu'au cours de l'après-midi, les solbots avaient découpées sur les murs à l'aide de leurs microbombes.

« Curieux endroit, s'était étonné Ismahil. À quoi peut bien servir cette rampe d'accès entre les étages si les engins n'ont pas la possibilité de franchir les portes ? Je suppose que les soldats de la Troisième Guerre mondiale ont rebouché en catastrophe les entrées pour interdire à ceux d'en face de s'emparer de la réserve d'essence. »

Les solbots s'étaient avérés précieux non seulement pour créer des passages, mais également pour aider les Aquariotes à adoucir la pente de l'excavation. Ils avaient sondé le terrain avec leurs capteurs tapissés de filaments souples, déposé des charges aux endroits appropriés et provoqué un éboulement qui avait formé la base d'une rampe franchissable. Il avait suffi aux hommes de l'étayer avec des pierres et des poutrelles de béton récupérées dans les décombres environnants et de la niveler avec de la terre. L'un après l'autre, au ralenti, les camions s'étaient introduits à l'intérieur du bunker, au préalable débarrassé des cadavres des Slangs qu'on avait jetés dans une fosse commune. On avait décidé d'installer les voitures et les remorques dans les salles du premier niveau pour éviter aux Aquariotes d'inhaler les émanations d'essence qui, selon Ismahil, risquaient à la longue d'entraîner des complications respiratoires.

Les camions et les citernes, eux, restaient répartis sur la rampe d'accès à la salle souterraine. Les chauffeurs devraient démonter les réservoirs, les transporter à l'extérieur, les vider de leur reliquat de gaz liquide, les nettoyer, puis les remonter et changer les réglages des carburateurs pour rouler à l'essence. Un travail qui leur prendrait, d'après les premières estimations, entre un et deux mois. Hora, la dernière sourcière aquariote, aurait donc la lourde tâche de prévenir la pénurie d'eau potable en rhabdant les cuves disséminées dans les ruines de la ville – si les hommes de l'ancien temps avaient prévu de telles quantités d'essence, ils avaient, selon toute probabilité, pris la précaution d'enterrer de l'eau potable dans le secteur.

La consigne avait été transmise de ne toucher sous aucun prétexte la substance toxique, mortelle, qui enduisait les murs. Les parents avaient aussitôt entrepris de conditionner leurs plus jeunes enfants. On avait vidé les contenus des remorques et dressé un rapide inventaire des ressources. Quelques tentes avaient fait leur apparition dans les espaces libres, des fils à linge s'étaient tendus entre les voitures, les premiers braseros s'étaient allumés et avaient répandu une odeur familière de bois brûlé ; les bacs s'étaient remplis d'une eau rationnée et réchauffée dans des récipients métalliques, les enfants avaient à tour de rôle hurlé dans les bains dont ils avaient oublié les désagréments, quelques adultes les avaient remplacés avec un plaisir indicible – bien que l'eau fût partiellement refroidie et déjà noire du savon et de la crasse de leurs prédécesseurs –, des hommes et femmes sheulns les avaient imités, se défaisant, en même temps que de leurs vêtements, de leurs vestiges de pudeur ; des morceaux de viande et des galettes de céréales avaient grillé sur les braises, les bouteilles de vin aigre avaient circulé de lèvres en lèvres, les brassées de rires s'étaient entrelacées comme des guirlandes sonores sous les plafonds... Les Aquariotes et les rescapés sheulns s'installaient en prévision des quatre à huit semaines de séjour à l'intérieur du bunker.

« Tu as ce que je t'ai demandé ? » dit Solman.

Glenn lui tendit, avec réticence, un petit flacon en verre empli d'un liquide visqueux.

« Ça t'embête de me le donner ? demanda Solman.

— Les plantes, c'est fait pour guérir, pas pour tuer. »

Solman s'empara du flacon puis, de sa main libre, caressa la joue du garçon. Autour d'eux, les cris et les rires s'amplifiaient au fur et à mesure que se vidaient les bouteilles de vin. Le jour déclinait, les courants d'air balayaient les panaches de fumée, les lueurs des braseros projetaient des ombres déformées et gesticulantes sur les murs.

« Tu es un bon guérisseur, Glenn. Le peuple aquariote a beaucoup de chance de t'avoir.

— Il ne m'aurait pas eu si tu ne m'avais pas sauvé la vie.

— Je ne t'ai pas sauvé, mais la vision à travers moi.

— Je ne guéris pas non plus les gens, mais les plantes à travers moi », dit le garçon d'un air sérieux qui contrastait avec ses rondeurs enfantines.

Solman sourit : non, le peuple de l'eau ne mesurait pas sa chance de compter un tel guérisseur dans ses rangs.

« Il arrive parfois que la mort soit la seule issue souhaitable, reprit-il à voix basse. Raïma a déjà trop souffert. Si j'avais été plus courageux, elle serait délivrée depuis longtemps.

— Je vais avec Ismahil m'occuper des malades », bredouilla Glenn.

Il renifla bruyamment mais ne parvint pas à endiguer une nouvelle montée de larmes.

« C'est le meilleur hommage à rendre à ta mère », approuva Solman.

Le garçon baissa la tête, pivota sur lui-même et disparut en sanglotant à l'angle de l'une des voitures.

Solman se redressa et attendit que s'apaisent les élancements de sa jambe gauche avant de se mettre en marche vers la voiture de Raïma. Elle se trouvait dans la deuxième salle du niveau supérieur du bunker, la première étant réservée aux guetteurs, aux solbots et à l'ange entouré en permanence d'une partie de la meute. Le danger le plus à craindre, désormais, était l'irruption d'un essaim d'insectes^{GM}, mais Kadija avait assuré à Solman que l'ange avait le pouvoir d'arrêter les minuscules tueurs venimeux avec la même efficacité qu'il avait neutralisé les robots.

« Les insectes^{GM} sont des serviteurs inférieurs dans la hiérarchie de l'*Eskato*, comme les chiens. Ils n'ont pas d'autre possibilité que d'obéir aux serviteurs intermédiaires, aux anges.

— Et les solbots ?

— Ce ne sont que des machines, des assemblages grossiers de métal et de puces au silicium, des créatures des hommes. Ils n'appartiennent à aucun règne. Il a suffi à l'ange de les déprogrammer, puis de les reprogrammer, comme l'avait suggéré Ismahil. »

Solman avait ensuite confié à Kadija qu'une tâche désagréable mais indispensable l'attendait, et qu'il avait besoin d'être seul pour l'accomplir.

Il se fraya un passage entre des grappes d'hommes et de femmes surexcités qui le saluèrent avec des révérences grotesques. Cette nuit, les chauffeurs, stimulés par le kaoua, échauffés par le vin, pourraient enfin oublier les heures épuisantes de conduite dans les bras de leurs épouses ou de leurs maîtresses. Les barrières des convenances tomberaient, comme lors des derniers jours du grand rassemblement, où, avant de se disperser sur les pistes d'Europe, les peuples nomades s'étourdissaient dans une bacchanale effrénée, où, hormis les Albaines cloîtrées dans leurs tentes, les couples se faisaient et se défaisaient au gré des rencontres, des humeurs, des circonstances.

Raïma était seule. Elle occupait toujours le bas de la couchette double dont elle gardait les rideaux tirés. Les blessés et les malades avaient été transportés dans le dispensaire de toile où officiait Glenn. Des âmes charitables s'étaient occupées, quelques heures plus tôt, de nettoyer la voiture, de l'aérer et de renouveler les diffuseurs d'essences.

Il écarta les rideaux et la découvrit allongée sur le matelas. Comme elle ne tolérait plus le moindre contact avec les étoffes, elle ne portait aucun vêtement ni n'acceptait de drap. De son corps, gisant dans la pénombre, montait une odeur pestilentielle, repoussante. Solman la crut morte, car elle ne bougeait pas, puis elle perçut sa présence et remua faiblement. Il entrevit alors l'éclat de ses yeux au milieu des excroissances qui proliféraient sous la tache sombre de sa chevelure. Il y lut une souffrance dont l'intensité lui coupa le souffle, le vida de ses forces. Il s'assit sur le bord de la couchette, y demeura prostré pendant un long moment avant de sortir, de la poche de sa canadienne, le flacon qui contenait le suc des plantes grimpantes recueilli par Glenn.

« Tu... tu viens me donner... le dernier baiser... Solman... le... boiteux... »

La voix de Raïma, pourtant ténue, presque inaudible, le fit tressaillir. Il avait présumé, au dire de Glenn, qu'elle avait définitivement perdu la raison. Elle ne lui faciliterait pas la tâche, elle ne transigerait pas avec sa propre mort, elle lui imposerait jusqu'à la fin une épreuve à la démesure de sa personnalité. Il souleva précautionneusement le bouchon du flacon. L'odeur amère du poison chassa pendant une poignée de secondes la puanteur de la chair transgénosée.

« Brûle... brûle mon cadavre... Je ne veux pas... pas être enterrée dans ce corps...

— Je le ferai », dit Solman.

Il prit conscience de la douleur aiguë à ses vertèbres cervicales, s'aperçut qu'il se tordait le cou pour éviter de la regarder. La vue, le sens le plus trompeur, le juge des illusions... Alors il se tourna franchement vers elle, s'astreignit à la contempler, à franchir le barrage des apparences, à la « voir » dans son intégrité, à la rejoindre dans le monde des âmes. Il rencontra une femme qui avait beaucoup d'amour à déverser et n'avait trouvé personne pour le recevoir, pas même lui, qui s'était abreuvé comme un voleur à sa source intime. Une femme magnifique, trop fragile pour ses semblables, qui avait en vain cherché le partage dans les bras de rustres de passage. Une femme pure qui avait dressé des épines sur son corps pour affirmer son exigence, pour éloigner les faibles leurrés par les sens.

Il avait fait partie de ces faibles et, pourtant, elle s'était donnée à lui avec une générosité sans limites.

« Glenn est assez fort... Il se débrouillera... Je n'ai pas... pas peur... pour lui... pour moi... Je suis... heureuse... de partir... J'ai eu un peu de bonheur avec toi... Lis le Livre de la religion morte... Lis-le... Je sais que tu me... rejoindras bientôt... bientôt... Je t'aime, Solman... »

Il se rapprocha d'elle, localisa sa bouche, ou ce qu'il en restait, parmi les excroissances dont certaines avaient la grosseur d'un poing. Seuls ses cheveux avaient gardé leur forme et leur texture d'origine. Il lui passa la main sous la nuque et la souleva légèrement pour introduire le goulot dans la cavité. Ses larmes se mirent à couler en même temps qu'il déversait le poison des plantes grimpantes dans le corps de Raïma. Elle rendit le dernier souffle avant même que le flacon ne se vide, sans un spasme, juste une exhalaison prolongée, un souffle qui s'envola dans l'air confiné de la voiture. Il la reposa délicatement sur le matelas, puis, la tête enfouie dans les excroissances de sa poitrine, pleura en silence jusqu'à ce que la nuit envahisse le bunker.

Moram et Wolf avaient exécuté ses consignes, bien que le chauffeur eût tiqué à l'idée de gaspiller du bois pour brûler un cadavre.

« Déjà qu'on risque d'en manquer. L'hiver sera long. »

Le bûcher se dressait au sommet de la colline qui dominait l'entrée du bunker. Quatre chiens avaient suivi Solman lorsqu'il était sorti dans la nuit, ployant sous son fardeau. Des guetteurs avaient proposé de l'accompagner, mais il avait décliné l'offre. Il se doutait cependant que Wolf le suivait à distance, gardien intransigeant, ombre dans les ténèbres. Le poids de Raïma, enroulé dans une couverture, lui martyrisait la jambe gauche, mais il refusait de le poser au sol ne seraient-ce que quelques secondes, même au milieu de la pente raide et instable. Le visage fouetté par des flocons épars, il s'évertuait à suivre les empreintes tracées dans la neige fraîche par les hommes chargés de la corvée de bois. Les chants et les cris du peuple de l'eau décroissaient avec une lenteur désespérante. Les chiens tournaient autour de lui en poussant des jappements plaintifs.

Lorsqu'il atteignit enfin le sommet, il allongea le corps de Raïma sur les bûches au prix d'un dernier effort qui lui brisa les reins. Les hommes avaient prévu du petit bois, des bouts d'étoffe enduits de résine et un briquet à gaz posé en évidence sur une pierre. Il eut besoin d'un bon quart d'heure pour récupérer, assis sur une traverse métallique, la jambe gauche assaillie par une douleur effroyable.

Il alluma le bûcher. Le feu giflé par le vent dévora le bois avec un appétit effarant. Le corps de Raïma s'enflamma mais, étrangement, ne dégagea pas d'odeur, comme si elle n'avait jamais appartenu à ce monde. La chaleur entraîna Solman à se reculer. Les larmes aux yeux, il contempla la fumée grise qui montait vers le ciel, aussi légère et joyeuse que l'âme enfin libre de la guérisseuse.

CHAPITRE 50

« On n'y voit pas à deux pas ! » gronda Moram.

La neige tombait à gros flocons depuis qu'ils avaient quitté l'abri du bunker, trois ou quatre heures plus tôt. Elle donnait aux ruines une uniformité blanche que brisait le vert vif des plantes grimpantes sur lesquelles elle semblait n'avoir aucune prise. Moram avait d'abord gardé un revolver à la main, puis, ses doigts s'engourdissant, il avait remisé l'arme dans la poche de son manteau et avait enfilé le deuxième gant fourré. Hora portait, par-dessus sa robe de sourcière, une cape de laine dont l'épaisseur ne suffisait pas à la protéger du froid. Son visage avait perdu sa belle carnation et ses lèvres avaient pris une teinte bleuâtre. Les sourciers n'étaient pas équipés pour affronter les grands froids car, en temps ordinaire, ils remplissaient les citernes à la fin de l'été et n'avaient pas besoin de partir en rhabde pendant les mois d'hiver.

Hora avait exprimé le souhait de se mettre le plus rapidement possible en chasse, et Moram s'était tout naturellement proposé de lui servir de garde du corps.

Sur les trois jours qui avaient suivi l'installation des Aquariotes dans le bunker, Moram en avait passé deux à dormir et l'autre à démonter le réservoir de son camion. Hora et lui n'avaient donc pas eu le temps de se voir, elle partageant de surcroît une voiture avec une dizaine de femmes veuves ou célibataires, lui refusant de l'inviter dans sa cabine. Il ne voulait pas associer leur première union aux odeurs intempestives d'huile, d'essence, et à l'inconfort de la couchette d'un camion. Il préférait attendre que mère Nature tisse un cocon digne de Hora, digne de ses sentiments pour elle.

Les chiens tournaient inlassablement autour d'eux, s'évanouissaient parfois dans les flocons, réapparaissaient quelques instants plus tard le long d'un bâtiment éventré ou derrière une colline de ruines. C'était dorénavant une habitude : dès qu'un homme, une femme ou un petit groupe quittaient le bunker, trois ou quatre chiens les accompagnaient, une escorte rassurante quand il s'agissait de s'aventurer dans la ville de l'ancien temps, agaçante quand il s'agissait de s'isoler pour satisfaire un besoin naturel.

Bien que l'eau fît désormais l'objet d'un rationnement drastique, personne d'autre que Moram ne s'était porté volontaire pour accompagner la sourcière. Comme dans la petite ville fortifiée, les rescapés aquariotes et sheulns ne songeaient qu'à s'aménager une vie confortable dans l'abri du bunker. Leur principale occupation consistait à fonder de nouvelles familles qui leur feraient oublier les anciennes, déchirées, dispersées, disparues. Ils exploitaient ce long répit pour recréer des nids d'intimité, pour retrouver un peu de cette chaleur humaine qui les avait fuis tout au long de leur périple. Qu'elles reflètent la lâcheté ou l'inconscience, leurs dérobades avaient arrangé Moram dans le fond. Elles lui offraient l'opportunité d'une balade en tête à tête avec Hora. Toutefois, il s'était senti gagné par la timidité dès qu'ils avaient franchi la porte du bunker, et c'était pratiquement sans dire un mot qu'ils avaient entamé l'exploration des ruines.

Hora tenait sa baguette à deux mains à hauteur de son bassin et la gardait pointée vers le sol. Elle ne portait pas de gants, « pour ne pas générer d'interférence entre le bois et sa peau ». Ses doigts gourds avaient lâché la fourche de coudrier à plusieurs reprises. Moram avait ramassé la baguette et tenté de lui réchauffer les mains en les glissant sous sa veste. Ils étaient restés enlacés de longues minutes sous les averses de flocons, se transformant peu à peu en statues de neige, mais une pudeur déconcertante avait empêché leurs lèvres de se chercher.

Ils suivaient à présent la rive de la Loire dont les bourrasques dévoilaient par intermittence la surface gelée. On distinguait, entre les vestiges des anciens ponts, les formes anguleuses de carcasses de bateaux. Moram se demanda comment le peuple de l'eau réussirait à franchir le fleuve si les circonstances l'obligeaient à repartir d'urgence sur les pistes. Pas question de se lancer directement sur la glace : elle avait beau être épaisse, rien ne garantissait qu'elle fût capable de supporter le poids des camions. La meilleure – la seule – solution consisterait à construire des barges avec des branches et des troncs d'arbres, mais, pour cela, il faudrait attendre le printemps... Il observa la jeune femme qui marchait sur la neige d'une allure de somnambule. Les Aquariotes étaient, quoi qu'il arrive, condamnés à rester plu-sieurs mois dans ces ruines, et Hora, l'apprentie sourcière, la femme qu'il aimait, tenait au bout de sa baguette l'avenir des derniers hommes.

« On peut peut-être se reposer et manger un morceau », proposa-t-il.

Elle acquiesça d'un mouvement de tête, trop exténuée pour parler. Des cristaux de givre criblaient les mèches indisciplinées de sa chevelure ambrée et relevée en chignon. Son cou élancé, une pure merveille, un jaillissement de grâce, émergeait du col relevé de sa cape. Sa pâleur inquiéta le chauffeur. Il fouilla les environs du regard à la recherche d'un abri, avisa l'embrasure d'une porte basse sur un pan de mur coincé entre un monticule de pierres envahi par les plantes grimpantes et un bosquet d'arbres foudroyés par le gel.

« On sera peut-être à l'abri, là-dedans. »

Il la prit par le bras et l'entraîna vers la porte dont le linteau de guingois les obligea à se courber pour en franchir le seuil. Ils pénétrèrent dans une petite pièce évoquant un vestibule. Ils entrevirent d'autres salles par une deuxième ouverture défoncée, ployée par l'effondrement du bâtiment. Une chape de béton pratiquement intacte tendait un toit hermétique au-dessus de leurs têtes. Moram posa sa besace et ses deux revolvers sur un monceau de gravats, se défit de son manteau qu'il étala comme une couverture sur le carrelage écaillé, puis invita Hora à s'asseoir. Les chiens restèrent couchés à l'extérieur, les pattes antérieures écartées, le museau posé dans la neige.

« Ta baguette n'a rien capté ? » demanda Moram en sortant de sa besace le thermos de kaoua et les provisions.

Elle ne répondit pas, les yeux rivés au sol, les mâchoires tremblantes. Des flocons poussés par le vent mugissant traversaient de temps à autre la pénombre comme des éclats de songe.

« Même pas un signe ? Je sais pas, moi, une petite vibration par exemple ? insista le chauffeur.

— Je... je ne suis pas sûre d'avoir le don, murmurat-elle. Miriel s'est empoisonnée à cause de moi.

— Non, pas à cause de toi. Elle ne voulait plus vivre, elle a trouvé ce prétexte pour mourir. Tu lui as donné l'occasion de partir en beauté. »

Elle leva sur lui un regard étonné.

« Tu ne parles pas comme un chauffeur.

— Pourquoi ? Les chauffeurs ne sont bons qu'à dire des con... des bêtises ? »

Les joues pleines de Hora rosirent légèrement, recouvrèrent en partie leur couleur d'origine.

« Ce n'est pas ce que je voulais dire...

— Rien de bien nouveau là-dedans, fit Moram d'un ton pincé. De tout temps, les sourciers ont méprisé les chauffeurs. »

Il retira le bouchon du thermos et, s'en servant comme d'une tasse, le remplit de kaoua. Il le tendit à Hora qui hésita quelques secondes avant de l'accepter. L'amertume et la chaleur du breuvage lui plissèrent les yeux et lui retroussèrent le nez.

« Je ne voulais pas t'offenser, Moram. Je te trouve seulement... différent des autres chauffeurs.

— C'est vrai que j'ai jamais aimé plonger les mains dans la mécanique, concéda-t-il. Mais je leur ressemble sur bien d'autres points. Enfin, je leur ressemblais avant de devenir l'équipier de Chak et de me retrouver en compagnie du donneur. Avant, surtout, de... te rencontrer. »

De roses, les joues de la jeune femme virèrent au rouge. Ils mangèrent en silence les morceaux de viande fumée, les fruits secs et les galettes de céréales que leur avaient fournis les intendants.

« Moi, je sais que tu as le don, reprit Moram après avoir bu une gorgée de kaoua.

— J'aimerais partager tes certitudes.

— Il faut seulement que tu aies confiance en toi comme j'ai confiance en toi. Tu trouveras de l'eau avant ce soir, je le sens. »

Elle le fixa soudain avec une telle intensité que ce fut à son tour de rougir. Elle dégrafa sa cape de laine et, d'un mouvement des épaules, la fit glisser sur le carrelage, dévoilant sa robe écrue de sourcière dont les drapés laissaient ses bras et une partie de son ventre nus. Médusé, il la vit retirer ses bottines fourrées, se relever, s'avancer et s'agenouiller devant lui. Ensuite, il se rendit compte, comme dans un rêve, qu'elle lui arrachait son bonnet, qu'elle lui posait les mains sur le cou et qu'elle écrasait ses lèvres sur les siennes. Son baiser intrépide, maladroit, la saveur de sa bouche, la sensualité qu'elle dégageait attisèrent dans les veines de Moram le feu allumé par le kaoua. Ils se renversèrent sur son manteau, enchevêtrés, emmêlés dans les plis de leurs vêtements. Les drapés se dénouèrent et libérèrent les jeunes seins de Hora. Les mains de Moram, fou de désir, s'en emparèrent avec frénésie, puis commencèrent à se glisser sous le bas de sa robe.

Il fut transpercé par un éclair de lucidité, comme une sonnerie de retraite déchirant le tumulte d'un combat.

« Après, après, gémit-il. Quand... quand tu auras trouvé de l'eau... »

516

Il s'étonna de s'entendre prononcer ces paroles, lui qui n'avait jamais su résister à un corps de femme. Elle se redressa, les lèvres luisantes, couleur cerise sauvage, les yeux brillants, les cheveux en bataille.

« Tu n'as pas de désir pour moi ? »

Il couvrit d'un regard chaviré sa poitrine offerte.

« Si tu as autant de désir de trouver de l'eau que j'ai du désir pour toi, alors les Aquariotes auront de quoi boire pendant plus de mille ans ! »

Elle eut un sourire qui le bouleversa, l'embrassa avec fougue et entreprit de rajuster les drapés de sa robe. Moram demeura allongé sur le sol, abasourdi, vibrant de la tête aux pieds, se traitant de tous les noms d'oiseaux de son répertoire, et mère Nature seule savait combien son répertoire était riche.

« Tu n'es vraiment pas un chauffeur comme les autres, fredonna-t-elle.

— Tu en as connu beaucoup ?

— Je ne me suis encore donnée à personne, mais beaucoup, dont Chak, ne demandaient pas mieux que de... que de me connaître. »

Moram se rendit compte qu'ils s'étaient éloignés du périmètre de la ville de l'ancien temps. Le ruban légèrement assombri de la Loire s'égarait en amples méandres entre les collines aux courbes douces qui avaient supplanté les reliefs irréguliers des ruines. Il lança un coup d'œil impatient à Hora ; la tête enfouie dans le col de sa cape, elle marchait à pas lents dans la neige fraîche. Impatient parce que la rhabde ne donnait rien, certes, mais surtout parce que son désir, fouetté par le kaoua, ne s'était pas refroidi durant les deux ou trois heures qui avaient suivi leur première étreinte. Il ne regrettait pas sa décision : elle avait surgi d'une zone très profonde de lui-même, et, même s'il ne pouvait pas l'expliquer, il savait, oui, il savait qu'elle était juste, nécessaire à l'épanouissement de Hora. La découverte des sens l'aurait accaparée, empêchée de concentrer son énergie sur la rhabde.

Les chiens, infatigables, gambadaient sur les versants des collines. Les nuages s'effilochaient et révélaient la trame bleu-gris d'un ciel où s'étiraient quelques traînées rougeâtres annonciatrices du crépuscule.

« Faudrait retourner sur nos pas, maintenant, dit Moram. On s'est déjà trop éloignés du bunker.

— Pas maintenant, répondit Hora sans se retourner. Ma baguette, elle se tend ! »

Moram faillit répliquer que lui-même était tendu depuis un bon moment, mais il y renonça : il ne tenait pas à ternir sa réputation toute neuve de chauffeur « différent ».

« T'es sûre ?

— Il y a de l'eau ici.

— Ben, de l'eau, il suffit de casser la glace du fleuve pour en apercevoir...

— Les baguettes ne détectent que les nappes phréatiques, les cuves ou les sources souterraines, pas les fleuves, ni les rivières, ni les ruisseaux, ni les flaques.

— Personne n'a jamais essayé de boire de l'eau de pluie. Elle est peut-être bonne, après tout.

— Elle est sans doute moins toxique que l'eau contaminée par les anguilles[GM], mais elle provient de nuages qui ont traversé les zones radioactives ou polluées par les émanations chimiques. Helaïnn l'ancienne m'a dit que certains peuples ont essayé d'en boire, soit parce que les Aquariotes n'avaient pas réussi à les livrer à temps, soit parce qu'ils n'approuvaient pas l'Éthique nomade. Ils ont disparu de la surface de la Terre en moins de dix ans. Même en la recueillant avant qu'elle ne touche le sol, elle est porteuse de maladie, de mort. Et maintenant, Moram, tais-toi : tu es dans une rhabde, et les sourciers ont besoin de silence, de concentration. »

Elle lui adressa un clin d'œil par-dessus son épaule pour dissiper le flottement engendré par la rudesse de son ton.

Ils abandonnèrent la rive de la Loire pour s'enfoncer dans une forêt d'arbres décharnés. Les chiens émettaient à présent des grognements sourds et ne s'éloignaient plus des deux humains dont ils avaient la garde. Leur comportement poussa Moram à retirer un de ses gants et à se munir d'un revolver. Penchée vers l'avant, comme entraînée par sa baguette, Hora se dirigea vers une éminence qui, de loin, évoquait un tertre rocheux.

L'attaque fut si soudaine que Moram n'eut pas le temps de tirer le moindre coup de feu. Il crut d'abord avoir affaire à de drôles d'animaux à deux pattes, puis se rendit compte que c'étaient des... hommes. Une vingtaine. Mâles et femelles. Vêtus de peaux cousues grossièrement, poussant des hurlements stridents, brandissant des massues, des pierres, des branches taillées en pointe et durcies au feu. Ils avaient jailli des rochers disséminés entre les arbres et fondu sur les chiens et les deux Aquariotes dans l'intention manifeste de les massacrer – et, sans doute, de manger leur chair. Le chauffeur avait déjà rencontré ce genre de tribu perdue dans les plaines de l'Europe de l'Est ou dans le massif montagneux de la Suisse. Les nomades les désignaient sous le nom de « sauvages », mais leur donnaient plus généralement le sobriquet de « cromagnons ». Adeptes du cannibalisme, ils ne survivaient qu'en buvant le sang de leurs victimes, animales ou humaines. Ils ne constituaient pas un réel danger dans la mesure où, peu nombreux, ils ne s'attaquaient jamais aux convois et qu'il suffisait de quelques coups de feu pour les égailler, mais ils n'hésitaient pas à s'en prendre aux promeneurs isolés.

Moram passa le bras autour de la poitrine de Hora et la maintint serrée contre lui.

Les chiens avaient réagi avec une promptitude remarquable. Ils avaient happé les agresseurs les plus proches par les jambes et les avaient renversés d'une simple torsion du cou. Puis, exploitant l'indécision des autres, ils s'étaient répandus dans leurs rangs. Agiles, vifs, esquivant sans difficulté les pierres et les pieux, ils formaient à présent un escadron de griffes et de crocs qui frappait sous tous les angles avec une précision implacable. La gorge brisée, les vertèbres broyées, le ventre ouvert, les cromagnons s'effondraient l'un après l'autre comme des masses entre les troncs. Voyant que les choses tournaient mal, quelques-uns tentèrent de s'enfuir, mais les chiens, impitoyables, les rattrapèrent en quelques bonds, les renversèrent, leur sectionnèrent la carotide d'un coup de mâchoire et entamèrent la curée en commençant par les viscères.

« Mon Dieu », gémit Hora, livide.

Tremblant de tous ses membres, elle peinait à retenir sa baguette, toujours tendue en direction du tertre, et, sans l'appui de Moram, elle se serait probablement affaissée dans la neige. Le silence de la forêt s'emplit de clappements de langue et de craquements d'os.

« L'eau ! »

Hora se débarrassa de sa cape et glissa sa baguette dans la poche ventrale de sa robe. Le rayon de la lampe de poche de Moram essayait de cerner les limites de la cuve mais il s'évanouit avant d'atteindre le bord opposé. La sourcière et le chauffeur s'étaient faufilés dans ce qui ressemblait à une ouverture en bas du tertre et avaient longé un couloir étayé par des poutrelles métalliques au bout duquel ils avaient localisé la trappe du conduit, dissimulée derrière un paravent rocheux. À la lueur de la lampe, Moram avait désagrégé le couvercle en ciment armé à l'aide de la crosse de son revolver, puis, épuisé, avait achevé de le dégager en tirant une dizaine de balles sur les scellés métalliques. Ils avaient dévalé le conduit à la façon d'un toboggan et avaient débouché dans la salle entièrement capitonnée de béton où reposait la cuve en métal inoxydable.

« À mon avis, elle se terre une vingtaine de mètres en dessous du niveau du sol, chuchota Moram. Les tuyaux sont suffisamment longs pour... »

Il se tut, prenant conscience que Hora se concentrait pour affronter l'épreuve de vérité. Il s'assit sur une saillie et observa la jeune femme, fasciné, amoureux, envahi, également, d'un sentiment d'inquiétude. Personne ne viendrait les déranger – les chiens gardaient l'entrée du tertre –, mais, si Hora commettait une erreur de jugement, elle lui serait enlevée avant même de lui avoir été donnée. La tempéra-ture était agréable, environ une quinzaine de degrés au-dessus de zéro.

Hora inspecta soigneusement ses mains et ses poignets avant de retrousser sa robe et de s'accroupir sur le bord de la cuve. Elle fixa la surface frissonnante de l'eau sans bouger, et Moram eut l'impression que, comme Solman, elle tentait d'entrer en contact avec l'élément, de voir au-delà des apparences. Elle tendit le bras, puisa de l'eau dans le creux de sa paume et, d'un geste ferme, en versa quelques gouttes dans sa bouche.

Le souffle du chauffeur se suspendit.

« Allons annoncer à notre peuple que l'eau nous est donnée », déclara Hora au bout de quelques secondes d'un silence irrespirable.

Elle se releva, se retourna, déroula les drapés de sa robe avec une lenteur calculée, retira ses bottines puis le pagne qui lui servait de sous-vêtement, et, nue, altière, s'avança vers Moram.

« J'ai trouvé l'eau, dit-elle avec un sourire triomphal. Elle a un goût prononcé de chlore, mais elle est saine. À toi maintenant de tenir ta promesse. »

Il avait certainement connu des femmes mieux proportionnées, plus provocantes, mais aucune ne l'avait subjugué comme Hora, aucune ne l'avait ainsi réconcilié avec lui-même. La preuve, il n'éprouvait plus le besoin obsessionnel de se raser depuis qu'il l'avait empêchée de se jeter dans l'eau empoisonnée du labyrinthe souterrain.

La nuit était tombée quand, guidés par les chiens, ils reprirent le chemin du bunker. Demain, Moram demanderait aux chauffeurs de transférer leurs reliquats de gaz dans le réservoir d'un camion et irait remplir une citerne. Hors de question d'attendre un jour de plus. Hora, à sa première rhabde, avait trouvé une quantité phénoménale d'eau, et il fallait que le peuple aquariote le sache, lui pardonne la mort de Miriel, lui rende l'hommage qu'elle méritait.

Allongés sur la cape et le manteau étalés, ils avaient envisagé un temps de s'aimer toute la nuit dans l'obscurité paisible de la cuve, puis ils s'étaient résignés à rentrer au bunker. Ils ne souhaitaient ni l'un ni l'autre que leur absence prolongée ne déclenche l'alerte dans le campement.

La tiédeur insolite de l'air intrigua le chauffeur. Il soufflait comme un vent de douceur, comme une brise printanière, dans les ruines de la ville de l'ancien temps.

« Curieux, on dirait que l'hiver touche à sa fin, murmura-t-il. Il vient pourtant tout juste de commencer. »

Hora, qui marchait rêveusement à ses côtés, ne répondit pas. Seule une pensée pour Miriel l'empêchait de savourer pleinement sa joie d'avoir été consacrée le même jour sourcière et femme.

CHAPITRE 51

Solman trouva Ismahil à côté du dispensaire, qui, grâce aux bons soins du vieil homme et grâce au don de Glenn, se vidait peu à peu de ses pensionnaires malgré la pénurie de plantes séchées.

« On ne te voit plus guère ces jours-ci, Solman ! Pas plus que Kadija. »

Les yeux pétillants de malice d'Ismahil étaient les dernières traces de jeunesse dans un corps rattrapé par les années. La prévention génétique, qui lui avait permis d'approcher les deux cents ans, semblait avoir cessé son effet. Ses rides se creusaient, des taches brunes fleurissaient sur son crâne nu, ses épaules se tassaient, son dos s'arrondissait, sa démarche perdait de sa vigueur, de son assurance, sa voix elle-même s'enrouait.

« J'étais occupé à lire, dit Solman.

— Lire ? s'étonna le vieil homme. Je croyais que les peuples nomades ne connaissaient plus que la tradition orale.

— Les pères et mères du peuple m'ont appris à lire autrefois, mère Joïnner surtout. Elle aimait les livres. Elle en possédait quelques-uns qu'elle gardait comme les plus précieux des trésors. Je ne sais pas ce qu'ils sont devenus. Il m'a fallu du temps pour réapprendre à déchiffrer les mots. »

Un vent d'euphorie soufflait sur le campement depuis deux jours : Hora avait trouvé une réserve d'eau potable, immense selon les dires de Moram, plus fier encore que la jeune sourcière. Il avait demandé aux chauffeurs, puisque les moteurs n'étaient pas encore prêts à rouler à l'essence, de transférer dans un seul camion les dernières gouttes de gaz des réservoirs qui n'étaient pas encore démontés, puis il avait organisé une expédition afin de remplir une citerne. Quatre hommes l'avaient accompagné, armés jusqu'aux dents, ainsi qu'une dizaine de chiens. Des clameurs avaient salué son retour. Mère Nature n'avait pas abandonné ses derniers enfants, l'eau, le principe de toute vie, leur était donnée. On avait célébré l'événement par un banquet improvisé, on avait dressé, au centre de l'excavation qui jouxtait l'entrée du bunker, une broche sur laquelle on avait grillé des quartiers de bœuf, on avait vidé les dernières bouteilles de vin aigre troquées deux ans plus tôt avec un peuple méditerranéen, on avait dansé et chanté une grande partie du jour et de la nuit. Ni le donneur ni Kadija, qu'on surnommait désormais la « fée », n'avaient pris part aux réjouissances : le bruit s'était répandu que le boiteux n'osait plus paraître en public parce qu'il avait perdu son don, que la fée s'était retirée dans son royaume après avoir exaucé les vœux du peuple de l'eau. Quelques langues perfides avaient insinué que le boiteux et la fée... enfin, vous voyez ce que je veux dire... mais d'autres avaient rétorqué que les fées n'étaient pas vraiment des femmes, pas davantage que le boiteux n'avait vraiment... avec Raïma... qu'il n'était vraiment non plus... vous me comprenez, n'est-ce pas ?

Seuls Moram et Wolf savaient que Solman avait passé trois jours et trois nuits entières sans manger ni boire dans une remorque vide, avec, pour toute compagnie, le Livre interdit de Raïma, une lampe de poche, un matelas et une couverture de laine. Il leur avait demandé à n'être dérangé sous aucun prétexte. Quant à Kadija, elle s'était éclipsée avec la même discrétion que dans les grottes du labyrinthe souterrain.

Les vents chauds continuaient de souffler, les températures grimpaient à une allure vertigineuse et la neige commençait à fondre. Les Aquariotes estimaient que mère Nature, généreuse, leur avait également envoyé un printemps précoce.

« Qu'est-ce que tu lis ? » demanda Ismahil.

Solman sortit le livre de Raïma de la poche de sa canadienne et le tendit à son interlocuteur. Après avoir observé la couverture de bric et de broc, Ismahil l'ouvrit et le feuilleta avec délicatesse.

« Le Nouveau Testament, murmura-t-il. Le livre des chrétiens.

— L'Éthique nomade avait interdit la pratique des anciennes religions. Raïma, elle, pensait que le Livre apportait des réponses. Surtout dans la dernière partie, l'Apocalypse de saint Jean.

— L'Apocalypse... Elle a suscité bien des commentaires, bien des interprétations. Même à mon époque. Surtout à mon époque. On ne compte plus les voyants, sincères ou charlatans, qui se sont inspirés de ce texte pour prédire la fin du monde. Pourquoi t'y intéresses-tu ?

— J'ai ressenti le besoin de m'y plonger après la mort de Raïma. »

Les yeux de Solman s'embuèrent. Il avait pris conscience, après avoir brûlé le corps de la guérisseuse, qu'elle avait laissé un vide immense. Il n'avait pas su combler le fossé qui les avait séparés du temps où elle vivait, il lui serait encore plus difficile de jeter un pont entre le monde d'en bas et le monde des morts.

« Il m'a semblé l'entendre me parler, me supplier de lire le Livre, reprit-il d'une voix hésitante. Ce n'était pas un rêve ni une vision, juste une présence, un chuchotement.

— Et Kadija, tu as une idée de l'endroit où elle se cache ? »

Solman secoua la tête.

« Non, mais je sais qu'elle se manifestera au moment où je serai prêt.

— Prêt à quoi ?

— Je l'ignore. Elle a besoin de moi autant que les derniers hommes ont besoin d'elle. Je voulais aussi comprendre la relation entre le Livre et son monde.

— Il y en a une ?

— J'en suis maintenant persuadé. »

Ismahil s'absorba de nouveau dans la lecture de quelques passages. Les gémissements qui montaient du dispensaire de toile se jetaient comme d'infimes ruisseaux sonores dans la rumeur du campement. La lumière du jour, s'engouffrant par les ouvertures, perdait de son éclat dans cette salle, la cinquième du premier niveau, l'une des plus vastes. Le suc des plantes grimpantes luisait sur les murs avec l'intensité sournoise d'un prédateur aux aguets. Quelques Sheulns, qu'on ne reconnaissait plus qu'à leur français maladroit et à leur accent guttural, se mêlaient aux lavandiers des deux sexes qui étendaient du linge sur les fils tendus entre les voitures.

« La vision ne te suffit donc pas ? demanda Ismahil.

— La vision m'a abandonné ces jours-ci. De toute façon, Kadija n'a de l'humanité qu'une image tronquée. Je dois parcourir mon propre chemin pour mieux la comprendre, pour, également, l'aider à mieux nous comprendre.

— Et lui prouver que l'humanité est digne d'être sauvée ? »

Solman ne répondit pas. L'humanité avait commis tant d'erreurs dans le passé qu'elle avait sans doute mérité d'être chassée de sa terre. Mais il doutait que ceux qui étaient appelés à lui succéder, les Saints, soient vraiment ces fruits de l'évolution supérieure dont parlait Kadija.

« Avez-vous entendu parler de l'*Eskato ?* »

Ismahil fronça les sourcils, referma le Livre et garda les yeux rivés sur la couverture d'un air hagard. Solman eut l'impression qu'il plongeait en chute libre dans un passé très lointain et qu'il en éprouvait le vertige.

« L'*Eskato*, dit le vieil homme d'une voix éteinte. Mon Dieu, où as-tu déniché ce nom ?

— Dans l'esprit de Kadija. »

Ismahil lui rendit le livre et se dirigea vers l'entrée du dispensaire.

526

« Donne-moi le temps de prendre une veste. Et aussi de quoi manger, tu es plus maigre qu'un chat sauvage. Nous serons mieux dehors pour discuter. »

Le climat semblait s'être métamorphosé d'un coup de baguette magique – la baguette de Hora ? Le changement était intervenu après qu'elle avait trouvé de l'eau... La neige fondait à une vitesse étonnante, et déjà, des perce-neige avaient éclos, des bandes de terre brune et grasse, des plaques de béton fissurées, des branches d'arbres pourries se dévoilaient au milieu des anciennes rues de la ville morte. Seule la glace épaisse emprisonnant la Loire paraissait pour l'instant épargnée par le redoux. Le vent tiède, humide, poussait des troupeaux de nuages gris qui fusaient dans le plus grand désordre au-dessus des collines et des ruines.

« Ce réchauffement climatique m'inquiète, dit Ismahil.

— Le printemps est parfois précoce, c'est arrivé d'autres fois, fit Solman.

— Je n'appellerais pas ça un printemps précoce, mais un dérèglement excessif. Les dinosaures ont été rayés de la surface du globe à l'issue d'un phénomène analogue, à cette différence près qu'il s'agissait d'un brusque refroidissement. Peut-être la terre prépare-t-elle la revanche des animaux à sang froid ? »

Le temps clément, qui incitait les Aquariotes à quitter l'abri du bunker, ne facilitait pas la tâche de surveillance des chiens. Ils ne savaient plus où donner de la tête entre les couples qui partaient en promenade, les chauffeurs qui transportaient les réservoirs pour les purger à l'air libre, les petits groupes qui ramassaient du bois dans les ruines afin d'alimenter les braseros et les enfants qui, mis en confiance par l'insouciance des adultes, reculaient sans cesse les limites de leurs terrains de jeux. L'ange, lui, restait impassible dans un recoin de la première salle. Personne ne l'avait vu manger, boire ou prendre un peu de repos, au point que, sans la lumière indéchiffrable qui éclairait ses yeux, il aurait pu passer pour l'un des solbots alignés contre les murs. Les rumeurs allaient bon train sur lui aussi. Elles le dépeignaient tantôt comme un être d'essence surnaturelle, tantôt comme un homme possédé par une force divine ou démoniaque. Certaines en faisaient le frère de Kadija tant sa ressemblance était frappante avec la fée. Elles traduisaient en tout cas la curiosité, la fascination, qu'il exerçait sur les Aquariotes.

« Ici, nous serons bien », dit Ismahil.

Les trois chiens qui les avaient suivis se couchèrent à quelques pas de la grosse pierre où s'assirent les deux hommes. Ils avaient gravi une colline qui surplombait la Loire après avoir suivi le tracé maintenant apparent d'une ancienne rue. Ils burent au goulot de la gourde dont s'était muni le vieil homme, puis mangèrent des restes de bœuf grillé et des fruits secs. Le vent les enveloppait comme une haleine chaude et parfumée. Quelques fleurs aux pétales mauves se déployaient entre les stries neigeuses couleur de terre. Les plantes grimpantes qui assaillaient un amas de carcasses métalliques sur l'autre versant de la colline émettaient un chuintement continu, menaçant. La flore connaissait un regain d'activité qui, lui non plus, ne paraissait pas normal.

« J'ai effectivement entendu parler de l'*Eskato*, dit Ismahil après avoir bu une gorgée d'eau. Au début du XXIe siècle. Je me trouvais alors à l'observatoire de Kitt Peak, dans une réserve indienne de l'Arizona, l'un des États des États-Unis d'Amérique. Un soir, un homme est venu frapper à la porte du motel où je résidais. Il était australien et astrophysicien, comme moi, et parlait un français impeccable. Je ne l'aimais pas parce qu'il avait, vis-à-vis des Indiens de la réserve, une attitude méprisante, presque insultante.

— Les Indiens ? releva Solman.

— J'aurais dû dire les "Natives" ou les Amérindiens. Leur nom vient de l'erreur de Christophe Colomb, l'homme qui a découvert le continent américain. Il a cru qu'il avait touché les Indes en suivant la direction de l'ouest. Peu importe, les Indiens étaient répartis en tribus nomades, eux aussi. Ils ont été exterminés par les Européens qui convoitaient leurs terres, puis les survivants ont été parqués dans des réserves. Un épisode monstrueux dans l'histoire de l'humanité, tout comme l'esclavage des peuples africains, tout comme l'Holocauste de la Deuxième Guerre mondiale, tout comme ces massacres à grande échelle qui préludaient à la destruction quasi totale des hommes. Marty Van Eyck, c'était le nom de l'Australien, m'a parlé d'une organisation secrète, de type parareligieux, qui voyait dans la science contemporaine la possibilité d'accomplissement des miracles du Christ. »

Il désigna la poche de la canadienne où Solman avait glissé le Livre.

« Nous revoilà avec le Nouveau Testament... Pour lui, la science était la religion du troisième millénaire. Dieu avait donné aux hommes les moyens de réaliser leurs rêves. Inutile de te dire que je n'étais pas d'accord avec lui. »

Le vieil homme leva les yeux au ciel, puis retira sa veste de laine et prit une longue inspiration. Des flaques d'eau scintillaient sur la glace de la Loire désormais débarrassée de sa couche superficielle de neige.

« Il me proposait de rejoindre son mouvement où, selon lui, s'étaient engagés déjà un grand nombre de scientifiques de haut niveau, un grand nombre de politiciens, un grand nombre d'hommes et de femmes dont le point commun était d'appartenir à l'élite, intellectuelle, culturelle ou financière. Un cercle très fermé qui prenait racine dans les multiples organisations élitistes, ou pseudo-élitistes, qui ont jalonné l'histoire de l'humanité. Je lui ai posé quelques questions auxquelles il ne m'a pas vraiment répondu, mais j'ai mené ma petite enquête par la suite et j'ai appris que son mouvement était né au début de l'ère industrielle, à la fin du XIXe siècle, en Europe occidentale. Un premier embryon regroupant industriels et scientifiques, qui, j'en suis persuadé, se croyaient éclairés, pensaient réellement agir pour le bien commun. Ils se sont violemment opposés au communisme mis en place par la révolution russe ; la doctrine du tout collectif leur paraissait dangereuse. Elle remettait en cause le principe des élites, du moins dans ses idéaux, car, par la suite, le communisme n'a fait qu'engendrer un nouvel élitisme aussi aberrant et meurtrier que les autres. Ils ont donc œuvré dans l'ombre pour la déclaration de la Première Guerre mondiale, en 1914. Je n'irai pas jusqu'à prétendre qu'ils ont eux-mêmes commandité l'assassinat de Jaurès, ou celui de l'archiduc François-Ferdinand à Sarajevo, mais je crois qu'ils ont eu une influence décisive dans le déclenchement du conflit, d'autant que les intérêts économiques étaient considérables. »

Du regard, Ismahil s'assura que Solman ne manifestait pas de signes d'incompréhension ou d'impatience. Toutes ces notions étaient évidentes pour lui qui, né en 1985, avait baigné dans l'histoire de son siècle, mais elles ne recouvraient aucune réalité concrète pour les nomades, livrés à eux-mêmes sur des territoires rasés, incendiés, pollués. Les bombes à effets successifs de la Troisième Guerre mondiale n'avaient laissé aucune archive, aucun autre vestige de l'ancien temps qu'une poignée de ruines. Le donneur aquariote l'écoutait avec une attention soutenue, les paupières mi-closes, comme s'il cherchait à s'imprégner de ses paroles, à les relier à ses propres perceptions, aux événements récents, aux écrits du Nouveau Testament.

« Le cercle s'est agrandi à la fin de la Première Guerre mondiale, reprit Ismahil. Une époque florissante pour la science : la théorie de la relativité avait fait son apparition, on avait jeté les bases de la physique quantique, on commençait à retracer la cosmogonie de l'univers, à développer l'aéronautique, bref, on assistait à une véritable explosion de la connaissance. C'est à cette période que le cercle conçut l'idée d'un vaste projet visant à utiliser tous les ressorts de la science pour développer son concept d'élite. Je ne pense pas qu'il soit directement responsable de l'émergence de Hitler et des idéologues nazis, des hommes d'Autriche et d'Allemagne qui se prétendaient issus d'une race supérieure, mais je reste convaincu qu'il a tissé des relations privilégiées avec eux, qu'il a en partie financé le parti nazi et aidé Hitler à conquérir le pouvoir en l'Allemagne. Et il a utilisé la Deuxième Guerre mondiale comme champ d'expérience pour son projet : il s'agissait d'observer comment on pouvait exterminer un ou deux peuples à l'échelle industrielle. Les nazis ont créé de gigantesques mouroirs, des camps de concentration où on utilisait les chambres à gaz pour éliminer systématiquement les peuples juifs et tziganes ainsi que les opposants politiques, les homosexuels et les résistants. Les juifs, pour des raisons autant idéologiques que financières : les chrétiens les accusaient depuis toujours d'avoir crucifié leur prophète, Jésus-Christ, et ils détenaient une partie non négligeable des richesses. Je me suis toujours demandé, dans le fond, si les nazis n'avaient pas cherché à démontrer que deux peuples élus ne pouvaient pas coexister sur cette terre. Quant aux Tziganes, les derniers nomades d'Europe, ils faisaient peut-être souffler un vent de liberté insupportable dans un monde qui se couvrait de clôtures, de barricades, de miradors, de frontières. Ensuite, j'ai perdu les traces du cercle, comme s'il s'était évanoui dans la nature. Ses membres l'avaient-ils dissous pour ne pas être impliqués dans les procès qui ont suivi la Deuxième Guerre mondiale ? La proposition de Marty Van Eyck, près de quatre-vingts ans après l'année 1945, montrait qu'il n'en était rien. Le cercle avait continué ses activités, mais les avait entourées du secret absolu. J'aurais sans doute dû feindre d'accepter pour le découvrir de l'intérieur et alerter l'opinion internationale, mais j'étais de nature impulsive et, lorsqu'il a évoqué ce projet insensé, je n'ai pas pu maîtriser ma colère, je lui ai balancé mon poing dans la figure. Il s'est retiré après m'avoir menacé de mort. Je me suis alors terré dans le sud de la France, assez lâchement je dois dire, j'ai pris peur après avoir mené mon enquête et je me suis réfugié dans l'observation des astres. Jusqu'au jour où j'ai vu se profiler la menace de la Troisième Guerre mondiale et où j'ai décidé avec quelques amis de sauvegarder une partie du patrimoine scientifique de l'humanité.

— Quel rapport avec l'*Eskato* ? » demanda Solman.

Ismahil se leva et fit quelques pas en direction de la Loire. Les nuages lâchèrent des gouttes de pluie épaisses, chaudes. En contrebas, les plantes grimpantes émettaient un grésillement agressif et répandaient une violente odeur d'acide.

« Je ne te l'ai pas dit ? Son cercle, son mouvement s'appelait l'*Eskato*. La racine grecque du mot eschatologie, l'étude de la fin des temps. »

CHAPITRE 52

La terre continuait de se métamorphoser à une vitesse effarante. L'eau tumultueuse de la Loire, en pleine débâcle, charriait d'énormes blocs de glace qui s'entrechoquaient comme des coques de bateaux. Les arbres, qu'on croyait morts quelques jours plus tôt, se couvraient de bourgeons ; les fleurs, pensées, jonquilles, marguerites, s'épanouissaient sur les talus et les berges ; une herbe d'un vert de jade transperçait les derniers voiles de neige ; des ruisseaux grossis par les pluies bruissaient sur les pentes des collines ; le suc des feuilles grimpantes, qui étendaient leurs territoires dans les anciennes rues, se diluait en fumerolles dans les flaques.

La cavité creusée devant l'entrée du bunker s'était transformée en un bourbier qui interdisait désormais le passage au camion chargé du ravitaillement d'eau potable. On avait dû monter en toute hâte une digue de fortune pour empêcher la mare de déborder à l'intérieur des salles du premier niveau. Le brusque afflux des masses d'air chaud au plus fort de l'hiver provoquait des orages dantesques. Les éclairs se succédaient à une telle cadence qu'ils paraissaient figer le ciel de leurs éclats de lumière, les coups de tonnerre ébranlaient le sol et les murs, la foudre tombait sur les bâtiments les plus exposés auxquels elle arrachait des pans entiers de ruines.

Un mot revenait régulièrement dans la bouche des Aquariotes : « Apocalypse ». Ismahil avait beau leur

expliquer que ces perturbations n'étaient que la conséquence d'un réchauffement brutal, il ne parvenait pas à
les convaincre de l'aspect naturel, rationnel, des phénomènes. Il ne pouvait pas non plus apporter de réponse
satisfaisante à la question qui lui était immanquablement posée : « Si ce réchauffement n'est pas normal,
qui en est le responsable ? »

La terre a sans doute besoin de se régénérer, expli-
quait-il. Ce que ses interlocuteurs interprétaient de la
façon suivante : la mère Nature exprime sa colère, la
mère Nature renie ses enfants. La peur avait supplanté
l'euphorie des jours précédents. Le peuple de l'eau restait confiné dans les dernières salles du premier niveau
du bunker. La tension augmentait avec l'inquiétude, des
disputes, des bagarres éclataient entre les voitures, les
tentes et les remorques. On se chamaillait pour un morceau de viande, un litre d'eau, une bougie, un regard
mal interprété, un geste déplacé. Les chiens eux-mêmes
montraient des signes de nervosité, tournaient comme
des fauves en cage autour des hommes ou des femmes
happés par les rixes, poussaient des grondements menaçants, claquaient des mâchoires à quelques centimètres
des mollets.

« Je crois bien qu'ils vont tous devenir fous », dit
Moram.

Il observait, en compagnie de Solman et de Wolf, les
rideaux de pluie qui étincelaient comme des rivières
diamantines aux lueurs livides des éclairs. Le tonnerre
martelait les collines avec une puissance phénoménale.
La mare du fond de l'excavation atteignait déjà les trois
quarts de la hauteur de la digue.

Wolf avait retiré son manteau de cuir mais gardé son
passe-montagne. La lanière de son fusil d'assaut plaquait sa chemise sur son torse et soulignait sa maigreur.
Des enfants se tenaient derrière eux, à la fois terrorisés
et surexcités par le déchaînement des éléments.

« Faudrait maintenant savoir ce qu'on fait », insista
Moram.

Les cheveux châtains qui se dressaient sur son crâne atténuaient en partie les rondeurs de son visage.

« Pour toi, le programme est tout tracé, fit Solman. Tu ne m'as pas dit que tu allais te marier ?

— Je ne vois pas en quoi mon mariage changerait quoi que ce soit à la situation.

— Je vais avoir besoin d'un chauffeur, et tu auras beaucoup mieux à faire que d'être celui-là.

— Un chauffeur ? Pour aller où ? »

Solman marqua un temps de silence. Il avait lu et relu le Nouveau Testament, mais, cette fois, il s'était davantage intéressé à la vie du Christ qu'aux versets de l'Apocalypse. L'Apocalypse était une prophétie, qui se prêtait à toutes les interprétations comme l'avait souligné Ismahil, les Évangiles étaient un témoignage à quatre voix qui avait traversé les siècles. Ils racontaient aussi la vie d'un donneur, d'un homme écartelé entre son appartenance au monde de matière et sa nature divine. Certes, Ismahil soupçonnait les copistes de l'Église romaine d'avoir remanié des passages pour de sordides questions de pouvoir, mais il n'en restait pas moins vrai que des vérités éternelles se cachaient dans ces lignes, entre autres que la prostituée avait autant de valeur que le prêtre, que le pire des criminels méritait d'être sauvé, que chaque homme, chaque femme, chaque enfant avait sa place dans le cœur de Dieu, ou de mère Nature, ou sur cette terre, quel que soit le nom qu'on veuille bien donner à l'Intelligence créatrice.

« Kadija m'attend de l'autre côté du fleuve. Elle doit me conduire au grand rassemblement des tribus. »

Si Wolf demeura impassible, les yeux de Moram s'écarquillèrent de stupeur. Il tritura sans même s'en rendre compte les crosses des revolvers dépassant de la ceinture de son pantalon et enfoncés dans les plis bouffants de sa chemise.

« Kadija ? Personne ne l'a vue depuis des jours...

— La vision m'est revenue ce matin, Moram. Je l'ai entendue me parler depuis l'autre rive du fleuve.

— Tu projettes de... partir, d'abandonner ton peuple ?

— Qui te parle de l'abandonner ? Kadija m'a assuré que les Aquariotes étaient en sécurité ici. Ils ont de l'eau, des réserves de vivres, ils resteront sous la garde de l'ange et des chiens.

— Pourquoi tu ne les emmènes pas avec toi ?

— Je... »

Les yeux clairs de Solman se tendirent d'un voile trouble.

« Il y a certaines choses que je dois accomplir seul.

— Et qui sont ces tribus ?

— Les douze tribus de l'*Eskato*. Celles qui sont appelées à nous succéder sur cette terre.

— Bordel de Dieu, je te le dis, donneur, personne ne prendra notre place si on ne le veut pas ! »

Solman lança un bref regard à Wolf, qui, malgré les grondements de l'orage, ne perdait pas une miette de leur conversation. Il ne ressentait plus le besoin de renouer les liens l'unissant au Scorpiote. La mort de Raïma et la lecture du Livre avaient pansé ses blessures secrètes, l'avaient laissé en paix avec ses souvenirs, avec son enfance.

« Je crains que la volonté ne suffise pas.

— Qu'est-ce que tu as de mieux à proposer, boiteux ? »

Un éclair bleuté, splendide, demeura suspendu pendant quelques secondes sur le fond noir du ciel.

« Je partirai vers le nord dès que la pluie aura cessé de tomber et qu'un camion pourra traverser cette mare, répondit Solman.

— Eh, eh, eh, une petite minute ! protesta Moram. Les camions ne sont pas encore prêts à rouler à l'essence.

— Je prendrai celui dans lequel vous avez transféré tous les restes de gaz.

— C'est-à-dire à peine de quoi faire quatre cents kilomètres. Et puis ton peuple en a besoin pour se ravitailler en eau.

— Une bonne raison pour que les chauffeurs se pressent de remonter les réservoirs et de régler les moteurs. »

Moram grimaça, roula des yeux furibonds, écarta les bras à plusieurs reprises, mais ne trouva rien de mieux, pour exprimer son désarroi, que de les laisser retomber lourdement le long de ses hanches.

« Comment tu comptes franchir ce putain de fleuve ?

— La débâcle est amorcée, et les Sheulns savent fabriquer des barges.

— Des barges ? Faut attendre encore une ou deux semaines : les morceaux de glace sont serrés, plus gros que des remorques ! Et puis tu gaspillerais pas mal de gaz et de temps pour aller chercher un autre passage. Si mes souvenirs et mes calculs sont exacts, je ne connais que deux ponts encore debout sur le Bord de Sud. Le premier, sur la piste de l'ouest, à deux cents kilomètres d'ici ; l'autre, sur une piste à l'est, à plus de deux cent cinquante bornes. »

Les enfants, figés dans la pénombre, écoutaient de toutes leurs oreilles. De temps à autre, ils lançaient un coup d'œil inquiet en direction de l'ange dont ils entrevoyaient la silhouette élancée au fond de la salle. Les lueurs rageuses des éclairs fouettaient les troncs cylindriques des solbots alignés le long d'un mur, allumaient des étoiles dans les yeux des chiens allongés sur le béton.

« Inutile de discuter, Moram, ma décision est prise. Je te demande seulement de me trouver un chauffeur, un bon de préférence, et de voir auprès des Sheulns s'ils peuvent fabriquer d'urgence une barge assez solide pour supporter le poids d'un camion.

— Qui d'autre partirait avec toi ? »

Solman désigna Wolf d'un mouvement de tête.

« Je suppose que mon ange gardien se fera un devoir de veiller sur moi jusqu'au bout.

— Et si aucun chauffeur ne veut...

— Tu dois m'en trouver un : c'est un ordre ! »

Moram fixa le donneur d'un air de défi, ses gros poings serrés le long de ses cuisses, puis, après avoir hoché la tête à cinq ou six reprises, pivota sur lui-même et égailla les enfants d'un coup de gueule tonitruant.

La pluie avait cessé, le ciel s'était dégagé. Les hommes Sheulns, accompagnés d'une vingtaine d'Aquariotes, équipés de haches, de masses, de scies, de ciseaux à bois, de cordes, s'étaient rendus sur la rive du fleuve pour examiner les arbres, des chênes ou des hêtres le plus souvent, qui bordaient le cours d'eau. Les coups de hache retentissaient à présent dans l'air purifié par l'orage, entrecoupés d'ahanements et des grincements sourds des scies.

Moram avait rencontré des réticences lorsqu'il avait exposé aux autres le projet du donneur, mais il avait compris qu'elles n'étaient que les reflets de son propre trouble. Il avait donc corrigé le tir et mis davantage de conviction dans ses paroles. Il leur avait rappelé que, sans Solman, ils ne seraient plus à l'heure actuelle que des cadavres pourrissants dans le relais de Galice, sur les versants du Massif central ou dans les ruelles de la ville fortifiée. Ils avaient fini par se rendre à ses arguments, les Sheulns en premier, qui, fraîchement secourus, se saisissaient de l'occasion pour régler leur dette envers le donneur aquariote. Les chauffeurs avaient accepté de se séparer du seul camion en état de marche, de démonter sa citerne, lourde et inutile dans ces circonstances, de la remplacer par une remorque légère dont ils avaient dévissé les roues et fixé le plancher au châssis. Les intendants avaient préparé des réserves d'eau et de vivres pour quatre personnes et pour deux mois.

Perdu dans ses pensées, Moram se rendit à la voiture où logeait Hora. Elle sortit avant même qu'il ne pose le pied sur le marchepied, descendit à sa rencontre, se jeta dans ses bras et l'embrassa avec une gravité inhabituelle.

« Monte, dit-elle. Je suis seule. Les autres sont parties vider la mare et consolider le terrain à l'entrée du bunker. »

Moram la suivit à l'intérieur de la voiture. Des parfums et des odeurs de femmes imprégnaient l'air confiné, d'autant que la sourcière avait fermé toutes les vitres. Des matelas jonchaient le plancher dans le plus grand désordre, mais la couchette principale, celle qui contenait le lit à deux places, était propre, bien rangée, et le matelas recouvert de draps frais.

Elle s'empara des revolvers de Moram, les déposa sur la table scellée au plancher, puis le dévêtit sans un mot, le priant seulement de s'asseoir pour qu'elle puisse lui retirer ses bottes. Elle se déshabilla à son tour, avec solennité, avec, également, une certaine tristesse qu'elle s'efforçait de masquer sous un sourire mutin, le prit par la main et l'entraîna sur la grande couchette dont elle tira les rideaux.

Ils firent l'amour en silence, avec une lenteur exaspérante où perçaient déjà les prémices de la séparation, de l'absence.

« Le bruit court que le donneur part vers le nord, murmura-t-elle, essoufflée, en sueur, la tête posée sur l'épaule de Moram. Et qu'il a besoin d'un chauffeur...

— C'est ce qu'on dit, fit-il, évasif.

— On sait qui s'est porté volontaire ?

— Pas encore. C'est à moi de le désigner.

— Si tu ne l'as pas encore fait, c'est que tu veux être celui-là, non ? »

Il se redressa sur un coude et la fixa avec intensité. Elle lui parut plus belle que jamais avec ses cheveux en désordre, ses yeux brillants, ses traits détendus, épurés par l'abandon.

« Je veux rester avec toi, répondit-il, la gorge sèche. Me marier avec toi.

— Si tu ne pars pas avec le donneur, je sais que tu le regretteras toute ta vie, je sais que tu ne seras plus jamais le Moram que j'aime. Je ne crois pas au hasard : tu t'es engagé dans un chemin, tu dois le parcourir jusqu'au bout.

— Et si au bout il y avait la mort ? »

Elle l'embrassa pour lui cacher sa détresse, la montée de ses larmes.

« Je t'attendrai jusqu'à la fin de mes jours. Et si tu ne reviens pas, je te rejoindrai dans l'autre monde. »

Il aurait voulu parler, la remercier de sa générosité, l'assurer de son amour, il resta tétanisé sur le matelas, la gorge et les muscles noués, incapable de prononcer une parole, d'esquisser un geste. Bien sûr, il n'avait pas envisagé d'autre chauffeur que lui-même, bien sûr, il aspirait à suivre le donneur dans son dernier périple, bien sûr, les regrets l'auraient harcelé jusqu'à sa mort s'il n'avait pas répondu à l'appel, mais un mot d'elle, un seul, et il aurait renoncé à partir, sans hésitation, il se serait accommodé de sa frustration, il se serait interdit de lui en vouloir.

« Pourquoi... pourquoi tu... balbutia-t-il.

— Je n'ai pas l'impression de me sacrifier, si c'est ça qui te gêne. Je pense à moi, au contraire. Je veux d'un mari qui soit allé jusqu'au bout de lui-même. Comme toi, tu voulais d'une femme accomplie, pas d'une épouse fâchée avec elle-même. Sinon, tu ne m'aurais pas encouragée à exercer mon don, tu ne m'aurais pas empêchée de me déclarer exdone. Tu avais besoin d'une compagne dont tu sois fier, pas vrai ?

— Tu... tu n'es pas fière de moi ? »

Elle se releva et s'agenouilla à son côté. Bien que plus petite que lui, elle lui parut immense, elle le dominait de toute sa stature, de toute son impudeur, de toute son odeur, de toute sa beauté.

« Je t'aime comme tu es, dit-elle. Et tu es Moram, le chauffeur, l'ami du donneur, tu es l'homme dont il a besoin pour accomplir son destin. »

Elle était très jeune, à l'orée de sa vie, et pourtant il avait l'impression d'être un enfant devant elle. Il embrassa son corps d'un regard chaviré, brouillé par les larmes.

Les deux Sheulns et leur traductrice, Jeska, s'avancèrent vers Solman, Moram et Wolf.

Jeska avait changé depuis le jour où le peuple de l'eau les avait recueillis, elle et les siens, dans le défilé du Massif central : ses joues s'étaient remplies, ses cernes s'étaient effacés, ses cheveux dénoués avaient gagné en volume, en brillance. La femme vieillie avant l'âge qui avait empêché son mari de faire feu sur ses trois interlocuteurs aquariotes avait recouvré ses formes, ses couleurs, sa jeunesse, sa vigueur, sa joie de vivre.

Solman se rendit compte que les Sheulns avaient construit deux radeaux, un petit et un grand. Ils avaient lié des troncs et des branches maîtresses élagués avec des cordes, et consolidé l'ensemble avec des branches plus fines clouées en travers. Les rayons du soleil tombaient en colonnes obliques entre les nuages de traîne.

La plupart des derniers hommes se pressaient sur la rive sablonneuse de la Loire. Ils avaient surmonté leur inquiétude pour affronter le temps incertain et assister au départ du donneur. Deux chauffeurs avaient amené le camion quelques minutes plus tôt. Malgré les pierres et les autres étais, il s'était embourbé à plusieurs reprises au sortir du bunker et s'était enrobé d'une épaisse couche de boue qui, en séchant, lui donnait des faux airs d'animal préhistorique. La remorque bâchée paraissait perdue sur l'imposant châssis rouillé, réservé d'habitude à la citerne.

Les morceaux de glace charriés par l'eau grondante du fleuve se heurtaient dans un concert de craquements sourds.

Un des deux Sheulns parla en neerdand et s'interrompit pour laisser le temps à Jeska de traduire.

« Courant trop fort, dit-elle. Deux radeaux, un grand pour camion, un petit pour première traversée, pour tendre corde au-dessus du fleuve.

— Pourquoi cette corde ? demanda Solman.

— Parce que grand radeau, trop lourd pour diriger, avancer accroché à la corde, répondit Jeska après avoir posé la question aux Sheulns et écouté avec attention leur réponse.

— Le petit radeau ne risque pas d'être emporté ?

— Non, non. Eux dire pouvoir traverser avec... avec... euh, rames.

—. Ce sont eux qui vont s'en charger ?

— Nous, Sheulns, devoir envers toi, donneur. Eux traverser d'abord, quatre autres traverser après sur grand radeau. Eux faire ça pour toi. »

Il les remercia d'un mouvement de tête. Elle sourit, lui prit les mains et s'inclina jusqu'à ce que ses lèvres lui effleurent les paumes.

Les deux Sheulns attachèrent une extrémité de la corde – en fait, une dizaine de cordes épaisses liées les unes aux autres – à la branche d'un chêne, l'autre à un tronc du petit radeau, se munirent de leurs rames – de longues perches de bois dans lesquelles ils avaient fiché de larges plaques métalliques –, puis mirent l'embarcation à l'eau. Ils parcoururent sans encombre le quart de leur trajet avant d'être happés par le courant. Ils ne cherchèrent pas à s'opposer à la puissance des flots, mais à accompagner le mouvement, à anticiper et à esquiver les trajectoires des blocs de glace. Grossie par la fonte des neiges et les pluies diluviennes des jours précédents, large à cet endroit d'une centaine de mètres, la Loire écumait, ondulait avec l'impétuosité d'un torrent, se hérissait de gerbes d'écume qui engloutissaient par instants les piles de l'ancien pont.

Le radeau, entraîné en direction de l'ouest, gagna peu à peu le milieu du fleuve. La corde se dévidait dans un sifflement continu, et Solman craignit qu'à cause du courant, les deux Sheulns ne l'aient pas prévue assez longue pour atteindre le bord opposé. Ils se démenaient avec une rare énergie sur les troncs par instants submergés, piquaient leurs perches sur les morceaux de glace les plus menaçants, à la fois pour les dévier et pour corriger la dérive du radeau, plongeaient les plaques métalliques dans l'eau afin de grappiller les mètres.

Ils disparurent dans les voiles d'écume qui scintillaient à l'entrée du premier méandre. Des hommes et des enfants gravirent en courant les versants des collines, mais, pas davantage qu'en bas – encore moins qu'en bas –, ils ne réussirent à distinguer l'embarcation dans le moutonnement bouillonnant. La corde se déroulait avec une régularité de métronome. Elle était désormais le seul fil qui reliait les deux Sheulns aux derniers hommes.

CHAPITRE 53

« Je te l'avais bien dit, ce putain de courant est trop fort pour qu'on puisse traverser ! »

Moram épia du coin de l'œil la réaction de Solman. La corde était tendue à se rompre depuis un bon moment déjà, et les deux Sheulns ne donnaient toujours pas signe de vie. Le chauffeur espérait maintenant que le donneur capitulerait devant les difficultés et ajournerait son projet. Hora n'avait pas souhaité l'accompagner sur le bord du fleuve. « J'ai peur de flancher au dernier moment, de te supplier de rester », avait-elle sangloté en l'étreignant, et il souffrait déjà de son absence, il lui tardait de la retrouver.

« Ils ont été secoués, mais ils ont réussi, dit Solman. Ils ont seulement besoin de reprendre des forces. »

Moram ne songea pas à contester. Il était bien placé pour savoir que la vision de Solman ne le trompait jamais. Il n'y aurait pas de prétexte pour retourner près de Hora, pour briser cet élan implacable qui le poussait à quitter la première femme qu'il eût jamais aimée. Ou les voies de mère Nature étaient d'une complexité inextricable, ou leur simplicité était aveuglante.

« Et Glenn ? demanda-t-il. Pourquoi il n'est pas venu te dire au revoir ?

— Je lui ai fait mes adieux avant de partir, répondit Solman. Il a compris les raisons de mon départ. Il soigne une fillette entre la vie et la mort. Il est resté veiller sur elle. Il n'a que six ans, mais il a l'âme d'un sage.

« — Tout comme ma Hora. Il a le don de guérir, elle a le don de l'eau. Il suffit donc d'avoir un foutu don pour être sage ? »

Solman s'arracha à sa contemplation de la Loire et fixa le chauffeur d'un air à la fois tendre et ironique. Le vent chahutait ses cheveux et les poils clairsemés de sa barbe. Il portait, sous sa canadienne, sa tunique et son pantalon de peau nettoyés et ravaudés par les lavandiers. Ses yeux avaient la profondeur et la luminosité d'un ciel d'été.

« Peut-être qu'il suffit d'être sage pour avoir un foutu don.

— Dans ce cas, je risque d'attendre un sacré bout de temps ! » grinça Moram.

Des soubresauts agitèrent la corde qui commença à pivoter sur son axe comme le rayon d'une roue. Des clameurs de soulagement saluèrent l'apparition des deux Sheulns sur la rive opposée du fleuve. Après leur avoir adressé de grands signes, ils choisirent d'attacher la corde en haut d'un éperon rocheux, situé une cinquantaine de pas à l'ouest par rapport au point de départ, de manière à la tendre de biais cinq ou six mètres au-dessus du fleuve et de placer le grand radeau dans le sens du courant.

Moram se chargea de hisser le camion sur les troncs reposant sur un lit de rondins. Les quatre Sheulns de l'équipage le guidèrent dans ses manœuvres afin de répartir au mieux le poids du véhicule. Ils calèrent ensuite les roues à l'aide de gros coins en bois qu'ils fixèrent avec des clous, lièrent une dizaine de cordes courtes aux troncs, puis, juchés sur la cabine du camion, les arrimèrent par des nœuds coulants à la grande corde. Ils donnèrent le signal du départ après les ultimes vérifications.

Moram lança un regard éperdu en direction du bunker mais Hora, comme elle le lui avait annoncé, ne se montra pas.

« Je viens avec vous ! » fit une voix.

Ismahil se détacha de la foule et s'avança vers le grand radeau d'une allure décidée. Il avait remplacé ses vêtements albains par une tenue traditionnelle aquariote, large tunique de lin, veste et pantalon de cuir, hautes bottes.

« Pas question ! objecta Moram. On n'a pas de ration ni de place pour vous.

— Allons, je sais que les intendants ont prévu des vivres pour quatre. Et, si je compte bien, Wolf, Solman et toi, ça ne fait que trois.

— Quatre avec Kadija ! Si on la retrouve.

— Elle ne mange pas et ne boit pratiquement pas. Je voyagerai dans la remorque. Elle est très confortable à ce qu'on m'a dit.

— On ne sait pas combien de temps durera ce putain de voyage ! On ne sait même pas où on va ! Et, vu votre âge, j'ai peur que...

— Mon âge n'a rien à faire dans cette histoire ! C'est à moi que Kadija a été envoyée. Je suis en quelque sorte son tuteur sur cette terre. »

Une trentaine d'hommes, les plus robustes, s'étaient déjà regroupés à l'arrière du radeau pour la mise à l'eau. Les quatre Sheulns attendaient, équipés de perches imposantes – et probablement inutiles pour manier une embarcation de cette taille et de ce poids – dont les pelles métalliques étaient fixées au bois par des dizaines de clous.

« Vous êtes le bienvenu, déclara Solman, ignorant le regard furibond de Moram. Allons-y maintenant. »

En dépit du système de roulement constitué par les rondins, les trente hommes arc-boutés sur les extrémités des troncs perdirent près d'une heure à pousser le radeau lesté du poids du camion. Les nuages s'amoncelaient à nouveau dans le ciel, des lueurs vives ourlaient les collines, un tonnerre encore lointain dominait le grondement du fleuve et les craquements des blocs de glace. La lumière faiblit avec une telle soudaineté que la nuit sembla s'être invitée avant l'heure.

Adossé à l'aile du camion, Solman vit des femmes courir derrière les enfants, les prendre par le bras et les ramener vers l'entrée du bunker sans tenir compte de leurs gesticulations de protestation. Son départ n'avait donné lieu à aucun discours larmoyant, à aucune démonstration de tristesse. Des mains s'étaient tendues sur son passage pour l'effleurer au moment de l'embarquement, des larmes discrètes avaient roulé sur quelques joues, des murmures d'encouragement s'étaient évanouis dans les rafales de vent, mais personne ne s'était jeté en travers de son chemin, personne n'avait cherché à le retenir. Il ne voyait pas de l'ingratitude dans l'attitude des Aquariotes, mais le signe que le peuple de l'eau serait bientôt prêt à prendre sa destinée en main. Et puis, au nom de quoi aurait-il espéré de la gratitude ? Mère Nature avait déposé un don dans son corps de boiteux de la même manière qu'elle déposait d'autres qualités dans d'autres corps. Éprouvait-il de la gratitude pour cette femme qui traînait son enfant récalcitrant sur le versant d'une colline ? Pour cet homme arc-bouté sur un tronc dont les veines saillaient sur les tempes et le cou ? Pour cette fillette qui courait robe et cheveux au vent ?

Chacun avait son importance sur ce monde, tous tissaient une trame commune et indéchiffrable. Tant que les hommes n'auraient pas pris conscience qu'aucun d'eux n'était ni inférieur ni supérieur aux autres, qu'ils étaient associés pour le meilleur et pour le pire dans le lit de l'humanité, ils poursuivraient l'œuvre d'anéantissement qu'ils avaient entreprise depuis la nuit des temps.

L'avant du radeau toucha l'eau. Dès lors, il ne fallut aux trente hommes qu'une poignée de minutes pour propulser l'embarcation entière sur le fleuve. Elle poursuivit sur sa lancée, prit de la vitesse et commença à tanguer sous l'effet des premiers remous. Les attaches se tendirent brusquement dans une série de grincements et tirèrent sur la corde jetée au-dessus du fleuve. Solman la vit se distendre comme un élastique, et, l'espace de quelques secondes, crut qu'elle allait rompre ou arracher le chêne auquel elle était rivée.

« Accroche-toi, boiteux ! Et fais attention de ne pas avaler de l'eau du fleuve ! »

Wolf se tenait tout près de lui, agrippé au pare-chocs. Ses yeux presque entièrement blancs brillaient avec fièvre dans la fente de son passe-montagne. Le roulis du radeau l'obligeait à déplacer sans cesse son centre de gravité. Solman obtempéra d'un signe de tête, grimpa sur le marchepied, se riva à la tige du rétroviseur et remonta le col de sa canadienne sur son nez et sa bouche. Le vent lui apporta les bribes des voix de Moram et d'Ismahil, plaqués contre la portière de l'autre côté du véhicule.

Les blocs de glace fusaient à pleine vitesse de part et d'autre de l'embarcation, parfois si près qu'ils la frôlaient dans une explosion d'écume. Le grondement du fleuve prenait une dimension terrifiante au fur et à mesure qu'ils s'éloignaient de la berge. Le camion ne bougeait pas, immobilisé par ses cales, mais les chocs qui secouaient les troncs provoquaient des vibrations sourdes dans sa carrosserie et sur ses vitres. Porté par le courant, entravé par les cordes, le radeau progressait en travers, par à-coups. Les remous le bloquaient de temps à autre pendant une vingtaine de secondes, puis il repartait dans une succession de secousses qui le ballottaient d'un côté sur l'autre et projetaient des paquets d'eau sur les troncs. Trempés de la tête aux pieds, la tête rentrée dans les épaules, deux Sheulns essayaient de contrôler la direction en se servant de leurs pelles comme de godilles, mais la violence du flot rendait leurs efforts dérisoires, pour ne pas dire nuls.

Les deux autres, postés sur le côté, surveillaient les blocs de glace et s'efforçaient de dévier les plus menaçants de l'extrémité de leurs perches.

Solman lança un coup d'œil par-dessus son épaule. Les Aquariotes figés sur la rive suivaient avec inquiétude la progression chaotique du radeau.

Son peuple...

Il ne les reverrait pas, cela ne faisait aucun doute. Il n'était pas leur berger, leur donneur, mais un des leurs, un homme qui avait partagé leurs souffrances, leurs espérances. Même si les embruns l'empêchaient désormais de distinguer les traits, il se sentait porté par leurs regards, par leur vénération, par leur amour. Il se sentait, également, enveloppé de l'amour de Wolf en quête éperdue de rachat, de l'amour de Moram qui s'était, pour le suivre, arraché des bras de la femme de sa vie... Il avait puisé en eux tous, dans leur humanité, la force d'entreprendre ce voyage, de rejoindre Kadija de l'autre côté du fleuve. Les larmes lui vinrent aux yeux. Il lui faudrait bientôt les quitter, et l'écume froide qui lui cinglait le visage semblait emplie de toute l'amertume des temps.

Un bloc de glace brisa la perche d'un Sheuln et percuta le radeau de plein fouet. Prise en travers, l'embarcation eut une gîte prononcée qui provoqua des grincements alarmants dans les cordes. Solman faillit lâcher la tige du rétroviseur, crut que le camion allait se coucher sur le flanc, glissa sur la marche, se rattrapa de justesse, vit deux Sheulns rouler comme des pierres sur les troncs submergés, s'agripper l'un au châssis de la citerne, l'autre à une saillie de bois, se rétablir sur leurs jambes, se replier prudemment vers l'abri offert par le camion. Bien qu'ils eussent pris la précaution de nouer des bouts d'étoffe sur le bas de leur visage, il se demanda s'ils n'avaient pas avalé de l'eau. On ne connaissait pas un seul fleuve, pas une seule rivière, pas un seul ruisseau qui ne fût contaminé par les anguilles[GM]. Le venin se diluait dans les eaux courantes, perdait donc de sa redoutable efficacité, mais l'absorption de quelques gouttes suffisait à tuer les plus faibles en une vingtaine d'heures et les plus résistants en deux ou trois jours.

La fréquence des éclairs s'accentuait, les roulements de tonnerre s'amplifiaient en cadence. Les blocs de glace ondulaient à la surface des flots comme un troupeau aveugle lancé à pleine vitesse. Deux d'entre eux heurtèrent simultanément le radeau. C'en fut trop pour la corde tendue au-dessus du fleuve, qui céda dans un claquement. L'embarcation, soudain libérée de ses amarres, fut projetée comme une flèche dans le courant. Accroché de toutes ses forces à la tige du rétroviseur, la jambe gauche à l'agonie, Solman perçut, dans le lointain, les aboiements des chiens et les hurlements d'effroi des Aquariotes massés sur la berge.

CHAPITRE 54

Kadija n'avait pas besoin de recourir à la symbiose avec Benjamin pour s'apercevoir que les temps approchaient du rassemblement des douze tribus de l'*Eskato*. Il lui suffisait de contempler la métamorphose de la terre, qui, après avoir pansé les blessures infligées par les hommes, revêtait ses nouvelles parures pour accueillir les Saints. La colère du ciel avait détruit la Grande Prostituée, la bête écarlate, les rois, les marchands et les faux prophètes des nations humaines, et Satan, le dragon, l'antique serpent, précipité dans l'étang de soufre et de feu, avait désormais perdu sa capacité à nuire.

Les Justes inscrits dans le livre de vie allaient bientôt investir cette terre nouvelle délivrée de la malédiction originelle, toucher les fruits de leur clairvoyance, de leur persévérance, de leurs mérites. Ils ne connaîtraient pas la maladie, ni la guerre, ni toutes ces souillures qui avaient jalonné l'histoire de leurs prédécesseurs. Les hommes n'avaient pas su saisir leur chance, ils étaient condamnés à disparaître, comme les dinosaures avant eux, comme toutes les espèces animales ou végétales incapables de s'adapter aux changements. Ainsi le voulait la véritable logique de l'évolution, du rééquilibrage, de l'ordre, ainsi le proclamait le Verbe de l'*Eskato*.

Cependant, quelque chose empêchait Kadija de ressentir la béatitude qu'auraient dû lui valoir son état de Sainte et la perspective du jugement dernier. Quelque chose qu'elle ne pouvait pas encore analyser, mais qui, indubitablement, était lié au trouble de Benjamin, à la disparition de sa sœur, à la lutte désespérée des derniers hommes, à... sa propre attirance pour Solman le boiteux.

Elle avait retiré sa robe et s'était assise sur une colline au bas de laquelle passait l'ancienne piste. Elle s'était demandé comment Solman et les autres s'y prendraient pour franchir la Loire. Plus un seul pont n'était resté debout dans les ruines de Tours, qui en avait probablement compté une dizaine avant la Troisième Guerre mondiale. La violence du courant et la densité des blocs de glace rendaient la navigation aléatoire, pour ne pas dire impossible. Il aurait fallu qu'ils traversent sur l'épaisse couche de glace, comme elle quelques jours plus tôt, mais la débâcle s'était amorcée avant que Solman recouvre la vision et perçoive ses communications silencieuses. Elle regrettait de ne pas être restée en sa compagnie jusqu'à son départ. Elle avait jugé opportun de s'éloigner afin de respecter son désir de solitude et de silence. Ce n'était sans doute pas la seule – la vraie – raison de son éclipse : elle craignait d'être compromise dans sa nature de Sainte si elle ne brisait pas l'élan qui l'entraînait inexorablement vers le donneur aquariote. D'être exclue de l'Éden le jour du jugement dernier. D'être condamnée à la seconde mort de ceux qui n'étaient pas inscrits dans le livre de la vie.

« Si nos corps gardent une apparence semblable à celle des hommes et des femmes, disait le Verbe, ce n'est pas pour renouer avec cette dualité qui a conduit les descendants d'Adam et Ève à leur perte, mais, au contraire, pour affirmer avec force que nous sommes un dans nos différences, que nous avons vaincu la tentation de puiser dans l'autre, dans l'opposé, dans l'image, ce qui se trouve à l'intérieur de nous-mêmes, notre essence, notre sainteté, notre feu éternel et sacré. »

Kadija s'allongea sur l'herbe, goûta les effleurements du vent sur sa peau, le contact de la terre grasse sur sa nuque, ses épaules, son dos et ses fesses. L'espace de quelques secondes, elle imagina que ces caresses étaient prodiguées par les mains et le souffle de Solman.

Une étrange torpeur l'envahit, un engourdissement suave que ses connaissances étaient impuissantes à décrire mais qu'elle n'assimilait certainement pas à cet affaiblissement dangereux de ses défenses immunitaires renvoyé par l'écho faiblissant de Benjamin. Autour d'elle, des insectes butinaient les fleurs dans un concert de bourdonnements ivres. Ceux-là étaient, comme les anges, comme les chiens, les serviteurs de l'*Eskato*, chargés de disperser les pollens, de féconder la terre, de l'habiller d'une splendeur végétale qui supplanterait les fruits de la sueur et de l'orgueil des hommes.

L'*Eskato* avait confié une mission particulière à chacune des douze tribus, les unes s'occupant de régénérer la faune et la flore terrestres, les autres, les Saints immergés au fond des océans sans doute, lâchant des espèces nouvelles de poissons, de crustacés, d'anguilles, de sangsues, de batraciens, d'algues... qui rendraient leur limpidité originelle aux fleuves, aux rivières, aux nappes, aux sources. Une armée invisible, innombrable, se déployait dans les abysses, dans les profondeurs du sol, dans les plaines, dans les forêts, dans les massifs montagneux, dans les déserts, dans les jungles, dans les décharges et les ruines de l'ancien temps... Bactéries, alvins, insectes portaient les germes du renouveau dans les moindres recoins de la planète, neutralisaient les radiations nucléaires et les pollutions chimiques, inoculaient le sceau des Justes aux hordes d'animaux sauvages qui avaient survécu au feu des bombes, aux fléaux génétiques et à l'empoisonnement des eaux.

Même si la pesanteur – et ses propres tentations humaines – amoindrissait la qualité de la symbiose avec Benjamin, Kadija percevait le frémissement extatique qui baignait les membres de la tribu et semblait effacer les remises en question, les doutes sur le bien-fondé des enseignements de l'*Eskato*. Elle se sentait vraiment seule à présent, coupée de son monde d'origine, livrée à elle-même dans un environnement en pleine mutation. Avec un corps, lui aussi, en pleine mutation. L'enveloppe de chair renfermant son cerveau, sa mémoire, la somme de ses connaissances, commençait à prendre son indépendance, à affirmer ses besoins.

Sa sœur avait probablement éprouvé le même désarroi, expédiée, comme elle, trop tôt sur une terre encore imprégnée de la folie humaine. Sa sœur avait-elle pris du plaisir à cette lassitude qui alourdissait les membres et invitait à l'abandon du sommeil ? À cette perte de conscience pendant laquelle, selon Solman, les pensées se changeaient en rêves ? Avait-elle été fascinée par cette extraordinaire facilité qu'avaient les hommes à s'endormir tandis que les plus graves dangers rôdaient dans la nuit ? Avait-elle été persécutée par l'envie d'être... touchée par l'un d'eux ? De perdre son intégrité dans les bras de l'un d'eux ? Avait-elle ressenti la faim, la soif, autant de notions absurdes dans le contexte de Benjamin mais qui, ici, paraissaient indissociables de la vie ? Avait-elle perçu cet appel qui provenait d'un autre temps, d'une mémoire antérieure à celle des Justes ?

Les paupières mi-closes, Kadija observa le ciel sillonné de nuages gris annonciateurs de nouvelles pluies. La douzième tribu, la tribu de l'espace, s'était acquittée sans faiblir de la tâche que lui avait impartie l'*Eskato* : le contrôle du climat terrestre par la manipulation des paraboles, des capteurs, des projecteurs, des satellites, des divers instruments en orbite autour de la lune. Pendant près d'un siècle, Benjamin avait maintenu sur la planète un temps sec, glacial en hiver et brûlant en été, une jachère persistante qui avait permis aux sols de se régénérer. Il envoyait à présent un souffle chaud et humide qui transformait la terre en une gigantesque serre tropicale, fertilisait les sols, favorisait les échanges, libérait le bouillonnement de vie jugulé pendant près d'un siècle dans le permafrost de l'hémisphère Nord et dans les zones arides de l'hémisphère Sud.

Kadija avait elle-même l'impression de se réveiller après un long sommeil. La vie ne bouillonnait pas seulement autour d'elle, mais en elle. Elle s'était comportée comme un pur esprit dans la station orbitale, l'organisme n'étant qu'un véhicule pratique, un centre d'observation personnel muni de fenêtres extérieures, un outil technologique performant.

« S'il avait existé des formes supérieures à celles de l'anthropomorphie, nous l'aurions abandonnée sans hésitation, disait l'*Eskato*. Mais ni le silicium, ni l'ADN de synthèse, ni les autres supports, si sophistiqués soient-ils, n'égaleront un jour la merveilleuse complexité de la physiologie. Nous garderons donc notre enveloppe originelle. Elle nous rapproche de l'humanité, mais entre elle et nous, il y a la même différence qu'entre les animaux et elle, qu'entre le règne végétal et le règne animal, qu'entre le règne végétal et le règne minéral. Nous sommes les marqués du Sceau, les éclats bénis du feu originel, les fruits ultimes de l'évolution... »

Les mains de Kadija partirent en reconnaissance de son corps. L'idée ne l'en avait jamais effleurée dans l'espace. Elle avait suivi des femmes aquariotes ou Sheulns dans leurs mouvements, elle avait épié leurs étreintes furieuses avec les hommes, elle les avait vues manger, boire, rire, pleurer, allaiter, remonter leur robe, s'accroupir, uriner, déféquer... autant de fonctions qui semblaient aller de pair avec les particularités de leurs organismes. Elle avait bu quelques gouttes d'eau au sortir de son combat victorieux contre le poison, elle avait mangé une gaufre, des expériences qui l'avaient marquée d'une empreinte indélébile. Elle s'attarda un long moment sur ses seins, éprouvant leur consistance à la fois ferme, souple et tendre. Une sensation agréable, ineffable, lui irradia la poitrine puis se propagea comme un pincement délicieux dans les ramifications de son système nerveux. Les défenses implantées par l'*Eskato* se déployèrent aussitôt, et un tel sentiment de dégoût la balaya qu'elle laissa retomber ses bras le long de ses hanches.

Pourquoi le feu originel l'avait-il dotée d'une bouche si ce n'était pour manger, boire, parler, rire, embrasser ? De seins si ce n'était pour allaiter, pour s'offrir aux regards, aux caresses ? D'un conduit entre ses jambes si ce n'était pour uriner et accueillir le sexe mâle ? D'une matrice si ce n'était pour enfanter ? D'un anus si ce n'était pour déféquer ? À quoi donc servaient tous ces attributs s'ils n'étaient pas conformes à la pensée de l'*Eskato* ?

Elle laissa se dissiper sa réaction de répulsion et, du bout des doigts, se pinça la pointe des seins. Elle éprouva une volupté plus intense, plus profonde, qu'à sa première tentative. Elle eut l'impression que les éléments participaient à son plaisir, que les frôlements du vent se faisaient plus insinuants, plus insistants, l'humidité de la terre plus pénétrante, le contact des herbes plus enjôleur, plus intime. Elle prit conscience de l'accélération de son rythme cardiaque, de la précipitation de son souffle, de la course ondoyante des frissons qui naissaient de sa poitrine et mouraient en vagues exquises à l'extrémité de ses membres. Les barrages de l'*Eskato* se mirent en place, cette fois, avec une brutalité proportionnelle à la violence de ses tentations : un flot d'antigènes jaillit en elle qui inhiba son système nerveux et la maintint paralysée dans l'herbe durant quelques minutes. Ses défenses immunitaires s'organisaient pour préserver son incorruptibilité de Sainte. Elles jouaient leur rôle avec la même efficacité qu'elles étaient intervenues pour nettoyer son sang des molécules de poison une dizaine de jours plus tôt. Elles se manifestaient dès qu'elles détectaient une perturbation, un désordre, une entropie, elles veillaient à maintenir l'équilibre, l'organisation, l'intégralité de l'information.

À empêcher le déclenchement de la flèche du temps.

Dès qu'elle en eut la possibilité, Kadija se releva et esquissa quelques pas. En elle grondait une révolte qui amplifiait la scission entre sa nature de Sainte et les aspirations de son corps de femme. Elle eut le sentiment d'être le jouet de forces qui la manipulaient, qui la dépassaient. Pourquoi donc Benjamin l'avait-il envoyée sur la terre ? La recherche de la sœur perdue ne lui semblait plus une réponse satisfaisante. La gorge imprégnée d'une étrange amertume, elle laissa errer son regard sur le moutonnement vert des collines entre lesquelles elle apercevait le ruban sinueux et gris de la Loire.

Solman...

Elle eut soudain la vision d'une embarcation ballottée par des flots tumultueux, percutée par les blocs de glace, elle entendit un grondement, des craquements, des hurlements. Ce n'était pas elle qui captait les images, les sons et les sensations, ni la tribu qui les lui transmettait, mais Solman qui lui adressait un message. Les Saints, les fruits ultimes de l'évolution, n'avaient pas le don de clairvoyance, ni d'ailleurs aucun autre don. Le Verbe ne s'accommodait pas de ces phénomènes psychiques intempestifs, irrationnels, incontrôlables.

Elle ramassa sa robe et, sans prendre le temps de l'enfiler, dévala à toutes jambes le versant de la colline.

CHAPITRE 55

Le radeau livré à lui-même filait à vive allure sur la Loire grossie par la débâcle et la fonte des neiges. Tantôt le courant, toujours aussi violent, le rapprochait de la rive, tantôt il le ramenait au milieu du fleuve. Il atteignait parfois une zone d'accalmie, mais, à peine les deux Sheulns encore équipés de leurs pelles essayaient-ils de le manœuvrer que les blocs de glace, surgissant de l'arrière, le percutaient de plein fouet et le propulsaient vers de nouveaux rapides. L'écume des gerbes et les gouttes de pluie tiraient des rideaux opaques, cinglants, qui transformaient les berges et les collines en ombres inaccessibles.

« Les cales ! cria Wolf. Elles sont en train de s'arracher ! »

La chemise détrempée, plaquée sur son torse, une main soudée au bas de la carrosserie, il s'était avancé vers le marchepied avec une prudence de loup, s'arrêtant régulièrement pour remonter la bretelle de son fusil d'assaut. La pluie semblait délaver ses yeux, qui ressemblaient à deux astres morts dans le ciel minuscule découpé par la fente de son passe-montagne.

Solman, lui, n'avait lâché à aucun moment la tige du rétroviseur. Il avait l'impression que le courant et le vent exploiteraient le moindre de ses mouvements pour le précipiter dans le fleuve. Les vibrations inquiétantes qui parcouraient la tôle du camion se communiquaient à sa colonne vertébrale et accentuaient les élancements à sa jambe gauche. Il soulageait de temps à autre sa jambe

558

valide gagnée par les crampes en transférant le poids de son corps sur son bras accroché à la tige. Bien que sa position fût des plus inconfortables, il n'avait plus la possibilité d'en changer, trop diminué à présent pour anticiper et compenser les gîtes de l'embarcation. C'était déjà un miracle qu'aucun des Sheulns ne se fût noyé. Ils avaient perdu l'équilibre à maintes reprises, mais ils avaient réussi à s'agripper à une saillie, au pare-chocs, au châssis, et à se relever malgré les violentes projections d'eau.

Solman vit Wolf s'accroupir et observer les coins de bois cloués aux troncs. Il ferma les yeux mais la peur et la douleur se liguèrent pour l'empêcher de s'immerger dans le silence de l'esprit. La vision, de toute façon, ne lui serait d'aucune utilité dans ces circonstances. Il n'avait pas d'autre choix que de placer sa confiance en mère Nature et d'accepter sa décision. Peut-être la cause des derniers hommes ne méritait-elle pas d'être entendue, peut-être les temps étaient-ils venus de s'effacer, de laisser la terre aux frères et aux sœurs de Kadija ? Il ne leur serait pas difficile d'en faire un meilleur usage, même s'ils fondaient leur légitimité, comme beaucoup d'autres avant eux, sur l'extermination d'une race supposée inférieure, sur un champ de cadavres. Kadija avait parlé d'une faute originelle, de l'aboutissement d'une logique millénaire. Était-ce à cette même faute que le livre de Raïma faisait allusion ? À cette faute en principe expiée par Jésus de Nazareth au nom de tous les hommes et dont l'agonie, à en juger par les résultats deux mille ans plus tard, n'avait servi à rien ? La souffrance du Christ, comme toutes les souffrances humaines, n'avait-elle été qu'un dû aussi exorbitant qu'absurde à la marche triomphale du temps ?

« Il faut absolument accoster, cria Wolf en se redressant. Ou nous risquons de perdre le camion. »

Solman se demanda si les secousses rageuses du radeau n'avaient pas renversé Moram et Ismahil, placés de l'autre côté du véhicule. Il n'entendait plus leurs voix, ce qui n'avait rien d'étonnant avec le grondement assourdissant du fleuve, les gémissements des troncs et les grincements des blocs de glace. Le vent avait rabattu le col de sa canadienne sur ses épaules, et des gouttes fraîches s'insinuaient dans ses narines, entre ses lèvres. Il s'efforçait de ne pas les avaler, mais il consacrait une grande partie de sa vigilance à rester debout sur le marchepied fuyant, et, parfois, il prenait conscience que l'eau avait exploité son relâchement pour s'infiltrer dans son palais et s'écouler dans sa gorge. Pourtant, il ne ressentait pas les effets du poison. Pas encore. Comme si les pluies des jours précédents avaient dilué le venin des anguilles[GM].

Cela faisait maintenant un bon moment qu'ils avaient laissé derrière eux les ruines de Tours. Les nuages s'étaient crevés alors que Solman apercevait encore les formes irrégulières des bâtiments et des montagnes de gravats.

Wolf grimpa sur le marchepied avec une agilité étonnante pour un homme de sa taille. La laine imbibée de son passe-montagne, qui épousait les reliefs de son visage, avait la consistance d'une peau brune et rugueuse. Une embardée le projeta vers l'arrière mais il parvint à se rééquilibrer en se rivant à la poignée de la portière. Ses grosses veines bleutées tranchaient sur la blancheur ruisselante, irréelle, de ses mains. Il se hissa sur la marche supérieure et vint se placer près de Solman.

« Qu'en dit la vision, boiteux ?

— Elle ne dit rien du tout ! répondit Solman avec une agressivité proportionnelle à la douleur qui le crucifiait sur la tôle de la portière.

— Mal à la jambe, hein ? Tu devrais te mettre au sec dans la cabine. »

Solman tourna vers le Scorpiote un regard implorant.

« Je ne peux pas...

— Je vais t'aider. Pas seulement à te mettre à l'abri, mais à trouver une solution. Peut-être qu'en s'y mettant à deux... »

Wolf enroula son bras libre autour de la taille de Solman et le serra contre lui.

« Je te dirai quand lâcher le rétroviseur.

— Je vais tomber, Wolf...

— Fais-moi confiance.

— Faire confiance en celui qui... qui a tué ma mère ? »

Solman sentit, avec une netteté dérangeante, la tension soudaine des muscles de Wolf. Même si ces paroles étaient sorties involontairement de sa bouche, il regretta de les avoir prononcées. Accabler l'ancien Scorpiote n'était pas seulement inutile, mais injuste. C'était rajouter de la souffrance à la souffrance, amplifier la spirale qui s'apprêtait à disperser les cendres de l'humanité. Wolf s'était avancé aux limites de ses possibilités sur le chemin du rachat et, autant que les autres, davantage que les autres, il méritait de la compréhension, de la compassion.

« Confiance en ton... père. »

Solman discerna parfaitement l'aveu murmuré et emporté par le grondement du fleuve. Il avait su que Wolf était l'assassin de ses parents à la lueur de leur conversation au sortir du labyrinthe souterrain, il avait établi le lien avec les dernières paroles de mère Katwrinn, il en avait conclu que le Scorpiote était son père biologique, qu'il tenait de lui son don de clairvoyance, sa maigreur, ses yeux clairs, mais entendre la confession de sa bouche le frappa de stupeur, comme si l'abstraction s'était tout à coup matérialisée devant lui. Wolf venait de rompre les vœux de silence qu'il avait observés pendant dix-huit ans de la même manière que le radeau avait brisé la corde tendue au-dessus de la Loire.

« Pourquoi... bredouilla Solman.

— Nous en parlerons plus tard. Quand nous serons sur la terre ferme. Laisse-moi faire. Ne cherche pas à résister, d'accord ? »

Solman acquiesça d'un clignement des paupières. Wolf entrouvrit la portière, lutta pendant quelques secondes avec le vent qui s'acharnait à la refermer, puis attendit que le radeau pénètre dans une zone un peu moins agitée.

« Maintenant. »

Solman estima que les gîtes de l'embarcation étaient encore trop prononcées pour lâcher la tige. Il vit, comme dans un rêve, une gerbe se pulvériser sur les extrémités des troncs et asperger deux Sheulns de la tête aux pieds. Les blocs de glace ondulaient comme des monstres à demi immergés dans les flots écumants.

« Maintenant », répéta Wolf.

Solman, cette fois, obtempéra, entièrement vidé de ses forces. Il prit vaguement conscience que Wolf le maintenait d'un bras ferme, le soulevait comme un enfant et pivotait lentement sur lui-même pour le pousser dans la cabine. La crosse du fusil d'assaut lui comprimait les côtes. Il continua de percevoir le grondement du fleuve et les hurlements du vent, puis se sentit soudain environné d'un calme insolite, comme s'il venait de pénétrer à l'intérieur d'une bulle de silence. Il lui fallut quelques minutes pour s'apercevoir qu'il était assis sur le siège conducteur, que sa tête et ses cheveux détrempés reposaient sur ses avant-bras croisés sur le volant. Sa jambe gauche prise de tremblements semblait ne plus lui appartenir. Wolf referma la portière, l'enjamba et alla s'asseoir à son tour sur la banquette passagers. Les grincements qui montaient du camion, le crépitement de la pluie et des embruns sur les vitres prenaient désormais le pas sur les autres bruits. L'amplitude des secousses paraissait diminuer, mais ce n'était qu'une sensation illusoire, un faux sentiment de sécurité entretenu par l'isolement de la cabine. La colère des éléments, filtrée par la tôle et le verre, n'avait rien perdu de son intensité.

« Je propose que, chacun de notre côté, nous essayions d'envoyer la vision dans la même direction, dit Wolf.

— Je ne vois pas comment on pourrait influer de quelque manière que ce soit sur le courant de ce fleuve, objecta Solman en se redressant. Et puis, vous... tu n'as pas dit à Moram que tu n'avais plus la capacité de provoquer le don ?

— Je ne sais pas si on peut réellement agir sur la matière, je ne sais pas non plus si mon don daignera se manifester, je sais seulement que ça vaut la peine d'essayer. »

Solman détendit sa jambe gauche et lança un regard déterminé à Wolf.

« Je veux d'abord voir ton visage.

— Ah, tu es comme Moram ! soupira le Scorpiote. Incapable de te fier à un homme que tu n'as jamais vu à visage découvert, hein ?

— Je veux seulement voir le visage de mon père. »

D'un revers de manche, Wolf essuya la buée qui se formait sur la vitre et observa les Sheulns qui, courageux, obstinés, s'escrimaient à lutter contre le courant et les blocs de glace.

« Qu'est-ce que ça changera ?

— Si tu ne m'avais pas dit toi-même que tu étais mon père, j'aurais respecté ta volonté de rester anonyme.

— Tu l'avais déjà deviné. Quelle différence ?

— J'ai besoin maintenant que tu ailles jusqu'au bout. »

Wolf hocha la tête, se débarrassa de son fusil, puis, avec une lenteur qui traduisait son appréhension, entreprit de retirer son passe-montagne. Le cœur battant, la bouche sèche, Solman vit peu à peu apparaître le visage de son père. Il ne put retenir un geste de surprise. Le côté droit, d'une blancheur presque cadavérique, offrait un contraste saisissant avec le côté gauche qui, rongé, brunâtre, comme déchiqueté par des bêtes féroces ou léché par le feu, laissait entrevoir les cartilages du nez, les os des mâchoires et les racines des dents. Si les cheveux agglutinés par l'humidité tombaient en cascade épaisse et grise sur une épaule, ils se réduisaient à quelques fils épars, rêches et noirs de l'autre côté du crâne, également ravagé. Le hâle de la seule partie que le Scorpiote exposait à la lumière du jour, les arcades sourcilières, le coin des tempes et le haut des pommettes, lui dessinait un masque étroit autour des yeux.

« Une maladie dégénérative, murmura Wolf. Une variété de cancer sans doute provoquée par les radiations et transmise génétiquement. Elle s'est déclarée quand j'avais cinq ou six ans. Mon cadeau de donneur. Elle ne s'est pas seulement attaquée à l'une de mes joues, j'ai une hanche et une jambe salement amochées. À gauche.

— Je n'ai jamais remarqué que tu boitais... » bredouilla Solman.

Il aurait voulu ajouter quelque chose, dire par exemple que la joie de le contempler était infiniment supérieure à toute autre réaction, qu'elle fût d'horreur ou de pitié, mais les mots s'enrayaient dans sa gorge. Il comprenait que Wolf avait été condamné à la solitude bien avant de se mettre au service du conseil aquariote, coupé des autres dès son enfance, comme les transgénosés, comme Raïma, par une malédiction physique en comparaison de laquelle sa propre infirmité paraissait bénigne, presque dérisoire.

« Il y a bien longtemps que je ne serais plus de ce monde si les autres avaient eu vent de mon handicap, dit le Scorpiote. Les hommes ne sont pas plus courageux que les fauves : ils s'attaquent aux plus faibles des troupeaux. Tant qu'ils me croyaient en pleine possession de mes moyens, ils gardaient au fond d'eux une crainte qui me donnait l'avantage. Et comme je voulais à tout prix rester en vie, j'ai exercé mon esprit à dominer la douleur.

— Rester en vie ? Pourquoi ? »

Une gîte prononcée entraîna une nouvelle série de craquements et un mouvement de roulis du camion. Une buée opaque se propageait sur les vitres et retranchait les deux hommes dans l'intimité de la cabine.

« Pour veiller sur toi. Il m'était interdit de revendiquer mon droit à la paternité et...

— Qui te l'avait interdit ?

— Celle qui était sans doute la sœur de Kadija. Nous en parlerons plus tard. Nous avons plus urgent à faire. »

Solman acquiesça d'un hochement de tête, se laissa aller contre le dossier du siège conducteur et ferma les yeux. Il fut instantanément ramené à cette nuit qui avait si souvent hanté ses pensées et ses rêves. Le simple fait de pouvoir mettre un visage sur la respiration saccadée qui offensait le silence de l'autre côté de la cloison de toile le délivrait définitivement de ses peurs, de ses hantises. Il n'était plus l'enfant perdu dans les ténèbres et tétanisé sur son matelas, il observait la scène enfin reconstituée avec une neutralité apaisante. Il n'avait plus à fuir dans les ténèbres parfumées de l'été. L'homme qui venait d'égorger ses parents ne lui voulait aucun mal, au contraire même, s'érigeait à partir de cet instant en gardien intraitable de son existence. Le crime de Wolf avait noué entre eux un lien invisible mais indestructible. L'assassin du conseil avait puisé dans ses remords, dans son malheur, un amour qui avait renversé les alliances et les lois, qui avait défié la matière et le temps, et Solman, à rebours, prenait conscience de toute la force de caractère qu'il avait fallu à son père pour exercer sa vigilance, pour expier sa faute, seul contre tous, traqué par les sbires du conseil, condamné à la solitude et au silence par sa maladie et ses secrets. Combien de trajets éprouvants sous les essieux des voitures ou des camions ? Combien de jeûnes, combien de privations, combien de nuits épouvantables dans les remorques ouvertes aux vents ou dans le cœur d'une nature hostile ? Combien de crimes commis à cause des pères et mères aquariotes ? Combien de jours, combien de semaines à se demander comment il en était arrivé à trancher le cou de la seule femme qui l'eût jamais aimé, Mirgwann, la belle Aquariote qui avait accepté de lui ouvrir ses bras et son ventre malgré son visage saccagé ?

Wolf abaissait les barrières qui, jusqu'alors, avaient empêché Solman de le sonder, s'autorisait enfin à relâcher son attention, à mettre sa mémoire à nu, à se soumettre à la vision et au jugement de son fils.

Solman découvrit, par les yeux de son père, le visage et le corps de sa mère, son regard à la fois inquiet, tendre et moqueur, ses lèvres pleines, sa chevelure ondulée et sombre.

Elle courait dans une lande déserte, vêtue d'une robe légère, pieds nus, se retournant tous les trois pas et semant des bouquets de rires dans son sillage. C'était cette image que Wolf gardait d'elle, un rêve insaisissable, un éclat de liberté, de beauté, de sensualité, de gaieté, dans un monde marqué par la dégénérescence, la violence et la mort. Il l'avait aimée avec sincérité, avec passion, mais la force destructrice qui s'exprimait à travers les pères et les mères du conseil aquariote s'était montrée plus forte que ses sentiments et, lorsqu'elle avait refusé de s'acquitter de sa part de marché, de leur remettre l'enfant comme convenu, il n'avait pas trouvé la force de se dégager de l'emprise de mère Katwrinn, d'enfreindre l'ordre qui lui avait été donné de la tuer. Il s'était donc rendu un soir à la tente de Mirgwann et de Piriq, son époux officiel dont l'impuissance, due à une forme de transgénose, était de notoriété publique. Il avait égorgé Piriq, à moitié ivre, avec la même facilité qu'un mouton et avait traîné son corps dans l'entrée avant de rejoindre Mirgwann dans la pièce centrale. Il l'avait trouvée en train de préparer le repas du soir. Elle avait tourné la tête, lui avait souri, s'était approchée sans un bruit pour ne pas donner l'éveil à son mari et l'avait embrassé avec fougue. Il l'avait repoussée avec une telle brutalité qu'elle était tombée sur le sol. Puis elle avait aperçu le couteau et compris les raisons d'une visite qu'elle avait d'abord prise pour une magnifique imprudence. Elle s'était mise à gémir, à crier, il s'était abattu sur elle, lui avait plaqué la main sur sa bouche, lui avait retroussé sa robe et l'avait violée, conformément aux instructions. Elle s'était débattue mais elle n'était pas de taille à se défendre contre lui. Il avait sans doute davantage pleuré qu'elle, surtout lorsqu'il lui avait posé la lame du couteau sur le cou et qu'il lui avait fendu la gorge d'un coup sec. Soutenant son regard agrandi par l'incrédulité et l'horreur, il avait attendu qu'elle expire avant de se relever et de remonter son pantalon. Il était resté à l'écoute du silence, couvert du sang de sa maîtresse, hébété, accablé par le remords, envahi d'un désespoir si poignant qu'il avait songé pendant quelques secondes à se planter la lame dans le cœur. Il avait perçu un froissement, une respiration hachée, des sanglots étouffés, et deviné que les bruits avaient réveillé l'enfant.

Il avait pris sa décision à ce moment-là : Solman, officiellement orphelin, serait désormais livré à la volonté du conseil aquariote, et nul n'était mieux placé que Wolf pour savoir ce qu'il coûtait à un donneur d'être le jouet des manipulations des pères et mères des peuples. La mort de Mirgwann avait brisé l'envoûtement, l'avait délivré de l'emprise de mère Katwrinn. Il avait payé un prix exorbitant pour la reconquête de sa liberté, un tourment que rien ni personne ne pourrait un jour apaiser, mais il lui fallait maintenant mettre sa rage et sa détresse au service de l'enfant, l'aider à grandir dans un environnement qui n'adorait les diseurs de vérité que pour mieux les brûler, le protéger contre les rapaces de tout poil pullulant dans les campements. Il avait refoulé tant bien que mal son envie de retourner dans la tente du conseil et de faire subir à ses commanditaires le même sort que Mirgwann. La vengeance n'apporterait rien de bon, ne le soulagerait pas de sa faute, risquait même de se retourner contre son fils. Il devait apprendre à ne plus penser en fonction de ses désirs, mais en fonction des intérêts de Solman. Apprendre à se nier, à s'évanouir dans les ténèbres, dans le silence, dans le secret. Devenir un ange de la vie après avoir été celui de la mort. Solman, hagard, était sorti de la tente et s'était enfui à travers les bruyères. Il avait suivi à distance la petite forme claire qui s'était dirigée vers une grève de galets et avait pleuré pendant un long moment recroquevillée au pied d'un rocher. Posté en haut d'une falaise, Wolf avait repoussé jusqu'à l'aube la tentation d'aller le prendre dans ses bras et de le consoler. Quand il avait vu le groupe d'Aquariotes se saisir de Solman et le ramener au campement, il avait à nouveau versé des larmes, puis, fort de ses nouvelles résolutions, il était entré en clandestinité comme ses ancêtres, les résistants scotts de la Troisième Guerre mondiale qui avaient refusé de prendre parti pour l'un ou l'autre camp et qui, capturés par les soldats de la ligne PMP, avaient été fusillés par centaines sur une place publique de l'ancienne ville d'Édimbourg. Il n'avait pas tardé à vérifier le bien-fondé de sa décision quand, deux jours après ces événements, les pères et mères aquariotes avaient lancé à ses trousses quatre jeunes crétins chargés de l'abattre.

Des coups répétés entraînèrent Solman à rouvrir les yeux. La face grimaçante de Moram se découpait dans le carré de la vitre du côté passager. Le radeau avait cessé de gîter et le vent était tombé. Des fenêtres bleues se découpaient dans le plafond nuageux, annonçant le retour du soleil.

Wolf, qui avait enfilé son passe-montagne, ouvrit la vitre.

« Qu'est-ce que vous foutiez là-dedans ? grogna Moram.

— Besoin de se parler, dit le Scorpiote.

— Y a des moments mieux choisis pour ça ! On est sortis de ces putains de rapides. On ne va pas tarder à accoster. »

Les blocs de glace dérivaient paresseusement sur les courants apaisés.

Solman ignorait si la vision avait un quelconque rapport avec cette accalmie inespérée, mais il eut le sentiment que mère Nature avait rendu son verdict.

CHAPITRE 56

Le camion peinait à s'arracher de la terre gorgée d'eau. Moram choisissait les passages les moins dégradés, mais les zones d'herbe dissimulaient parfois des flaques meubles où les roues s'enfonçaient, patinaient, foraient des cratères en projetant d'imposants panaches de boue.

Wolf et Solman avaient pris place sur la banquette passagers tandis qu'Ismahil s'était installé dans la remorque. Le débarquement du camion n'avait soulevé aucune difficulté. Les Sheulns avaient réussi à échouer l'avant du radeau sur une grève de sable et de cailloux. Les secousses de l'embarcation et le roulis du véhicule avaient pratiquement arraché les clous des cales.

« Quelques centaines de mètres de plus dans ces putains de rapides, et le camion y passait ! s'était exclamé Moram. Et peut-être bien que nous aussi ! »

Les Sheulns avaient décidé d'exploiter sans attendre la faiblesse relative du courant pour traverser dans l'autre sens, prévoyant de regagner à pied le bunker des ruines de Tours. Ils avaient à peine prêté attention aux paroles de remerciements de Solman, ils avaient salué, poussé le radeau à l'eau et ramé avec énergie. Il ne leur avait pas fallu plus de dix minutes pour gagner l'autre rive. Là, ils avaient adressé de grands signes au donneur et à ses trois accompagnateurs et, pressés de rassurer leurs familles, s'étaient mis en chemin.

« Le courant a dû nous balader sur six ou sept kilomètres depuis Tours, dit Moram. Comment est-ce que tu comptes retrouver la fille ? »

Ils roulaient sur des coteaux qui dominaient les méandres du fleuve et où la terre jonchée de pierres avait une consistance un peu plus dure. Il ne restait plus une seule trace de la neige et de la glace qui, quelques jours plus tôt, avaient emprisonné le paysage dans leur désolation blanche. Les pentes douces des collines s'habillaient d'un vert tendre criblé de taches jaunes, mauves ou rouges. Les branches des arbres s'enguirlandaient de bourgeons dont certains s'épanouissaient déjà en feuilles ou en fleurs. Ce printemps accéléré rappelait à Solman les paroles prononcées par Kadija dans la cabine du camion de Moram : « Les serviteurs de l'*Eskato* déclencheront la métamorphose finale de la terre pour la rendre digne de ses nouveaux habitants. » La fin était proche et, visiblement, les frères et les sœurs de Kadija avaient d'ores et déjà scellé le sort des derniers hommes.

« La sœur de Kadija, c'était donc... mère Katwrinn », murmura Solman.

Ce n'était pas vraiment une question, plutôt une réflexion, une pensée égarée.

« J'en suis convaincu, répondit Wolf. La première fois que j'ai vu Kadija, j'ai immédiatement pensé à la Katwrinn d'il y a vingt-cinq ou trente ans. Même genre de beauté froide, inaccessible, même genre de distance dans le regard et dans le comportement. Elle semblait venir d'un autre monde.

— On ne lui connaissait pas de parents ? Pas de famille ?

— J'ai interrogé quelques anciens pour essayer d'en apprendre un peu plus à son sujet. Selon eux, le peuple aquariote l'a recueillie et adoptée à l'âge de dix-huit ou vingt ans, elle est restée muette pendant plusieurs années avant de retrouver subitement l'usage de la parole. Pas mal d'hommes lui ont tourné autour, mais elle n'a jamais voulu d'un mari ni même d'un amant. Tout ce qui l'intéressait, c'était de conquérir le conseil aquariote, de se servir des uns et des autres pour arriver à ses fins. Elle était comme ces fanatiques qui se croient investis d'une mission sacrée. Elle avait un tel pouvoir de persuasion qu'il était difficile, voire impossible, de lui résister. Tu es le seul qui se soit mis en travers de son chemin, Solman. Et pourtant... »

Le raffut du moteur, dû à un nouvel enlisement, couvrit la voix de Wolf. Moram n'ayant pas réussi à sortir le camion de l'ornière, ils durent descendre pour disposer des pierres et des branches sous les roues. Le soleil brillait de tous ses feux dans un ciel entièrement dégagé, et la température avait augmenté d'une bonne quinzaine de degrés. Seul le léger fond d'air frais démentait l'impression d'être passé sans transition des rigueurs de l'hiver à la fournaise de l'été.

Ismahil sortit de la remorque pour les aider à combler la cavité creusée par la roue. Il semblait endurer un vieillissement aussi rapide que le renouvellement de la nature, s'enfoncer à vue dans l'hiver de sa vie. Lui qui avait paru si vigoureux, si souple, quelques semaines plus tôt peinait maintenant à se courber et à porter les pierres. Sa peau se parcheminait, lui rentrait dans les os, lui donnait l'allure d'un corps en phase de décomposition. Ses yeux ne pétillaient plus que par intermittence, comme si son âme subissait des éclipses. Cependant, la sérénité qui se dégageait de lui indiquait qu'il acceptait pleinement cette dégénérescence tardive et brutale, voire qu'il en éprouvait du soulagement. Aucune plainte ne s'échappait de ses lèvres rainurées, aucune manifestation de mauvaise humeur n'accompagnait les craquements de ses os, les douleurs cuisantes à ses muscles et à ses tendons.

Moram parvint à dégager le camion au bout de trois tentatives et nettoya, à l'aide d'un chiffon, l'épaisse couche de boue qui recouvrait les vitres et les phares.

« Pourtant, quoi ? » demanda Solman quelques instants après qu'ils eurent regagné leurs sièges.

Moram embraya, accéléra, fixa le donneur d'un air perplexe, puis comprit la signification de cette question quand il entendit la réponse de Wolf :

« Pourtant, c'est elle, Katwrinn, qui est à l'origine de ta naissance. Elle voulait un donneur au peuple aquariote pour, disait-elle, jeter un pont entre l'en-haut et l'en-bas. C'était la mission que lui avait confiée une mystérieuse fraternité chargée de préparer les temps nouveaux. Elle nous avait promis, aux autres membres du conseil et à moi, que nous serions admis dans le nouvel Éden si nous l'écoutions, si nous exécutions ses ordres. Nous l'avons crue. Proposez à n'importe quel crétin de devenir un élu, un être supérieur, et il vous suivra aveuglément. Ça s'est toujours passé comme ça dans l'histoire...

— Tu fais aussi partie des crétins, alors ? » lança Moram.

Wolf fixa le chauffeur pendant quelques secondes avec une intensité qui chargea d'électricité l'atmosphère de la cabine, puis, sans le quitter des yeux, arracha son passe-montagne d'un geste brutal. La stupeur se traduisit chez Moram par un coup de frein intempestif qui les projeta tous les trois vers l'avant et faillit étouffer le moteur.

« Les maladies génétiques, fit Wolf d'une voix légèrement tremblante. Elles ne font pas seulement de dégâts dans les corps, mais aussi et surtout dans les esprits. Chez les Scorpiotes, elles ont de tout temps engendré des complexes, une aspiration à la reconnaissance, à la revanche... »

Moram débraya, arrêta le camion et tira le frein à main.

« Putain de merde, murmura-t-il. Désolé, je ne savais pas. »

Il n'osait plus maintenant regarder le visage saccagé du Scorpiote. Que serait-il devenu, lui, si une saloperie de maladie lui avait rongé la moitié de la tête ? Si son apparence avait repoussé les femmes ? Si Hora l'avait dédaigné ? Ses yeux, cherchant une échappatoire, s'évadèrent sur les collines partiellement boisées qui s'enfuyaient en courbes douces vers la ligne d'horizon.

« J'étais donneur, mais attentif à ce genre de promesse autant que les autres, peut-être davantage que les autres, dit Wolf. Katwrinn m'avait dit que la fraternité pourrait neutraliser ma maladie, remodeler mon visage, ma hanche et ma jambe, me permettre enfin de jeter ce foutu passe-montagne. Je la croyais sincère. Peut-être l'était-elle à ce moment-là ? Peut-être l'Intelligence destructrice s'est-elle ensuite glissée dans son esprit pour se servir d'elle et mieux planifier l'extermination des derniers peuples nomades ? Toujours est-il que nous avons exécuté ses consignes à la lettre. Elle nous a demandé par exemple de lui rapporter des cheveux ou des ongles de tous les Aquariotes, hommes et femmes...

— Bon Dieu, pour quoi faire ? coupa Moram.

— Démarre. Il ne nous reste plus beaucoup de temps, et on peut parler en roulant. »

Le chauffeur s'exécuta sans protester bien que l'ordre lui eût été intimé avec une certaine sécheresse. Le camion reprit sa progression cahotante sur les coteaux inondés de soleil.

« Pour l'analyse génétique, reprit Wolf. Elle possédait de curieux instruments qui, d'après elle, déterminaient les compatibilités génétiques. Elle a procédé à des milliers d'analyses pour choisir le père et la mère du futur donneur. Bien sûr, il existe toujours une petite place pour le hasard, mais elle s'était efforcée de réduire les risques. La mère, c'était Mirgwann, alors filleule de Gwenuver. Mais nous avons dû attendre qu'elle soit en âge de...

— Comment ça, nous ? intervint Moram. Qu'est-ce que t'avais à voir là-dedans ?

— Le père, c'était moi.

— Hein ? »

Deuxième coup de frein de Moram, plus appuyé que le premier. Le moteur cala, un silence oppressant envahit la cabine.

« Si tu t'arrêtes à chaque phrase, on n'est pas près de retrouver Kadija, dit Wolf.

— C'est vrai, ce que ce... dingue raconte ? » demanda Moram à Solman.

Le donneur acquiesça d'un hochement de tête.

« J'étais le seul à avoir le don, le seul à pouvoir le transmettre, poursuivit le Scorpiote. J'ai aussi transmis à

Solman une partie de mon héritage scott, ce qui explique la malformation de sa jambe gauche.

— J'aurais dû m'en douter, marmonna le chauffeur. Vous avez les putains de mêmes yeux ! La même maigreur, la même allure. Et comment... »

Moram s'aperçut que la question qui lui brûlait les lèvres risquait de claquer comme une insulte.

« Comment j'ai fait, avec cette gueule-là, pour séduire une femme comme Mirgwann, c'est ça ? » lança Wolf.

Le silence embarrassé du chauffeur équivalait à une approbation.

« Maître Quira, le guérisseur aquariote, m'a ramené à la vie lorsque la caravane aquariote m'a recueilli sur les rives de la Baltique. Mais il n'utilisait pas son art seulement pour guérir.

— Tu veux dire qu'il lui a donné un philtre, ou un truc de ce genre ?

— Mirgwann aimait la vie. Son mariage avec Piriq, un homme qu'elle appréciait comme un frère, lui avait permis d'échapper à la tutelle de Gwenuver. Piriq étant alcoolique et impuissant, elle allait chercher le plaisir dans les bras d'autres hommes. Maître Quira lui prescrivait des plantes contraceptives depuis sa puberté. Elle n'a pas vu la différence quand, un soir, il lui a fait boire une préparation dans laquelle il avait ajouté quelques gouttes de mon sang. Les jours suivants, elle a rompu avec Chak, qui était son amant en titre depuis quelque temps, et est venue me trouver dans ma tente. Trois mois plus tard, elle était enceinte. Le hasard s'est bien invité, mais pas là où on l'attendait : le conseil n'avait pas prévu que je tomberais amoureux d'elle. Elle était ma... première femme. J'ai tout appris avec elle. Tout... »

Wolf marqua un temps de silence, les yeux dans le vague. Moram l'observa du coin de l'œil et remarqua que, de profil, ses deux passagers, outre leur maigreur et la couleur de leurs yeux, présentaient des ressemblances troublantes, entre autres les mêmes nez et mentons affûtés comme des lames.

« Et puis Solman est né. Seuls Katwrinn et moi avons immédiatement deviné qu'il avait le don malgré son corps malingre, contrefait. Quelque chose de spécial dans le regard, une profondeur qu'on ne trouve pas chez les autres enfants. Hors de question que je revendique ma paternité. Jamais les Aquariotes n'auraient accepté que leur donneur soit le fils d'un Scorpiote. Piriq restait le père officiel même si chacun, dans le campement, se demandait qui était le père officieux. Le conseil a convoqué Mirgwann pour lui expliquer ce qu'il attendait d'elle : elle avait mis au monde un être d'exception, un donneur, elle devait leur confier l'enfant après son sevrage. Mirgwann s'est soumise, du moins en apparence. Je pense qu'au fond d'elle, elle avait déjà pris sa décision. Nous sommes restés amants, mais elle n'a jamais abordé le sujet devant moi, sans doute parce que je n'étais pas censé être dans les secrets du conseil. Elle a allaité Solman pendant près de trois ans. À la première visite que lui a rendue mère Katwrinn, elle a réussi à négocier un sursis supplémentaire de trois ans, disant que son fils était encore trop chétif pour être privé de sa mère. Piriq et elle ont alors commencé à envisager leur départ, mais les circonstances favorables qu'ils attendaient ne se sont jamais présentées. Trois ans plus tard, le conseil est revenu réclamer l'enfant. Mirgwann a paniqué. Elle m'a parlé de son projet de fuite sans savoir que j'irais aussitôt en référer au conseil. Mère Katwrinn a persuadé les autres qu'il fallait se débarrasser du couple au plus vite et récupérer l'enfant avant qu'il ne soit trop tard. Ils étaient réticents, surtout mère Gwenuver, peut-être parce qu'elle avait été la tutrice de Mirgwann. Ils ont fini par accepter et m'ont chargé de la besogne. Ils ignoraient que j'aimais la femme qu'ils me demandaient de tuer, la mère de mon fils.

— Pourquoi tu l'as fait, alors ? demanda Moram.

— Démarre.

— Quand tu auras terminé ta putain d'histoire ! » se rebiffa le chauffeur.

Wolf hocha la tête et ouvrit la portière pour aérer la cabine. Un air imprégné d'essences fleuries chassa la buée qui s'était formée sur les vitres.

« Je l'ai fait parce que le venin inoculé par mère Katwrinn a empoisonné mes sentiments. Je pensais que le sacrifice de Mirgwann était une épreuve imposée par la fraternité sur le chemin du monde nouveau, de la guérison, de la renaissance. J'étais un fanatique à ma manière, un homme que l'idéal avait coupé du présent. Lorsque j'ai vu son sang jaillir de sa gorge ouverte, lorsque j'ai vu la mort assombrir ses yeux, j'ai pris conscience de mon erreur. Mais il était trop tard. Trop tard... Tu peux démarrer maintenant.

— Juste un truc. Pourquoi mère Katwrinn tenait tant à donner un clairvoyant au peuple aquariote ?

— Je ne sais pas au juste. J'ai l'impression qu'elle était paumée. Qu'elle cherchait des réponses qu'elle ne pouvait pas trouver en elle-même. Qu'elle avait besoin d'une antenne pour renouer le contact avec sa fraternité. Elle a définitivement perdu la tête au sortir du relais de Galice. Solman l'a confondue avec une facilité surprenante pour qui la connaissait. Elle s'est défendue avec l'incohérence des fous, avec des imprécations, des insultes, elle a fini par se trahir.

— Ah, t'étais là ?

— J'ai toujours été là. Toujours près de Solman. »

Moram tourna la clef de contact. Le moteur hoqueta avant de démarrer. Une vague odeur de gaz monta des bouches d'aération. Wolf referma la portière et remit son passe-montagne.

« Tu dis que mère Katwrinn avait tout manigancé, mais, en Galice, elle a parlé d'héritage biologique, de hasard... avança Moram.

— Les choses lui échappant, elle a choisi de nier sa responsabilité, de mettre son échec sur le compte du hasard. »

Ils ne prononcèrent pas un mot avant d'atteindre les ruines étalées sur la rive septentrionale de la Loire, où des nuages industrieux d'insectes se déplaçaient de relief en relief.

« Je l'ai tuée, dit soudain Solman. J'ai tué la sœur de Kadija. La Sainte à qui je devais la vie. »

Il lui semblait que cette exécution, qui sur le coup lui était apparue juste et nécessaire, signait irrévocablement la condamnation des derniers hommes. La tribu de Kadija avait douté de la nécessité d'en finir une fois pour toutes avec l'humanité et avait dépêché une première envoyée auprès des peuples nomades. Et elle, l'immortelle, la Juste, avait reçu la mort de celui-là même dont elle avait provoqué la naissance, de ce donneur qu'elle avait tant désiré pour nouer un lien entre les mondes. Les ultimes paroles de Katwrinn lui revinrent en mémoire : « Je n'ai jamais été une femme, je n'ai jamais pu m'ouvrir à l'amour, ni d'un homme ni d'une femme, j'ai hérité la sécheresse, de corps et de cœur, je n'avais pas de place, pas ma place... » Il n'y avait ni culpabilité ni innocence dans ces mots, seulement l'aveu d'une blessure profonde, d'un intolérable écartèlement. Sans doute avait-elle essayé de toutes ses forces de comprendre les êtres humains, mais il lui avait manqué l'essentiel pour atteindre son but, la compassion, l'amour, et cette « sécheresse de cœur et de corps » s'était transformée en orgueil, en mépris, en folie. Le vieillissement avait dû l'horrifier, elle à qui on avait promis l'immortalité. Elle avait probablement cherché une compensation dans l'exercice radical du pouvoir, comme Irwan, comme Gwenuver, comme tous ceux qui croyaient gagner l'éternité en marquant le temps de leur empreinte. Pauvre Katwrinn... Elle n'avait connu de l'humanité que ses aspects les plus déplaisants. Elle s'était consumée en une solitude étouffante, régnant dans l'ombre sur le conseil aquariote, favorisant la division des peuples nomades, accomplissant sans le vouloir les volontés de l'*Eskato*.

« Une sainte ? Putain, non, je ne vois pas les saintes comme ça ! grogna Moram. Et si tu l'as tuée, c'est qu'elle le méritait. Combien de cadavres elle avait sur la...

— Elle est morte parce que nous n'avons pas su l'apprivoiser, coupa Solman. Moi le premier : j'ai manqué de clairvoyance, je n'ai pas su m'en faire une alliée. Quand Kadija saura que...

— Rien ne t'oblige à lui dire ! » objecta Moram.

Le regard de Solman accrocha un mouvement sur le flanc d'une colline qui surplombait les ruines. Il n'eut pas besoin de recourir aux jumelles pour reconnaître la chevelure noire et la silhouette élancée de Kadija.

« Les hommes se sont trop souvent cachés d'eux-mêmes par le passé, dit-il. Le mensonge et l'oubli n'ont jamais adouci les sentences. »

CHAPITRE 57

Des cahots secouaient la remorque dont Solman et Ismahil avaient entrouvert la bâche. Les rayons obliques du soleil déposaient des cercles dorés sur les matelas étalés. De temps à autre, s'invitaient des nuées d'insectes curieux que le vieil homme ne parvenait pas à identifier.

« Ou ma mémoire me fait défaut, ou bien ce sont des espèces non répertoriées », disait-il avec un haussement d'épaules résigné.

Solman voyait défiler par l'ouverture des ramures entièrement couvertes de feuilles. L'hiver ne semblait avoir existé que dans un passé lointain, dans un songe. Le ronflement du moteur provoquait des vibrations persistantes sur le plancher de la remorque. Assise contre une caisse de vivres, Kadija paraissait plongée dans ses pensées. Elle avait enfilé sa robe juste avant de s'avancer à la rencontre du camion, mais Solman avait eu le temps de remarquer que sa peau avait légèrement bruni. Ce hâle, bien qu'à peine perceptible, rendait sa beauté plus accessible, plus attirante, plus... humaine. De même, son regard avait perdu de son éclat éthéré pour gagner une densité nouvelle, presque matérielle.

Solman tenta de la contacter par la vision, mais, une nouvelle fois, elle resta fermée à ses sollicitations. Il s'aperçut qu'elle nageait en eaux troubles, que, comme Katwrinn quelques décennies avant elle, elle errait entre deux mondes, tiraillée entre ses aspirations humaines et son conditionnement de Sainte. Elle avait acquiescé d'un bref mouvement de tête lorsqu'il lui avait demandé s'ils devaient prendre la direction du nord. Tôt ou tard, il faudrait cependant qu'elle surmonte son désarroi pour leur indiquer leur destination finale. Moram avait attiré leur attention sur les risques de panne sèche. Le camion, selon le chauffeur, disposait d'une autonomie maximale de trois cents kilomètres, sans doute un peu moins si on comptait les surplus de consommation dus au mauvais état de la piste et aux enlisements. Mais Solman évitait de la brusquer, conscient qu'elle risquait à jamais de se rétracter ou de basculer dans la folie s'il intervenait trop brutalement dans son cheminement intérieur. Les Aquariotes avaient eu besoin de dix-huit ans et de circonstances dramatiques pour accepter leur donneur ; elle, qui venait d'ailleurs, avait seulement disposé de quelques jours pour se familiariser avec les êtres humains. Pourtant, et la métamorphose de la terre le confirmait, l'heure approchait de la confrontation décisive entre les derniers hommes et ceux qui se présentaient comme leurs successeurs.

« J'ai repensé à l'*Eskato* après notre conversation de l'autre jour », dit soudain Ismahil.

Les yeux noirs de Kadija volèrent comme des oiseaux effarouchés vers le visage ridé du vieil homme.

« J'ai repensé à la signification du mot eschatologie, poursuivit Ismahil. Il ne s'applique finalement qu'à un seul texte, celui de l'Apocalypse de saint Jean. Je ne connais pas d'autre tradition qui ait ainsi décrit la fin de l'humanité. Le Bardö-Thödol, le Livre des morts d'un peuple d'Asie, parle bien de la vie après la mort, mais il s'agit de décrire le voyage de l'âme après l'extinction du corps, en aucun cas la fin d'un monde et une résurrection collective.

— Quelle conclusion en tirez-vous ? » demanda Solman.

L'intérêt de Kadija pour les propos d'Ismahil ne lui avait pas échappé. Peut-être pouvait-elle se servir de ce lien entre l'*Eskato* du passé et l'*Eskato* des temps nouveaux comme d'un point de repère, comme d'un fil conducteur ? Possible, également, que le lien n'existât pas : après tout, les exemples étaient légion dans l'histoire où des peuples s'étaient emparés des mêmes noms à des époques différentes sans nécessairement qu'il y eût de corrélation entre eux.

« Eh bien, il me semble... Ah, je ne devrais pas employer ce mot, il n'est pas compatible avec l'esprit scientifique... Disons que mon hypothèse est la suivante : les catastrophes se sont abattues sur l'humanité au cours de ces deux derniers siècles sur un mode apocalyptique, comme si une... entité avait décidé de suivre le Livre à la lettre, de l'appliquer étape par étape.

— Vous avez pourtant soutenu le contraire aux Aquariotes au moment des gros orages », objecta Solman.

Le vieil homme se releva péniblement et, appuyé au montant de la remorque, glissa la tête dans l'ouverture de la bâche. Il contempla pendant quelques minutes le paysage qui s'enfuyait dans le sillage du camion puis se laissa à nouveau choir sur un matelas. Le vent avait dressé sa couronne de cheveux blancs au-dessus de ses oreilles et à l'arrière de son crâne. Il but une gorgée d'eau au goulot de la gourde qu'il gardait en permanence sur lui.

« Un esprit rationnel comme le mien a du mal à s'accommoder des manifestations surnaturelles, dit-il en revissant le bouchon. Il accepte difficilement les dons par exemple, la clairvoyance ou toute autre manifestation parapsychologique, mais, devant l'évidence, il les tolère en se disant que ses connaissances ne lui permettent pas pour l'instant d'accéder à certaines lois. De la même manière qu'on ne pourra jamais, jamais, percer tous les secrets de l'univers. En revanche, s'il trouve une explication raisonnable, ou prétendument raisonnable, à un phénomène, alors il se met en piste comme un chien de chasse, il cherche les pièces manquantes, il essaie de bâtir une théorie, de recomposer l'ensemble du tableau. Dans la bouche des Aquariotes, le mot Apocalypse a des relents gênants de superstition, de frayeurs millénaristes. Mais, imaginons qu'un fou, ou qu'un groupe de fous aient pris le texte de l'Apocalypse comme référence, comme modèle, et les données du problème changent du tout au tout.

— Raïma parlait sans cesse des trompettes des anges de l'Apocalypse, avança Solman. Elle avait fait le rapprochement entre les trois premières sonneries et la Grande Guerre, entre la quatrième sonnerie et l'empoisonnement des eaux, entre l'absinthe et le poison des anguilles[GM].

— Ce n'était chez elle qu'une vision empirique, un mélange de conviction personnelle, d'intuition et de croyances religieuses, mais je pense qu'elle allait dans la bonne direction. »

Kadija avait ramené ses jambes contre sa poitrine, croisé les bras sur ses tibias et posé le menton sur ses genoux. Son regard, à demi occulté par ses cheveux, passait sans cesse de Solman à Ismahil avec une intensité qui allait en s'accentuant.

« Quel genre... d'entité aurait pu décider une chose pareille ? demanda Solman.

— Un esprit suffisamment imbu de lui-même pour se croire supérieur au reste de l'humanité, répondit Ismahil. Et doté d'une somme de connaissances phénoménales pour lancer et maîtriser un tel projet. La science avait considérablement progressé avant la Troisième Guerre, et je suis bien placé pour en parler, mais certainement pas au point de se substituer aux pouvoirs divins mentionnés par les textes sacrés. Cela posé, il me semble que la démarche scientifique n'a fait que se caler sur la démarche religieuse. Bien que différentes, les voies aboutissent à un résultat identique : les dogmes religieux et les recherches scientifiques se rejoignent dans l'idée de dégager une élite. Les uns proposent le paradis céleste à leurs fidèles, les autres un paradis terrestre à leurs adeptes. Les deux jouent sur le désir d'immortalité, ou sur le refus du temps, ce qui revient au même. Moi-même j'ai cédé à la tentation de rechercher l'immortalité avec les correcteurs génétiques. Des esprits éclairés, tel le Christ du Nouveau Testament, ont vainement tenté de dissiper cette terreur fondamentale de la mort. C'était, je pense, le sens symbolique de la résurrection. Mais l'homme refuse obstinément d'être réduit à de la poussière qui retourne à la poussière. Je me demande si l'Éden de la Bible, finalement, n'était pas le Néolithique, cette période où les hommes, tous nomades, vivaient en pleine conscience des cycles et mouraient en transmettant à leurs descendants une terre intacte. Si la peur n'a pas commencé avec la sédentarité, avec les notions de propriété, de territoire, d'héritage. Seul celui qui possède a peur de perdre. »

Épuisé par sa tirade, Ismahil se laissa aller contre le montant de la remorque après avoir bu une gorgée d'eau.

« Il serait temps que le camion s'arrête, murmura-t-il d'une voix éteinte. Je suis un vieillard maintenant, et, comme cette chère Mahielle, je ne maîtrise plus très bien certaines fonctions physiologiques. »

Il se redressa et ajouta, avec une lueur à la fois malicieuse et provocante dans les yeux :

« Assez d'euphémismes ! Ce que je veux dire, c'est que je ne vais pas tarder à me pisser dessus ! »

Moram dut entendre sa prière puisque, quelques minutes plus tard, le camion s'immobilisa.

Assis sur une couverture dépliée devant le camion, les quatre hommes déjeunaient de morceaux de viande froide, de fruits secs et de galettes de céréales. Si la viande des bœufs des Sheulns gardait pour l'instant son goût originel, les céréales et les fruits troqués lors du dernier grand rassemblement, altérés par l'avènement brutal de l'été, commençaient à tourner à l'aigre. Le thermos de kaoua et la gourde passaient de main en main, de lèvres en lèvres. Wolf avait retiré son passe-montagne. Ismahil n'avait paru ni surpris ni choqué par l'état de son visage. Pourtant, à la lumière du jour, on distinguait parfaitement les mouvements de ses mâchoires et de ses dents au bas de sa joue rongée.

Adossée cinq ou six pas plus loin à un arbre, Kadija les regardait s'alimenter avec, parfois, un trouble dans le regard que Solman interprétait comme de l'envie. Le soleil dispensait une chaleur agréable, entre vingt et vingt-cinq degrés, et la brise déposait des parfums sucrés, capiteux, qui masquaient l'odeur d'herbe et de terre mouillées. Moram chassait à l'aide d'une branche les énormes abeilles rôdant autour des vivres.

« Jamais vu d'abeille de cette taille ! avait-il marmonné lorsque la première d'entre elles s'était posée sur la couverture.

— Moi non plus, avait renchéri Ismahil. C'est pourtant bien une abeille, ni un bourdon ni un frelon.

— Peut-être une saloperie de bestiole^{GM}...

— Sans doute, mais on ne connaîtra le degré de toxicité de son venin que lorsqu'elle aura piqué l'un de nous.

— Je ne suis pas volontaire pour être cobaye ! »

L'abeille s'était éloignée craintivement au premier geste du chauffeur, et, bien que revenant sans cesse à la charge, ses congénères s'envolaient dans un bourdonnement apeuré sitôt qu'il agitait la branche dont il s'était muni.

Ils s'étaient arrêtés au pied d'une colline bordée d'un côté par une forêt et dont les flancs d'un vert lumineux se couvraient de taches de couleurs vives. Dans le lointain s'étendait une plaine parsemée de bosquets et traversée de part en part par une rivière dont le miroir sinueux, paisible, donnait l'impression qu'un serpent céleste s'était assoupi sur la terre. Moram ne s'était pas encore posé la question de son franchissement. Hora occupait toutes ses pensées, et, s'il ne regrettait pas d'être parti en compagnie du donneur – pas encore –, il se languissait déjà du sourire et de la chaleur de sa sourcière, de la fougue de ses caresses, du goût de sa bouche, de la douceur de son ventre. Il doutait maintenant de la revoir un jour. Le beau temps ne l'incitait guère à l'optimisme, au contraire même, il décelait des signes de malédiction dans cet été prématuré. S'il n'avait pas craint de passer pour un idiot, il aurait dit que les saisons se présentaient le cul par-dessus la tête, que mère Nature était devenue folle et que, comme toutes les mères perdant la tête, elle s'apprêtait à dévorer ses derniers enfants. Hora lui avait promis qu'ils se rejoindraient dans le monde des âmes si le destin ne voulait pas qu'ils se retrouvent dans le monde des vivants, mais cette perspective, loin de le consoler, ne faisait qu'attiser la brûlure de la séparation.

« Est-ce que je peux... manger avec vous ? »

Les quatre hommes levèrent la tête vers Kadija, qui s'était approchée d'eux sans un bruit. Le son de sa voix avait produit, sur trois d'entre eux au moins, un impact aussi saisissant qu'un coup de tonnerre. La bouche entrouverte, Moram agita mollement sa branche pour égailler d'invisibles abeilles. Solman était également sous le coup de la surprise, mais pour d'autres raisons : ne lui avait-elle pas affirmé, sur le plateau enneigé du Massif central, qu'elle n'adresserait la parole à personne d'autre que lui ? Qu'elle n'avait pas envie de se rapprocher des autres humains ?

« Certainement, dit Ismahil, le plus prompt à se remettre de son saisissement. Venez... viens t'installer avec nous. »

Il se poussa pour lui faire une petite place sur la couverture. Elle s'assit entre le vieil homme et Solman avec une élégance dans les gestes qui les entraîna tous les quatre à rectifier leur position et à remettre de l'ordre dans leur tenue. Ismahil lui tendit le panier en osier qui contenait les fruits secs et les galettes de céréales, Moram poussa dans sa direction le récipient en métal renfermant les morceaux de viande. Elle plongea la main dans le panier en osier, l'en ressortit avec une galette de céréales imprégnée de miel et la porta à sa bouche. Elle commença à la grignoter du bout des dents à la manière d'un rongeur, avec une hésitation et une gaucherie qui avaient quelque chose d'enfantin, d'émouvant. Elle mâchait longuement chaque bouchée, pourtant minuscule, arrachée à la galette, les yeux mi-clos, tournés vers l'intérieur, comme concentrée sur chaque étape d'un processus auquel les êtres humains avaient cessé depuis longtemps de prêter attention. Le miel commençait à lui barbouiller les lèvres et le menton, mais sa maladresse ne lui retirait rien de sa grâce, au contraire même, l'emplissait d'un charme indéfinissable, troublant. Les quatre hommes avaient cessé de manger pour l'observer. Moram ne remarquait pas les deux abeilles monstrueuses aventurées sur la couverture à la faveur d'une trêve qu'elles considéraient probablement comme une invitation tacite au festin. Ils laissèrent Kadija terminer la galette avant de lui proposer la gourde. La moitié de la rasade qu'elle but au goulot reflua par les commissures de sa bouche et dégoulina sur le haut de sa robe.

« Eh, eh, pas si vite ! s'exclama Moram. L'eau est précieuse ! Si les nomades avaient vidé leurs citernes comme des trous sans fond, y a longtemps qu'il n'en resterait plus un seul sur terre ! »

Elle reposa la gourde sur la couverture. Son geste effraya les deux abeilles qui s'envolèrent en bourdonnant de peur et de frustration. Les quatre hommes n'avaient pas besoin de se consulter du regard pour se rendre compte que les mêmes pensées les traversaient au même moment : elle cessait d'être une inconnue, une énigme, une abstraction, une magicienne dans l'esprit de Moram, pour devenir une femme. Par le partage de la nourriture et du langage, elle incarnait ces valeurs ancestrales qu'étaient l'échange, la réciprocité, la reconnaissance, le don, elle descendait parmi eux, elle s'insérait dans la trame de l'humanité. Elle mangea encore deux fruits secs, puis une bouchée de viande, but une gorgée d'eau, toujours avec la même maladresse, mais refusa le thermos de kaoua que lui avança le chauffeur. Puis elle s'essuya les lèvres d'un revers de main et eut un renvoi étouffé qui évoquait le rot d'un nourrisson après la tétée.

« C'était... bon ? » demanda Moram.

Elle les fixa à tour de rôle avec une expression qui hésitait entre satisfaction et tristesse. Katwrinn avait sans doute affronté les mêmes épreuves qu'elle, et Solman prit conscience de l'immense courage qu'il leur avait fallu à toutes les deux pour vivre parmi les hommes.

« Ta sœur était une mère du conseil aquariote, dit soudain Solman en regardant Kadija droit dans les yeux. Katwrinn était son nom de baptême. Et c'est moi qui l'ai tuée.

— Certainement pas ! protesta Moram. C'est toi qui as tiré le coup de feu, mais c'est nous tous qui l'avons condamnée. »

Les yeux de Kadija s'assombrirent légèrement, mais l'aveu ne parut ni l'étonner ni l'affecter.

« Pourquoi ? demanda-t-elle simplement.

— Elle avait fait assassiner les parents de Solman et pas mal d'autres Aquariotes, répondit Moram. Et puis elle avait ordonné une livraison d'eau empoisonnée au peuple slang. Même si ces enc... salopards sautaient sur tous les prétextes pour nous chercher des poux dans la tête, elle avait violé l'Éthique nomade, elle avait dressé les troquants d'armes et les autres peuples contre les Aquariotes.

— Comment savez-vous qu'elle est... qu'elle était ma sœur ? »

Ce fut au tour de Wolf d'intervenir :

« Par déduction. Elle était déjà adulte lorsque les Aquariotes l'ont recueillie. Elle avait la même allure que toi et, comme toi, elle est restée muette pendant quelque temps. Elle parlait d'une fraternité qui avait pour mission de créer un monde nouveau, sans doute sa tribu d'origine. Elle avait des connaissances dans certains domaines, entre autres, celui de la génétique, qui dépassaient largement les compétences des peuples nomades. »

Solman se leva et fit quelques pas pour réactiver la circulation sanguine dans sa jambe gauche. Comme à chaque fois, il eut l'impression que des milliers d'épingles lardaient ses muscles atrophiés.

« Nous n'avons pas su décrypter son mystère, dit-il en réprimant une grimace.

— À quoi ça rime de s'accuser ? gronda Moram. Elle parlait notre langue, bordel ! Elle a bien voulu le garder, son mystère !

— L'*Eskato*... » murmura Kadija.

Moram abattit la branche sur un coin de la couverture où s'était aventurée une abeille imprudente.

« Si tu cherchais à être piqué, tu ne t'y prendrais pas autrement, fit Ismahil.

— Ces putains de bestioles ne s'y prendraient pas autrement si elles cherchaient à se faire écrabouiller ! » répliqua le chauffeur.

Lançant un regard sur les environs, il s'aperçut que des centaines d'insectes, dont certains aussi gros que le poing, volaient dans les parages. Il lui sembla également que les taches de couleur s'élargissaient à vue d'œil sur les versants de la colline voisine. Les essences fleuries se faisaient désormais entêtantes, enivrantes.

« Il est grand temps de foutre le camp... »

Il referma le couvercle de la boîte métallique où les morceaux de viande baignaient dans leur graisse à demi fondue.

« L'*Eskato*... » répéta Kadija.

Elle avait baissé la tête et posé les mains sur son ventre, comme en proie à de violentes douleurs intestinales.

« Quoi, l'*Eskato* ? » demanda Solman.

Elle ne répondit pas, elle se leva à son tour et, les traits crispés par la souffrance, se mit à courir en direction de la forêt. Les insectes dérangés émirent des bourdonnements agressifs. Elle s'était éloignée avec une telle vivacité qu'aucun des quatre hommes n'avait eu le réflexe de la suivre. Ils la virent disparaître dans la pénombre du couvert.

« Qu'est-ce qui lui prend ? maugréa Moram.

— Vous n'auriez peut-être pas dû lui parler de sa sœur », dit Ismahil.

CHAPITRE 58

Solman, Wolf et Moram retrouvèrent Kadija au bout d'une demi-heure de recherches, allongée au pied d'un arbre, livide, le menton et le haut de la robe barbouillés de vomissures. Elle ne réagit pas lorsque Solman se pencha sur elle et lui nettoya le visage à l'aide d'un bout de tissu imbibé d'eau. La forêt bruissait de craquements, de grattements, de cris d'animaux. Les rayons du soleil se pulvérisaient sur les frondaisons et tombaient en poudroiement lumineux sur les fougères et la mousse.

« On devrait foutre le camp, dit Moram en triturant la crosse d'un de ses revolvers. J'aime pas l'ambiance de cette forêt.

— Il a raison, renchérit Wolf. Nous serons plus en sécurité dans le camion.

— Elle n'a pas encore la force de marcher, objecta Solman.

— Y a qu'à la porter jusqu'à la remorque », proposa le chauffeur.

Solman hocha la tête et essuya rapidement les souillures de la robe. Kadija ne bougeait toujours pas, recroquevillée sur elle-même, visiblement choquée, aussi tremblante qu'un faon terrorisé.

Revenus près du camion, Wolf et Moram l'allongèrent sur la couverture que Solman était allé chercher dans la remorque. Bien que Kadija fût d'une légèreté surprenante, le trajet du retour avait mis les deux hommes en nage. Moram retira sa chemise, but une généreuse rasade au goulot de la gourde et s'aspergea le torse de quelques gouttes d'eau. Wolf se contenta d'une petite gorgée qu'il garda un long moment en bouche avant de l'avaler. Ismahil descendit de la cabine où il s'était enfermé en les attendant et se pencha sur Kadija pour l'examiner.

« Elle présente les symptômes caractéristiques d'une indigestion, dit-il en se relevant. Mais ça ressemble plutôt à une allergie, comme si son organisme ne tolérait aucun élément extérieur.

— Les galettes et les fruits commencent à virer au rance, avança Moram. Peut-être qu'elle a tout simplement l'estomac fragile.

— Sûrement pas. Aucun de nous n'est capable de survivre au poison des plantes grimpantes. Ses défenses immunitaires sont incomparablement plus efficaces que les nôtres. Tellement efficaces, d'ailleurs, qu'elles se mettent en action dès qu'elles détectent un corps étranger. »

Ils différèrent le moment du départ jusqu'à ce que Kadija se soit remise de son malaise. Les insectes pullulaient autour d'eux dans un vacarme assourdissant. L'humidité de la terre s'évaporait sous les feux du soleil, les formes lointaines dansaient dans les effluves de chaleur, les fleurs et les bourgeons s'épanouissaient pratiquement à vue d'œil. L'activité fébrile des règnes animal et végétal transformait les alentours en un gigantesque chantier, comme si, débarrassés de l'hégémonie des hommes, insectes et plantes avaient décidé de reconstruire un monde à leur image, à leur échelle. Des millions d'architectes, d'ouvriers, de jardiniers œuvraient sur les flancs de la colline, sur l'herbe de la plaine, dans l'ombre de la forêt, répandaient les semences, fécondaient les sols. La plupart d'entre eux mourraient avant de toucher les dividendes de leur labeur, mais, contrairement aux humains, ils acceptaient d'être les expressions de l'éphémère, les maillons d'une chaîne dont ils ignoraient l'origine et la finalité. De temps à autre, des hardes d'animaux sauvages, sangliers, cerfs, vaches, franchissaient le ruban paresseux de la rivière dans un éclaboussement scintillant, suivies à quelques minutes d'intervalle par leurs prédateurs naturels, chiens et lynx. Pour Solman, le monde nouveau qui naissait sur les ruines de l'ancien avait toutes les apparences d'un paradis reconstitué.

Étendue sur la couverture, les yeux clos, les mains croisées sur le ventre, Kadija semblait peu à peu se détendre, recouvrer des couleurs.

« Benjamin... atterrira dans deux jours, murmurat-elle.

— Le jour du rassemblement ? » demanda Solman, assis à son côté.

Elle se redressa sur un coude et lui agrippa le poignet.

« La tribu est partie hier... Nous n'avons plus beaucoup de temps...

— Si au moins on savait combien de kilomètres il nous reste à parcourir ! soupira Moram, appuyé contre l'aile du camion.

— Les... les tribus ont prévu de se rassembler dans la forêt de l'Île-de-France, dit Kadija.

— L'Île-de-France ? On doit pas en être très loin, entre cent et cent cinquante bornes, estima le chauffeur. Avec de la chance, on aura assez de gaz pour y arriver. Après, c'est une autre paire de manches. Les rares Aquariotes qui se sont aventurés à l'intérieur de cette putain de forêt n'en sont jamais revenus... »

Moram frémissait déjà à l'idée de s'enfoncer dans le cœur d'une végétation impénétrable et parée par les légendes nomades de tous les maléfices. Les chauffeurs aquariotes préféraient faire un détour de plusieurs dizaines de kilomètres plutôt que de passer à proximité de ces arbres qu'on prétendait intelligents, envoûtants, machiavéliques. Les autres grandes forêts d'Europe avaient aussi leurs légendes, mais, même si aucun nomade n'aurait accepté de s'y hasarder, pas une d'elles ne suscitait une telle épouvante.

« On te demande seulement de nous y conduire, dit Solman. Une fois là-bas, personne ne t'obligera à nous accompagner. »

Moram enfila et boutonna sa chemise avec une nervosité proche de l'exaspération, puis enfonça ses revolvers dans la ceinture de son pantalon.

« J'irai avec toi en enfer s'il le faut, donneur ! Hora veut pas d'un homme qui détale comme un lapin au premier bruit. Et moi non plus j'en veux pas ! »

Franchir la rivière leur coûta beaucoup plus de temps que prévu. Ils durent la longer sur une dizaine de kilomètres pour chercher un passage. Les visions concertées de Solman et de Wolf n'ayant apporté aucune précision, ils s'arrêtaient régulièrement pour sonder l'eau à l'aide d'une branche taillée. Puis, alors qu'ils venaient d'effectuer un large crochet afin de contourner une paroi en à-pic, ils repérèrent un endroit où les rives se resserraient, où les roches gris clair affleuraient la surface ondoyante.

Wolf inspecta d'abord le gué à pied. Une fois parvenu de l'autre côté, il agita les bras pour indiquer à Moram qu'il pouvait engager le camion. Par mesure de précaution, le chauffeur se rendit à la remorque pour prier les trois passagers de descendre. Il eut l'impression, en croisant le regard de Kadija, qu'elle avait vieilli d'une dizaine d'années. Il ne s'agissait pas vraiment d'une dégradation physique, mais quelque chose dans l'allure, dans l'expression, la faisait paraître plus marquée, plus âgée. Elle ressemblait à ces enfants qu'on a chargés d'une responsabilité écrasante, aux donneurs, à Solman, à Glenn, à... Hora, même contraste entre l'apparence juvénile et la gravité du regard.

Moram attendit qu'ils aient tous les trois traversé pour démarrer et avancer au ralenti. Il parcourut sans difficulté la moitié du trajet, puis un rocher se déroba sous ses roues et le camion pencha avec une telle soudaineté qu'il dut se raccrocher de toutes ses forces au volant pour ne pas être précipité contre la vitre de la portière.

Il rétrograda avant même d'être revenu en place et écrasa de tout son poids la pédale d'accélérateur. Seule la puissance du moteur pouvait maintenant briser la spirale d'inertie. L'eau submergeait déjà l'aile avant droite et une partie du châssis de la citerne. Le hurlement du moteur n'empêcha pas le camion de continuer à se coucher.

« Putain de saloperie, tu vas te bouger ! » fulmina Moram.

Il passa en première, donna de petits coups d'accélérateur, vit, du coin de l'œil, la surface de l'eau se rapprocher dangereusement de la portière. En sueur, il s'appliqua à maîtriser ses nerfs, à se concentrer sur les bruits, sur les vibrations, les plus précieux des indicateurs pour les chauffeurs. Combien de fois avait-il prédit une panne rien qu'en décelant un grincement sous-jacent dans le ronronnement d'un moteur ? Il discerna le crissement aigu de la roue qui tournait à vide dans la vase, puis un choc, à peine perceptible, comprit qu'elle venait de toucher une surface dure, accéléra, progressivement cette fois, en espérant que le moteur ne calerait pas. La moitié de la calandre sous l'eau, le camion avança par secousses, escalada les fragments du rocher brisé, plongea de nouveau sur le côté, puis la roue droite rencontra une pente douce, il recouvra peu à peu son équilibre et, ruisselant, le bas de la caisse maculé de boue, se hissa sur la rive opposée.

« Tu ne te débrouilles pas trop mal avec un volant, dit Wolf après que Moram eut dévalé le marchepied et se fut longuement abreuvé à la gourde qu'il avait arrachée des mains d'Ismahil.

— Chacun son don, Scorpiote ! J'ai appris à conduire parce que j'étais pas bon à grand-chose d'autre.

— Seuls les fous donnent une hiérarchie aux actes, fit Wolf. Tout est affaire de circonstances. Et tout dépend de la conscience qu'on y met.

— Tu as réussi à... assassiner en toute conscience ? »

Wolf dévisagea le chauffeur avec froideur. Son œil gauche brillait, en haut de sa joue rongée, comme un astre bleu pâle au-dessus d'une terre brûlée.

« Au risque de te décevoir, Moram, la réponse est oui. Et je n'ai qu'un seul regret : Mirgwann. Tous les autres, je les ai tués de mon mieux, en pleine connaissance de cause.

— Quelle différence ça fait entre toi et un satané chien ?

— Aucune. Je n'ai pas la prétention de faire partie des créatures supérieures. Mère Nature a fait de moi un assassin, et, quand elle m'a placé devant la nécessité de tuer, j'ai accompli ses volontés.

— Mère Nature ne t'a jamais placé devant la nécessité d'égorger la mère de ton propre fils !

— Je devrais sans doute dire non. Je l'ai regretté toute ma vie, mais j'avais mon libre arbitre et je l'ai fait.

— Quel libre arbitre, bordel ? Est-ce que la saloperie qui te bouffe la joue t'a laissé ton libre arbitre ? »

Wolf écarta d'un revers de main un insecte qui volait à quelques centimètres de sa tête.

« Il ne m'appartient pas de juger des causes. Nous naissons tous avec certaines particularités génétiques, avec nos outils. Si nous savions chérir nos faiblesses, nous éviterions sans doute bien des erreurs. J'en revendique une seule, mais de taille, celle d'avoir un jour voulu ressembler à l'homme que je ne suis pas. »

D'un bref regard, Moram consulta Solman qui se tenait quelques pas en arrière en compagnie d'Ismahil et de Kadija.

« Sans doute l'humanité pourrait-elle reprendre cette formule à son compte, dit le vieil homme. Elle a passé son temps à essayer de ressembler à une image qu'elle n'est pas. »

Le crépuscule tomba avec une rapidité qui les prit au dépourvu. Le printemps précoce leur avait déjà fait oublier qu'ils étaient en plein cœur d'une période où les nuits étaient plus longues que les jours. Ismahil avait rejoint Moram et Wolf dans la cabine du camion, prétendant que les matelas étaient trop douillets pour ses vieux os, qu'il avait besoin de l'inconfort d'un siège pour rester vigilant, pour ne pas glisser dans la mort sans s'en apercevoir. Solman le soupçonnait, en réalité, d'avoir saisi ce prétexte pour les laisser seuls, Kadija et lui, dans la remorque.

« Pourquoi avoir attendu tout ce temps pour nous dire que l'Île-de-France était le lieu de rassemblement des tribus ? »

La question de Solman la sortit de la léthargie dans laquelle elle se cantonnait depuis qu'ils étaient repartis.

« Je vous l'ai dit dès que j'en ai eu la confirmation...

— Si je comprends bien, nous avons de la chance que les tribus aient choisi l'Île-de-France. Elles auraient pu décider de se réunir dans une autre partie d'Europe, ou sur un autre continent. »

Elle se redressa et tira sur le bas tire-bouchonné de sa robe.

« La chance, ou le hasard, n'a pas sa place dans l'*Eskato*. La tribu de l'espace, Benjamin, est celle qui a le plus de chemin à parcourir. Il lui revenait de choisir le lieu du rassemblement. Jusqu'à aujourd'hui, je n'étais pas certaine qu'il tiendrait compte de mes suggestions.

— Pourquoi ?

— L'*Eskato* ne tolère pas qu'on remette en cause ses enseignements. Le trouble est incompatible avec la pureté du Verbe. »

Solman se rapprocha d'elle jusqu'à ce que leurs visages se frôlent. Il agrippa une barre de renfort du montant de la remorque pour éviter que les cahots ne le projettent sur elle.

« Qui est l'*Eskato* ? »

Il lui sembla déceler une expression fugitive de terreur dans les yeux de Kadija.

« Je... Les mots sont insuffisants pour décrire le Verbe. L'*Eskato* vit en moi comme il vit dans chacun des membres des tribus. C'est le gardien de la sainteté, de l'immortalité.

— Il n'est pourtant pas intervenu pour empêcher la mort de Katwrinn... »

Elle se renversa en arrière et resta un petit moment l'arrière du crâne collé au montant métallique. Le haut de sa robe dégageait une vague odeur de bile.

« Elle avait sans doute franchi un point de non-retour, dit-elle d'une voix songeuse, hachée par les vibrations de la remorque. Je suppose que l'*Eskato* a également le pouvoir de renier ceux qu'il a élus.

— Élus ? Sur quel critère ?

— Je ne sais pas... Je ne sais vraiment pas...

— Ismahil a parlé d'une forme d'allergie tout à l'heure, mais c'est lui, l'*Eskato*, qui t'a fait vomir tout ce que tu as mangé, n'est-ce pas ? »

Elle acquiesça d'un clignement des paupières.

« Mes défenses immunitaires se mettent en action dès qu'elles détectent une entropie, un risque de dégradation de l'information, ajouta-t-elle. Pour le Verbe, la transformation des aliments est un mécanisme du temps.

— Et si je t'embrasse, comment réagiront tes défenses immunitaires ? »

Les lèvres de Solman s'écrasèrent sur celles de Kadija avec une telle soudaineté qu'elle n'eut pas le temps de répondre. D'abord tétanisée, elle garda les dents serrées, résistant à la langue qui tentait de forcer l'entrée de sa bouche. Puis, en elle, se déclencha le même processus que face à l'agression de Chak. Il lui fallait éliminer l'intrus qui cherchait à lui ravir son intégrité de Sainte. La puissance de l'*Eskato* se déploya à travers elle, un mélange d'informations, de détermination et de force qui transformait son corps en une machine précise, implacable, invincible. Il lui suffisait désormais de choisir l'un des nombreux points névralgiques de Solman, les yeux, la gorge, le plexus solaire, le foie, le ventre, les testicules, pour le mettre hors d'état de nuire, définitivement. Elle arma le bras et, dans un premier temps, le frappa au défaut de l'épaule pour l'amener à desserrer l'étreinte. Il marqua le coup d'un gémissement étouffé et d'un léger retrait du buste, mais, contrairement à ce qu'elle avait prévu, il ne céda pas un pouce de terrain

596

et garda les lèvres collées sur les siennes. D'un mouvement circulaire, elle lui assena un deuxième coup sous les côtes. L'expiration prolongée de Solman lui lécha le bas du visage. Comme ces combattants du temps des hommes dont elle gardait quelques images en mémoire, il se laissa tomber sur elle et appuya de tout son poids sur ses bras pour restreindre sa liberté de mouvements. Elle se débattit pour lui échapper, envahie par un début de colère qui ressemblait étrangement à de l'affolement, à de l'impuissance. Le Verbe se troublait, ses informations se brouillaient, sa détermination s'étiolait. Les sensations ineffables qu'elle avait découvertes sur l'herbe humide de la colline venaient de temps à autre flotter à la surface de son esprit. Elle tenta encore de marteler le dos de Solman, mais ses muscles ne lui obéissaient plus, ou de manière parcimonieuse, comme s'ils n'étaient plus que les lointains réceptacles d'une volonté défaillante. Elle n'avait pas ressenti ce genre de faiblesse devant Chak parce qu'elle n'avait jamais désiré être caressée par les mains et le souffle du chauffeur. Solman réveillait le chant d'une autre vie, antérieure à l'*Eskato*, d'une vie dont l'aspect éphémère donnait du prix aux actes. D'une vie où les Sceaux n'existaient pas, où chaque décision, même si elle conduisait à l'échec, se prenait à l'aune de cette liberté inconcevable que Wolf et Moram avaient appelée « libre arbitre » quelques heures plus tôt.

Un reste de conditionnement poussa Kadija à se tordre comme une furie pour échapper à l'emprise de Solman. Sa robe se retroussa jusqu'à sa poitrine, dénudant ses jambes et son bassin. Elle se rendit compte que des gouttes tièdes sinuaient entre ses seins. Elle perdait de l'eau, elle transpirait, une sensation nouvelle pour elle, pas si désagréable, d'ailleurs. Les mains de Solman, insaisissables, s'égaraient sur ses jambes, sur son ventre, sur sa poitrine, semaient des ondes de chaleur qui se propageaient sur son corps et achevaient de démanteler ses défenses immunitaires. Elle avait l'impression de baigner tout entière dans une moiteur trouble, femelle.

Elle n'avait connu que le sec, le stérile, durant son séjour dans la station spatiale – durant toute son existence par conséquent, puisque sa vie consciente avait commencé avec son éveil dans la station de Benjamin – où les capteurs hygrométriques éliminaient impitoyablement de l'atmosphère tout facteur potentiel de dégradation, d'entropie.

Les défenses de l'*Eskato* changèrent de stratégie et libérèrent des flots d'antigènes. Submergée de dégoût, vidée de ses forces, Kadija s'affaissa de tout son long sur le matelas.

« Laisse-moi... par pitié... par pitié... » balbutia-t-elle.

Solman intensifia ses caresses, lui parcourut la nuque et le dos du bout des lèvres. L'odeur de leurs deux corps emplissait la remorque, une odeur musquée, puissante, envoûtante. À chaque battement de cœur, Kadija percevait les vagues d'antigènes déferlant dans ses veines, dans ses cellules, de plus en plus agressives, de plus en plus violentes. Au dégoût succédait maintenant la douleur, si intense qu'elle en eut le souffle coupé, qu'elle n'eut pas d'autre ressource que de s'enrouler sur elle-même, déchirée, précipitée dans le gouffre qui se creusait entre ses désirs de femme et sa nature de Sainte. Traversée par un sursaut de révolte, elle n'esquissa cependant aucun geste quand Solman acheva de lui retirer sa robe. Les mains et la langue de l'intrus s'insinuaient désormais dans tous les recoins de son corps sans défense, dans sa bouche, dans son cou, sur ses seins, entre ses cuisses, entre ses fesses. Le feu de l'*Eskato* la dévorait jusqu'au bout des ongles, elle n'était plus qu'une incarnation de souffrance, une porte d'affliction.

« Laisse-moi... »

Solman s'écarta enfin d'elle, et, curieusement, elle le regretta. Elle demeura allongée sur le matelas, refermée sur sa brûlure, tremblante de tous ses membres, incapable de prendre une décision, d'esquisser un mouvement. Elle discerna des froissements, tourna légèrement la tête, s'aperçut que Solman se dévêtait à son tour. Il était encore temps pour elle de se soumettre à la volonté du Verbe, d'éloigner le spectre de la souffrance, de la mort. La lumière empourprée du crépuscule tombait des interstices de la bâche et teintait de sang l'intérieur de la remorque.

CHAPITRE 59

« Va falloir s'arrêter, dit Moram. Y a encore des flaques de boue sur cette foutue piste, et la lumière des phares n'est pas très fiable. Et puis, on a encore toute la journée de demain pour arriver en Île-de-France.

— On ne sait pas combien de temps nous prendra la traversée de la forêt, fit Wolf.

— Ouais, mais, moi, je suis pas un putain de Scorpiote, je vois pas la nuit, et on ne sera pas plus avancés si j'enlise le camion. À mon avis, il nous reste moins de cent bornes à faire. Si on part demain matin au petit jour, on y sera sans doute avant le zénith.

— Que dit la jauge de gaz ?

— Elle dit rien qui vaille. La veilleuse d'alerte s'est allumée déjà depuis un bon moment. »

Quelques instants plus tôt, Wolf avait proposé à Ismahil, dont la tête dodelinait sur la poitrine, de s'allonger sur la couchette. Le vieil homme, pourtant aidé par le Scorpiote, avait rencontré les pires difficultés à escalader le dossier de la banquette et à se glisser dans l'étroit espace fermé par le rideau.

Les faisceaux des phares se perdaient sur une plaine désolée. L'herbe rase se parsemait de mares scintillantes qui capturaient des fragments de ciel étoilé. Les rares reliefs, collines aux sommets arasés, maigres bosquets, monticules de pierres, se dressaient de temps à autre dans la lumière comme des apparitions somnambuliques.

« On gagnerait presque du temps à abandonner le camion et à marcher toute la nuit, murmura le Scorpiote.

— Tu oublies que Solman a une jambe torse, que Kadija est à moitié malade et qu'Ismahil n'a plus vingt ans, ni même cent vingt.

— Je ne l'oublie pas, mais dans certaines circonstances, il faut savoir dominer la douleur.

— C'est le genre de truc que tu aurais pu apprendre à ton fils si t'avais pas joué les fantômes pendant dix-sept ou dix-huit ans... »

Wolf tourna la tête en direction du chauffeur, la lèvre supérieure retroussée en un rictus qui, en bas de sa joue gauche, dévoilait toute sa dentition et le faisait ressembler à un chien.

« Tu ne peux pas t'empêcher de juger, hein ?

— Je ne peux pas m'empêcher de penser au bonheur que j'aurais eu, enfant, si mon père s'était trouvé à mes côtés.

— Ta vie n'a pas force de loi. Il est certaines circonstances où l'absence est préférable à la présence, le silence préférable au bruit.

— Et, euh, t'as jamais eu envie de...

— Chaque minute ! Chaque seconde ! »

Moram n'osa pas regarder son interlocuteur en face, mais il lui sembla déceler le scintillement caractéristique des larmes dans ses yeux mi-clos. Il aperçut, dans le lointain, les reliefs d'une ville de l'ancien temps, les lignes brisées de bâtiments ensevelis sous les feuilles luisantes des plantes grimpantes. Il n'avait jamais aimé rouler sur la piste du Centre, pas plus que les autres chauffeurs aquariotes, qui, pour des raisons indéterminées – peut-être des actes de pillage des bandes qui avaient autrefois refusé l'Éthique nomade ? –, préféraient tous emprunter les pistes de l'Ouest ou de l'Est.

« Je craignais de perdre ma vigilance si je révélais mon existence à Solman, poursuivit Wolf. Le manque me tenait en éveil, comme la faim, comme la soif. Les pères et les mères du conseil auraient exploité le moindre de mes relâchements pour m'éliminer. Mort, je n'aurais été d'aucune utilité à Solman.

— Tu disais tout à l'heure qu'il ne faut rien regretter. Mais, des regrets, on n'en a pas à voir grandir son fils sans jamais pouvoir lui parler ? Sans jamais pouvoir le serrer contre soi ? L'embrasser ?

— Des regrets, non, de la souffrance, oui. Je suppose que tu ne regrettes pas d'avoir quitté Hora, parce que cela devait être accompli, mais que tu en souffres... »

Ce fut au tour de Moram d'avoir les larmes aux yeux. La séparation d'avec Hora le rongeait avec une virulence qui allait en s'amplifiant à mesure que s'allongeaient les distances. La petite sourcière grandissait à l'intérieur de lui, prenait entièrement possession de son grand corps, habitait chacune de ses paroles, chacun de ses gestes. Il avait faim et soif d'elle, de sa peau, de son odeur, de sa voix, mais aucune nourriture, aucune pensée, aucune larme ne pouvait combler le manque. Il lui restait à souffrir en silence, comme Wolf, à errer au cœur du vide qui se creusait en lui, qui étouffait toute source de chaleur. Toutefois, il ne regrettait pas d'être tombé dans le piège qu'il s'était juré d'éviter. Les relations strictement sexuelles avec les autres femmes – avec les femmes des autres – s'assimilaient à des trocs sordides, à des marchandages qui les avaient spoliés, ses maîtresses et lui-même. Il acceptait maintenant les risques qu'il y avait à se frotter à l'amour, à ce brasier qui pouvait vous embraser aussi bien que vous calciner et vous réduire en cendres.

« Va bientôt falloir qu'on se pose, dit-il, les mâchoires serrées. J'ai les yeux qui fatiguent.

— Roule encore un peu. Le moment n'est pas tout à fait venu de s'arrêter. »

Moram s'interrogea sur la signification réelle de cette phrase, mais renonça à soutirer une explication au Scorpiote. Il se concentra sur la conduite, sur le ronronnement du moteur, sur les grincements des amortisseurs, sur les faisceaux des phares qui éclaboussaient les mares tapies dans les herbes.

Les gouttes de sueur qui lui tombaient dans les yeux réduisaient encore la visibilité de Solman, assis contre un montant métallique. Il ne distinguait plus la forme grise de Kadija. Elle avait retrouvé son ardeur belliqueuse après avoir paru capituler. Elle l'avait frappé au ventre, puis au cou, avec une puissance et une précision qui l'avaient contraint à battre en retraite. Pendant quelques instants, l'air avait peiné à se frayer un passage dans sa gorge, et il avait cru qu'elle lui avait broyé le larynx. Quant à sa douleur au ventre, elle s'était étendue à l'ensemble de son corps, elle avait réveillé les élancements familiers à sa jambe gauche et soufflé brutalement son désir.

Il se demanda une nouvelle fois si les ponts n'étaient pas définitivement coupés entre Kadija et lui, entre les Saints et les hommes. Elle pouvait le tuer désormais, avec la même facilité qu'elle avait blessé Chak. Il n'était pas de taille à lui résister, à contrer la puissance qui s'exprimait à travers elle et dont il captait le chant monocorde. Il avait commis l'erreur d'insister quand il aurait fallu lui donner le temps de souffler, de désamorcer ses défenses, mais son propre désir l'avait débordé, l'avait entraîné à précipiter les choses. Il l'entendait de temps à autre pousser un gémissement sourd, prolongé, déchirant. Ils se tenaient à trois pas l'un de l'autre, mais un abîme les séparait, aux dimensions du vide spatial. L'*Eskato* avait creusé entre les siens et les hommes des gouffres infranchissables, les mêmes sans doute dans lesquels avait sombré Katwrinn. Kadija n'était pas une femme non plus, elle ne pouvait pas s'ouvrir à l'amour, elle avait, comme sa sœur, hérité la sécheresse de cœur et de corps, elle n'avait pas sa place parmi les hommes, les hommes n'avaient pas leur place parmi les Saints...

Solman ferma les yeux et dériva sur le cours de ses pensées sans chercher un seul instant à contacter la vision. Le bruit du moteur, les vibrations de la remorque, ses propres battements de cœur s'estompèrent. Il perdit toute notion d'espace et de temps, se réduisit à un souffle, à un fil, se piqua dans la trame humaine sur le point de s'effilocher, de se disperser dans le vide. Elle survivait à l'intérieur de lui, pourtant, comme elle survivait dans l'esprit et le cœur de Wolf, de Moram, d'Ismahil, des Aquariotes restés dans les ruines de Tours, de tous ces hommes et femmes qui avaient échappé aux fléaux lancés par l'Intelligence destructrice. Comme elle survivait dans la mémoire de Kadija. Il suffisait d'un rien pour la reconstituer, pour la consolider, pour lui redonner cette cohérence et cette épaisseur qui avaient permis aux hommes de traverser les siècles, de surmonter les guerres, les famines, les catastrophes, les maladies. D'un rien qui renverrait les Saints de l'*Eskato* à leur condition première. Le doute n'était plus permis désormais, les Saints continuaient d'appartenir à cette trame qu'ils avaient résolu de déchirer, et, tant qu'ils ne l'auraient pas réparée, ils accéléreraient la course de ce temps qu'ils prétendaient arrêter, ils précipiteraient le refroidissement de ce feu originel dont ils se croyaient les éclats privilégiés. Ne voyaient-ils pas qu'en reniant les êtres humains et les autres créatures vivantes, ils se condamnaient eux-mêmes à la division, à l'anéantissement ? Le Jésus du Nouveau Testament n'avait-il pas déclaré : « Ce que vous faites au plus petit d'entre vous, c'est à Moi que vous le faites ? » Il ne s'agissait pas d'un Moi omnipotent et vengeur, mais d'un Moi qui renfermait tous les souffles humains, tous les fils de la trame.

« Solman... »

Il revint à l'obscurité de la remorque, au grondement du moteur, aux cahots, aux vibrations métalliques, aux élancements de sa jambe gauche, à la douleur à sa gorge. Ses joues étaient baignées de larmes. Il ne pleurait pas sur lui, mais sur cette terrible méprise de l'humanité, sur ces vies sacrifiées au nom d'une grandeur illusoire.

« Solman... Est-ce que... ça va ? »

Il essaya de repérer Kadija au son de sa voix, mais la densité des ténèbres et l'abondance de ses larmes l'empêchèrent de la localiser.

« Tu m'as démoli la gorge et le ventre, mais je suis toujours vivant.

— Je veux qu'on essaie encore... »

Il se rendit compte qu'elle se tenait tout près de lui, immobile, attentive, agenouillée au centre de la remorque.

« Qu'est-ce que ça changera ? marmonna-t-il.

— Je ne sais pas, mais je... j'en ai envie.

— L'*Eskato* n'a donc pas tué tout désir en toi ? »

Elle se rapprocha de lui et lui posa les mains sur les épaules. Il respira son odeur, une odeur forte, grisante, de femme. Des tremblements l'assaillirent, identiques à ceux qui l'avaient agité la première fois que Raïma s'était offerte à lui dans la remorque des rouleaux de tissu.

« Si je te le demande, arrête-toi, murmura Kadija. Le temps que mes défenses se relâchent. C'est moi qui décide, d'accord ? »

Elle leva la main et lui effleura les cheveux. Il lui abandonna, comme elle le lui avait demandé, toute initiative, n'esquissa aucun geste quand ses lèvres partirent en reconnaissance de son visage, jouèrent un long moment avec son front, avec ses yeux, avec ses joues. Il percevait chacune de ses crispations, chacun des flots d'antigènes qui la secouaient avec la puissance d'une décharge de batterie. Il s'appliqua à endiguer son désir, se retrouva quelques mois en arrière, dans la remorque des tissus, caressé par Raïma et réduit à l'immobilité par la présence du solbot. Le plaisir et la mort, ces ennemis indissociables, étaient à nouveau au rendez-vous. Il sentait parfois s'éloigner le souffle brûlant de Kadija, repoussait l'impulsion qui lui commandait de l'enlacer et de la maintenir plaquée contre lui.

Elle l'embrassa, avec retenue d'abord, puis avec fougue, et le goût de sa bouche était si frais, si délicieux qu'il faillit la rattraper par la nuque lorsqu'elle se jeta en arrière en poussant un hurlement. Dix fois elle interrompit leur baiser, en proie à une tension intérieure dont l'intensité électrisait la nuit ; dix fois elle revint à la charge, tremblante, inondée de sueur, s'efforçant à chaque tentative de reculer ses limites, d'enfoncer ses défenses.

Elle prit la main de Solman et la posa sur sa poitrine. Il resta interdit dans un premier temps, puis il entreprit de lui caresser un sein, avec lenteur, en douceur, attentif à ses réactions, à ses soupirs. Il devança la crise cette fois-ci, retira sa main juste avant qu'elle s'affaisse sur le matelas, attendit patiemment qu'elle se relève, revienne vers lui, l'embrasse, lui prenne la main, la pose sur sa poitrine...

Ils progressèrent avec une lenteur qui exaspérait le désir de Solman mais qui, en même temps, l'exaltait, le magnifiait. Raïma avait tenté de lui enseigner les vertus de l'attente devant le solbot. Le meilleur des hommages à lui rendre, c'était maintenant d'appliquer la leçon, de retarder jusqu'à l'insupportable le déploiement du plaisir. Il lui semblait que les manifestations de rejet de Kadija s'espaçaient, comme si, chaque fois qu'elle franchissait une étape, l'*Eskato* perdait de son influence, de son pouvoir.

Vint le temps où elle osa prendre le sexe de Solman dans sa main. Elle ne le lâcha pas quand la vague d'antigènes déferla dans son corps et se retira en la laissant dans un état de légère hébétude. Ses défenses s'abaissaient l'une après l'autre, battues par les flots du désir.

Vint le temps où elle osa se pencher entre les cuisses de Solman pour cueillir son sexe dans sa bouche, où ses mâchoires s'endolorirent, où elle fut traversée par une envie, qui s'évanouit aussitôt qu'elle se manifesta, de trancher avec les dents cette chair encombrante et dure.

Vint le temps où elle osa s'allonger, les jambes écartées, pour mieux favoriser les insinuations de la langue de Solman dans les replis de sa vulve, où ses frissons de répulsion s'achevèrent en frémissements de volupté. Vint le temps où elle s'ouvrit entièrement, sans retenue, comme si sa mémoire de femme ne lui avait jamais été confisquée. Elle s'emplit tout entière d'un dégoût mêlé de bien-être quand le sexe de Solman, allongé sur elle, s'enfonça en elle et brisa délicatement son hymen. Vint le temps où il alla et vint en elle, où ses mouvements lents, impérieux, lui arrachèrent des larmes, des gémissements, où la jouissance et la douleur s'imbriquèrent d'une façon telle qu'il lui fut impossible de les différencier.

Vint le temps où le plaisir l'emporta sur la souffrance, où ses défenses, vaincues, l'abandonnèrent à sa nouvelle vie. Le Verbe l'avait répudiée, mais le chant de son corps, même s'il était éphémère, parce qu'il était éphémère, lui parut infiniment plus beau, plus juste, que le chœur des cent quarante quatre mille Saints de l'*Eskato*.

Le jour se glissait par les nombreuses ouvertures de la bâche. Les trilles des oiseaux s'envolaient avec gaieté dans le silence inhabituel qui entourait la remorque. Le camion s'était sans doute arrêté à la tombée de la nuit. Solman se redressa, se dirigea à quatre pattes vers ses vêtements, enfila rapidement son pantalon et fit coulisser le verrou du hayon de la remorque. Il eut l'impression, en le poussant, d'ouvrir une boîte où était enfermée toute l'odeur de sexe et de sueur de la terre. Il enveloppa Kadija d'un regard tendre avant de sortir.

Le camion se dressait au milieu d'une vaste plaine qui ondulait sous les frôlements de la brise matinale. Le soleil ne s'était pas encore levé, des étoiles de traîne s'éteignaient dans un ciel bleu et mauve. Quelques insectes, grosses abeilles, coléoptères aux reflets jaunes ou verts, butinaient les coquelicots qui s'épanouissaient en taches de sang sur les lits d'herbes. Un vol d'oiseaux s'évanouit dans un froissement.

L'air tiède réveilla sur la peau de Solman les frémissements latents abandonnés par les mains et les lèvres de Kadija. Il gardait, de leur affrontement nocturne, des marques d'ongles, de dents, ainsi que des traces douloureuses à la gorge et au ventre. Étourdi par la fatigue et le manque de sommeil, il prit une longue inspiration pour reprendre possession de son corps. L'afflux d'oxygène raviva les élancements à sa jambe gauche, et c'est en boitant bas qu'il se dirigea vers l'avant du camion, escalada le marchepied et, la main collée sur la vitre, jeta un coup d'œil à l'intérieur de la cabine. Moram dormait, la bouche entrouverte, la nuque renversée sur le dossier du siège conducteur.

Des crissements de pas le firent tressaillir. Il se retourna, découvrit Wolf en bas du marchepied, la chemise entrouverte sur un torse d'une blancheur insolite, le fusil d'assaut coincé entre le coude et la hanche.

« Je ne t'ai pas entendu approcher...

— Mes manies de fantôme, dit Wolf avec un sourire. Je mettrai sans doute du temps à m'en débarrasser.

— Vous avez roulé toute la nuit ?

— Moram est comme les gosses : il n'aime pas l'obscurité.

— À combien sommes-nous de l'Île-de-France ? »

Wolf glissa la bretelle de son fusil sur son épaule et, du plat de la main, lissa la partie de sa chevelure épargnée par sa maladie.

« Je dirais entre soixante et cent kilomètres. Difficile de savoir exactement avec les détours de la piste. Et le compteur kilométrique du camion ne me paraît pas fiable. »

Wolf dégagea une petite gourde de peau des replis de sa chemise et la lui tendit.

« Je suppose que tu as soif... »

Solman dévala le marchepied et s'empara de la gourde.

« Tu sais, pour Kadija et moi ? demanda-t-il en dévissant le bouchon.

— Rien de ce qui te concerne ne m'est étranger. La mort était présente dans ma vision, mais, cette fois, c'était à toi de régler le problème, je n'avais pas le droit d'intervenir. »

Solman but une gorgée d'eau. « Combien de fois es-tu intervenu depuis que je suis né ? »

Wolf haussa les épaules.

« Je n'ai pas tenu de comptabilité. »

Solman contempla l'homme défiguré qui se tenait devant lui et qu'il n'avait pas encore appris à considérer comme un père. Pourtant, à sa manière, Wolf avait été le plus vigilant, le plus présent des pères. Il leur aurait sans doute fallu un peu de temps pour briser le sceau du silence et de la clandestinité, pour apprendre à se comporter comme un père et un fils ordinaires, mais le temps leur manquait, et il ne leur restait que les non-dits, la maladresse, la pudeur.

La portière s'ouvrit et livra passage à un Moram au visage encore chiffonné de sommeil. Il les salua d'un « Bordel, je me suis empaffé, putain, il me reste presque plus de kaoua, saloperie de siège, il m'a cassé les reins ! » qui semblait indiquer que, non, merci, il n'avait pas passé une bonne nuit.

Ils mangèrent sur le pouce au pied du camion, rejoints quelques instants plus tard par Kadija, puis par Ismahil. Le vieil homme n'était pas au mieux à en croire son allure chancelante, son mutisme et ses yeux éteints. Il refusa l'eau et les fruits secs que lui proposa Moram. Kadija, elle, dévora à peu près tout ce qui lui tomba sous la main, fruits, céréales, morceaux de viande, vida presque entièrement une gourde d'eau, accepta même un peu de kaoua.

Moram remarqua ses cernes, ses lèvres gonflées, la langueur qui estompait l'éclat de son regard, les rougeurs sur le torse de Solman, en conclut que ces deux-là, contrairement à lui, avaient connu une nuit mémorable, les envia, contint ses larmes lorsque l'image de Hora, poignante, vint se superposer à celle de Kadija, remonta dans la cabine avec une précipitation principalement destinée à dissimuler son désarroi.

« Faut repartir maintenant, maugréa-t-il avant de refermer la portière. Il reste un bout de chemin jusqu'à l'Île-de-France. »

Mais il eut beau tourner la clef de contact, écraser la pédale d'accélérateur, insister, tempêter, le camion refusa de démarrer. Il comprit, à l'odeur doucereuse qui montait des bouches d'aération, qu'ils étaient tombés en panne de gaz.

CHAPITRE 60

Munis du strict nécessaire, un sac de toile contenant les vivres et les balles, trois gourdes qu'ils avaient remplies au jerrycan, ils marchaient depuis des heures sur la plaine sans limites. La température continuait de grimper, mais la chaleur restait pour l'instant supportable. Estimant les nuits suffisamment douces pour se passer de couverture, ils avaient emporté avec eux leur manteau ou leur veste qu'ils portaient sur l'épaule, hormis Kadija, vêtue de sa seule robe. Ils disposaient, pour toutes armes, des deux revolvers de Moram, du fusil d'assaut, du poignard et de la réserve de balles de Wolf, Solman ayant laissé son pistolet dans le bunker de Tours.

Des hordes d'animaux surgissaient des ruines ou des rares bosquets pour se lancer au grand galop sur l'étendue d'herbe et martelaient la terre comme une peau de tambour. Les insectes poursuivaient leur œuvre de transformation avec zèle. De temps à autre, Solman et ses compagnons voyaient fondre sur eux des nuées bourdonnantes, dont, pas davantage que les hordes, ils ne savaient si elles présentaient un danger. Ils s'immobilisaient et attendaient, pour reprendre leur marche, que l'essaim se soit dispersé dans la lumière du soleil. D'innombrables mares abandonnées par les tempêtes des jours précédents, tendues sous les herbes, jonchaient la piste reconnaissable à ses accotements hérissés de buissons.

Solman s'efforçait de suivre l'allure. Lorsque l'envie se faisait insistante de s'arrêter, de s'allonger, de détendre enfin cette jambe gauche qui n'était plus qu'une brûlure lancinante, il regardait Ismahil, qui avançait sans proférer la moindre plainte, les yeux rivés au sol, les épaules tombantes, la foulée menue et rasante. Il observait également Wolf, ne décelait pas l'ombre d'une claudication dans son allure régulière, essayait alors de reprendre empire sur lui-même, d'occulter sa souffrance. Kadija venait parfois lui prendre la main, l'encourager d'un regard, d'un sourire, d'une moue. Il pouvait lire en elle, désormais, aussi clairement que dans une eau de source. Elle conservait encore quelques-uns de ses privilèges de Sainte, une vigueur et une résistance supérieures à celles des hommes, une somme de connaissances inégalable, mais, en forçant le barrage de ses défenses immunitaires, elle avait roulé sur la pente fatale du temps, elle avait franchi la porte qui s'ouvrait sur les cycles. Elle évoluait avec la légèreté de quelqu'un qui vient d'être délivré d'un envoûtement, d'une malédiction. Sa nouvelle vie lui donnait une beauté simple, rayonnante, charnelle. C'était ce chant-là que Solman avait capté en elle la première fois qu'ils s'étaient rencontrés dans le marais du littoral méditerranéen, un chant qui avait franchi les murailles dressées par l'*Eskato* pour raconter un monde ancien d'amour et de consolation. Le Verbe dont parlait Raïma avait échoué à extirper la mémoire antérieure de ceux qu'ils avait choisis pour Justes. Si, selon les paroles d'Ismahil, les hommes, ces animaux évolués, gardaient en eux des traces de leur nature primitive, les Saints restaient piqués dans la trame humaine. Aucune évolution ne pouvait s'établir sur le vide. Kadija, l'envoyée de Benjamin, avait parcouru le chemin menant aux hommes – à elle-même par conséquent –, mais comment réagiraient ses frères et ses sœurs ? Qu'en serait-il de ces douze tribus qui, pendant plus d'un siècle, avaient vécu en totale autarcie, terrées dans leurs abris, dans leur immense savoir et dans le mépris souverain d'une humanité qu'ils avaient répudiée, condamnée à l'oubli ?

« On s'arrête un peu ? » proposa Moram.

Jamais sa voix n'avait paru aussi agréable à Solman.

« Pas de refus », souffla Ismahil.

Wolf examina brièvement les environs avant de poser le sac de vivres au sol. C'est alors seulement que Solman discerna le léger rictus qui lui déformait la lèvre supérieure et trahissait sa souffrance.

« J'ai pas l'impression qu'on ait progressé des masses, soupira Moram en se laissant tomber dans l'herbe.

— Une quinzaine de kilomètres, à mon avis, précisa Wolf.

— À ce train-là, on ne sera pas en Île-de-France avant deux jours. Il aurait peut-être mieux valu retourner à Tours pour chercher un nouveau camion. Cette putain de mécanique était plus gourmande que je ne le pensais ! Ou alors, il y avait une fuite de gaz... »

Ils burent et grignotèrent en silence, chassant les insectes qui, attirés par les odeurs, pullulaient autour d'eux. Le ciel n'avait pas recouvré son bleu habituel, comme s'il s'était vêtu de teintes nouvelles pour accompagner la métamorphose de la terre. Quelques pas plus loin, la surface d'un étang encerclé par les roseaux brillait comme une nappe d'or en fusion.

« Bizarre qu'on ne voie pas de moustiques, lança Moram. Avec cette chaleur, toute cette flotte...

— Sans doute n'ont-ils pas leur place dans le nouvel ordre terrestre ? fit Ismahil.

— C'est pourtant pas le genre de bestioles dont on peut se débarrasser comme ça ! objecta le chauffeur en claquant des doigts.

— Il faut croire qu'ils ont trouvé leurs prédateurs naturels. Enfin, quand je dis « naturels », je pense qu'on leur a donné un sérieux coup de pouce.

— Vous voulez dire que... quelqu'un aurait trouvé le moyen d'éliminer ces seringues volantes ? »

D'un pan de sa chemise, Ismahil essuya avec délicatesse les gouttes de sueur qui lui perlaient sur le front.

Les autres transpiraient également, y compris Kadija, dont le haut de la robe était maculé d'auréoles sombres. Assise à côté de Solman, elle scrutait le ciel avec une attention soutenue, s'interrompant régulièrement pour lui lancer un regard à la fois tendre et perplexe. Il lisait en elle de la gratitude et de l'inquiétude. Elle découvrait, comme tous les prisonniers du temps, la peur de perdre ce qui donnait un prix à son existence, la peur de la séparation, la peur de l'oubli. Elle devrait apprendre à renoncer à la tentation du contrôle, de la possession, à s'abandonner à la puissance créatrice de mère Nature, à se fondre dans l'éternité de l'éphémère. Solman l'enlaça par la taille et l'attira contre lui. Encore imprégnée de leurs odeurs, elle l'irradia d'une envie qui chassa sa fatigue et la douleur à sa jambe.

« Les scientifiques de la Troisième Guerre mondiale ont modifié génétiquement les insectes et d'autres espèces, comme les anguilles, pour en faire des armes, dit Ismahil. Mais, contrairement aux armes traditionnelles, il leur était impossible d'en contrôler la prolifération. Ils ont donc créé un nouvel ordre, l'ordre^{GM}. Il se peut fort bien que des insectes mutants soient devenus les prédateurs des moustiques. D'autres espèces disparaîtront, d'autres apparaîtront.

— Les hommes semblent faire partie de celles qui sont condamnées à disparaître, gronda Moram.

— D'une part, ce n'est peut-être pas une fatalité, d'autre part, ce n'est peut-être pas une injustice.

— Ouais, mais moi, j'ai une putain d'envie de vivre, et ça me paraît injuste ! »

Moram se retint d'ajouter que Hora la sourcière était l'objet essentiel de sa putain d'envie de vivre, mais il le pensa tellement fort que les autres n'eurent aucun mal à deviner sa pensée.

« Nous sommes des hommes, façonnés par l'instinct de survie, reprit Ismahil, les sourcils froncés, la face hachée par les rides. Nous n'avons donc pas le recul nécessaire pour considérer notre extinction avec sérénité. Pourtant, le soleil est condamné, cette terre est condamnée, nous sommes condamnés. Que cela se passe demain ou dans cinq millions d'années ne changera strictement rien à l'affaire.

— Ben si ! fit Moram. Demain, ça ne me laisserait pas le temps de retrouver la femme que j'aime.

— Nos désirs personnels comptent si peu en regard de l'univers.

— L'univers, pour l'instant, il tourne autour de moi ! »

Le chauffeur désigna le ciel d'un mouvement de tête et poursuivit :

« Je sais bien que nous ne sommes que des grains de poussière par rapport à l'immensité de la Création, mais, bordel, c'est sûrement pas ça qui me fait battre le cœur ! »

Ismahil hocha la tête avec un sourire las.

« Les pensées, les désirs individuels ont-ils un quelconque effet sur notre environnement, sur notre univers ? Voilà un mystère que nous n'avons jamais éclairci. La physique quantique nous apprend que l'observateur a une influence sur l'objet de son observation. Mais cette règle s'applique au monde des particules, de l'infiniment petit. Nous n'avons pas réussi à prouver qu'elle se rapporte au monde macroscopique.

— Quand on a la tête et le cœur pleins, pas besoin de vouloir prouver quoi que ce soit, grogna Moram.

— C'est peut-être ça, la bonne définition : les esprits et les cœurs vides ont besoin de se remplir pour se donner l'illusion d'exister. Se remplir de lois, de dogmes, de connaissances... »

Wolf rangea les vivres dans le sac de toile, épousseta sa chemise et se leva, donnant le signal du départ.

« Au fait, c'est quoi, votre vrai nom ? demanda, avant de déplier sa grande carcasse, Moram au vieil homme.

— Quelle importance ? répondit Ismahil. Qui se souviendra de moi lorsque je serai redevenu poussière ? »

Le crépuscule tomba alors que se profilait, dans le lointain, une masse sombre qui était selon toute probabilité la forêt de l'Île-de-France. Ils continuèrent de marcher jusqu'à ce qu'un voile noir se tende sur les rosaces mauves, or et rouge vif qui embrasaient le ciel. Ils s'arrêtèrent quand l'obscurité, dense malgré le scintillement des étoiles, escamota les étendues d'eau enfouies sous la végétation et rendit leur progression hasardeuse, dangereuse. Il régnait, sur la plaine, un silence profond, presque solennel, que ne parvenaient pas à briser les cris rauques des rapaces nocturnes, les hurlements des chiens sauvages et les coassements des grenouilles. L'impression dominante était celle d'un calme précédant les grands bouleversements.

Kadija était sans doute la moins fatiguée du petit groupe. Les traits tirés de Moram, le rictus prononcé de Wolf, les rides creusées et l'allure voûtée d'Ismahil révélaient une profonde lassitude. Solman s'écroula dans l'herbe, retenant à grand-peine ses larmes d'épuisement.

Cependant, il suivit Kadija sans protester quand, à l'issue d'un dîner aussi frugal que rapidement expédié, elle le prit par la main et, sans un mot, l'entraîna vers un étang dont la surface sombre et lisse luisait en sourdine à la lueur ténue des étoiles.

Wolf envisagea un moment de les suivre, puis il y renonça : il devait maintenant apprendre à combattre ses réflexes forgés par dix-huit années de vigilance, à laisser son fils se débrouiller seul. Sa vision lui montrait que Solman serait bientôt confronté à une épreuve dont son père serait exclu de la même façon que les circonstances les avaient tous les deux exclus de leur relation de sang. Le don était inscrit dans le mot donneur. Moram et Ismahil avaient soulevé, quelques heures plus tôt, cette contradiction apparente entre les désirs individuels et l'ordre cosmique. Chez les donneurs, les aspirations individuelles étaient sacrifiées sur l'autel de l'intérêt collectif, au nom de cet ordre cosmique, invisible, dont ils n'étaient que les serviteurs, les rouages. Wolf avait égorgé la femme qu'il aimait pour consacrer son existence à la surveillance anonyme de son fils, comme si l'un n'allait pas sans l'autre, comme s'il avait été le jouet d'une volonté supérieure et perverse ; Solman serait bientôt invité à offrir sa vie pour la sauvegarde de l'espèce humaine. Mais, et Moram avait raison à ce sujet, rien ne pouvait empêcher le cœur de battre, de saigner, et le Scorpiote souffrirait jusqu'à la fin des blessures incurables physiques et morales infligées par mère Nature. Il accueillerait la mort comme une délivrance, comme une bénédiction, mais, avant, il lui fallait encore se détacher de Solman, trancher le dernier lien qui le rattachait au monde des hommes. Et la lame aiguisée de son poignard n'y suffirait pas.

Kadija retira sa robe, l'étala sur les herbes et s'y allongea. Solman se dévêtit à son tour, s'étendit à son côté et frissonna malgré la tiédeur de l'air. La densité du silence estompait les coassements des grenouilles, les froissements d'ailes des rapaces en chasse, le friselis des herbes, le clapotis de l'eau. Les essences fleuries masquaient en partie l'âpre odeur de vase de l'étang. Comme dans la remorque, Solman abandonna l'initiative à Kadija. Ce fut elle qui vint à lui, qui se pencha sur lui et l'embrassa. Elle ne marqua aucune hésitation cette fois-ci, elle le caressa et le lécha sur tout le corps sans être secouée par les crises de rejet. Les yeux clos, il se laissa cajoler, subjugué par son odeur, envoûté par la douceur de ses mains, de ses lèvres, de la pointe de ses seins, de son souffle, de ses cheveux. Comme Raïma, elle avait le pouvoir d'effacer sa fatigue et ses douleurs. Elle l'enduisit de sa sueur et de sa salive avec une attention de chatte sauvage, animée par la volonté de lui insuffler sa vitalité par tous les pores de sa peau. Il ne fut plus bientôt qu'un soc vibrant de désir. Incapable de se contenir plus longtemps, il se rua sur elle avec une fureur animale et l'étreignit avec une telle force qu'ils roulèrent enchevêtrés jusqu'au bord de l'étang. C'est à peine s'il se rendit compte que leurs jambes et leurs bassins basculaient dans l'eau, dans cette eau stagnante empoisonnée par les anguilles[GM] qui pouvait exploiter la moindre égratignure pour le tuer.

Il en prit conscience beaucoup plus tard, quand, apaisés, étourdis, essoufflés, ils retournèrent près de leurs vêtements. De ses nombreuses morsures et griffures perlaient des gouttes de sang qui se diluaient en rigoles sombres sur son torse.

« Je n'ai pas été très prudent, murmura-t-il en examinant ses éraflures. L'eau n'avait que l'embarras du choix pour m'empoisonner.

— Tu le regrettes ?

— De ne pas avoir été empoisonné ?

— D'avoir été imprudent ? »

Il l'enlaça par la taille et la maintint pendant quelques secondes contre lui.

« Est-ce qu'on peut regretter d'aimer quelqu'un ? dit-il avec un sourire. Est-ce que tu regrettes le choix que tu as fait ?

— Je regrette seulement de ne pas l'avoir fait plus tôt.

— Et les autres ? Ils sont prêts à te suivre ? »

Elle se détacha de lui et haussa les épaules. Des rougeurs et des écorchures marbraient sa peau claire. Le mouvement de ses seins raviva des braises de désir dans le bas-ventre de Solman.

« Je ne sais pas exactement pourquoi Benjamin m'a envoyée vers les hommes. Ni pourquoi il a envoyé cette sœur avant moi. Je ne suis pas certaine que la tribu le sache elle-même.

— Tu n'as vraiment aucun souvenir d'avant ton... réveil dans la station de l'espace ?

— C'est comme un programme effacé. Je ne peux pas retrouver les informations précises, mais je garde une vague impression, comme une ombre.

— Pourquoi est-ce que tu m'emmènes au lieu du rassemblement ? »

Elle s'assit sur sa robe et joua pendant quelques instants avec les herbes ployées par la brise.

« Il me semble que c'est ce qui doit arriver.

— Qui parle en ce moment ? Toi ? Ta tribu ? Ou... l'*Eskato* ? »

Elle croisa les bras sur ses jambes et posa le menton sur ses genoux avant de lever sur lui un regard hésitant, presque implorant.

« Le Verbe est tout-puissant. Même si je l'ai trahi, il peut très bien continuer de s'exprimer à travers moi.

— Et te manipuler... »

Elle se releva et glissa les mains sous les cheveux de Solman, de chaque côté de son cou. Sa beauté prenait dans l'obscurité l'aspect attirant et trompeur d'une illusion, d'un piège des apparences.

« Les autres parlaient de libre arbitre hier, murmura-t-elle. Rien ne t'oblige à te rendre au rassemblement.

— Qu'adviendra-t-il des derniers hommes si je n'y vais pas ?

— Je n'ai pas de réponse à cette... Oh, regarde ! »

Elle tendit le bras vers le ciel. Il tourna la tête et aperçut, au-dessus d'eux, des milliers de traînées scintillantes qui enluminaient la nuit comme une pluie de météores. Très proches les unes des autres, elles tombaient à la même allure en respectant les intervalles. L'aspect féerique de ce déploiement de lumière émerveilla Solman. Il lui rappelait certaines nuits d'été dans les massifs montagneux des Carpates ou des Alpes, où les Aquariotes rassemblés dans le campement admiraient le ballet capricieux des étoiles filantes, tellement fugace qu'ils se retiraient dans leurs tentes ou dans leurs voitures en ayant l'impression d'avoir capturé un rêve. Ce soir, il assistait à un ballet qui n'avait rien de fugitif ni de fantasque, mais qui respirait l'ordre, la cohérence, l'intelligence.

« Benjamin », chuchota Kadija.

CHAPITRE 61

« Tu n'as pas dormi ? »

Solman s'était réveillé la tête posée sur le bas-ventre de Kadija, assise en tailleur. Elle l'avait recouvert de sa robe sans changer de position et l'avait veillé toute la nuit. Elle ne paraissait ni fatiguée ni engourdie par la fraîcheur surprenante de la brise matinale. Il ne discerna pas une griffure, pas une rougeur, sur sa peau qui avait recouvré sa blancheur lisse, immaculée. Elle le fixait avec la tendresse attentive d'une mère couvant son enfant.

« Mon corps n'est pas prêt à expérimenter le sommeil », dit-elle.

Les vibrations de sa voix se répercutaient dans son ventre. Il aurait aimé que le temps se suspende à cet instant, qu'il le laisse savourer le plaisir de reposer entre les cuisses de Kadija, de baigner dans son odeur, dans sa respiration, dans son regard.

Le jour se levait en catimini aux confins d'une nuit parsemée d'étoiles agonisantes. La surface de l'étang tirait, entre les tiges frissonnantes des roseaux, un miroir gris, terne, incapable de réfléchir les hésitations d'un ciel égratigné par les lueurs naissantes de l'aube.

« Je t'envie, ajouta Kadija. Tu as l'air d'un enfant quand tu dors. Tu as souvent bougé, tu as même crié.

— Sans doute un mauvais rêve...

— Il me faudra encore du temps pour accéder au monde des rêves. Pour le Verbe, tout doit être conscience.

— Tu ne fais plus partie du Verbe... »

Elle se pencha pour glisser les mains sous la robe et les lui poser sur la poitrine. Les courbes comprimées et émouvantes de ses seins se suspendirent au-dessus de son front. La chaleur de ses paumes le revigora.

« J'aimerais tellement que ce soit vrai, murmura-t-elle d'une voix imprégnée de tristesse. Lève-toi maintenant. Nous devons partir. »

Ils se rhabillèrent en silence, brutalement chassés de cette douceur matinale qui s'évanouissait comme un Éden à peine entrevu, à peine caressé.

Les autres, déjà réveillés, avaient entamé leur repas. Moram les accueillit d'un « Y a plus de kaoua, bordel ! » qui était une façon toute personnelle de leur souhaiter la bienvenue. Ismahil paraissait frigorifié dans ses vêtements. Sa tête disparaissait presque entièrement dans le col remonté de sa veste de cuir. Solman lut, dans le regard clair de Wolf, les tourments d'une nuit sans sommeil.

« Vous avez vu ces putains de lumières, hier soir ? demanda Moram en leur tendant une gourde. On aurait dit que des milliers d'étoiles filantes s'étaient donné rendez-vous au-dessus de nos têtes !

— Des étoiles filantes ne se seraient jamais présentées en telle quantité et avec une telle cohérence, intervint Ismahil après s'être éclairci la gorge. Ni même une pluie de météorites. Nous n'avons sûrement pas assisté à un phénomène naturel. »

Solman mâcha quelques bouchées d'une galette au goût rance avant de déclarer :

« Les frères et les sœurs de Benjamin sont arrivés. »

Les trois autres levèrent la tête vers Kadija pour chercher une approbation sur ses traits, dans son regard, mais elle resta lointaine, impassible, comme si cette discussion ne la concernait pas.

« Ce que vous avez vu, poursuivit Solman, ce sont les traces lumineuses des engins chargés de les ramener sur terre.

— Sans doute cette sorte de sarcophage individuel, le même type d'appareil que celui dans lequel j'ai trouvé Kadija, dit Ismahil. Je n'ai pas eu le temps de l'examiner à fond. Dommage, la conception me paraît intéressante : une arche commune, un... vaisseau spatial, aurait été massive, difficile à manœuvrer, encore plus gourmande en énergie que le camion de Moram !

— C'est vrai ce que racontent les légendes ? s'exclama le chauffeur. Que des hommes sont allés un jour sur la Lune ?

— Eh oui ! Les derniers programmes spatiaux, avant la Troisième Guerre, visaient à envoyer des colonies humaines sur Mars en se servant de la Lune comme base de départ.

— Pourquoi pas de la Terre ?

— La gravité lunaire est moins forte que celle de la Terre. Les engins ont donc besoin de moins d'énergie pour décoller.

— Quel intérêt d'aller sur Mars ?

— Le même, je suppose, que les Européens ont eu à émigrer en Amérique. La conquête de terres nouvelles, les promesses d'une vie nouvelle, de richesses nouvelles... De mon observatoire, j'ai vu des dizaines de fusées traverser le ciel. Elles me paraissaient bien volumineuses pour des engins chargés d'expédier de simples satellites. Mais, à l'époque, la NASA et l'Eurospace, les deux compagnies qui se partageaient le monopole de la recherche spatiale, avaient prétexté la rivalité des deux grands axes et le secret militaire pour décréter le black-out, le silence total, sur leurs travaux. Peut-être qu'un embryon d'humanité est en train de se développer sur Mars, peut-être que l'histoire de l'homme se poursuit sur la planète rouge... »

Ils se mirent en marche avant que le soleil se lève dans un ciel d'un rose flamboyant, presque uniforme. La masse sombre de la forêt reculait au fur et à mesure qu'ils s'en rapprochaient. La plaine délivrait de fausses informations sur les distances, semblait parfois les raccourcir pour mieux les rallonger l'instant suivant. Ils traversaient de véritables grêles d'insectes de toutes tailles et de toutes formes qui préparaient sans relâche l'avènement du nouvel ordre terrestre. Quelques-uns, dérangés dans leur besogne, fondaient sur eux dans un bourdonnement agressif, puis s'en repartaient au bout de quelques secondes d'un survol menaçant. Les mares s'asséchaient, se réduisaient pour certaines à un fond de vase craquelé sur les bords.

Sa jambe gauche se rappela rapidement au bon souvenir de Solman, mais un bref regard lui apprit qu'il n'était pas le seul dans ce cas. La démarche chancelante d'Ismahil, le dandinement fourbu de Moram et la légère claudication de Wolf montraient que l'étape de la veille avait laissé des traces dans les organismes. Kadija, dont l'allure ne faiblissait pas, prenait souvent de l'avance sur les quatre hommes et s'arrêtait régulièrement pour les attendre. Elle marchait alors un moment aux côtés de Solman. Il essayait de se caler sur sa foulée aérienne, d'épouser le rythme à la fois soutenu et délié de ses pieds nus, mais elle finissait par le distancer sans s'en apercevoir, le regard tendu vers la forêt, comme attirée par le chant de ses frères et de ses sœurs. Parfois, il relevait la tête et apercevait sa chevelure noire et sa robe grise une cinquantaine de pas devant lui, flottant au-dessus des herbes comme un songe. Il serrait les dents, accélérait le train, dépassait Ismahil, Moram et Wolf égrenés sur la piste, puis la douleur se coulait dans sa jambe torse comme un serpent venimeux, montait le long de sa colonne vertébrale et l'obligeait à ralentir. Il devait ensuite en appeler à toute sa volonté pour se raccrocher au train de Wolf, le premier à le rattraper. Il aurait aimé, ne fût-ce que quelques secondes, disposer de deux jambes valides, éprouver cet extraordinaire sentiment de liberté et de légèreté que procure un corps sain.

Le soleil brillait de tous ses feux et déposait une chaleur éprouvante, miroitante, sur la plaine. La forêt de l'Île-de-France occupait à présent une grande partie de l'horizon, muraille sombre plantée au milieu d'un océan vert. Des scintillements trahissaient la présence d'étangs, de ruisseaux ou de mares au milieu des ondulations. Le ciel avait toujours ces tons mauves qui teintaient la lumière du jour de reflets inhabituels, oniriques.

« Je situe l'orée de cette putain de forêt à environ dix kilomètres, marmonna Moram avant de porter la gourde à ses lèvres. Et vous ? »

Ils n'avaient pas eu besoin de se consulter pour décider d'une pause, gagnés par le même épuisement, par le même découragement. Kadija parcourut encore une bonne centaine de pas avant de se retourner et de se rendre compte qu'ils étaient restés en arrière.

« C'est pas humain de cavaler à cette allure-là sans jamais avoir besoin de souffler, ajouta le chauffeur en la désignant d'un mouvement de menton.

— C'est peut-être nous qui ne sommes plus tout à fait des humains, dit Solman avec un sourire crispé. Wolf et moi avons des tares génétiques, Ismahil accuse le poids des ans, et, toi, tu es perdu sans ton camion, sans ton kaoua. Si nous étions en accord avec les lois de mère Nature, nous pourrions sans doute marcher pendant des jours sans nous fatiguer.

— Tu penses réellement que Kadija et ceux de sa tribu sont en accord avec mère Nature ?

— Ils utilisent un langage que nous ne connaissons pas, ou que nous avons oublié. Mais, s'ils ont envoyé Katwrinn et Kadija, c'est que quelque chose leur manque. Quelque chose qu'ils n'ont pas, ou qu'ils ont perdu. Nous, nous sommes marqués par les erreurs de nos ancêtres, de notre histoire, eux, ils se sont fourvoyés dans un avenir bloqué, figé.

— L'avenir n'est jamais figé, ou alors, ce serait à désespérer de tout !

— S'ils ne désespéraient pas, Moram, ils n'auraient pas condamné les hommes à l'extinction. Leur volonté d'extermination n'est que l'écho d'une peur immense, inimaginable.

— Putain, qu'est-ce qu'on va foutre au milieu de ces jobards ?

— Leur montrer que la vie est plus forte que la peur, peut-être.

— Ouais, pour l'instant, je serais plutôt de leur côté. Pour ce qui concerne la peur, je veux dire... »

Un martèlement puissant et continu ébranla la poitrine de Solman. Il pensa d'abord que son cœur s'était emballé, s'immobilisa et palpa ses jugulaires. Mais, même plus précipité que d'habitude, son rythme cardiaque n'était en rien responsable de ce grondement sourd qui résonnait dans sa cage thoracique comme un roulement d'orage.

« Solman ? »

Il ferma les yeux, lâcha la main de Kadija, qui avait calqué son allure sur la sienne à l'issue de leur dernière halte, et s'efforça d'oublier les tiraillements de sa jambe pour se concentrer sur la vision. Le martèlement résonnait, dans son silence intérieur, avec une puissance inouïe, difficilement supportable. Il ignora les réflexes de peur qui le poussaient à remonter à la surface, à retrouver la tranquillité apparente de la plaine inondée de lumière. Il considéra le vacarme comme une partie inhérente de lui-même, s'y immergea entièrement, découvrit que le bruit n'était que l'autre face du silence, la rumeur de la Création, une ondulation qui se propageait comme une poignée de fils dans la trame, un mouvement qui prit subitement la forme de milliers de sabots frappant le sol en cadence, un déferlement de masses sombres lancées à pleine vitesse vers le but que leur assignait leur instinct...

Un troupeau de vaches sauvages fonçait dans leur direction, étalé sur une largeur de plusieurs kilomètres. Membres noueux, sculptés par l'effort, flancs arrondis, noirs, blancs, tachetés, luisants, cous massifs, cornes incurvées, plus effilées que des aiguilles de pin, naseaux écumants, pis roses ou pigmentés. Elles avaient déjà parcouru une longue route, mais la cohérence du troupeau, conduit par les grands mâles, compensait les défaillances individuelles. Les attardées, les plus faibles, subissaient les assauts meurtriers des meutes de chiens sauvages et de lynx qui accompagnaient la migration tout en gardant une distance prudente avec le gros du troupeau. Les veaux qui avaient eu la mauvaise fortune de naître avant le départ n'avaient aucune chance d'arriver à destination malgré la protection farouche de leurs mères.

« Des vaches sauvages ! Elles arrivent sur nous. »

Solman sortit de la vision avec une telle précipitation qu'il lui sembla pendant une fraction de seconde flotter entre deux endroits, entre deux moments. Le front de Moram se plissa de désapprobation.

« C'est tout de même pas une poignée de bestiaux à cornes qui vont...

— Elles sont des milliers !

— Une migration massive, dit Wolf. Ça n'arrive pas souvent, tous les vingt ans environ. Elles viennent du sud de l'Europe, de l'Espagne, de l'Italie, de tout le littoral de la Métrée. Elles se rassemblent dans le delta du Rhône et montent toutes ensemble vers les plaines du Nord. Ça leur permet de mieux se défendre contre les prédateurs. Elles laissent les herbages en jachère tout l'été et reviennent avant les grands froids.

— Comment tu sais ça, toi ? grogna Moram. J'ai parcouru toutes les pistes d'Europe, j'ai jamais vu ce genre de truc, ni même n'en ai entendu parler. J'ai plutôt l'impression que c'est un coup de ces tribus de malheur, comme les étoiles filantes d'hier soir... »

Son regard soupçonneux se posa sur Kadija, qui ne lui apporta, pour toute réponse, qu'une indifférence souveraine.

« Je ne crois pas, dit Wolf. Les vaches montent parfois jusque dans les pays baltes. Enfant, j'ai écouté les anciens raconter leur histoire, j'ai assisté à une battue organisée par les tribus scorpiotes.

— Tu veux dire que vous... bouffiez ces saloperies de bêtes ? Cette viande sauvage, infectée ?

— C'est le lot des Scorpiotes que d'être infectés, répondit Wolf avec une pointe d'agressivité. Mais nous ne les mangions pas. Les chasses servaient seulement à les éloigner des campements. Les orages, les mouches, les moustiques peuvent les rendre folles. Quand elles paniquent, elles écrasent tout sur leur passage. En outre, elles attirent les hordes de... »

Il s'interrompit, comme frappé par une évidence, demeura pendant quelques instants en silence, à l'écoute du frissonnement des herbes, des chuchotements de la brise, des bourdonnements des insectes.

« Elles ne sont pas loin. Environ une dizaine de kilomètres.

— Elles non plus n'ont jamais besoin de se reposer ?

— Seulement en fin de journée. Nous ne serons à l'abri que dans la forêt. Si nous ne l'atteignons pas avant elles, elles...

— ... nous réduiront en bouses, c'est ça ? »

La course dilapida rapidement les maigres forces que leur avait redonnées la proximité du danger. L'un après l'autre, ils lançaient des regards en arrière pour essayer de visualiser une menace dont ils ne percevaient pour l'instant qu'une rumeur ténue, un bourdon grave. Les insectes, avertis par leur instinct, s'étaient retirés en abandonnant une plaine figée sur laquelle la brise faiblissante n'avait plus de prise.

Les quatre hommes s'étaient débarrassés de leur veste. Solman avait glissé le livre de Raïma dans sa tunique et l'avait en partie coincé dans la ceinture de son pantalon. Moram et Wolf portaient à tour de rôle le sac de vivres qu'ils se passaient sans un mot ni un geste superflu. Kadija maintenait sa robe retroussée sur les cuisses afin de ne pas être entravée par l'étoffe. Elle évoluait avec une aisance que lui enviait Solman. Disloqué par chacune de ses foulées, les muscles tétanisés, les yeux voilés de rouge, les poumons brûlés, il évitait de fixer la forêt, de peur d'être découragé par la distance qu'il leur restait à parcourir, gardait les yeux rivés au sol. Les pointes de ses bottes hantaient son champ de vision comme des apparitions opiniâtres, sans cesse chassées et ramenées par le mouvement de ses jambes. Il luttait contre la tentation insidieuse, obsédante, de renoncer, s'agrippait à des images, à des souvenirs, à la bouille enfantine de Glenn dans le bunker de Tours, à la face déformée de Raïma, à la moustache de Chak, à la rondeur de Gwenuver, au tic d'Irwan, à la sécheresse de Katwrinn, au sourire de Mirgwann puisé dans la mémoire de Wolf, à tous ces hommes et ces femmes morts ou vivants qui avaient tissé la trame de son existence... Il ne lui appartenait pas de les juger, ni en bien ni en mal, mais de les accueillir, de les aimer, tous sans exception... Tous les souffles enfermés dans le Moi humain... Tous les fils entrecroisés...

Un bruit mat brisa le cours hypnotique de ses pensées. Il n'eut pas le temps de se retourner. Ses jambes se dérobèrent dès qu'il cessa d'être porté par la force dynamique. Il s'écroula dans l'herbe, les yeux brouillés de larmes. Il crut voir Moram et Wolf s'affairer autour du corps inerte d'Ismahil. Une ombre se déploya au-dessus de lui, et il reconnut sur son front, sur son nez, le souffle tranquille de Kadija. Elle lui retira ses bottes, sa tunique empesée de sueur, posa le Livre dans l'herbe, puis lui glissa le goulot d'une gourde entre les lèvres. Bien que tiède, l'eau apaisa le feu de sa gorge, de ses poumons, de son ventre. Il attendit que se modèrent les battements de son cœur pour se redresser, lutta pendant quelques secondes contre une sensation de nausée, de vertige, se rendit compte que Kadija, accroupie derrière lui, le tenait par les épaules. Il reprit progressivement conscience de la précipitation de son souffle, de la contraction de ses muscles, de la tension de ses nerfs, des rigoles de sueur qui s'insinuaient sur son torse et collaient ses cheveux à son cou. Il songea, avec un brin d'amertume, que mère Nature n'avait pas été très charitable de lui donner un esprit visionnaire dans un corps débile. C'était comme inviter un affamé à un banquet dans le seul but de susciter son envie. Puis, il tourna la tête vers Kadija, lui sourit et se dit qu'il n'était sans doute guère préférable d'avoir un esprit emprisonné dans un corps sain.

Ismahil n'aurait pas la force de repartir. Son teint cireux, ses cernes profonds, la résignation qui se lisait dans ses yeux ternes indiquaient que la mort s'était déjà étendue sur lui. Moram et Wolf l'avaient compris, qui, agenouillés à ses côtés, avaient cessé de l'encourager à se battre.

« Partez... partez... murmura Ismahil. Je vous retarde... »

Solman ramassa le Livre, se leva et, toujours soutenu par Kadija, s'avança vers le vieil homme d'une démarche chancelante. Il ressentait une profonde émotion face à ce corps enfin vaincu par les ans. Le lien entre l'humanité de l'ancien temps et les derniers hommes était sur le point de se rompre. Avec Ismahil, c'était tout un pan de l'histoire qui s'effondrait, qui sombrait dans l'oubli.

« Ne vous faites pas de souci pour moi... J'ai vécu déjà trop longtemps... Je m'en vais heureux... heureux de vous avoir connus... heureux de quitter ce monde... heureux de découvrir l'autre...

— Ça ne vous intéresse donc pas de savoir ce qu'il y a dans cette p... dans la forêt ? demanda Moram.

— Je crois... je crois l'avoir deviné... Je me trompe peut-être, mais j'emporterai mon hypothèse avec moi... Ce sera à vous de découvrir la vérité... La vérité... Est-ce qu'il y a seulement une vérité ?

— La vérité, c'est nous qui la décidons, fit le chauffeur.

— C'est juste... À vous de décider de votre vérité... Je pars avec mes vérités, avec les erreurs de l'ancien monde... »

Wolf se redressa, comme propulsé par un ressort, et gravit en quelques foulées une petite butte au sommet coiffé de rochers.

« Elles arrivent ! »

Il désignait la vague sombre qui, derrière eux, barrait tout l'horizon. La plaine n'offrait aucune possibilité d'abri, et l'énorme troupeau, lancé à toute allure, aurait fondu sur eux bien avant qu'ils n'atteignent l'orée de la forêt.

Solman refoula une montée de panique, contrôla sa respiration, ferma les yeux, déploya la vision : il perçut le chant de la mort dans son silence intérieur, la mort qui s'emparait d'Ismahil, la mort qui s'avançait entre les vaches sauvages, la mort qui l'appelait, qui l'attendait.

CHAPITRE 62

« J'ai peut-être une solution », dit Wolf.

Comme Solman, il en était arrivé à la conclusion qu'ils n'avaient aucune chance de prendre les vaches de vitesse. Une scène de son enfance lui était revenue en mémoire, et, même si le troupeau qui se présentait était dix ou vingt fois plus imposant que les hordes dispersées par les chasseurs du peuple scorpiote, même si la portée de son fusil, entre un et deux kilomètres, et sa réserve de munitions risquaient d'être insuffisantes, il existait une chance de détourner le flot, minuscule, certes, mais il n'en voyait pas d'autre.

« Solman, Kadija et Moram, prenez les gourdes et foncez le plus vite possible vers la forêt, ajouta-t-il en vérifiant son chargeur. Moi je reste en arrière pour essayer de les dévier.

— Comment ? demanda Moram.

— Pas le temps de vous l'expliquer !

— Tu ne comptes tout de même pas flinguer toutes ces vaches avec ton petit joujou ?

— Il me suffira d'en tuer quelques-unes. Fichez le camp !

— J'ai mes deux revolvers et quelques balles. Je ne sais pas ce que tu mijotes, mais je reste avec toi », protesta Moram.

Wolf le fixa avec un sourire qui donnait à la moitié rongée de son visage l'aspect d'un crâne grimaçant.

« J'ai vu ce que tu valais comme tireur dans le souterrain de la ville fortifiée. Garde tes balles pour une autre occasion. Et puis, je te charge de veiller sur Solman.

— Qu'est-ce que tu fais d'Ismahil ?

— Je pense qu'il ne verra pas d'inconvénient à ce que nous essayions de sauver les vivants. »

Le vieil homme se redressa sur un coude.

« Si je peux, je vous aiderai, Wolf... Donne-moi un de tes revolvers, Moram... Chargé de préférence... »

Le chauffeur lança un regard éperdu à Solman, qui baissa les paupières en signe d'acquiescement, puis tira un revolver de sa ceinture, vérifia le barillet, désamorça le cran de sûreté et tendit l'arme à Ismahil.

Solman s'avança vers Wolf. La brise avait séché sa sueur. Elle ne s'écoulait plus que des poils agglutinés de sa barbe et des mèches détrempées de sa chevelure.

« Tu es sûr que tu...

— Je ferai de mon mieux. Je ne te promets rien. »

Les yeux clairs de Wolf errèrent pendant quelques instants sur le jeune homme au torse décharné qui lui faisait face. Il avait l'impression de se contempler dans un miroir réfléchissant les souvenirs. Il se revit trois décennies plus tôt, même maigreur, mêmes cheveux fous sur un côté du crâne, même embryon de barbe sur la joue droite, mêmes yeux clairs...

Les réflexes forgés par dix-huit années de clandestinité l'empêchèrent de concrétiser un désir tellement lancinant qu'il était devenu une part de lui-même, au même titre que sa maladie, au même titre que ses nuits d'insomnie : le désir d'étreindre son fils, une seule fois, de déverser enfin son trop-plein de tendresse paternelle. Il devina qu'une retenue interdisait également à Solman de se jeter dans ses bras. Le spectre de sa mère égorgée ? Ou simplement le manque d'habitude, la pudeur absurde de ceux que la vie a tenus trop longtemps écartés l'un de l'autre ? Ils pouvaient se rejoindre dans le silence de la vision, là où l'incomparable fluidité de l'esprit abolissait les barrières, les distances, mais pas sur cette terre ni dans ce temps. Sans doute était-ce le châtiment choisi par mère Nature pour les crimes de Wolf.

Solman observa le troupeau qui grossissait à vue d'œil dans les effluves de chaleur.

« C'est donc là que nous nous séparons... »

Le tremblement du sol sous ses pieds n'était pas le seul responsable des vibrations de sa voix.

« On dirait que la vie s'arrange toujours pour nous séparer, murmura Wolf.

— Je voulais te dire... commença Solman.

— Les mots ont toujours été inutiles. Partez, et surtout ne vous retournez pas. »

Solman hocha la tête en espérant que Wolf ne remarquerait pas la montée de ses larmes. C'était maintenant, maintenant que l'urgence ne lui en laissait plus le temps, qu'il éprouvait le besoin pressant de rendre hommage à cet homme qui avait terrassé la douleur et le sommeil pour être le gardien féroce de ses nuits. De lui crier qu'il l'aimait, lui, le Scorpiote défiguré par la maladie, le donneur foudroyé, l'assassin de sa mère, le meurtrier du conseil, le fantôme de père... Qu'il emporterait de lui un souvenir pur, magnifique, dans ce monde ou dans un autre... Mais aucun son ne sortait de sa gorge, aucun influx ne réveillait ses muscles, seules les larmes coulaient de ses yeux, silencieuses, intarissables.

« ... te dire... te dire... »

Quelqu'un le tira en arrière. Il parcourut une vingtaine de mètres à reculons, puis, sous la pression insistante de Kadija, il pivota sur lui-même et, sans même s'en apercevoir, abandonnant sa tunique et ses bottes, se mit à courir en direction de la masse sombre de la forêt. Il entendit encore des bribes de la voix de Moram :

« Salut, Scorpiote... Oublie tout ce que j'ai pu raconter sur toi... heureux et fier de t'avoir connu... »

Wolf et Ismahil marchaient d'un pas rapide en suivant une ligne parallèle à la forêt. Le Scorpiote avait rapidement fait part de ses intentions au vieil homme.

« Oui, ça peut marcher, j'ai déjà vu ce genre de scène dans les vieux westerns, enfin, dans les vieux films de ma jeunesse... »

Wolf n'avait pas perdu de temps à lui demander des explications sur les mots « western » et « film ». Ils avaient décidé de s'avancer le plus possible en direction de l'est afin de se rapprocher du flanc du troupeau et, ainsi, d'élargir l'angle de déviation. Animé par un regain d'énergie, Ismahil n'avait plus qu'un lointain rapport avec le vieillard agonisant qu'il avait été quelques minutes plus tôt. Wolf avait souvent vu des hommes sur le point de mourir se consumer en un ultime feu, puis tomber d'un seul coup, vidés de toute substance, comme des troncs calcinés de l'intérieur.

Les silhouettes de Solman, Kadija et Moram n'étaient plus que des points décroissants sur l'herbe agitée par le martèlement des sabots. Le grondement enflait de manière vertigineuse, emplissait tout l'espace, résonnait dans leurs cages thoraciques.

Ils parcoururent près d'un kilomètre avant de grimper sur une éminence de terre noire où, étrangement, pas une herbe n'avait daigné pousser.

« Vous croyez que nous serons en sécurité là-dessus ? demanda Ismahil avec une moue sceptique.

— Sûrement pas, répondit Wolf. Si nous les laissons arriver droit sur nous, il ne restera rien de ce tas de terre. Et rien de nous.

— Bah, un jour ou l'autre, de toute façon, il ne restera rien de nous. »

Ils s'assirent au sommet de la butte et surveillèrent la progression du troupeau, fascinés par la puissance qui se dégageait de cette vague profonde et sombre. La terre semblait se rétrécir sous la poussée d'un horizon soudain compact et furieux. Ismahil observa le revolver de Moram ; il pendait au bout de son bras comme une excroissance incongrue. « Il aura fallu que j'atteigne ma cent soixante-quinzième année pour tenir une arme, soupira-t-il. Jusqu'alors, j'ai toujours réussi à me défiler. Que voulez-vous, je n'ai pas l'âme d'un guerrier.

— On peut être un guerrier sans avoir besoin de se servir d'une arme. Et on peut se servir d'une arme sans être un guerrier.

— J'aurais eu votre... détermination, j'aurais pu alerter l'opinion, essayer d'empêcher ce conflit absurde. Mais je suis resté terré dans mon bunker, je me suis condamné à une survie dérisoire, stérile... Vous êtes le père biologique de Solman, n'est-ce pas ? »

Wolf ne répondit pas, mais son changement d'expression, la tension soudaine de ses traits, l'éclat de ses yeux avaient valeur d'acquiescement.

« Moi qui n'ai jamais été père, une autre forme de lâcheté sans doute, j'ai... disons, ressenti toute votre souffrance au moment de votre séparation, reprit le vieil homme. J'ai compris que vous vous battriez jusqu'à votre dernier souffle pour protéger votre fils et j'ai eu honte de mon propre renoncement. Voilà pourquoi je suis à vos côtés. Voilà pourquoi, avant de mourir, je vais me servir de ça ! »

Il brandit le revolver dans un geste de défi.

« La non-violence est parfois la plus pernicieuse, la plus dangereuse des violences, poursuivit-il. Vous avez dit l'autre jour à Moram que vous avez assassiné en toute conscience, parce que cela devait être accompli, et, même s'il y avait une part de provocation dans vos propos, ils m'ont fait prendre conscience de mes propres lacunes. Je me suis réfugié derrière un idéal de non-violence par peur de moi-même. C'était un acte de refus, et non un consentement. Or un acte de refus est par définition une opposition, une tension, une violence. Pourtant, le seul coup de poing que j'ai donné de ma vie, à Marty Van Eyck, ce maudit Australien, m'a délivré de mes démons bien davantage que tout discours sur l'amour du prochain. La guerre a éclaté parce que, moi le premier, nous n'avons pas su être des guerriers. Des soldats de la vie. »

Le roulement assourdissant des sabots l'avait contraint à hurler. Le troupeau n'était encore qu'une masse indistincte, noyée dans les émanations de vapeur nimbées de lumière.

« Combien sont-elles à votre avis ? demanda Ismahil.

— Plusieurs centaines de milliers, sans doute, cria Wolf. Tenez-vous prêt à tirer en visant le flanc droit du troupeau.

— Je ne suis pas pressé, je n'ai que six balles.

— D'accord. Vous tirerez quand je rechargerai.

— Les paroles sont désormais inutiles, n'est-ce pas ? »

Le Scorpiote eut un sourire dans lequel Ismahil entrevit toute la détresse et toute la sérénité du monde. Ils se couchèrent tous les deux sur le ventre et pointèrent leurs armes sur la vague qui s'apprêtait à les engloutir.

Solman courait désormais à une allure constante, sans traîner la jambe, comme si son corps ne lui appartenait plus. La fatigue, la peur et la douleur étaient revenues le harceler au bout seulement d'une poignée de minutes, mais, cette fois, il ne les avait pas refusées, les avait accueillies, explorées, utilisées comme un support de la vision. Elles n'étaient, elles aussi, que des bruits extérieurs, des facettes du présent, des bornes de l'espace et du temps, des trappes ouvertes sur l'éternité. Tout comme le chagrin qui continuait de lui tirer des larmes. Tout comme les trépidations du sol. Tout comme le grondement du troupeau qui se rapprochait à une vitesse effarante. Tout comme le souffle bruyant de Moram et celui, plus discret, de Kadija. Il ne fixait pas la forêt, il ne regardait pas derrière lui, il lui suffisait d'être conscient de ses mouvements, du balancement régulier de ses jambes, de ses bras, du rythme de sa respiration et de son cœur. Il jouissait maintenant de cette légèreté dont il avait toujours rêvé, de ce bonheur inégalable de courir dans le sein de mère Nature, de cet accord parfait entre les intentions et les actes. Il goûtait les frôlements de l'air brûlant sur son torse nu, le ploiement des herbes et la rudesse de la terre sous ses pieds, l'enfoncement d'un coin du Livre dans le pli de son aine, la chaleur des regards étonnés de Kadija.

« Putain, elles arrivent ! » hurla Moram en accélérant le train.

Solman n'eut pas besoin de se retourner pour se rendre compte que l'immense troupeau s'apprêtait à opérer la jonction. Sa vision le transporta au sommet du monticule de terre où étaient couchés Wolf et Ismahil. Il pouvait presque sentir sur sa nuque et son dos le souffle des mâles des premiers rangs, la pointe de leurs cornes, l'écume de leur bave. Il entendit les claquements secs et caractéristiques de détonations. Le Scorpiote tirait avec calme, une seule balle à la fois, visant le flanc droit du troupeau. Des vaches fauchées en pleine course s'abattaient sur l'herbe et, emportées par leur élan, roulaient encore sur une trentaine de mètres avant de s'immobiliser. Leurs congénères se bousculaient pour les éviter, les piétinaient quand elles ne trouvaient pas d'autre passage, rencontraient un deuxième corps un peu plus loin, puis un autre encore un peu plus loin, commençaient à infléchir leur course vers la gauche de la plaine, entraînaient le reste du troupeau dans leur direction.

Solman vit Wolf recharger et Ismahil prendre le relais. Le vieil homme ouvrit le feu sans trembler, faisant mouche à chaque coup, grossissant la haie de cadavres, puis, après avoir vidé son barillet, il lâcha le revolver, s'allongea sur le dos et contempla le ciel avec la sérénité de ceux qui ont accompli leur temps. Désormais seul face au mur de cornes, de naseaux, de poitrails et de sabots qui déferlait dans un vacarme étourdissant, Wolf tira sans discontinuer. La chaleur de la crosse s'étendit à sa joue, la brûlure de la détente lui transperça l'index.

Comme pris dans un entonnoir, le troupeau avait modifié sa trajectoire, mais pas suffisamment pour passer au large de la butte de terre. Le roulement ébranlait le sol, empêchait Wolf de tenir fermement son fusil. Alors il se redressa et, poussant un rugissement de fauve, un rugissement de père, il vida son chargeur sur les bêtes les plus proches.

CHAPITRE 63

« On dirait que... Wolf a réussi ! » hurla Moram.

Les trois fuyards avaient soudain perdu leurs appuis et roulé dans l'herbe. Ils avaient tenté de se relever mais les tremblements du sol, de plus en plus violents, leur avaient interdit la position debout.

Les vaches avaient débouché une centaine de mètres derrière eux dans un tumulte effroyable de meuglements, de raclements, de crépitements. Quelques éléments isolés, les gardiens du troupeau sans doute, étaient passés plus près, mais aucun d'eux ne leur avait prêté attention, si bien que Moram n'avait pas eu à se servir de son revolver. La tête baissée, les vaches ne se souciaient de rien d'autre que d'épouser le rythme de la multitude, de se laisser porter par le courant, de gagner ces pâturages du Nord libérés par le printemps précoce. Une migration qui présentait un grand nombre de périls : hordes de prédateurs, nuées d'oiseaux carnivores, essaims d'insectes[GM], crues violentes des fleuves et des rivières, risques d'enlisement dans la boue des plaines... Beaucoup d'entre elles mourraient avant d'atteindre le but, mais c'était le prix à payer pour la régulation des troupeaux et la juste répartition des pâturages.

Le flot s'était écoulé, interminable, tumultueux, lancinant. Les trépidations avaient meurtri le coccyx, la colonne vertébrale et le crâne de Moram. Il n'avait commencé à se détendre que lorsque le troupeau s'était éclairci. Les retardataires s'étaient égrenées en poussant des beuglements de détresse. Perdre le contact avec les autres signifiait une condamnation à brève échéance. Elles cessaient d'être liées par la cohésion de l'ensemble, elles seraient harcelées par les hordes en maraude, par les nuées de corbeaux, par la faim, la soif, les mouches. Pas de trace de prédateurs, ni chiens, ni lynx. Ceux-là s'étaient probablement abattus sur les bêtes tuées par Wolf et Ismahil, une véritable manne.

Le troupeau s'éloigna en abandonnant sur la plaine une odeur âpre, un grondement décroissant et un sillage sombre de plusieurs centaines de mètres de largeur. L'herbe mettrait plusieurs semaines à repousser sur la terre piétinée, pelée, saccagée, peut-être moins avec ces jardiniers obstinés qu'étaient les insectes et les vers.

Solman se releva, essaya d'entrevoir la silhouette de Wolf, n'aperçut que des reliefs lointains, minuscules, inertes, répartis le long du bord oblique du sillon. D'ici, on distinguait très nettement l'infléchissement de la trajectoire du troupeau, une courbe assez faible au début, puis de plus en plus ample, et enfin, une fois passé l'obstacle des cadavres, un retour progressif à la ligne droite. La fusillade avait déporté les vaches sur la partie gauche de la plaine sur une distance d'environ cinq cents mètres, un écart suffisant pour épargner l'espace compris entre les trois fugitifs et l'orée de la forêt.

Un grand calme se déploya en Solman, le calme d'après les batailles, le calme des morts. Il ne captait plus le chant de Wolf, et, pourtant, son père continuait de vivre en lui. Peut-être même n'avait-il jamais été aussi vivant, aussi présent. Il n'y avait plus entre eux la pesanteur des corps, des souvenirs, ils se côtoyaient dans les champs infinis de l'esprit.

« Faudrait y aller, fit Moram en époussetant sa chemise. Je crois qu'on est attendus là-dedans... »

Il désignait la forêt dont l'orée parut étonnamment proche à Solman.

« Et même si on l'est pas, reprit le chauffeur, j'ai cru comprendre qu'on cherchait à s'inviter à une sorte de grand rassemblement. On n'a plus de temps à perdre, je suis pressé de rentrer à Tours.

— Tu peux rentrer maintenant si tu veux », dit Solman.

Moram remisa son revolver dans la ceinture de son pantalon. Il transpirait tellement que sa chemise détrempée adhérait à son torse et que les dessins des muscles se découpaient sous le tissu.

« Ton père m'a demandé de veiller sur toi, ne t'avise surtout pas de m'en empêcher.

— C'est seulement pour ça que tu m'accompagnes ?

— Pour être honnête, non. J'ai une putain d'envie de voir à quoi ressemblent les nouveaux locataires... »

Même en marchant d'un pas alerte, atteindre la forêt leur prit encore une heure. Ils s'assirent à l'ombre des grands chênes pour se désaltérer et se restaurer. Moram ne cessait de jeter des coups d'œil inquiets sur la muraille de végétation qu'une brise molle agitait doucement. Les arbres étaient déjà en feuilles, comme sortis de l'hiver depuis trois ou quatre mois. Jamais Moram ne s'en était approché de si près, y compris dans ses cauchemars, et toutes les terreurs implantées par un siècle de rumeurs resurgissaient du terreau de son esprit comme des plantes vivaces, urticantes. Une petite voix agaçante lui serinait qu'il aurait mieux fait d'accepter la proposition de Solman, de retourner à Tours sans demander son reste. Mais il lui aurait fallu avouer à Hora qu'il avait lâchement abandonné le donneur pour cause de terreurs enfantines, et ça, il n'en aurait pas eu le courage. Le murmure envoûtant des frondaisons résonnait à ses oreilles comme un chant de sorcière, un rituel de magie.

Alors il parla pour tromper ses pensées, il parla pour lui, il parla de lui, du gâchis de son enfance, de son premier volant, de son premier accident, de sa première femme, de ses maîtresses, de son coup de foudre pour Hora la sourcière... Solman et Kadija l'écoutaient en silence, l'encourageant du regard, comprenant qu'il ressentait le besoin d'évacuer ses peurs avant d'affronter la forêt de tous les maléfices. Et puis, la vie de Moram le chauffeur avait autant de beauté qu'une autre, que toutes les autres. Kadija buvait ses paroles avec la même avidité que l'eau quelques instants plus tôt, et Solman devina qu'elle essayait de saisir le fil du chauffeur pour plonger dans le vertige humain, s'orienter dans le labyrinthe de sa mémoire et remonter jusqu'à la trame.

« J'arrête de causer de moi, conclut Moram. On n'est pas encore au bout du chemin... »

Et de nos emmerdements, pensa-t-il.

Les cinq premiers kilomètres, un dédale foisonnant et ténébreux de ronciers, de branches mortes, d'orties, de fougères, de mares, de lierre et d'arbres torturés, représentèrent une épreuve ardue, pénible, un véritable calvaire. Lardés par les épines, piqués par les orties, frappés par les branches basses, happés par les creux bâillant sous l'humus, tenaillés par une odeur nauséabonde de putréfaction, ils progressèrent avec une lenteur désespérante, se battirent comme des démons pour gagner chaque mètre. Kadija participait sans rechigner à cette lutte obscure, permanente, écartant les branches, foulant les orties, lâchant des cris de rage ou de douleur. Les déchirures de sa robe laissaient entrevoir des marques rouge vif sur son dos, ses hanches et ses jambes. Les pieds et le torse de Solman se couvraient de zébrures, d'écorchures. Il captait, dans le silence hostile, une intention délibérée, une volonté sous-jacente de garder les lieux inviolés. Combien de nomades, attirés par le mystère de la forêt, avaient subi ses morsures, ses griffures, ses coups de fouet ? Combien d'entre eux avaient péri, vaincus par ses sortilèges et leurs propres peurs ? Il entrevoyait, sous les amas de feuilles et de mousse, des formes allongées qui ressemblaient à des squelettes.

Étaient-ce les restes d'Helaïnn l'ancienne qui avait confié ses ultimes remords à cette tombe végétale ? D'un homme qui s'était lancé à la recherche d'un improbable trésor ? D'un enfant traîné hors de portée de son peuple par un chien sauvage ?

Des grognements et des craquements résonnèrent non loin et incitèrent Moram à tirer son revolver.

« Si un de ces putains de clébards ose se montrer, j'en fais de la bouillie ! » gronda le chauffeur, les nerfs à vif.

Une branche d'épine lui avait lacéré le haut du crâne, d'où s'écoulaient des filets pourpres qui maculaient le col de sa chemise.

« Fais quelque chose, donneur ! Ou on va crever là-dedans comme des rats ! »

Alors seulement Solman prit conscience que la vision le soutenait depuis le début. La forêt tendait une multitude de pièges, et, sans le don, ils seraient depuis longtemps tombés dans une trappe, ils auraient perdu pied dans les nappes sournoises de vase mouvante, foncé dans les buissons aux épines toxiques ou marché sur les plantes vénéneuses.

« Mettez exactement vos pas dans les miens, ordonna-t-il. Et prends patience, Moram.

— La patience, ça n'a jamais été mon fort ! »

Mais Moram se glissa aussitôt dans le sillage de Kadija qui s'était elle-même calée dans les traces de Solman. Les ramures tamisaient les bruits, la lumière du jour exploitait les rares trouées pour tomber en colonnes sales sur les mares croupies, sur les clairières ou les ruines assiégées par les ronces. Peu d'insectes en revanche, comme si les minuscules jardiniers avaient reçu pour consigne d'abandonner la forêt à son chaos, à sa putréfaction, à son atmosphère ensorcelée de légende dormante. Les arbres se resserraient parfois pour dresser de véritables forteresses de troncs et de branches enchevêtrés. À plusieurs reprises, Moram, hors d'haleine, souffrant d'un début de claustrophobie, demanda à Solman s'il savait vraiment où il allait. Le donneur ne lui répondit pas, entièrement concentré sur la clef intérieure qui lui ouvrait les portes du dédale. Ils franchissaient les passages les plus difficiles en rampant, en se contorsionnant, en s'arrachant des branches cinglantes qui transformaient peu à peu leurs vêtements en loques.

Ils baignaient dans une odeur fétide, pénétrante, que ne chassait pas un souffle d'air.

Ils découvrirent d'autres squelettes où s'accrochaient des vestiges de vêtements et de chaussures, dérangèrent des chiens ou des lynx, dont les formes fuyantes s'évanouirent entre les fougères, traversèrent une clairière jonchée d'arbres couchés et à demi décomposés, plongèrent à nouveau dans le cœur obscur et blessant d'une végétation proliférante, agressive.

« J'en peux plus, gémit Moram. Faut que je m'arrête...

— Encore un effort, dit Solman. Nous sommes bientôt arrivés.

— Arrivés ? Où ça, bon Dieu ? »

Le chauffeur serra les dents et s'appliqua à suivre le train. Un train de plus en plus rapide. Il se rendit compte soudain qu'arbres, buissons, fougères et orties s'espaçaient, qu'ils pouvaient désormais se tenir debout sans craindre de prendre une branche en pleine figure, qu'ils avançaient presque normalement sur un sol habillé d'une mousse épaisse, que les colonnes de lumière se dressaient autour d'eux comme les piliers d'un temple céleste dont ils apercevaient le plafond d'azur entre les frondaisons. Il inspecta ses vêtements du regard : sa chemise s'en allait en lambeaux et son pantalon s'ornait d'accrocs plus longs qu'une lame de poignard. Le sang collait le tissu à ses plaies. Les deux autres n'étaient pas mieux lotis : la robe de Kadija, fendue en plusieurs endroits, dévoilait une peau étonnamment blanche et lisse – il aurait pourtant juré avoir aperçu des marques et des écorchures quelques instants plus tôt – ; le pantalon de cuir de Solman, plus épais, avait mieux résisté, mais son torse nu semblait enserré dans un filet tracé par les égratignures et les traînées de sang.

« Continuez de me suivre », dit Solman.

Moram obtempéra sans poser de questions. Jusqu'alors, il n'avait jamais eu à se plaindre des conseils du donneur. Il s'efforça d'oublier le sombre pressentiment qui le tracassait, mais il n'y avait rien de plus tenace, de plus obsédant, qu'une pensée indésirable :

qu'adviendrait-il des derniers nomades quand le seul homme capable de les guider les aurait quittés ?

Tout près d'eux, une bulle d'air creva la surface de la mousse et révéla la présence d'une nappe de boue mouvante. Le terrain devenait d'autant plus dangereux qu'il se présentait dorénavant sous un aspect inoffensif, voire plaisant. Une brise légère, agréable, dispersait la puanteur entre les troncs épars des grands chênes dont les branches basses s'entrelaçaient en voûtes apaisantes. Moram crut discerner des ombres furtives dans une allée et désamorça le cran de sûreté de son revolver.

« Y a des satanés chiens dans le coin ! grommela-t-il.

— Ça fait un petit moment qu'ils nous suivent, dit Solman. S'ils avaient voulu nous attaquer, ils l'auraient déjà fait depuis longtemps.

— Et tu m'annonces ça comme ça !

— Comment aurais-tu voulu que je te le dise ? »

Sans doute le chauffeur aurait-il souhaité percevoir un minimum d'effroi dans la voix ou dans l'expression du donneur, histoire de se sentir un peu moins seul dans ses peurs, mais la simple décence lui interdisait de fournir ce genre de réponse. La métamorphose de la forêt accentuait son impression d'évoluer dans l'univers des légendes aquariotes. Il s'attendait à tout moment à voir surgir devant lui la Chuine ou la Vanette, les deux sorcières cruelles qui hantaient sa mémoire d'enfant. Les bulles d'air s'épanouissaient à la surface de la mousse et les étranges frémissements du sol lui donnaient la sensation de marcher sur l'eau bouillante d'un gigantesque chaudron. Il n'avait pas assez de ses yeux pour épier toutes les directions à la fois. Il détectait des mouvements alentour, des soupirs musicaux, des odeurs inconnues. Son revolver tremblait au bout de son bras tendu. Tous ces squelettes, tous ces hommes et toutes ces femmes qui avaient trouvé une mort solitaire et sans doute désespérante dans ce ventre du diable, exaspéraient sa tension nerveuse, et sa confiance en Solman ne l'empêchait pas de vérifier la consistance du sol à chacun de ses pas.

Et puis, subitement, ils pénétrèrent dans un autre monde, un monde dont la splendeur arracha au chauffeur un « putain de bordel de merde ! » de saisissement. Les arbres se vêtaient à présent de feuilles étincelantes, comme gorgées de la clarté du soleil. Vertes, bleues, rouges, jaunes, violettes, elles brillaient avec davantage d'éclat que les pierres précieuses et l'or du peuple léote. Elles paraient le jour de reflets rutilants, chatoyants, esquissaient de somptueuses arches de lumière sans cesse modifiées par les caprices de la brise. C'était d'elles, en outre, que provenaient ces soupirs musicaux, ces accords plus ou moins graves qui, tous ensemble, composaient un chœur à l'harmonie envoûtante.

« Le rempart de la Jérusalem nouvelle », murmura Kadija.

Elle s'était immobilisée pour contempler avec ravissement le foisonnement étincelant.

« La... quoi ? releva Moram.

— Jérusalem, répondit Solman. La Cité des Justes. »

Il dégagea précautionneusement le livre de la ceinture de son pantalon et ajouta :

« C'est écrit là-dedans, dans l'Apocalypse de saint Jean.

— Je ne sais pas lire, fit Moram avec un haussement d'épaules. En tout cas, je ne vois pas de rempart ici, juste des putains d'arbres qui brillent comme des torches !

— Il s'agit d'un rempart symbolique. Le Livre parle de jaspe, de saphir, d'émeraude, de topaze et d'autres dont j'ai oublié le nom. Ces feuilles ont la couleur et la brillance des pierres précieuses. Normalement, le rempart devrait comporter douze portes, trois à l'est, trois au nord, trois à l'ouest et trois au sud, chacune gardée par un ange.

— Je vois pas comment on pourrait trouver des portes dans une absence de mur...

— Les portes sont elles aussi symboliques. Cherchons les anges et nous trouverons les portes. »

Un froissement attira leur attention. Kadija retira sa robe et, nue, s'éloigna entre les arbres. Sa peau ne présentait plus une seule trace des morsures de la forêt ni des rougeurs et des griffures de son étreinte avec Solman. Elle avait recouvré sa blancheur immaculée sur laquelle les scintillements des feuilles accrochaient des éclats éphémères. Elle était redevenue la Kadija d'avant, la sœur de Katwrinn errant dans le marais du littoral méditerranéen, la muette à la beauté énigmatique, la Sainte égarée parmi les hommes.

Solman la sonda rapidement mais se heurta à nouveau au mystère de l'*Eskato*.

« Qu'est-ce qui lui prend ? souffla Moram.

— Elle reste une Sainte, dit le donneur d'une voix sourde. Marquée du Sceau, conditionnée pour être admise dans l'Éden.

— J'ai pourtant cru comprendre que vous... enfin, qu'elle ne crachait pas sur certains bons côtés de l'humanité.

— Elle était coupée de ses frères et de ses sœurs. Ils sont tout près maintenant, elle entend leur chant. Le chant du rassemblement. Du jugement dernier.

— On... tu n'existes plus à ses yeux, alors ? »

Solman se mordit la lèvre inférieure.

« Je ne sais pas. Moi aussi, j'ai cru que... Il lui aurait fallu plus de temps. Il nous aurait fallu plus de temps.

— C'est toujours ce putain de temps qui manque ! Qu'est-ce qu'on fait ?

— Suivons-la. Elle nous conduit vers les siens. »

CHAPITRE 64

Un ange et une meute de chiens attendaient au centre d'un espace ouvert entre les arbres qui, Moram dut en convenir, évoquait une porte. Plus loin, dans la lumière crue d'une immense clairière, des silhouettes s'affairaient autour de remorques tirées par des véhicules à chenilles. Solman reconnut les mystérieux fossoyeurs qui avaient ramassé les cadavres dans les rues de la petite ville fortifiée. Des hommes sans doute, les serviteurs des Saints au même titre que les anges, les chiens, les insectes, les poissons... Peut-être des Slangs à qui on avait promis un coin de paradis et qu'on éliminerait, une fois leur tâche achevée, comme les autres nomades.

Kadija marchait d'une allure aérienne une trentaine de pas devant Solman et Moram. Sa chevelure noire ondulait doucement sous l'effet de la brise. Pas une seule fois elle ne s'était retournée. Elle semblait aspirée par le cœur de la forêt, à nouveau captive de l'*Eskato*, oublieuse des émotions humaines qui l'avaient fascinée les jours et les heures précédents. Elle avait parlé d'un programme effacé pour décrire son incapacité à recontacter sa mémoire d'avant son éveil, et c'était exactement l'impression qu'elle donnait, d'avoir oblitéré les quelques semaines passées en compagnie d'Ismahil et des Aquariotes, son combat contre ses défenses immunitaires, ses relations avec Solman. Il en ressentait de l'amertume, bercé par le sentiment d'avoir été dupé par ses propres élans, par ses propres désirs, trahi par ses manques, manipulé depuis le début. L'intelligence destructrice les avait utilisés, Kadija et lui, comme des pions. Elle avait exploité ses failles, son besoin presque névrotique de reconnaissance affective, de tendresse, de beauté. N'était-ce pas elle qui avait assassiné sa mère à travers Katwrinn et Wolf ? Elle qui avait tenté d'éliminer Raïma pour créer le désert autour de lui et mieux le préparer à la rencontre avec Kadija ? Car, il s'en rendait compte maintenant, s'il n'avait éprouvé aucune attirance pour Kadija, il ne l'aurait sans doute pas suivie sur son chemin, il serait resté avec les siens, comme l'exigeait son devoir de donneur. Elle avait été l'appât et lui l'animal pris au piège. Il croyait l'avoir rendue à sa nature originelle, il n'avait tenu dans ses bras qu'une humaine provisoire, factice. Sa clairvoyance n'avait aucun pouvoir sur lui, il l'avait vérifié à maintes reprises. Restait maintenant, puisqu'il était au bout de la piste, à savoir ce qu'il trouverait à l'intérieur de la nasse.

Ils avaient parcouru plusieurs kilomètres au milieu des arbres brillants. La splendeur de la forêt avait arrondi les yeux de Moram et révélé en filigrane l'enfant qu'il n'avait jamais cessé d'être. Les troncs et les branches s'estompaient sous le chatoiement des feuilles, la lumière du soleil tombait en faisceaux complexes et irisés, la mousse se tapissait de fleurs vives, tellement serrées par endroits qu'elles formaient une mosaïque chamarrée, les buissons s'élevaient entre les allées comme des fontaines crachant des jets de verdure, des papillons aux teintes sombres caressaient l'air de leur vol de velours, la brise entremêlait les harmoniques et les parfums, tantôt acidulés tantôt sucrés. Pour Solman et Moram, qui n'avaient connu que l'âpreté des paysages de l'Europe dévastée par les pollutions nucléaire, chimique et génétique, la monotonie des plaines de l'Est et du Nord, l'austérité parfois meurtrière des massifs montagneux des Carpates, des Alpes et des Pyrénées, les marais insalubres du littoral méditerranéen, les forêts de conifères des côtes de l'Atlantique, cette profusion de teintes éclatantes avait quelque chose du paradis mythique où les pères et les mères du conseil s'étaient promis de conduire un jour les peuples nomades. Elle révélait en tout cas les connaissances et le pouvoir inconcevables de l'intelligence qui l'avait conçue.

Comme sur le versant enneigé du Massif central, l'ange s'agenouilla et baissa la tête devant Kadija. Elle ne lui accorda ni un regard ni un quelconque signe, elle franchit le seuil de la porte et s'avança dans une allée noyée de lumière. Les chiens restèrent immobiles, les yeux rivés sur Solman et Moram, qui leva son revolver à hauteur de la hanche.

« Inutile, chuchota Solman. Je ne pense pas que ce genre d'arme soit très utile dans ces circonstances.

— Et on fait quoi, si ces maudits clébards nous sautent dessus ?

— On s'en remet à mère Nature.

— Cet endroit est magnifique, d'accord, mais mère Nature n'a rien à voir là-dedans ! Ça ressemble plutôt à l'œuvre du diable ! »

L'ange les examina avec ce regard lointain, inexpressif, propre aux serviteurs des Saints. La noirceur de sa chevelure et de ses yeux tranchait sur la blancheur de sa peau et de sa tunique faite d'une pièce d'étoffe drapée qui évoquait le lin. Ses traits étaient identiques à ceux de l'ange qui avait lancé ses légions sur la petite ville fortifiée du Massif central, à ceux de l'ange qui avait déployé sa horde de chiens au sortir du labyrinthe souterrain, comme s'il était un modèle unique décliné en plusieurs exemplaires.

Moram surveilla les chiens du coin de l'œil. Il n'avait absolument pas l'intention de se laisser dévorer comme un agneau ou comme un veau. Son revolver était sans doute une arme dérisoire face à cette horde et à son berger, mais il ne mourrait pas sans combattre. Hora le possédait tout entier désormais. La sourcière avait chassé les sorcières et, pour elle, pour son sourire qui valait mieux que toutes les merveilles de cette forêt, il se devait de représenter dignement les hommes, avec leur instinct de survie qui les changeait en fauves, avec leur éternelle envie de se relever de leurs cendres.

Ni l'ange ni les chiens ne réagirent lorsque les deux hommes s'engagèrent dans l'espace dégagé. Moram discerna pourtant la tension soudaine, les gémissements sourds et les grincements des crocs des molosses. Éblouis par la clarté de l'allée, ils perdirent Kadija de vue et marchèrent pendant quelque temps à l'aveuglette. La lumière semblait jaillir de tous les endroits à la fois, du ciel, du sol, des arbres dont les feuilles et les soupirs musicaux se suspendaient au-dessus de leurs têtes.

Puis leurs yeux s'accoutumèrent à la luminosité, et ils découvrirent une gigantesque esplanade au centre de laquelle se dressait une construction de forme cubique qui resplendissait avec le faste du feu. Des milliers d'appareils métalliques, des tubes lisses aux extrémités ogivales, d'une hauteur d'un mètre pour une longueur de trois, jonchaient une herbe rase d'un vert tirant sur le bronze et entouraient le bâtiment dans un alignement parfait.

« On dirait bien que la pluie d'étoiles filantes est tombée dans le coin, chuchota Moram.

— La tribu de Benjamin, acquiesça Solman. Ils se sont disposés en carré, comme la cité du Livre. Mais Kadija avait parlé du grand rassemblement, et je ne vois pas les onze autres tribus.

— Il n'y a même personne d'autre que nous, renchérit Moram. Et je peux pas vraiment dire que ça me fasse de la peine... »

Kadija traversa les rangs des appareils et se dirigea vers la bâtisse cubique. Ils lui emboîtèrent le pas. Sa douleur à la jambe était revenue visiter Solman, dont le boitement s'accentuait. Pas un seul linéament révélateur d'une porte ou d'un sas n'était visible sur le métal scintillant des tubes. Même s'ils correspondaient à la description qu'avait brossée Ismahil du « sarcophage » où ses amis et lui avaient trouvé Kadija, ils paraissaient compacts, pleins, incapables de renfermer des passagers.

Drôles d'engins, pensa Moram. Il y avait autant de différence entre les camions aquariotes et ces cercueils volants qu'entre les cromagnons et les nomades. Si les affirmations du donneur prétendant que l'intelligence commandait aux plantes, aux insectes, aux volcans, l'avaient jusqu'à présent laissé sceptique, tous ses doutes étaient balayés désormais. La constatation qu'il avait affaire à une technologie supérieure ne suffisait pas à le rassurer mais, au moins, il ne craignait plus d'être possédé par des êtres surnaturels et emporté dans des mondes de souffrance éternelle.

Kadija s'immobilisa au milieu des appareils les plus proches de la construction dont ils étaient séparés par une distance de vingt pas. Arrivés à sa hauteur, les deux hommes constatèrent qu'elle s'était installée dans un espace vide de l'alignement. Bien qu'elle se fût rendue au rassemblement par une voie détournée, Benjamin lui avait visiblement assigné une place. Pas à elle seule, d'ailleurs, puisque, juste à côté d'elle, un deuxième emplacement libre brisait la continuité de la rangée – la place de Katwrinn ? se demanda Solman. Les yeux rivés sur la bâtisse, les bras collés le long du corps, Kadija s'était statufiée dans une attitude et une expression béatifiques proches de l'hypnose – de la possession, songea Moram. Elle semblait avoir oublié la présence des deux humains, des impurs, qu'elle s'était chargée de conduire dans la demeure des Saints.

Pas davantage que sur les tubes, on ne distinguait d'ouverture sur les murs de la bâtisse, un cube parfait dont chaque arête mesurait approximativement soixante mètres. Son éclat flamboyant, difficilement soutenable, submergeait l'esplanade, se réfléchissait sur les tubes, se prolongeait dans les ramures lointaines, dégageait une chaleur intense qui évoquait dans l'esprit de Moram les incendies d'herbes sèches des plaines de l'Est. Il eut beau l'observer avec attention, il ne put deviner la nature du matériau dont elle était faite. Jamais il n'avait vu du métal ni des pierres briller de la sorte. Elle paraissait construite avec de la lave en fusion, ou encore avec des fragments de soleil.

« Qui peut habiter dans un endroit pareil ? murmura-t-il en la désignant du canon de son revolver. C'est un coup à se cramer les... »

Un formidable fracas couvrit la fin de sa phrase. Il sursauta, croyant que la foudre venait de tomber à ses pieds, rentra la tête dans les épaules, puis, en sueur, les tympans déchirés, les nerfs en pelote, il embrassa le ciel et l'esplanade d'un regard craintif. Il ne distingua aucun des phénomènes habituels accompagnant les orages, ni éclair, ni nuage, ni bourrasque... Il relâcha la pression de son index sur la détente de son arme jusqu'à ce que le percuteur réintègre sa position initiale.

« Je me demande si... notre présence est vraiment indispensable, murmura-t-il.

— Si les chiens nous ont laissés entrer, c'est qu'il y a une raison, dit Solman.

— Sans doute, mais pas forcément une bonne ! Ce coup de tonnerre...

— Un signal, coupa le donneur. Le début du jugement.

— Le jugement de quoi, bon Dieu ? »

Solman brandit le Livre de Raïma, dont la couverture de brindilles commença à s'effriter sous ses doigts.

« Le jugement dernier.

— T'entends ? On dirait des... voix ! »

Un murmure diffus s'amplifiait peu à peu en une rumeur mélodieuse d'où se détachaient des sons, qui évoquaient en effet des voix.

« Le cantique des rachetés de la terre », dit Solman.

L'atmosphère d'attente engendrait une tension palpable dans l'air brûlant, immobile. Le flamboiement parait d'or clair la peau et les cheveux de Kadija. Elle gardait les yeux obstinément fixés sur la construction. Solman eut l'impression que des chuchotements, des phrases s'entremêlaient à l'intérieur de lui, que les voix indistinctes tentaient de lui signifier quelque chose, de lui attribuer un rôle dans le jugement.

« Ce putain de bruit devient insupportable ! » cria Moram en se bouchant les oreilles.

D'un geste de la main, Solman lui intima l'ordre de se taire, ferma les yeux et entreprit de contacter la vision, de se concentrer sur les sons. Le chœur résonna avec force dans son crâne et dans sa poitrine. La douleur à sa jambe s'aiguisa, se propagea dans ses membres, gonfla dans son ventre. Il chancela, repoussa du bras Moram qui tentait de lui venir en aide, sombra dans les profondeurs de l'être, perdit conscience des limites de son corps, de son moi, s'immergea dans l'éternité du présent. Il reconnut le chant de l'Intelligence destructrice qu'il avait perçu en sourdine face au chien dominant de la horde dans le campement des plaines du Nord, qu'il avait décelé dans les accusations des pères slangs lors du grand rassemblement nomade, dans les dénégations de Katwrinn, dans le regard des anges, dans le mutisme de Kadija... Elle l'avait attiré à elle, elle lui destinait une place dans l'ordre nouveau. L'emplacement libre à côté de Kadija n'était pas réservé à Katwrinn, mais... à lui. Et le chant de l'Intelligence, qui jusqu'alors lui avait paru monocorde, était une invitation séduisante, un murmure à la beauté envoûtante, un fredonnement de sirène. Il lui promettait l'avènement des temps nouveaux, d'un monde pur d'où seraient bannis la souffrance, les maladies, les désirs, la dégénérescence et la mort, où il cesserait d'être un boiteux, une créature prisonnière de ses sens, où il expérimenterait la liberté et le bonheur ineffables des Justes, de ceux qui avaient vaincu le Serpent, la malédiction originelle. Il lui proposait, à lui le donneur aquariote, à l'homme marqué dans sa chair et dans son âme, de rejoindre le cercle des élus, d'être l'ultime racheté de l'humanité, de se dépouiller des lambeaux de son passé, de boire à la source d'eau vive, de s'étendre sous les branches de l'arbre de vie.

Solman eut une vague sensation de déplacement, crut entendre une voix criarde, angoissée... impure. Une chaleur forte mais agréable montait en lui, chassait ses douleurs et ses peurs. Il ressentait le frémissement extatique des membres de la tribu, des frères et des sœurs de

Kadija, il s'imprégnait de la paix de l'espace d'où ils étaient issus, il contemplait, à travers leurs yeux, la Lune baignée de ténèbres, il se promenait dans les coursives et les salles de la station orbitale, il se tenait devant l'immense tableau qui commandait aux satellites et au climat, il flottait avec une légèreté euphorisante dans l'air pur diffusé par les générateurs d'oxygène.

Benjamin lui ouvrait sa mémoire, lui transmettait son histoire, ses connaissances et son trouble. Un doute avait gangrené la douzième tribu perdue dans l'espace, qui s'était manifesté par une interrogation sur ses origines, sur la légitimité du Verbe. En dépit de l'opposition de l'*Eskato*, elle avait expédié en reconnaissance une première sœur sur cette terre mythique qui devait lui échoir en héritage le jour du jugement dernier. Elle avait compris qu'elle avait commis une erreur lorsque la sœur, livrée à elle-même au milieu des hommes, des impurs, avait perdu le contact tribal, donc ses attributs de Sainte.

« Qu'un seul des cent quarante-quatre mille élus vienne à faillir, proclamait l'*Eskato*, et il souillera tous les autres, il introduira un virus qui finira par ronger l'ensemble des défenses immunitaires établies par le Sceau. »

Benjamin avait décidé de réparer son erreur en envoyant une deuxième sœur, mieux préparée, à la recherche de la sœur perdue, pour la ramener au lieu du jugement dernier et reconstituer le chiffre initial des douze mille. Afin d'augmenter les chances, la tribu avait contacté un groupe d'hommes dont elle avait intercepté les messages sur les terminaux d'informatique molécu-laire, des hommes qui lui avaient semblé... éclairés, dif-férents en tout cas des créatures proches de l'animal que lui désignait sa mémoire. Puis, il s'était rapidement avéré que la première sœur avait disparu, un effacement définitif, une... mort qui allait à l'encontre de toutes les prédictions de l'*Eskato*. Les doutes de Benjamin avaient creusé une brèche par laquelle s'était engouffrée la malédiction suprême, la flèche du temps.

La seule manière de combler la faille, c'est de trouver un remplaçant à la sœur disparue, avait estimé l'analyse tribale. D'élever un homme à la sainteté. De le marquer du Sceau.

Un homme ? Aucun être humain ne mérite d'être sauvé. Ils ont reçu l'Éden en héritage et l'ont transformé en géhenne, ils souillent tout ce qu'ils touchent...

L'un des hommes éclairés qui ont accueilli la deuxième sœur, peut-être ?

Non, ceux-là sont parvenus au stade ultime de leur évolution.

La deuxième sœur évoque une inexplicable attirance pour un Aquariote, un boiteux, l'un de ceux qu'ils appellent les clairvoyants, les donneurs.

La tribu s'était intéressée à Solman et avait découvert, avec stupéfaction, que, s'il n'avait pas été conçu physiquement par la sœur disparue – les défenses du Verbe interdisaient la procréation aux marqués du Sceau –, il était né de ses œuvres, de ses intrigues, comme si elle avait cherché à forger un nouveau maillon de la chaîne qui s'était brisé avec elle.

L'*Eskato* a commencé son œuvre d'extermination des hommes, avait objecté l'analyse tribale. Comment pouvons-nous protéger celui-là ?

Aidons-le dans la mesure du possible. S'il est vraiment notre douze millième, il trouvera en lui les ressources pour échapper aux légions du Verbe.

Benjamin avait transmis ses directives aux anges, aux hordes de chiens, aux nuées d'insectes, avait guidé Solman lors de l'éruption volcanique, avait détecté, grâce à l'analyse spectrale, une réserve d'énergie liquide dans les ruines d'une ville qui, sur une ancienne carte, portait le nom de Tours. Pour le reste, la tribu n'avait pas eu d'autre choix que de s'en remettre à la chance, aux talents singuliers du donneur et au désir suscité en lui par la beauté de la deuxième sœur. Elle n'avait pas prévu que celle-ci céderait à la pulsion de s'unir physiquement à Solman, mais elle avait compris que les hommes éprouvaient ce besoin pressant de sceller les pactes par des effusions de sang ou des étreintes charnelles, et elle avait aidé la sœur à enfoncer les barrages de ses défenses immunitaires, sachant qu'elles se reconstitueraient dès qu'elle aurait franchi la porte du rempart. Le parcours s'était avéré dangereux, hasardeux, chaotique, mais Benjamin avait préservé l'essentiel : ils étaient bel et bien douze mille à se présenter devant le Verbe, les douze mille de la douzième tribu, un nombre dont la perfection reflétait la pureté de leur âme, leur état de Justes.

Effleuré par une sensation de mouvements, Solman rouvrit les yeux. Il se tenait à côté de Kadija, dans l'emplacement libre du premier alignement. Il aperçut la silhouette massive de Moram un peu plus loin, à demi estompée par l'éclat de la construction, figée par la stupeur et la peur. Autour de lui, les parties supérieures des tubes avaient coulissé sans un bruit. Il en vit sortir des hommes et des femmes, nus, tous dotés de corps jeunes, élancés, magnifiques. Non pas des hommes et des femmes, mais les frères et les sœurs de la tribu. Même si leurs enveloppes conservaient leurs apparences humaines, ils n'avaient plus qu'un lointain rapport avec cette humanité qu'ils avaient extirpée d'eux comme une mauvaise herbe. Leurs différences, les organes sexuels, la couleur des cheveux, la texture de leur peau, ne subsistaient que pour mieux célébrer leur avènement, leur unité, leur sainteté. Leurs regards se tournaient vers la construction flamboyante, vers le trône qui abritait la source d'eau vive, l'arbre de vie.

Le pantalon de cuir déchiré de Solman gisait dans l'herbe. Il était nu comme les autres membres de la tribu.

Comme ses frères et sœurs.

Une nuée de points scintillants surgirent de la bâtisse et se répandirent dans l'air telle une gerbe d'étincelles éparpillées par le vent. Ils se posèrent sur Solman, qui sentit aussitôt des picotements chauds s'étendre sur ses épaules, sa nuque, sa poitrine, son bassin. Ils n'appartenaient pas à la famille des insectes, ils vibrionnaient comme des parcelles d'intelligence pure, ils lui inoculaient de nouveaux fragments d'information qui se logeaient dans ses gènes pour corriger les imperfections de son corps, pour reconstruire sa jambe gauche, éliminer ses tares scorpiotes, son horloge biologique, ses besoins et ses souvenirs d'homme. Ils le marquaient du Sceau, et bientôt, lorsqu'ils auraient achevé leur œuvre, il ne resterait plus rien de Solman le boiteux, plus rien de sa clairvoyance, plus rien de sa mémoire qu'un vague sentiment de manque qui le harcèlerait comme un spectre jamais apaisé.

CHAPITRE 65

Solman fut submergé par un dégoût profond de lui-même qui lui rappela les violentes manifestations de rejet de Kadija dans la remorque.

« Voici ce que tu as été et ce que tu ne veux plus être, murmurait le Verbe, une créature souillée, infectée, emplie de fureur, un rejeton du Serpent. »

Des bribes de son passé traversaient son cerveau creux, des courants lointains et glacés... Les jugements silencieux dans l'ombre de la tente des pères et mères du conseil, les nuits porteuses de chagrin, les jours consumés par la solitude, les désirs frustrés d'entrer dans les farandoles enfantines, les mesquineries quotidiennes, les rancœurs, les trahisons, les vengeances, la recherche éperdue d'un partage impossible... Mille et une raisons de les haïr. De se haïr... Mille et une raisons de répudier cette humanité dérangeante, ingrate... Mille et une raisons de la condamner à l'oubli...

« Reçois maintenant le Sceau des Justes, des rachetés de la terre. Tu ne connaîtras plus la malédiction, ni la maladie, ni l'abomination, ni le mensonge, ni la séparation... »

Les images et les sensations s'arrachaient de lui comme des feuilles mortes. Le tourbillon s'arrêta sur le visage de Raïma la guérisseuse. Il la revit avec toutes ses souillures, avec son regard intense au milieu des excroissances qui la déformaient, qui l'avilissaient. Avec elle il avait connu l'échange magnifique, bien qu'écourté par ses propres démons, avec elle il avait entrevu l'autre humanité, la famille du don, de la générosité, de la tendresse, avec elle il avait puisé dans la souffrance des raisons d'espérer. En elle il avait baigné dans l'humanité éternelle, dans cette eau troublée par la vase où le soleil ne pénétrait pas. Elle semblait n'être venue sur terre que pour donner un prix à sa vie, à leurs vies. Et la splendeur de son souvenir rejaillissait sur les hommes et les femmes qui avaient jalonné l'existence de Solman, Wolf, son père et ange gardien, Mirgwann, sa mère à peine entrevue, Moram, l'ami fidèle, Glenn, le petit frère, Ismahil le grand-père malicieux, et tous les autres, Helaïnn l'ancienne, Hora la jeune sourcière, Chak, le chauffeur trahi par ses obsessions, Lorr, la petite Léote victime de son courage, Adlinn, la jeune femme désespérée par la mort de son enfant, Gwenuver, Irwan, Lohiq, Orgwan, Joïnner, les pères et mères enivrés de pouvoir, Katwrinn, la sœur sacrifiée, les Slangs, affligés par l'empoisonnement des leurs, les Sheulns, piégés par les vieilles illusions, tous les nomades qui erraient sur les territoires de l'Europe en quête de lendemains impossibles. Raïma la transgénosée était le fil par lequel la trame humaine se reconstituait, se consolidait.

Alors Solman se ferma à la supplique doucereuse du Verbe et déploya sa vision. Elle s'étendit aux confins de l'espace et du temps, elle l'emmena sur les champs de bataille de la Troisième Guerre mondiale, dans les cités surpeuplées, assaillies par les insectes[GM], dans les rues dévastées, dans les colonnes humaines disséminées sur les routes, au-dessus des maisons en flammes, des charniers débordant de cadavres, des fosses comblées de soldats foudroyés. Il vit des avions déverser leurs chapelets de bombes, de gigantesques champignons de fumée s'épanouir dans l'air incendiaire, des bataillons de solbots quadriller les territoires, semer des mines, achever les blessés, réduire peu à peu les terres en cendres. Le chant de l'Intelligence destructrice résonnait en sourdine dans le fracas des explosions, dans les crépitements des armes, dans les gémissements des agonisants, dans les bourdonnements des insectes[GM], dans les aboiements des hordes de chiens lâchées sur les rescapés. Il s'élevait également dans le silence des mers, des fleuves, des sources, des ruisseaux, dans les reptations des anguilles^{GM} chargées de contaminer les eaux.

Le chant de l'*Eskato*. Le chant de la fin des temps...

Sa vision projeta Solman avant la guerre, au cœur d'un désert, sur un ancien aéroport transformé en astroport, protégé des regards indiscrets par une haute palissade et un toit de plusieurs centaines de kilomètres carrés. Des milliers de passagers embarquaient dans des fusées rutilantes. À ceux-là, une partie des Justes élus par l'*Eskato*, seraient épargnés les tourments de l'Apocalypse qui allait déferler sur le monde et mettre un terme à la civilisation de l'horreur. À ceux-là, comme aux autres Justes répartis dans les onze stations sous-marines et cités souterraines, était promise la récompense des purs, des persévérants, l'immortalité. Quelques jours avant l'embarquement, on les avait marqués du Sceau, une combinaison de gènes qui remodelait le corps, assurait la jeunesse éternelle, effaçait la mémoire et délivrait les connaissances nécessaires à leur long séjour dans l'espace et à leur retour sur terre.

L'*Eskato*...

Solman se retrouva parmi des hommes et des femmes rassemblés dans une salle claire, éduqués dans le culte de leur propre importance, de leur propre puissance. Ils affirmaient que la science avait désormais la capacité d'accomplir les volontés divines exprimées par le Livre. La population terrestre, en constante augmentation, risquait un jour ou l'autre de déborder comme un torrent gonflé par les pluies, d'emporter dans l'oubli la formidable accumulation de données génétiques et informatiques, de réduire à néant une œuvre qui avait pris racine dans les temps reculés de la découverte du feu.

Comme l'avait souligné Ismahil, de nombreux prophètes s'étaient succédé entre le début du xxie siècle et les premières convulsions annonciatrices de la Troisième Guerre. L'*Eskato* n'était pas un prophète à proprement parler, mais un groupement d'individus qui s'étaient déclarés éclairés, visionnaires. Un cercle formé au début de l'ère industrielle, d'essence chrétienne, qui avait interprété, à la lueur de l'Apocalypse, l'avènement de la science comme l'étape finale de l'évolution humaine, comme l'émergence d'un nouvel être, d'une nouvelle élite. Lors des Première et Deuxième Guerres mondiales, l'*Eskato* avait observé attentivement les mécanismes d'anéantissement des masses, soutenant l'un ou l'autre camp selon ses intérêts ou ses besoins du moment, les nazis quand il s'était agi de concevoir les camps de la mort, les Américains dans leur décision de lancer la bombe atomique sur le Japon. Il en avait tiré une série d'études, secrètes bien entendu, préconisant les armes génétiques – insectes génétiquement modifiés principalement –, la modification du climat, la pollution généralisée, l'empoisonnement systématique des eaux. Puis, sous l'impulsion de ses membres les plus extrémistes, il était passé à la phase concrète de son projet. Le choix des cent quarante-quatre mille Justes avait soulevé une question très vite tranchée par les financiers. Mériteraient d'être rachetés, outre les indispensables scientifiques et techniciens, ceux qui, quelle que fût leur religion, pourraient acquitter un droit d'entrée fixé à cent millions de dollars ou d'euros, les monnaies les plus prisées de l'époque. Les programmes génétiques s'emploieraient à corriger les déviances, à rendre leur virginité aux âmes égarées. L'argent recueilli servirait à financer les diverses unités de recherche, la construction des cités sous-marines et souterraines, l'achat de fusées à la NASA ou à l'Eurospace, l'assemblage de la station orbitale de Benjamin, la tribu de l'espace chargée de réguler le climat.

Haut placés, introduits dans les arcanes du pouvoir, les missionnaires de l'*Eskato* n'avaient rencontré aucune difficulté à recruter quatorze mille scientifiques parmi les plus brillants de l'époque – et les moins scrupuleux – et cent trente mille adeptes prêts à débourser cent millions de dollars ou d'euros pour satisfaire un désir d'immortalité aussi vieux que le Big Bang. Ils venaient de pays différents, d'horizons différents, politique, économique, artistique ou religieux, mais tous se ressemblaient par leur appartenance aux cercles restreints des élites, tous se rejoignaient dans le mépris de ces masses dont ils tiraient leur subsistance, tous désiraient prolonger leurs privilèges à travers le temps. Tous adhérèrent au principe de l'Apocalypse, du jugement dernier, de la destruction totale de la civilisation humaine puis de la métamorphose de la terre en un nouvel Éden. Profondément marqués par les dogmes des religions du Livre, tous acceptèrent la génétique et l'informatique, les deux sciences de l'infiniment petit, de l'infiniment puissant, comme le moyen nécessaire de concrétiser les prophéties.

Ils se répartirent en douze tribus, par affinités ou par nécessité. Juda, Ruben, Gad, Aser, Nephtali, Manassé et Siméon se retirèrent dans les cités souterraines d'Europe ou d'Amérique, Lévi, Issachar, Zabulon et Joseph dans les cités sous-marines de l'Atlantique et du Pacifique, Benjamin dans la station en orbite autour de la Lune. Les anges, les serviteurs repêchés dans les couches un peu moins fortunées de la population, subirent leur modification génétique et se tinrent prêts à intervenir. L'*Eskato* sonna le début de la Troisième Guerre mondiale en organisant lui-même le bombardement atomique de Pékin, une ville de l'axe PMP, puis celui de Delhi, une cité de la coalition IAA. Il lâcha ensuite ses cohortes de solbots, d'insectes[GM] et de chiens sur les foules paniquées et introduisit les anguilles[GM] dans les océans, les fleuves et les rivières...

Une chaleur vibrionnante se diffusait dans le réseau sanguin de Solman. Le Verbe qui l'investissait n'était rien d'autre qu'un programme génétique et informatique implanté dans le corps de chaque Saint. Une intelligence tapie dans les cellules, cryptée, vigilante, connectée aux satellites, aux mouvements de la planète, aux animaux[GM], aux anges.

Le Verbe reliait Solman à Benjamin, mais pas aux autres tribus.

Pas encore...

Jusqu'alors, chacune des douze tribus, chargée d'une mission précise, avait vécu en totale autarcie, à la fois pour garantir sa sécurité, éviter les contaminations (les doutes de Benjamin, par exemple) et préserver la pureté de l'enseignement.

Aujourd'hui était le jour de leur réunification. Le jour où le Verbe se révélerait dans toute sa splendeur et multiplierait sa puissance par douze fois douze mille. Le jour où les Justes, les marqués du Sceau, prendraient possession de leur Éden, de leur demeure éternelle.

Un coup de tonnerre ébranla l'air, un éclair jaillit de la construction, et le cantique, à nouveau, s'éleva dans la poitrine et le cœur de Solman. Les voix étaient innombrables, comme si une foule immense avait pris possession de lui. Il eut une brève sensation d'éblouissement, un feu brûlant se propagea dans son corps, et il fut raccordé aux onze autres tribus. Elles n'avaient pas besoin d'être rassemblées dans un même lieu, comme l'avait cru Kadija. Le rempart de la Jérusalem nouvelle était la terre entière, onze portes, les entrées des cités sous-marines et souterraines, la douzième la forêt de l'Île-de-France, la porte de Benjamin. L'*Eskato* se dévoilait maintenant dans toute sa dimension. Maître des terres, des cieux et des eaux. Juda, Ruben, Gad, Aser, Nephtali, Manassé et Siméon avaient reprogrammé le monde végétal, animal et minéral afin de parer la terre de ses vêtements de noces, Lévi, Issachar, Zabulon et Joseph avaient rendu leur limpidité originelle aux eaux grâce aux myriades de poissons et de crustacés génétiquement modifiés, Benjamin avait ramené de l'espace un climat à la douceur éternelle.

Il restait encore des poignées d'hommes dans l'Éden des Saints. Sur les continents d'Europe, d'Afrique, d'Asie et d'Amérique. Certains retournés à l'état sauvage, d'autres conservant un semblant de technologie. Les satellites renvoyaient à Solman les images de petits groupes pourchassés par des hordes d'animaux, errant sur des territoires en pleine métamorphose, déserts qui s'habillaient de végétation, plaines qui se couvraient d'une herbe tendre et de buissons fleuris, marécages qui reprenaient vie et jungles qui s'aéraient sous l'action inlassable des mammifères, des poissons, des insectes et des micro-organismes. Certains de ces hommes avaient la peau foncée, d'autres la peau cuivrée, d'autres la peau blanche. Ils allaient nus ou vêtus de bardes, équipés d'arcs, de lances, de haches de pierre ou d'armes à feu récupérées sur les champs de bataille de la Troisième Guerre mondiale. Parmi eux, les Aquariotes et les rescapés Sheulns terrés dans le bunker des ruines de Tours. L'*Eskato*, surpris par leur résistance, les pourchasserait jusqu'à ce qu'ils aient entièrement disparu de la surface de la terre.

De sa terre.

Solman s'accrocha à eux, à ces hommes, comme à des rochers, pour résister au courant qui l'emportait. À eux aussi, à eux surtout, il se sentait relié. Le Verbe n'avait pas encore effacé sa mémoire humaine. Le Verbe avait renoncé aux notions telles que la compassion et, pourtant, il avait établi sa légitimité sur un Livre qui prônait la compassion. Il n'en avait retenu que la partie finale, cette prophétie apocalyptique qu'il avait interprétée à la lettre, sans jamais l'éclairer à la lumière des paroles de Jésus de Nazareth : « Ce que vous faites au plus petit d'entre vous, c'est à Moi que vous le faites. » Ces hommes et ces femmes de l'ancien temps s'étaient accaparé les notions d'élite, de sainteté et de jugement. Le sort qu'ils avaient attribué aux plus petits d'entre eux, la misère, la maladie, la mort, c'était à eux-mêmes qu'ils l'avaient réservé. Ils avaient refroidi ce feu originel dont ils se prétendaient les enfants uniques. Ils avaient répudié leur humanité, effacé leurs désirs et leur mémoire pour jeter un voile d'oubli sur leur immense culpabilité, celle-là même qui avait rongé Benjamin dans sa station spatiale, qui l'avait poussé à déléguer deux de ses sœurs pour exhumer la cause occulte de ses interrogations. Solman avait perçu cet élan la première fois qu'il avait croisé Kadija, cette aspiration fondamentale à briser le rempart d'amnésie érigé par l'*Eskato*, à se réinsérer dans la trame d'origine.

Bien que tout-puissant, le Verbe présentait des failles. Il n'avait rien capté du cheminement intérieur de Solman, l'homme repêché par Benjamin, le doute matérialisé devant lui. La vision des donneurs filait entre les mailles serrées de son filet. Les sciences de l'infiniment petit n'étaient que de pâles imitations de la fluidité infinie de l'esprit. Et puis l'*Eskato* était conçu sur le modèle informatique, donc sur la transmission instantanée des données. Qu'un seul de ses membres lui inocule une nouvelle information, un virus, et c'est l'ensemble de la chaîne qui serait contaminé.

Solman sortit de l'alignement et se dirigea vers Moram, tétanisé au centre de l'espace entre les appareils et la bâtisse cubique.

« Qu'est-ce qui se passe, bordel ? » hurla le chauffeur.

Solman débordait d'amour pour lui comme il débordait d'amour pour tous ses frères humains, pour tous les petits de la terre. Les défenses de l'*Eskato*, qu'il sentait se déployer en lui comme des pulsions inhibantes, étaient impuissantes à tarir la source de la compassion.

« Je suis un donneur, dit Solman avec un sourire radieux. Ils m'ont convié à prononcer un jugement. Mon dernier jugement.

— J'ai cru que tu les avais rejoints, ces tarés. Tu t'es foutu à poil, tu t'es placé à côté de Kadija et de drôles d'insectes lumineux se sont posés sur toi. J'avais une putain d'impression de voir ton corps se modifier sous mes yeux.

— Ton revolver est toujours chargé ?

— Évidemment. Mais tu m'avais dit que ce genre d'arme...

— J'ai eu tort. Elle va nous servir.

— À quoi ? »

Solman désigna les Saints alignés à côté des appareils. L'*Eskato* avait maintenant compris ses intentions et concentré toute sa puissance dans la métamorphose de son corps, dans l'effacement de sa mémoire.

« À exécuter la sentence.

— Quelle sentence ?

— Nous allons leur offrir le baiser de paix, Moram. Le baiser de la mort. »

CHAPITRE 66

Moram sortit de l'ombre de la forêt et, chancelant, ébloui par la lumière crépusculaire, s'élança sur la plaine. Le grondement insupportable qui lui emplissait le crâne étouffait la moindre de ses pensées. Il aurait été incapable de dire combien de temps lui avait pris sa traversée de la lèpre végétale de l'Île-de-France.

Un jour ? Un an ? Un siècle ?

Il s'était battu comme un beau diable pour s'arracher de ses griffes, pour se sortir de ses pièges. Il s'était dirigé au hasard, aveuglé par son chagrin et ses larmes, ployant sous le poids de son fardeau. C'était sans doute un miracle s'il ne s'était pas fourvoyé dans une nappe de boue mouvante, s'il ne s'était pas griffé aux branches des buissons toxiques, s'il n'avait pas piétiné des plantes vénéneuses, si les chiens sauvages ne l'avaient pas dévoré. Il ne restait de sa chemise que deux ou trois lambeaux maintenus par la lanière de la gourde à ses épaules et à ses bras. Son pantalon déchiré, alourdi par un objet volumineux, lui tombait sur les jambes, mais il n'avait pas la présence d'esprit de le remonter ou de le retirer. À vrai dire, il ne savait pas très bien ce qu'il fabriquait sur cette plaine où les vents déposaient un vent mordant, une haleine hivernale. Il n'était rien d'autre qu'une rumeur persistante ruinant ses pensées, une coupe de détresse emplie d'une eau glaciale et empoisonnée. Trop désespéré pour se soucier de la fatigue ou des balafres qui zébraient son torse dénudé.

Il marcha en direction du sud, du moins c'est ce que semblait indiquer la position du soleil. Il dérangea des nuées de corbeaux affairés à nettoyer des carcasses pourrissantes et puantes de vaches sauvages.

« Moram ! »

La voix, puissante, le cloua sur place. À nouveau secoué par une crise de sanglots, il resserra inconsciemment ses prises sur les jambes et le bras du corps qu'il portait. Il se retourna et vit, entre ses cils emperlés de larmes, une longue silhouette s'avancer vers lui. Il eut besoin de plusieurs minutes pour reconnaître le visage à moitié ravagé de Wolf, dont la terre et la poussière sédimentaient les cheveux et les vêtements.

« Je... je te croyais mort, hoqueta-t-il.

— Le destin ne l'a pas voulu. Cinq ou six vaches se sont écroulées devant moi. Elles m'ont protégé du reste du troupeau. Je viens tout juste d'enterrer Ismahil... »

Le Scorpiote désigna le corps sans vie jeté en travers sur les épaules du chauffeur.

« Solman. »

Il avait prononcé ce nom sans colère, sans chagrin, juste comme un soupir d'évidence. Le grondement s'estompa dans le crâne de Moram et ses souvenirs rejaillirent en force comme une source tumultueuse et sale.

« Tu m'avais demandé de veiller sur lui, et c'est moi, moi qui l'ai tué, bredouilla-t-il, effaré par les mots qui fusaient de sa bouche. Il m'a dit... il m'a dit qu'il devait leur apprendre la mort, mais que quelque chose l'empêchait de se tuer lui-même... Le pouvoir de l'Intelligence, du Verbe... »

Moram secoua la tête pour chasser les images accablantes, implacables.

« "Vite ! il m'a dit... Ou le Verbe me transformera en être invincible, immortel, et se servira de moi pour t'étrangler, pour exterminer les derniers hommes..." Ils se dirigeaient tous vers moi... Ces créatures... La lumière me brûlait les yeux... J'ai paniqué... J'ai tiré, bon Dieu, oui, j'ai tiré... J'ai atteint Solman en plein cœur... Il est mort dans mes bras, en souriant... Il avait l'air si heureux... J'ai tué ton fils, Wolf... J'ai tué mon ami... La détonation a résonné dans mon crâne... Un bruit terrible... »

Wolf apaisa le tremblement de Moram d'une pression appuyée sur l'avant-bras.

« Que s'est-il passé, ensuite ?

— J'ai entendu des cris, des gémissements... Le chœur des voix... Atroce, insupportable... Je les ai vus courir dans tous les sens, comme des rats affolés... Se jeter les uns contre les autres... Une putain de vraie folie collective... Sauf Kadija... Elle, elle est venue vers moi et m'a souri avant de tomber comme une masse à mes pieds... Il ne restait plus rien de la bâtisse, comme si elle n'avait jamais existé... Comme un feu qui se serait éteint... J'ai lâché mon revolver, j'ai fourré le livre dans ma poche, j'ai hissé le corps de Solman sur mes épaules, je suis parti en courant, sans me retourner... L'ange et ses chiens gisaient dans l'herbe, d'autres aussi dans la clairière, des Slangs à ce qu'il m'a semblé... Les arbres avaient cessé de briller... J'ai cru que la nuit était tombée... Après, je ne sais plus... J'ai traversé la forêt... Le bruit continuait de me résonner dans le crâne... Bon Dieu, comment est-ce que j'en suis arrivé là ?

— C'était la volonté de Solman, dit Wolf d'une voix douce. Mère Nature m'a épargné la douleur de le tuer moi-même comme j'ai tué sa mère.

— Tu... tu savais ce qui allait se passer ?

— Pas exactement. Ma vision m'avait montré qu'il ne ressortirait pas vivant de cette forêt. J'ai tranché nos liens pour le laisser seul prendre sa décision.

— Je ne suis pas comme toi, Wolf. Je n'ai jamais appris à vivre avec le chagrin. Je... je comprendrai si tu veux te venger. »

Un sourire pâle flotta sur les lèvres du Scorpiote.

« Me venger de quoi ? Tu n'as pas donné la mort à mon fils, Moram, tu as donné la vie aux derniers hommes. La vie ne va pas sans la mort. »

Ils passèrent la nuit à veiller Solman, luttant contre le froid piquant par la seule chaleur de la parole, des larmes, de la présence. Le livre de Raïma, posé sur la poitrine du donneur, et ses mains croisées dissimulaient en partie la cavité aux bords déchiquetés creusée par la balle. Malgré sa barbe, il avait l'air d'un enfant plongé dans un sommeil paisible, un sommeil de Juste.

À l'aube, ils décidèrent de brûler le corps.

« Et le Livre, ajouta Wolf. Un cycle s'achève. Les hommes doivent renoncer aux vieilles croyances et s'en remettre entre les mains de mère Nature. S'ils vénéraient Solman comme un prophète ou un dieu, son sacrifice n'aurait servi à rien. Il vit en chaque homme comme chaque homme a vécu en lui. »

Il leur fallut plusieurs heures pour retourner à l'orée de la forêt et ramasser des branches mortes. Ils placèrent ensuite Solman sur le bûcher que Wolf enflamma à l'aide des allumettes dont il gardait toujours une provision sur lui.

Moram pleura à chaudes larmes, puis, quand le vent eut dispersé la fumée étrangement translucide qui montait du corps calciné, il eut la vision de Hora l'attendant sur une colline des environs de Tours. Elle incarnait la vie, elle brillait comme un fil somptueux dans la trame.

« Moi je remonte vers le Nord, dit Wolf comme s'il avait deviné les pensées du chauffeur. Mon temps est fini. C'est idiot, mais j'ai envie de revoir cette vieille Baltique avant de rejoindre Mirgwann et Solman. L'eau sera sans doute redevenue complètement pure d'ici quelque temps. Mais ça, ta jolie sourcière te le confirmera. Longue et belle vie, Moram.

— Adieu, Wolf. Je... »

Le Scorpiote l'interrompit d'un geste du bras et, son fusil et une gourde en bandoulière, s'éloigna d'un pas alerte en direction du Nord, emportant avec lui sa peine et ses secrets.

Trois jours plus tard, Moram gravissait la pente de la colline et serrait Hora à l'étouffer. Son chagrin s'était dispersé dans sa marche. Il voyait désormais, à travers les yeux de Solman, à travers la vision, toute la beauté du monde.

Du monde des hommes.

7558

PCA à Rezé
Achevé d'imprimer en France (La Flèche)
par Brodard et Taupin
le 15 mars 2007. 40651
Dépôt légal mars 2007. EAN 9782290324950
1ᵉʳ dépôt légal dans la collection : février 2005

Éditions J'ai lu
87, quai Panhard-et-Levassor, 75013 Paris
Diffusion France et étranger : Flammarion